Y0-CDC-366

Alter Orient und Altes Testament
Veröffentlichungen zur Kultur und Geschichte
des Alten Orients und des Alten Testaments

Band 23
Hermann Vorländer
Mein Gott

Alter Orient und Altes Testament

Veröffentlichungen zur Kultur und Geschichte des Alten Orients und des Alten Testaments

Herausgeber

Kurt Bergerhof · Manfried Dietrich · Oswald Loretz

1975

Verlag Butzon & Bercker Kevelaer

Neukirchener Verlag Neukirchen-Vluyn

Mein Gott

Die Vorstellungen vom persönlichen Gott im Alten Orient und im Alten Testament

von
Hermann Vorländer

1975

Verlag Butzon & Bercker Kevelaer

Neukirchener Verlag Neukirchen-Vluyn

D 92

Herstellung: Breklumer Druckerei Manfred Siegel
Printed in Germany
ISBN 3-7887-0435-7 Neukirchener Verlag
ISBN 3-7666-8862-6 Verlag Butzon & Bercker

Meinen Eltern

Gudrun und Wilhelm Vorländer

in Dankbarkeit

V O R W O R T

Die vorliegende Arbeit wurde in wenig veränderter Form im Wintersemester 1971/72 von der Theologischen Fakultät der Friedrich-Alexander-Universität Erlangen-Nürnberg als Dissertation angenommen.

Mein Dank gilt in erster Linie meinem verehrten alttestamentlichen Lehrer, Herrn Professor Dr. Ernst Kutsch, dessen Assistent ich über drei Jahre war. Während dieser Zeit hatte ich Gelegenheit, intensiv an seiner eigenen Forschung teilzunehmen. Zugleich hat Professor Kutsch mich durch vielerlei Ratschläge und Kritik dazu angeleitet, die anfänglich vagen Thesen meiner Arbeit zu ihrer jetzigen Gestalt zu entwickeln.

Zu danken habe ich weiterhin Herrn Professor Dr. Burkhart Kienast, Freiburg, der mich in das Gebiet der Assyriologie einführte und mir bei der Sammlung, Übersetzung und Interpretation der akkadischen und sumerischen Texte große Hilfe geleistet hat. Weiterhin sage ich Herrn Professor D.Dr. Georg Fohrer, DD.DD., für die Übernahme des Korreferates und für einige Verbesserungsvorschläge Dank. Herrn Mag. phil. Heiner Eichner danke ich für Umschrift und Übersetzung einiger hethitischer Texte. Für mancherlei hilfreiche Gespräche und Ratschläge bin ich meinen früheren Erlanger Kollegen, Dr. Gunther Wanke, Arnulf Elhardt und Dr. Heiner Lutzmann, jetzt Münster, zu Dank verpflichtet. Den Herausgebern danke ich für ihre spontane Bereitschaft, die Arbeit in der Reihe "Alter Orient und Altes Testament" erscheinen zu lassen.

Meine Frau, Dr. Dorothea Vorländer, hat den Werdegang dieser Arbeit von Anfang an begleitet und mir durch Mitdenken und Ermunterung viel geholfen.

Beirut (Libanon), Januar 1973

I N H A L T S V E R Z E I C H N I S

EINLEITUNG

1. Religionswissenschaft und alttestamentliche Exegese

Die vorliegende Arbeit behandelt ein Thema aus dem Gebiet der Religionswissenschaft, speziell der Beziehung zwischen Altem Orient und Altem Testament. Bevor wir mit den eigentlichen Untersuchungen beginnen, erscheint es sinnvoll, sich zunächst über das Verhältnis von altorientalischer Religionsgeschichte und biblischer Exegese Rechenschaft abzulegen.[1]

In der Geschichte der alttestamentlichen Forschung hat sich dieses Verhältnis recht wechselhaft gestaltet. Seit dem Bekanntwerden der zahlreichen Keilschrifttexte aus dem Zweistromland im vorigen Jahrhundert entdeckte die vergleichende Religionswissenschaft mannigfache Parallelen zwischen Altem Orient und Altem Testament. Die übergroße Entdeckerfreude verleitete jedoch häufig zu vorschnellen Ineinssetzungen und oberflächlichen Pauschalurteilen. Dies rief die Kritik der mehr innerbiblisch orientierten Gelehrten hervor. Die Auseinandersetzung erreichte ihren Höhepunkt um die Jahrhundertwende im sog. Babel-Bibel-Streit. Das Ende des ersten Weltkrieges brachte die entscheidende Wende, indem sich die deutschsprachige alttestamentliche Forschung immer stärker von der religionsphänomenologischen Arbeit abwandte. Als Gründe hierfür sind der Überdruß an den (Hypo-)Thesen der sog. Panbabylonisten sowie der wachsende Einfluß der dialektischen Theologie mit ihrer scharfen Ablehnung jeglicher Art von "Religion" zu nennen.[2]

---

[1] Vgl. zum Folgenden Hempel, ThLZ 81, 259 ff; Rendtorff, ThLZ 88, 735 ff; Koch, ZThK 62, 251 f; Stolz, Strukturen 1 ff. - Die Zitierung der Literatur erfolgt in den Anmerkungen mit Verfassername und Kurztitel bzw. Fundort. Für die genauen Literaturangaben wird auf das ausführliche Literaturverzeichnis am Schluß verwiesen.

[2] Vgl. Rendtorff, ebd. 736 f.

In entschlossener Konzentration wandte man sich dem biblischen Text selbst zu. Die Folge war eine Blütezeit der Exegese, die bis heute reiche Früchte trägt. Auf der anderen Seite wurde diese Hinwendung zum Alten Testament mit einem Verlust an religionsgeschichtlicher Perspektive erkauft.

Es erscheint an der Zeit, die enge Verflechtung von israelitischer und altorientalischer Religion wieder neu in den Blick zu bekommen. Fohrer hat diese Aufgabe in seiner "Geschichte der israelitischen Religion" programmatisch formuliert: "Die Erforschung der israelitischen Religion im gesamten Rahmen der Religionswelt des Alten Orients ist ... ein unaufgebbarer Teil der atl. Wissenschaft und zum rechten Verständnis des Alten Testaments unerläßlich."[1] Dabei hat die religionswissenschaftliche Arbeit gegenüber der theologischen Interpretation eine dienende Funktion; ihre Vernachlässigung führt allerdings häufig zu einer unsachgemäßen Auslegung des Alten Testaments. Auch darf sie nicht eklektisch betrieben werden, sondern muß die gesamten Erscheinungsformen der altorientalischen Religionen berücksichtigen. Während z.B. die Textfunde von Ras Šamra (Ugarit) in zahlreichen Arbeiten zur Interpretation des Alten Testaments herangezogen wurden, sind die in den letzten fünfzig Jahren gewonnenen Ergebnisse der Assyriologie weithin unbeachtet geblieben.

Die folgenden Untersuchungen beschäftigen sich mit einem Aspekt der altorientalischen Gottesauffassung, nämlich mit der Vorstellung vom persönlichen Gott. Im ersten Teil der Arbeit soll diese Vorstellung anhand von mesopotamischen, hethitischen, arabischen und syrisch-palästinensischen Texten entfaltet werden[2]; im zweiten Teil wollen wir sie mit Aussagen des Alten Testaments konfrontieren. Daß der Abschnitt Mesopotamien innerhalb des ersten Teils den größten Raum einnimmt, hat seinen Grund darin, daß uns hier bei weitem das umfangreichste Quellenmaterial zur Verfügung steht und dieses bisher noch nicht für eine Monographie ausgewertet wurde.

---

[1] 6 f.

[2] Die ägyptische Religion wurde aus unseren Untersuchungen ausgeklammert, da sie sowohl sprachlich als auch kulturgeschichtlich einen Sonderfall innerhalb des Alten Orients bildet. Nur gelegentlich wird auf ähnliche Phänomene in der ägyptischen Religion verwiesen.

Während es im ersten Teil hauptsächlich darum geht, Texte zusammenzustellen und sie im Hinblick auf die Vorstellung vom persönlichen Gott zu interpretieren, ist die Arbeit des zweiten Teils ganz anderer Art. Dies hängt mit dem Charakter des Alten Testaments als der praktisch einzigen für die Religion Israels zur Verfügung stehenden Quelle zusammen. Das Alte Testament hat zwar Überlieferungsmaterial unterschiedlichen Alters verarbeitet; es stellt jedoch in seiner jetzigen Gestalt das Ergebnis eines Jahrhunderte dauernden Überlieferungsprozesses dar und kann deshalb nicht in allen Teilen historische Authentizität beanspruchen. Unser erster Arbeitsgang wird folglich darin bestehen, die hinter den Texten liegenden Gottesvorstellungen unter Berücksichtigung der Überlieferungs- und Religionsgeschichte herauszuschälen. Erst dann kann ein Vergleich mit Aussagen der übrigen altorientalischen Religionen erfolgen. Dabei werden die Texte des Alten Testaments methodisch in derselben Weise auf das ihnen zugrundeliegende Gottesverständnis hin geprüft, wie etwa sumerische oder akkadische Texte. Der christlich-dogmatische Satz von der alleinigen Existenz des Gottes Israels kann nicht methodischer Ausgangspunkt der Interpretation sein, sondern höchstens an ihrem Ende stehen. Ein Vergleich zwischen altorientalischen und alttestamentlichen Texten ist durch die Tatsache legitimiert, daß Israel geographisch, sprachlich, zeitlich und religionsphänomenologisch in den Bereich der altorientalischen Völker und Kulturen gehört.

2. Der Begriff "persönlicher Gott"

Unter dem Begriff "persönlicher Gott" ist im folgenden die Funktion einer Gottheit zu verstehen, zu einem Individuum und dessen Familie in einer dauernden, engen Beziehung als sein spezieller Gott zu stehen. "Persönlich" wird hier also nicht im Sonne von "personhaft" verwendet, sondern meint die persönliche Zugehörigkeit eines Menschen zu einer bestimmten Gottheit. Zur Umschreibung dieser Funktion findet sich in der altorientalischen Religionswissenschaft vielfach der Terminus "Schutzgott(heit)."[1]

---

[1] So z.B. Edzard, WM I/1, 124; Jastrow, Religion I, 194; Meissner, BuA II, 136; Hirsch, Untersuchungen 35; Goetze, Kleinasien 88; von Schuler, WM I/1, 194; Ryckmans, Les religions 27 u.passim; Euler, Königtum, ZAW 56, 296 u.passim. Von Soden gebraucht in seinem Handwörterbuch (I, 374a) die Ausdrücke "Schutzgott, persönlicher G(ott)"; das Chicago Assyrian Dictionary verwendet die Begriffe "protective deity" und "personal god" nebeneinander (I/J 97 f. u.passim).

In der vorliegenden Untersuchung soll jedoch dem Begriff "persönlicher Gott" der Vorzug gegeben werden, und zwar aus folgenden Gründen:

1. Der Begriff "Schutzgott" wird auch zur Kennzeichnung des Schutzverhältnisses einer Gottheit gegenüber einer Stadt, einem Volk, einer Gegend oder auch gegenüber bestimmten Lebensvorgängen (z.B. Geburt)[1], Lebensbereichen (z.B. Recht) oder Berufen (z.B. Fischer) verwendet.
2. Die Funktion des persönlichen Gottes besteht nicht allein darin, dem Menschen Schutz zu gewähren. Er ist außerdem Garant für sein Wohlergehen, sowie Mittler und Fürbitter gegenüber den anderen Göttern.[2]

Gewöhnlich war der persönliche Gott des Individuums identisch mit der von seiner Familie bzw. Sippe verehrten Gottheit.[3] Insofern überschneidet sich die Bezeichnung "persönlicher Gott" vielfach mit den in der Literatur verwendeten Termini "Hausgott", "Familien- bzw. Dynastiegott" oder "Sippengott".
Der persönliche Gott ist keine untergeordnete Sondergottheit, deren Wesen nur darin besteht, für einen Menschen bzw. eine Familie oder Sippe da zu sein. Jede beliebige "große" oder "kleine" Gottheit kann vielmehr die Funktion des persönlichen Gottes übernehmen. Insofern unterscheidet sich das, was der persönliche Gott für seinen Schützling tut, nicht grundsätzlich vom Handeln der übrigen Götter in bezug auf die Menschen. Der persönliche Gott ist lediglich diejenige Gestalt unter den Göttern, mit der ein Mensch von Jugend auf in einem besonderen Vertrauensverhältnis steht, von der er sein Geschick abhängig weiß und an die er sich deshalb in allen Problemen des Lebens zuerst wendet.[4]

---

[1] Helck, WM I/1, 347.358.

[2] S.u.S. 68ff.

[3] Dies läßt sich z.B. bei der 1. Dynastie von Lagaš (s.u.S. 33), bei der Dynastie Sargons von Akkade (s.u.S. 40) oder bei der 3. Dynastie von Ur (s.u.S. 34) nachweisen. Auch die für den persönlichen Gott verwendeten Termini "Gott meines usw. Vaters" und "Gott der Familie" (s.u.S. 12ff) sowie die Namengebung (s.u.S. 54) deuten darauf hin, daß derselbe Gott durch Generationen hindurch von einer Familie als ihr persönlicher Gott verehrt wurde.

[4] Auch in anderen Religionen ist die Vorstellung nachzuweisen, daß sich der Mensch mit einer bestimmten Gottheit sein Leben hindurch persönlich verbunden weiß und von ihr im besonderen Schutz und Hilfe empfängt. Für den Bereich der ägyptischen Religion geben Namengebung und eine Anzahl

1. Teil:

DIE VORSTELLUNG VOM PERSÖNLICHEN GOTT IM ALTEN ORIENT

1. Kapitel :

MESOPOTAMIEN

Vorbemerkungen:

Übersicht über Alter und Herkunft des Quellenmaterials

Die Geschichte Mesopotamiens läßt sich unter literarhistorischem Gesichtspunkt in folgende Epochen einteilen:

3000 - 2500 v. Chr. Frühgeschichtliche Epoche: ältere sumerische Verwaltungsdokumente, Bau- und Weihinschriften (ca. 2600 v. Chr. Fāra-Zeit).

---

sonstiger Texte darüber Aufschluß, daß die Vorstellung vom persönlichen Gott seit dem Alten Reich bis in die Spätzeit vorhanden war (vgl. Ranke, Personennamen, II, 225 ff; Bonnet, Reallexikon 225 ff s.v. "Gott im Menschen"; Otto, Fs. v. Rad 341 ff). In Griechenland verehrten die mykenischen Könige die Palastgöttinnen als ihre persönlichen Schutzgottheiten. (Vgl. Nilsson, Geschichte, I, 345.347) In den griechischen Sagen fungiert Athene als persönliche Göttin von Herakles, Iason, Odysseus, Telemachos, Diomedes und Tydeus. (Nilsson, ebd. 347.35o.369.371 f) Die einzelnen Familien und Geschlechter Griechenland verehrten je ihren θεὸς πατρῷος, der vielfach mit dem Familienheros identisch war. (Vgl. Höfer, Roscher, Lexikon, III, 2, 1713 ff) Weiterhin läßt sich die Funktion des ägyptischen Ka (vgl. Greeven, Ka; Schweitzer, Ka; v.d. Leeuw, ZÄS 54, 56 ff), des griechischen δαίμων (vgl. Nilsson, Geschichte, II, 2o9 ff) und des römischen genius (vgl. Eisenhut, Der Kleine Pauly 2,741 f) mit dem des persönlichen Gottes vergleichen. Im christlichen Abendland ist bis in die Gegenwart der Glaube an Schutzengel und Schutzheilige verbreitet (vgl. Michl, LThK 9, 522f), der in denselben Vorstellungsbereich gehört.

2500 - 2350 v. Chr.	Altsumerische Zeit (1. Dynastie von Lagaš): Königsinschriften, Verwaltungsurkunden.
2350 - 2200 v. Chr.	Akkad-Zeit (erstes semitisches Großreich unter Sargon): Königsinschriften u.a.
2200 - 1950 v. Chr.	Ur-III-Zeit (neusumerisches Reich, Gudea von Lagaš): große Anzahl von religiösen, literarischen und Verwaltungstexten.
1950 - 1500 v. Chr.	altbabylonische und altassyrische Zeit (Hammurabi): Briefe, Rechts- und Verwaltungsurkunden, religiöse Texte. Zeit der Verschriftung der sumerischen Literatur.
1500 - 1000 v. Chr.	mittelbabylonische und mittelassyrische Zeit (Kassitenzeit): Rechts- und Verwaltungsurkunden, Weisheitsliteratur u.a.
1000 - 625 v. Chr.	neubabylonische und neuassyrische Zeit: große Zahl von religiösen und literarischen Texten aus der Bibliothek Aššurbanipals.
625 v. Chr. - 70 n. Chr.	spätbabylonische Zeit.[1]

Das Quellenmaterial, dem wir das Bild über die Vorstellung vom persönlichen Gott entnehmen, gliedert sich in folgende Literaturgattungen:

1. Sumerische und akkadische Königsinschriften (seit altsumerischer Zeit);
2. Akkadische Briefe (insbesondere aus altbabylonischer Zeit);
3. Personennamen (seit altsumerischer Zeit);
4. Beschwörungen in sumerischer und akkadischer Sprache (z.T. aus altbabylonischer/altassyrischer Zeit, z.T. aus neubabylonischer/neuassyrischer Zeit, insbesondere aus der Bibliothek Aššurbanipals);
5. Gebete und Gebetsbeschwörungen (ausschließlich aus neuassyrischer/neubabylonischer Zeit);

[1] Vgl. Edzard, WM I/1, 26; B. Kienast mündlich.

6. Omenliteratur (seit altbabylonischer Zeit);
7. Weisheitstexte (insbesondere aus mittel- und neubabylonischer/assyrischer Zeit);
8. Rechtsurkunden (seit altassyrischer/altbabylonischer Zeit);
9. Gottesbriefe (aus neusumerischer und altbabylonischer Zeit, selten).

Außer Briefen, Rechtsurkunden und Personennamen handelt es sich bei dem Quellenmaterial vorwiegend um offizielle Dokumente, die ihrem Charakter gemäß von der offiziellen Religion geprägt sind. Aussagen über die private Religion und damit über die Vorstellung vom persönlichen Gott lassen sich aus diesen Texten zumeist nur indirekt erschließen. Diese quellenmäßige Schwierigkeit bedingt eine gewisse Relativierung der in unserer Untersuchung gemachten Aussagen.[1]

A. DER TERMINOLOGISCHE BEFUND

Der persönliche Gott und sein Schützling werden in den Texten des Zweistromlandes mit einer Anzahl feststehender Termini bezeichnet, von denen einige nur zu bestimmten Zeiten, Orten oder in bestimmten Literaturgattungen belegt sind.

Die Bezeichnung für den persönlichen Gott (Abschn. I) können entsprechend ihrer Bedeutung in folgende Gruppen eingeteilt werden: Die erste Gruppe drückt die enge Zugehörigkeit des Menschen zu seinem Gott aus und besteht aus den Termini "mein/dein/sein Gott", "Gott des NN", "Gott des Menschen" und "mein Herr" bzw. "meine Herrin" (Nr. 1-4). Hinzu kommt noch ilum "Gott"

[1] Als wichtigste Literatur zur Vorstellung vom persönlichen Gott in Mesopotamien ist folgende zu nennen: Contenau, La magie 116 f; Ebeling, TuL 114; Edzard, Art. Schutzgott, WM I/1, 124; Falkenstein - von Soden, Einleitung zu SAHG, 52; Gadd, Ideas 64-66; Hirsch, Untersuchungen 35 ff; Jacobsen, Adventure, 2o3 ff; ders., Tammuz 44-46; Jastrow, Religion, I, 194 f und passim; Jean, La religion 118 f; Kramer, VTS 3, 17o mit Anm. 3; ders., AnBibl 12,194; Lambert, BWL 7; Langdon, RA 16,49 ff; Lewy, RHR 11o, 51 ff; Meissner, BuA II, 136.2o3; Oppenheim, Mesopotamia 198 ff; Paffrath, Götterlehre 55 ff; Schmökel, Hammurabi 25; v. Soden, Herrscher 2o; Schrank, Sühnriten 37; Wolley, Abraham 194 ff; ders., Ur 181 ff.

im Sinne von "persönlicher Gott" (Nr. 5). Die zweite Gruppe mit den Bezeichnungen "Gott meines/deines/seines Vaters" und "Gott der Familie" (Nr. 6-7) spiegelt die Auffassung wider, daß der persönliche Gott des Einzelnen gewöhnlich innerhalb der Familie vom Vater auf den Sohn "vererbt" wurde. Einer dritten Gruppe sind die Termini "mein usw. Schöpfer" und "mein usw. Vater" bzw. "meine usw. Mutter" (Nr. 8-9) zuzurechnen; sie besagen, daß der persönliche Gott seinen Schützling erschaffen hat. Die vierte Gruppe mit den Bezeichnungen "Gott, der Wohlergehen verleiht", "Wächter des Wohlergehens und Lebens", "der sich kümmernde (Gott)" und "(mein) Hirte" (Nr. 1o-13) umschreibt die Funktion des persönlichen Gottes, Garant für das Wohlergehen des Menschen zu sein.[1] Die fünfte Gruppe, bestehend aus den Termini "beschützender Gott" und "Gott zu meinen Häupten" (Nr. 14-15), gibt die Schutzfunktion des persönlichen Gottes wieder.[2] Der Ausdruck "Erbarmer und Fürsprecher" (Nr. 16) beinhaltet die fürbittende Funktion des persönlichen Gottes.[3] Zum Schluß des Abschnittes werden noch die Bezeichnungen Lama und Udug, Šedu und Lamassu (Nr. 17-18) aufgeführt.

Die Zahl der für den Schützling verwendeten Termini (Abschn. II) ist demgegenüber gering. Es sind lediglich die Bezeichnungen "Sohn", "Mann" bzw. "Knecht" seines Gottes (Nr. 1-3) sowie eine agendarische Formel "NN, dessen Gott NN, dessen Göttin NN" (Nr. 4) belegt.

I. Die Bezeichnungen für den persönlichen Gott

1. "*Mein/dein/sein Gott*"

Die mit dem singularischen Suffix verbundene Form von ilum bzw. dingir "Gott" ist die am meisten verbreitete und stereotyp gewordene Anrede des persönlichen Gottes. Sie lautet sumerisch dingir-mu, dingir-zu, dingir-ani bzw. ama-mu, ama-zu, ama-ani, akkadisch *il-ī, il-ka, il-šu*, feminin *ištar-ī, ištar-ka, ištar-šu*. Natürlich kann ein Mensch jede beliebige Gott-

---

[1] S.u.S. 70ff.

[2] S.u.S. 85f.

[3] S.u.S. 87ff.

heit, wenn er sie z.B. im Gebet direkt anredet, "mein Gott" bzw. "meine Göttin" nennen. Dies kommt jedoch auffallend selten vor. Beim weitaus größten Teil der Stellen bezeichnet die Anrede "mein Gott" den persönlichen Gott des Menschen, wodurch die enge Beziehung zwischen ihm und seinem Schützling zum Ausdruck gebracht wird.[1]

2. "*Gott des NN*"

In den sumerischen Königsinschriften wird der persönliche Gott auch "Gott des NN" genannt, wobei an der Stelle von "NN" der Name des Schützlings tritt. Die Formel setzt persönlichen Gott und Schützling in ein unmittelbares Vertrauensverhältnis zueinander. So nennt der König Entemena von Lagaš (ca. 2500 v.Chr.) seinen persönlichen Gott Šulutula[2] am Schluß einer Inschrift: ^{d}Šulutula dingir En-te-me-[na] "Šulutula, der Gott Entemenas".[3]

3. "*Gott des Menschen*"

Die Zuordnung des persönlichen Gottes zu seinem Schützling beinhaltet auch die Bezeichnung "Gott des Menschen". Sie lautet sumerisch dingir-lú-u_x-lu (-ak), akkadisch *il amēli*.[4]
So bittet der Beschwörungspriester in einem zweisprachigen Gebet an Šamaš:

[1]

dingir-lú-u_x-lu(GIŠGAL) dumu-a-ni-šè šu-bar-zi-zi-dè
sun_x (BÚR)-e-eš ša-ra-da-gub:
il amēli aš-šú ma-ri-šu ka-a-ša áš-riš iz-za-az-ka

Der Gott des Menschen wegen seines Sohnes[5] tritt er unterwürfig vor dich hin.[6]

---

1 Eine Aufzählung von Belegen erübrigt sich in diesem Fall, da wir der Bezeichnung "mein usw. Gott" im Verlauf der Untersuchung noch häufig begegnen werden.

2 Der Name wurde früher, z.B. in SAK, DUN-x gelesen.

3 SAK 34 g ii, 5f. Vgl. "Gott Gudeas" Stat. C,1,1-2.

4 Vgl. v. Dijk, in Syncretism 183; CAD "I/J" 95a.

5 "Sohn" meint hier den Schützling des persönlichen Gottes, s.u.S. 27ff.

6 Schollmeyer, HGŠ Nr. 2,38f; vgl. Meier, AfO 14, 142,38; CAD "I/J" 95a.

4. *"Mein/dein/sein Herr"* und *"meine/deine/seine Herrin"*

An einigen Stellen bedeutet der Ausdruck "mein usw. Herr" bzw. "meine usw. Herrin" nicht eine allgemeine Ergebenheitsformel, sondern bezeichnet die enge Zugehörigkeit des Menschen zu einer bestimmten Gottheit, nämlich zu seinem persönlichen Gott. Diese Ausdrucksweise kommt zuerst in den Präskripten altbabylonischer Briefe vor und steht dort an den Stellen, wo auch sonst die persönlichen Gottheiten des Absenders aufgeführt werden.[1] Beispiele:

[2]

be-lí ù be-el-ti da-ri-iš u₄-mi a-bi ka-ta li-ba-al-li-ṭú

Mein Herr und meine Herrin mögen dich, meinen Vater, für allezeit gesund erhalten![2]

[3]

[b]e-lí ᵈMarduk ù be-el-ti ᵈṢar-pa-ni-i[t]
as-su-mi-ia da-ri-iš u₄-mi li-ba-a[l]-li-tú-ki

Mein Herr Marduk und meine Herrin Ṣarpānīt mögen dich um meinetwillen für allezeit gesund erhalten![3]

Im ersten Fall *[2]* geschieht die Bezugnahme auf die persönlichen Gottheiten ohne Namensnennung; im zweiten Fall *[3]* werden Marduk und seine Gemahlin Ṣarpānīt als die persönlichen Gottheiten des Briefschreibers angegeben. In dem altbabylonischen Gedicht vom frommen Leidenden, das Nougayrol veröffentlicht hat, stehen "sein Gott" und "sein Herr" für den persönlichen Gott nebeneinander:

[4]

eṭ-lu-um ru-i-iš a-na il-li-šu i-ba-ak-ki
be-li-iš-šu qú-ba-am ub-ba-la ša-ap-ta-aš[-šu]
Der Mensch, vor[4] (seinem) Freund fleht er seinen Gott an,
zu seinem Herrn tragen seine Lippen (diesen) herzzerreißenden Ruf.[5]

---

[1] Vgl. Stamm, Namengebung 72.

[2] F.R. Kraus, AbB 1 Nr. 61,4f.

[3] F.R. Kraus, AbB 1 Nr. 98,4-6; vgl. Ungnad, ZvRW 36, Nr. 1o6, 12-14.

[4] So mit v. Dijk, La sagesse 121 Anm. 51 zu übersetzen.

[5] Nougayrol, RB 59,242 Strophe 1 vgl. Strophe 2.

In der aus kassitischer Zeit stammenden Paralleldichtung Ludlul bēl nēmeqi "Ich will preisen den Herrn der Weisheit" klagt der "babylonische Hiob", daß sein Zustand einem Menschen gleicht, der "seinen Herrn", d.h. seinen persönlichen Gott, vergessen hat:

[5]

a-na šá im-ḫu-ú bēl-šú im-šu-ú
niš ili-šu kab-ti qal-liš iz-kur

Wie einer, der rasend geworden und seinen Herrn vergessen,
der leichtsinnig einen feierlichen Eid bei seinem Gott beschworen hat
(- so sehe ich aus).[1]

In einer Gebetsbeschwörung an den persönlichen Gott, die aus der Bibliothek Aššurbanipals stammt, heißt es:

[6]

ili-i̯a be-lí ba-nu-u šu-me-i̯a
na-ṣir na-piš-ti-i̯a mu-šab-šu-u zēri-i̯a

Mein Gott, mein Herr, Schöpfer meines Namens,
Schützer meines Lebens, der mir Nachkommen schafft.[2]

Auch in den Personennamen erscheint das Element *bēlī* "mein Herr" als Bezeichnung für den persönlichen Gott. Beispiele:

Bēlī-ibnianni "Mein Herr hat mich geschaffen"[3];
Be-lí-iš-me-an-ni "Mein Herr hat mich erhört"[4].

5. "*Gott*"

Statt einer suffigierten Form von *ilu(m)* oder dingir verwendet man in der Namengebung, in Briefen sowie in der Gebets- und Weisheitsliteratur häufig einfach *ilu(m)* bzw. dingir. So gibt es Personennamen wie Dingir-ra-kam "Des Gottes ist er"[5] und *A-we-il-ì-lí* "Mann des Gottes"[6]. Hoschander[7] hat

---

1 Lambert, BWL 38,21f.

2 Langdon, PSBA 34,77,41f; vgl. SAHG akkad. Nr. 79.

3 Stamm, Namengebung 14o.

4 Stamm, ebd. 189.

5 Limet, L'anthroponymie 14o.

6 P. Kraus, Briefe, MVAeG 36,1,115.

7 ZA 2o,25o.

m.W. als erster erkannt, daß das Element *ilu(m)* in Personennamen im Sinne von "der Gott", d.h. "der persönliche Gott" des Namengebers bzw. Namenträgers zu verstehen sei. Da die Angehörigen und Bekannten wußten, welchen persönlichen Gott der Namengeber oder Namenträger verehrte, konnte man diesen einfach mit *ilu* bzw. dingir bezeichnen.[1] Auch die Redewendung *lā libbi ilim(ma)* (wörtlich: "nicht im Herzen des Gottes") ist wohl auf den persönlichen Gott zu beziehen und im Deutschen mit "leider Gottes" wiederzugeben.[2]

Sowohl im Ludlul als auch in der sog. babylonischen Theodizee[3] kommt *ilu* häufig zur Kennzeichnung des persönlichen Gottes vor. Dies beweist der folgende Text, in dem *ilu* in Parallele zu *ilšu* "sein Gott" steht:

[7]

ša dam-qat ra-ma-nu-uš a-na ili gul-lul-tu[m]
ša ina lìb-bi-šú mu-us-su-kàt eli ili-šú dam-qat

Was einem selbst gut erscheint, ist ein Vergehen gegen den Gott,
was in eines Menschen Herz schlimm ist, ist für seinen Gott gut.[4]

6. "*Gott meines/deines/seines/unseres Vaters*"

In den altassyrischen Urkunden aus Kültepe im späteren Kappadozien werden Gottheiten aufgeführt, die einerseits als "mein usw. Gott", andererseits als "Gott meines usw. Vaters" bezeichnet werden. Wir stellen zunächst folgende Beispiele nebeneinander:

[8]

A-šùr ù il_5*-kà qá-tí i-ṣa-áb-tù-(ma)*

Aššur und dein Gott haben meine Hand "gepackt"![5]

[9]

A-šùr ù $Iš_8$*-tár* ZA.AT il_5*-kà li-dí-a-ni*

Aššur und Ištar ZA.AT, dein Gott, "mögen mich verwerfen"![6]

---

[1] Vgl. Stamm, ebd. 72.

[2] Hirsch, Untersuchungen 38f.

[3] Landsberger, ZA 43,32ff.

[4] Lambert, BWL 4o,34f; vgl. einfach ilu(m) 38,12; 4o,29; 7o,21; 72,45; 74,49.7o; 84,239-241; 89,295; 227,32.43; 228,45; 229,24-26. S. dazu u.S.70f.

[5] Hirsch, Untersuchungen 15b.

[6] Ebd. 13.

[1o]

A-šùr ù ᵈIlabrat ì-lí a-bi₄-a a-wa-tám a-ni-tám e i-dí-na um-ma

Aššur und Ilabrat, der Gott meines Vaters, sollen hierin nicht verhandeln![1]

[11]

A-šùr ù I-lá-áb-ra-at i-il₅ a-bi-ni li-ṭù-lá

Aššur und Ilabrat, der Gott unseres Vaters, mögen Zeuge sein (wörtlich: schauen)![2]

Wir haben hier vier Formeln vor uns, in denen jeweils zunächst Aššur in seiner Eigenschaft als Landesgott angerufen wird, und daneben eine Gottheit erscheint, die verschieden gekennzeichnet wird. Der Schreiber nennt sie entweder anonym "dein Gott" (Nr. 1o), oder eine namentlich auftretende Gottheit (z.B. Ištar ZA.AT und Ilabrat) wird "dein Gott", "Gott meines Vaters" und "Gott unseres Vaters" genannt.

Lewy[3] hat aus diesen Beobachtungen als erster den Schluß gezogen, daß es sich hier um Schutzgottheiten von Individuen bzw. Stämmen oder Familien handele. Wenn auch nicht überall, so wird man doch in den meisten Fällen den "Gott meines usw. Vaters" mit dem persönlichen Gott des Menschen gleichzusetzen haben.[4] Dieser auf eine spezifische soziologische Struktur bezogene Terminus begegnet uns auch außerhalb Kappadoziens gelegentlich. So lautet eine Opferanweisung in einer altbabylonischen Eingeweideschau folgendermaßen:

[12]

kalūmum li-pí-it qá-ti
a-na šulum ˢᵃˡBe-el-ta-ni
a-na i-li a-bi-ša

1 Lamm (für die) *lipit qāti*-Zeremonie,
um ein gutes Omen (zu erhalten) für Beltani,
für den Gott ihres Vaters.[5]

---

[1] Ebd. 15ª.

[2] Ebd. 16ª.

[3] RHR 11o,52.

[4] Vgl. Hirsch, AfO 21,57.

[5] Goetze, JCS 11,94.

Der Ausdruck "Gott meines usw. Vaters" besagt, daß der einzelne Mensch seinen persönlichen Gott bereits vom "Vater" übernommen hat; er ist also ein "erblicher Gott".[1] "Vater" muß nicht unbedingt den leiblichen Vater meinen, sondern kann auch allgemein auf den Vorfahr oder auf das "Vaterhaus" (*bīt abi*), d.h. die Familie, bezogen sein.[2] Zu dieser Bedeutung ist die Erwähnung der "Götter seines Vaterhauses" (*ilâni*^meš^ *bīt abīšu*) in bezug auf den König von Askalon in den Annalen des Sanherib (7o4 - 681 v.Chr.) zu vergleichen. Die "Götter seines Vaterhauses" gehören dort zusammen mit den Frauen und Kindern des Königs zu den Beutestücken, die der assyrische König in seine Heimat verbringt. [3]

7. "*Gott der Familie*"

Der persönliche Gott wird auch "Gott der Familie" (*il kimtim* oder *il bītim*) genannt. Dieser Ausdruck gehört mit dem Terminus "Gott meines Vaters" o.ä. eng zusammen. Er spiegelt die Vorstellung wider, daß der persönliche Gott in der Regel zugleich als Familiengott verehrt wurde.[4]
In dem Brief eines Untergebenen an König Zimrilim von Mari (1717 - 1695 v.Chr.) heißt es:

[13]

il kim-ti be-lí-ia i-na i-di um-ma[-na-ti-šu]
i-il-la-ak-ma pa-ri-ku-[u]m ù-ul i-b[a-aš-ši]

Der Gott der Familie meines Herrn wird auf der Seite [seiner] Trup[pen] marschieren, so daß niemand sich querstellt.[5]

Ein altbabylonischer Brief erwähnt einen Tempel des Familiengottes:

[14]

3 sila$_4$-ḫá i-na ma-aḫ-ri-ka i-di-iš-šum-ma i-na bīt be-el-ti-ia
ù bīt i-li bītim kurummati^ti^ *li-iš-ku-nu*

---

[1] Vgl. Lewy, ebd. 53.

[2] Vgl. v. Soden, AHw I,133.

[3] Luckenbill, Sennacherib, 3o, 6o-64.

[4] S.o.S. 4.

[5] ARM II,5o,12'-13'. Zur Berufung eines Untergebenen auf den persönlichen Gott seines Herrn s. u. S. 44 sowie im Alten Testament u.S. 173.199.

Gib ihm die drei Lämmer von dir, so daß man im Hause meiner Herrin und im Tempel des Familiengottes mein Opfer (bereit)stellen kann.[1]

Die Schwierigkeit bei diesem Text besteht in der Zuordnung der mit "meine Herrin" und "Gott der Familie" bezeichneten Gottheiten. Vielleicht meint "meine Herrin" hier die Stadtgöttin.

8. *"Mein/dein/sein Schöpfer"*

Nach mesopotamischer Vorstellung verdankte der Mensch dem persönlichen Gott sein Leben. Er nennt ihn deshalb seinen "Schöpfer" (*bānī-ia, bānī-ka, bānī-šu*). Der Terminus ist bereits in altbabylonischer Zeit mehrfach belegt. So heißt es zu Beginn eines Briefes aus dieser Zeit:

[15]

a-na a-bi-ia ša ìl-šu ba-ni-šu la-ma-sà-am da-ri-tam id-di-nu-šum

An meinen Vater, dem sein Gott, der ihn erschaffen hat, immerwährende Lebenskraft gab.[2]

In dem Gedicht vom unschuldig Leidenden sagt der Freund zum Leidenden:

[16]

il-ka ba-nu-ka tu-ku-ul-tu-uk

Dein Gott, der dich geschaffen hat, ist deine Stütze.[3]

In einem neubabylonischen Ritual für Šamaš spricht der Beschwörungspriester folgende Worte:

[17]

ì-lí ba-ni-ià i-da-a-a li-iz-[ziz]

Mein Gott, der mich geschaffen hat, möge an meiner Seite stehen![4]

---

1 Frankena, AbB 2 Nr. 116, 7-9 vgl. 11. - Frankena interpretiert *il bītim* als "Hausgott". Dann ist jedoch unverständlich, wie der "Hausgott" einen eigenen Tempel haben kann. Weitere Belege CAD "I/J" 95[a] und 97[a].

2 V. Soden, BagM 3, 15o.

3 Nougayrol, RB 59, 246 Str. 8 und 9.

4 Schollmeyer, HGŠ Nr. 2 Rs. 24; vgl. Nr. 13a, 21. - Weitere Belege: Ebeling, OLZ 19,297,1o; ders., AfO 16,3oo,27f; Langdon, RA 16,73 Nr. 1o,2; Lambert, BWL 1o8,12 vgl. 11; CAD "I/J" 96[b].

Denselben Sachverhalt bringen auch die folgenden altbabylonischen Danknamen zum Ausdruck, die nach der glücklichen Geburt eines Kindes dem persönlichen Gott dafür danken, daß er dieses Kind "geschaffen" hat, d.h. zur Welt kommen ließ:

ì-lí-ib-ni-a-ni "Mein Gott hat mich geschaffen";[1]
ì-lí-ba-ni-i "Mein Gott ist mein Schöpfer";[2]
ìl-šu-ib-ni-šu "Sein Gott hat ihn geschaffen".[3]

Wie aus den Belegen zu ersehen ist, begegnet uns der Terminus "Schöpfer" fast ausschließlich in akkadischen Texten. Nur ein einziger Beleg in sumerischer Sprache ist mir bekannt, in dem vom persönlichen Gott ausgesagt wird, daß er den Menschen erschaffen hat:

[18]

dumu-si-nu-sá ama-a-ni na-an-ù-tu
dingir-ra-ni na-an-dím-dím-e

Ein eigensinniges Kind - seine Mutter sollte es nie geboren haben, sein Gott sollte es nie gemacht haben.[4]

9. *"Mein Vater" und "meine Mutter"* o.ä.

Eng mit der Bezeichnung "mein usw. Schöpfer" hängt die Anrede "mein usw. Vater" und "meine usw. Mutter" zusammen. Vater und Mutter sind diejenigen, die einem Kind das Leben schenken. Deshalb nennt der Mensch auch seinen persönlichen Gott bzw. seine persönliche Göttin "Vater" und "Mutter", weil er ihnen in einem höheren Sinn sein Leben verdankt.

Der Terminus "Vater" bzw. "Mutter" für den persönlichen Gott kommt bereits in neusumerischer Zeit vor, nämlich bei den Königen der 3. Dynastie von Ur. Urnamu (2112 - 2o95 v.Chr.) nennt seine persönliche Göttin Ninsuna "meine

---

[1] Stamm, Namengebung 14o.

[2] Ebd. 28.

[3] Ebd. 139. - Weitere Belege s. CAD "I/J" 96b.

[4] Gordon, Proverbs Nr. 1.157. - Die Vorstellung vom persönlichen Gott als dem Schöpfer des Menschen ist außerdem sowohl bei den Hethitern (s.u.S. 124) als auch bei den Ägyptern (vgl. Ranke, Personennamen, II,227.234.24o.243; Otto, Fs. v. Rad, 341) belegt.

Mutter" (ama-mu).[1] In der Hymne seines Nachfolgers Šulgi (2o94 - 2o47 v.Chr.) heißt es:

[19]

a-a-ugu-zu kù ᵈLugal-bàn-da-a

Dein Vater, der heilige Lugalbanda.[2]

Ninsuna und Lugalbanda waren die Familiengottheiten der 3. Dynastie von Ur.[3]

In dem altbabylonischen Gedicht "Der Mensch und sein Gott", das Kramer veröffentlicht hat, redet der Leidende seinen persönlichen Gott folgendermaßen an:

[20]

dingir-mu za-e *[a]*-a-ugu-mu-me-en

Mein Gott, du bist mein Vater, der mich geschaffen hat.[4]

Hier liegt also eine Kombination der Termini "Vater" und "Schöpfer" vor.

Ein ungefähr aus derselben Zeit stammender sog. Gottesbrief[5], der an den persönlichen Gott gerichtet ist, beginnt mit den Worten:

[21]

A-na ilim a-bi-i̭a

An den Gott, meinen Vater.[6]

In der zweiten Tafel der Serie *bīt mēseri* ist von Krankheiten die Rede, von "von seiten des Gottes, des Vaters, und der Göttin, der Mutter" (*šá ili a-bi ù ᵈištari um-mi*) stammen.[7] Gemeint sind hier wohl ebenfalls die persönlichen Gottheiten.

Auch in einer Reihe von Personennamen erscheint das Element *abī* "mein Vater" für den persönlichen Gott:

---

1 Falkenstein, ZA 49,75.

2 Ebd. 75f; vgl. Wilcke, Lugalbandaepos 52f.

3 S.u.S. 34.

4 Kramer, VTS 3,175,96.

5 S. zu dieser Gattung Borger, RLA 3,575f.

6 Stamm, Namengebung 54.

7 Meier, AfO 14,142,37.

Abī-nāṣir	"Mein Vater ist Beschützer";
Abī-iddinam	"Mein Vater hat (mir) gegeben";
Abī-ēpir	"Mein Vater ist Versorger"; [1]
Ilī-abī	"Mein Gott ist mein Vater";
Ilšu-abūšu	"Sein Gott ist sein Vater" [2].

1o. "*Gott, der Wohlergehen verleiht*"

Parallel zu "mein Gott" und "meine Göttin" steht des öfteren in der akkadischen Gebetsserie "Handerhebung", die aus der Bibliothek Aššurbanipals (668-627 v.Chr.) stammt, die Bezeichnung "Gott, der Wohlergehen verleiht" (*ilu mušallimu*), z.B.:

[22]

[ili-]i$_{10}$ li-iz-ziz i-na im-ni-ia
^{d}ištar-i$_{10}$ li-iz-ziz i-na šumêli-ia
ilu mu-šal-li-mu ina idi-ia lu-ú ka-a-a-an

Mein Gott trete zu meiner Rechten,
meine Göttin trete zu meiner Linken,
der Gott, der Wohlergehen verleiht, stehe dauernd zu meiner Seite! [3]

Hier sind wohl nicht drei verschiedene Gottheiten gemeint; die Aufzählung ist vielmehr kultisch-agendarisch oder poetisch zu erklären und findet sich in ähnlicher Weise häufig in Gebeten bzw. Gebetsbeschwörungen. [4]

Das Verbum *šalāmu* bedeutet "unversehrt, wohlbehalten sein bzw. machen". Die von Ebeling gebotene Übersetzung "rettender Gott" ist ebenso unzureichend wie die von Sodens, der den Ausdruck mit "gesunderhaltender Gott" wiedergibt [5]. Vielmehr umfaßt das Wohlergehen, das der persönliche Gott dem Menschen verleiht, Gesundheit, Erfolg und ein Leben in Harmonie. [6]

---

[1] Stamm, ebd.

[2] Ebd. 75.

[3] Ebeling, Handerhebung 64, 16-18; vgl. 22,7; 4o,47; 5o,123; Meier, AfO 14,142,14.

[4] Vgl. ebd. 22, 4-8 (s.u.S. 22 Nr. 32); 64, 15-18; 1o7, 16-19.

[5] SAHG akkad. Nr. 42.

[6] S.u.S. 70ff.

11. "*Wächter des Wohlergehens und Lebens*"

Sowohl in der altbabylonischen Briefliteratur als auch in der Gebetsserie "Handerhebung" kommt mehrfach die Bezeichnung *maṣṣār* bzw. *rābiṣ šulmi u balāṭi(m)* "Wächter des Wohlergehens und Lebens" für den persönlichen Gott vor.[1] Beispiele:

[23]

ma-aṣ-ṣa-ar šú-ul-mi-im u ba-la-ṭi[-im] i-na re-ši-kà
ì-ia ip-pa-ar-ku

Der Wächter des Wohlbefindens und Lebens möge nicht von deinem Haupte weichen![2]

[24]

ma-ṣar šul-me u balâṭi šu-kun eli-ia$_5$

Einen Wächter des Wohlergehens und des Lebens bestelle für mich.[3]

[25]

lit-tal-lak ilu mu-šal-li-mu ina idi-ia$_5$
a-a ip-par-ki rābiṣ šul-mi ina arki-ia$_5$

Es wandle ein Gott, der Wohlergehen verleiht, an meiner Seite, nicht weiche der Wächter des Wohlergehens hinter mir![4]

Ähnlich lautet auch ein kassitisches Siegel:

[26]

adī balṭu il-šu lu rābiṣ šu$_{11}$*-ul*$_x$(KIB)*-mi-šu*

Solange er lebt, möge sein Gott der Wächter seines Wohlbefindens sein.[5]

Hier wird der mit "sein Gott" bezeichnete persönliche Gott deutlich mit dem "Wächter des Wohlbefindens" identifiziert.

---

1 Vgl. v. Soden, AHw Lfg. 7,621.

2 Ungnad, ZvRW 36, Nr. 1o5,11f; vgl. F.R. Kraus, AbB 1, Nr. 24,7.

3 Ebeling, Handerhebung 4o,46.

4 Ebd. 5o,123f; vgl. San Nicolò, Rechtsurkunden Nr. 44,8; Nötscher, Or 51-54, 64, 89.

5 CAD "I/J" 1oo^b.

12. "*Der sich kümmernde (Gott)*"

In den Omina kommt häufig eine göttliche Gestalt vor, die den Namen *mukīl rēš damiqtim* trägt. Der Ausdruck bedeutet wörtlich "der, der das Haupt zum Guten hinhält" im Sinne von "der, der unterstützt oder sich kümmert".[1] Da in altbabylonischen Briefen sich des öfteren der Wunsch findet, der persönliche Gott möge das Haupt des Menschen zum Guten hinhalten[2], kann angenommen werden, daß sich der *mukīl rēš damiqtim* ebenfalls auf den persönlichen Gott bezieht. Beispiel:

[27]

a-na i-mi-it-tim na-wi-ir mu-ki-il re-eš$_{15}$ *da-mi-iq-tim*
mar-ṣum i-ba-al-lu-uṭ

Wenn (der Rand des Öls) nach rechts hin hell ist:
der sich kümmernde (Gott); der Kranke wird genesen.[3]

Das Omen besagt, daß unter den vorliegenden Umständen der persönliche Gott für den Kranken da sein und ihm Genesung verschaffen wird.

13. "*(Mein) Hirte*"

Der fürsorgliche Aspekt im Wirken des persönlichen Gottes kommt auch in der mehrfach bezeugten Anrede "(mein) Hirte" zum Ausdruck.[4] In Personennamen bekennt der Namensträger: ^{d}*Šamaš-rē'ûa* "Šamaš ist mein Hirte" oder *Ir-a-ni-*^{d}*Marduk* "Marduk hat mich geweidet"[5].

14. "*Beschützender Gott*"

Insbesondere in altbabylonischer Zeit wird der persönliche Gott entsprechend seiner Funktion als Beschützer des Menschen auch *ilu nāṣiru* "beschützender Gott" genannt. So schreibt ein Mann an seine Schwester oder Gesellschafterin:

---

[1] Vgl. v. Soden, AHw I, 503^{b}; II, 670^{a}.

[2] S.u.S. 21 (Text Nr. 29) mit Anm. 2.

[3] Pettinato, Ölwahrsagung, II, Text II, 16.

[4] S.u.S. 70 (Text Nr. 96); 91f. (Text Nr. 140); 109 (Text Nr. 177).

[5] Stamm, Namengebung 214.189.

[28]

ilum na-ṣi-ir-ki ṣi-bu-tam ia ir-ši

Der dich beschützende Gott möge nicht unzufrieden werden.[1]

Ein anderer Brief enthält folgenden Segenswunsch:

[29]

ilum na-ṣi-ir-ka re-eš da-mi-iq-ti-ka li-ki-il

Der dich beschützende Gott möge zu deinem Besten bereitstehen.[2]

15. "*Gott zu meinen Häupten*"

Als eine weitere allerdings nur selten belegte Bezeichnung für den persönlichen Gott begegnet der Ausdruck *il rēšīja*, der wohl am besten mit "Gott zu meinen Häupten" wiederzugeben ist. Neben einem Maribeleg[3] ist mir hierfür nur die folgende altassyrische Inschrift belegt, in der König Šamši-Adad I. von Assyrien (1814 - 1782 v.Chr.) demjenigen seiner Nachfolger, der seine Steininschriften verändert, den Fluch seines persönlichen Gottes Sîn an:

[3o]

^{d}*Sîn il re-ši-ia lu-ú ra-bi-iṣ li-mu-ti-šú a-na da-re-e-tim*

Sîn, der Gott zu meinen Häupten, möge sein Unheilsdämon (sein) auf ewig.[4]

Der Terminus *il rēšīja* umschreibt den Schutz, den der persönliche Gott insbesondere dem Haupt seines Schützlings als dessen wichtigstem Körperteil gewährt.[5] Diese Vorstellung wird auch in folgendem altbabylonischem Präskript deutlich:

---

1 F.R. Kraus, AbB 1, Nr. 18,7; vgl. 49,7f.

2 Ebd. Nr. 3,7; vgl. Frankena, AbB 2, Nr. 96,3; 113,6f; P. Kraus, Briefe MVAeG 36,1,115 Index s.v. *ilum*; Ungnad, ZvRW 36, Nr. 53; CAD "I/J" 1oo. Nur ein einziges Mal ist diese Bezeichnung außerhalb der Briefliteratur in einer Königsinschrift belegt, nämlich bei Arikdênilu von Assyrien, s.u.S. 41 (Text Nr. 6O).

3 Dossin, Syria 33,67,27-29; s.u.S. 158 (Text Nr. 232).

4 Ebeling, Inschriften, AOB I, 26,1,19-22.

5 S.o.S. 2O die Wendung "der das Haupt zum Guten hinhält".

[31]

ilum na-ṣi-ir-ka re-eš-ka a-na da-mi-iq-tim li-ki-il

Der dich schützende Gott möge dein Haupt zum Guten hinhalten (d.h. sich um dich kümmern[1]).[2]

16. "*Erbarmer und Fürsprecher*"

In der Gebetsserie "Handerhebung" und verwandten Texten erscheint neben der Bezeichnung "mein Gott", "meine Göttin" und "Gott, der Wohlergehen verleiht" noch der Ausdruck *tīru (u) m/nanzāzu*. Seine Übersetzung bereitet einige Schwierigkeiten. *Nanzāzu* ist von *izzuzu* "stehen, hintreten" abzuleiten und meint hier wohl einen, der fürbittend vor die anderen Götter hintritt. *Tīru* muß wohl von *tīru* "sich wenden, zuwenden" abgeleitet werden. Wir übersetzen deshalb den gesamten Ausdruck mit "Erbarmer und Fürsprecher".[3] Die Übersetzungen von Ebeling "Patrouille und Posten"[4] sowie von Sodens "Torwächter und Höflinge"[5] werden der Tatsache nicht gerecht, daß *tīru u manzāzu* eine Gottesbezeichnung darstellt und die fürbittende Funktion des persönlichen Gottes beinhaltet. Dies macht der folgende Beleg deutlich:

[32]

[ina] an-ni-ku-nu ki-ni šá lâ innennû^{ú}
ili-i$_{10}$ *lizziz*^{iz} *ina imni-ia*$_5$
^{d}*ištar-i*$_{10}$ *lizziz*^{iz} *ina šumêli-ia*$_5$
ilu mu-šal-lim-mu ina idê^{meš}*-ia*$_5$ *lu ka-a-a-an*
ti-ru man-za-zu liq-bu-u damiqtim^{tim}

Auf eure feststehende Zusage, die nicht gebeugt wird,
trete mein Gott zu meiner Rechten,
meine Göttin zu meiner Linken,
der Gott, der Wohlergehen gewährt, stehe dauernd an meiner Seite,
Erbarmer und Fürsprecher mögen Gutes (von mir) reden![6]

---

1 Vgl. v. Soden, AHw I,5o3^{b}.

2 Ebeling, Briefe, MAOG XVI,38,6f.- Weitere Belege bei Salonen, Gruß- und Höflichkeitsformeln 31f.- Auch die Lama-Göttin steht zu Häupten des Menschen, s.u.S. 24 (Text Nr. 36).

3 Vgl. Meissner, BuA II, 2o3.

4 Handerhebung 23,8; 65,15; 1o7,16.

5 SAHG akkad. Nr. 49; vgl. AHw, Lgf. 8,731^{b}.

6 Ebeling, Handerhebung 22, 4-8; vgl. 64,15-18; 1o6,16-19; Meier,AfO 14, 142,11; Pinckert, Nebo Nr. 1,16.

Die enge Zusammengehörigkeit von Erbarmen und Fürsprache zeigt ein Ausschnitt aus einem Gebet, das aus dem 1. vorchristlichen Jahrhundert stammt:

[33]

gedim-ša$_6$-ga dingir inim-ma-mu sag-an-na-gub-bu-dè

še-e-du dam-qa ilu mu-ta-mu-u na-an-za-za maḫ-ri-ia

Der gute Šēdu, der fürsprechende Gott, der Erbarmer, der vor mir steht ... [1]

Die Ölomina geben über die "Stellung des Gottes des Menschen zum Guten bzw. zum Bösen" (*manzāz il amēli ana damiqti/ana lemutti*) Auskunft.[2]

Neben den bisher aufgeführten Bezeichnungen für den persönlichen Gott begegnen uns in mesopotamischen Texten noch Namen von göttlichen Wesen, die teilweise unter die Kategorie der Schutzgeister oder -dämonen gerechnet werden, teilweise aber wie persönliche Gottheiten apostrophiert werden. Dabei muß man sich die Tatsache vergegenwärtigen, daß man im Zweistromland zwischen Göttern und Dämonen nicht streng unterschied; beide werden z.B. mit dem Zeichen für Göttlichkeit (DINGIR) geschrieben.[3] Zu diesen göttlichen Wesen gehören die sumerische Göttin Lama, die im Akkadischen mit Lamassu wiedergegeben wird, der "gute Udug" sowie der Šēdu, der ins Sumerische als Alad rückübersetzt wird. Wir wollen diese Termini hier ebenfalls behandeln und auf die Frage nach ihrem Verhältnis zum persönlichen Gott im weiteren Verlauf der Untersuchung zurückkommen.[4]

17. *Lama und Udug*

Die beiden Schutzgottheiten Lama und Udug sind in sumerischen Texten teilweise allein, teilweise zusammen gebraucht. Sie können mit dem Adjektiv ša$_6$-ga "gut" gekennzeichnet und durch ein Possessivsuffix mit einem Individuum in Beziehung gesetzt werden.
Eine Inschrift berichtet von Gudea von Lagaš:

---

[1] Langdon, RA 12,83f,45f.

[2] Pettinato, Ölwahrsagung, II, Text IV Rs. 12-13.

[3] Vgl. Jastrow, Religion, I, 195; Ebeling, RLA 2, 1o6.

[4] S.u.S. 47f.

[34]

ú-dù ša-<ga>-ni igi-šè mu-na-gin

^{d}lama-ša$_{6}$-ga-ni egir-ni im-ús

Sein guter Udug ging vor ihm,

seine gute Lama stand hinter ihm.[1]

Einem anderen Gudea-Text zufolge stehen Lama und Udug mit der Göttin Gatumdug in Verbindung:

[35]

nina^{ki}-šè ú-dù-ša-ga-zu igi-šè ḫa-ma-gin

^{d}lama-ša$_{6}$-ga-zu gir-a ḫa-mu-da-gin

Zu der Stadt Nina gehe dein guter Udug vor (mir) hin,

gehe deine gute Lama auf (meinen) Schritten.[2]

In einer Hymne an Inanna aus der Isin-Zeit wird um eine Lama-Göttin zum Schutz des Hauptes von König Išmedagān (1953 - 1935 v.Chr.) gebeten:

[36]

^{d}lama gà-la-nu-dag$^{!}$-ge sag-gá-na du$_{12}$ (TUKU)-bí-ib

Eine Lama, die unaufhörlich (da) ist, lasse ihn an seinem Haupte halten(?).[3]

Vom Udug wird in einem sumerischen Beschwörungstext gesagt, daß er im Hause des Menschen wohnt und zusammen mit dem "Gott des Menschen" die bösen Dämonen vertreiben soll. Hier ist der Udug also eine vom "Gott des Menschen" deutlich unterschiedene Gestalt.

[37]

udug-é-a-til-la šu-[......]

dingir-lú-u$_{x}$-lu-[ke$_{4}$]

udug-ḫul a-lá-ḫul [gedim-ḫul gal$_{5}$-lá-ḫul]

tilla-a ḫé-im-mi-[gaz (?)]

---

[1] SAK 122 n ii,9f; vgl. Römer, Königshymnen 14,48; 47,15of; Wilcke, Lugalbandaepos 12o, 33o-336.

[2] SAK 92 iii, 19-21.

[3] Römer, Königshymnen 267,36; vgl. Castellino, ZA 52,2o Rs. 2,1o.

Der Udug, der im Hause lebt *[.....]*
und der Gott des Menschen
mögen den bösen Utukku, den bösen Alû, das böse Gespenst,
den bösen Gallû
auf dem Markt totschlagen![1]

18. *Šēdu und Lamassu*

Die sumerische Göttin Lama wird in zweisprachigen Texten immer mit akkadisch ^{d}*lamassu* übersetzt. Für den (guten) Udug erscheint im Akkadischen zumeist ^{d}*šēdu*. Auf der anderen Seite wird der Šēdu ins Sumerische mit ^{d}alàd rückübersetzt.[2] Auf Grund der Gleichsetzung von ^{d}lama und ^{d}*lamassu* hat man in der Assyriologie lange Zeit angenommen, daß *lamassu* ein aus dem Sumerischen stammendes Lehnwort sei. Falkenstein[3] hat jedoch nachgewiesen, daß lama nicht auf lama(s), sondern auf lama(r) zurückgeht; insofern kann *lamassu* nicht das entsprechende Lehnwort im Akkadischen sein. Lama wurde vielmehr im Akkadischen zunächst als *lamā'um* entlehnt; wegen des Gleichklangs mit *lamassu* geschah schon in altbabylonischer Zeit eine Identifikation beider Begriffe.

Lamassu wird im Akkadischen verschiedenartig verwendet. Einmal als Begriff mit der Grundbedeutung "Lebens- und Leistungskraft"[4], zum andern personifiziert und mit dem Zeichen für Göttlichkeit versehen als Schutzgottheit. Der Begriff *lamassu* steht häufig in Parallele zu anderen Ausdrücken für Leben, Kraft, Fülle und Üppigkeit. In folgendem altbabylonischen Ištarhymnus werden sie als Gabe der Göttin Ištar gepriesen:

[38]

na-ap-la-su-uš-ša ba-ni bu-a-ru-ú
ba-aš-tum ma-aš-ra-ḫu la-ma-as-su-um še-e-du-um

Wo sie (d.h. die Göttin Ištar) hinblickt, ist geschaffen Heiterkeit,
Lebenskraft, Pracht, lamassu, šēdu.[5]

---

1 Falkenstein, Haupttypen 88, 8-11; vgl. v. Dijk, Götterlieder, II, 119.

2 Vgl. v. Soden, BagM 3,149; Lambert, BWL 6o,96f; Thompson, Devils 8,1o; 2o,27; 42,66; 35,96; 62,17. - Dagegen sind ^{d} lama und ^{d}alàd in alten sumerischen Texten kein Begriffspaar.

3 OLZ 46,353.

4 Vgl. v. Soden, AHw I, 532f.

5 Thureau-Dangin, RA 22,172,15f; vgl. SAHG akkad. Nr. 1.- *Bāštu* bedeutet wörtlich "Scham", dann im weiteren Sinne (nicht nur sexuelle) Lebenskraft, vgl. AHw I, 112.

Šēdu wird hier neben Lamassu als Begriff für "Lebenskraft" o.ä. verwendet; seine Grundbedeutung ist daher wohl in diesem Vorstellungsbereich zu suchen. Von Soden übersetzt "Fortpflanzungskraft von Mann und Frau"[1] und stellt damit den sexuellen Aspekt in den Vordergrund.

Auch in späteren Texten findet sich *lamassu* im Sinne von "Lebenskraft".[2] Nach Maqlu III,11 kann eine Hexe die *lamassu* eines Menschen wegnehmen. Marduk wird in einem Hymnus als *^d^lamas* der Götter gepriesen.[3]

Neben dieser begrifflichen Verwendung werden Šēdu und Lamassu auch personifiziert im Sinne von "Schutz- oder persönlicher Gott" gebraucht, und zwar sowohl für Menschen als auch für Gebäude, insbesondere Tempel und Städte.[4] Gewöhnlich erscheinen Šēdu und Lamassu als Götterpaar, gekennzeichnet durch das Adjektiv damqu "gut", z.B.:

[39]

^d^šēdu damqu ^d^lamassu damiqtu [lu ra-]kis itti-ia$_5$

Ein guter Šēdu, eine gute Lamassu *[seien]* mit mir verbunden![5]

Zur Unterscheidung vom *šēdu lemnu* "böser Šēdu", einer schädlichen Dämonenart, nennt man den "guten Šēdu" auch *šēdu nāṣiru* "schützender Šēdu", eine Bezeichnung, die mit *ilu nāṣiru* (Nr. 13) zu vergleichen ist.
Šēdu ist immer männlich, Lamassu im Prinzip weiblich, wobei allerdings auch männliche Gottheiten als Lamassu bezeichnet werden können.[6] Wenn nur von *einer* Schutzgottheit die Rede ist, so wird beim Menschen stets nur die Lamassu angeführt.[7]

---

1 SAHG akkad. Nr. 1.

2 S.o.S. 15 (Text Nr. 15); Ebeling, Handerhebung 36 II, 11; Lambert, BWL 7o, 21.

3 Hehn, BA V,335,3.

4 Tempel: Lambert, BWL 6o,96f; Kodex Hammurabi IV, 55-57; XXVIII Rs. 75; Römer, Königshymnen 14,48.

5 Ebeling, Handerhebung 1o6,19; vgl. 62,31.

6 F.R. Kraus, AbB 1, Nr. 7,24.

7 Vgl. Landsberger-Bauer, ZA 37,218 Anm. 2.

II. Die Bezeichnungen für den Schützling

Die Zahl der für den Schützling verwendeten Begriffe ist wesentlich kleiner. Es kommen lediglich die Termini Sohn, Mann und Knecht seines Gottes vor, sowie eine spezielle Selbsteinführungsformel.

1. "*Sohn seines Gottes*"

Das Verhältnis des Menschen zu seinem persönlichen Gott wird am häufigsten durch den Ausdruck "Sohn seines Gottes" (sumerisch dumu dingirani , akkadisch *mār ilīšu*) bezeichnet. So erfolgt in der sumerischen Beschwörung die Abwehr der Dämonen mit dem Hinweis darauf, daß der betreffende Mensch "Sohn seines Gottes" sei:

[40]

lú-lu$_x$-dumu-dingir-ra-na ba-ra-an-te-gà-dè-en
ba-ra-an-ge$_4$-ge$_4$-dè-en

Dem Menschen, dem Sohn seines Gottes, sollst du dich nicht wieder nahen![1]

In den späteren Gebetsbeschwörungen findet sich diese Bezeichnung ebenfalls häufig:

[41]

lú-u$_x$-lu dumu dingir-ra-na ḫe-en-kù-ga ḫe-en-sikil
ḫe-en dadag

a-me-lu mār ili-šu li-lil li-bi-ib li-im-mir

Der Mensch, der Sohn seines Gottes, sei rein, licht und lauter.[2]

Auch der König gebraucht diese Selbstbezeichnung, wie aus folgendem Handerhebungsgebet Sargons von Assyrien hervorgeht:

[42]

ana-ku ^{m}*Šarru-ukîn mār ili-šu*

Ich, Sargon, der Sohn seines Gottes.[3]

---

1 Falkenstein, Haupttypen 43; dort sämtliche Belege.

2 Schollmeyer, HGŠ Nr. 3 Rs. 13f; vgl. Šurpu VII, 8of; Ebeling, AfO 16, 3oo,23f.

3 Ebeling, Handerhebung, 98 I,3; vgl. 8,3; 26 Anm. 8; CAD "I/J" 101^{a}.

In der Namengebung erscheint ebenfalls der Ausdruck "Sohn seines Gottes", z.B.:

A-pil-ì-lí-šu "Sohn seines Gottes";[1]
Mār-^{d}Ištar "Sohn der Ištar"[2].

Welche Bedeutung hat hier das Wort "Sohn"? "Sohn" ist hier weder physisch noch im Sinne von Adoption gemeint[3], sondern drückt das intime Verhältnis, die Zugehörigkeit und Abhängigkeit des Menschen von seinem persönlichen Gott aus.[4] Dabei ist daran zu erinnern, daß sich die Könige Mesopotamiens verschiedentlich als "Söhne" bestimmter Gottheiten bezeichnen, die nicht immer persönliche Götter im eigentlichen Sinne sein müssen.[5] Dies hängt damit zusammen, daß sich die Könige in enger Beziehung nicht nur zu ihren persönlichen Gottheiten, sondern auch zu den obersten Göttern ihres Reiches wußten.[6] In den meisten Fällen, insbesondere bei gewöhnlichen Menschen, ist der Ausdruck "Sohn seines Gottes" oder "Sohn des Gottes NN" auf das Verhältnis eines Schützlings zu seinem persönlichen Gott zu beziehen.
Folgende Beispiele, in denen sich Könige als "Söhne" ihrer persönlichen Gottheiten bezeichnen, können angeführt werden: Urbaba von Lagaš nennt sich dumu-tu(d)-da ^{d}Nin-á-gala$_{8}$-ka-ke$_{4}$ "Sohn des Ninagal"[7], Gudea von Lagaš [du]mu ^{d}Nin-giz-zi-da "Sohn des Ningizzida"[8]. Šulgi, ein Herrscher der 3. Dynastie von Ur, wird mehrfach dumu-^{d}Nin-súna-ka "Sohn der Ninsuna" genannt.[9]

---

[1] Stamm, Namengebung 26o.

[2] Gelb, Nuzi Personal Names 95f; vgl. Tallquist, Assyrian Personal Names 134 f.

[3] So z.B. Paffrath, MVAG 21, 158.

[4] Vgl. Frankfort, Kingship 3oo. S. auch die Bedeutung von *mār* "Angehöriger von", AHw Lfg. 7,616a. Im Hebräischen gibt es Ausdrücke wie *BN ḤMŠM'WT ŠNH* "Sohn von 5oo Jahren" (Gen 5,32); *BN ḤJL* "Sohn der Widerspenstigkeit" (Num 17,5).

[5] Sämtliche Belege bei Seux, Epithètes 16of. 392-395.

[6] S.u.S. 42ff.

[7] SAK 6o a i, 7f.

[8] SAK 14o xxiv, 7.

[9] Falkenstein, ZA 5o,73f. - Weitere Belege bei Römer, Königshymnen 55 f.

An einer Stelle ist auch der Titel "Tochter ihres Gottes" (*mārat ilīšu*) belegt:

[43]

sal-bi sal-dumu dingir-ra-na

sinništum šî mar-ti ili-šu

Diese Frau, Tochter ihres Gottes.[1]

2. "*Mann seines Gottes*"

Neben "Sohne seines Gottes" findet sich gelegentlich auch der Ausdruck "Mann seines Gottes" (*awīl ilīšu*), der analog zu verstehen ist, z.B.:

[44]

anāku Šamaš-šum-ukīn mār ilī-šu bānī-šu awīl ilī-šu

Ich, Šamaššumukin, der Sohn seines Gottes, seines Schöpfers, der Mann seines Gottes.[2]

Hier sind mehrere Bezeichnungen für den persönlichen Gott, nämlich "sein Gott" und "sein Schöpfer", sowie für den Schützling, nämlich "Sohn seines Gottes" und "Mann seines Gottes", aneinandergereiht. Das hängt mit dem agendarischen Charakter der Gebetsbeschwörungen zusammen.

Auch Personennamen sind nach der Formel "Sohn des Gottes NN" gebildet. Bei den Sumerern sind Namen wie Lù-dingir-ra "Mann des Gottes"[3] und Lú-dBabbar "Mann des Babbar"[4] belegt. In der akkadischen Namengebung kommen Personennamen wie *Awīl-Ištar* "Mann der Ištar" o.ä. vor.[5]

3. "*Knecht des Gottes NN*"

Auf den Inschriften der Siegelzylinder[6] nennt sich der Inhaber bzw. die Inhaberin Diener (*wardu*) bzw. Dienerin (*wardatu*) eines oder mehrerer Gottheiten, z.B.:

---

1 Langdon, RA 16,53.

2 Schollmeyer, HGŠ Nr. 13a,21; vgl. CAD "I/J" 95a.

3 Limet, L'anthroponymie 14o.

4 Ebd. 451.

5 Stamm, Namengebung 263.

6 Vgl. Frankfort, Seals; Budge, Amuletts. - Zur Bedeutung der Siegelzylinder s.u.S. 66ff.

[45]

ᵈDa-gan-a-bi	Dagān-abī
apil Ib-ni-ᵈDa-gan	Sohn des Ibni-Dagān
warad ᵈDa-gan	Diener des (Gottes) Dagān.[1]

[46]

Ni-ab-ia	Niabia
marat ᵈSîn-le-e(?)-i(?)	Tochter des Sîn-leʾi(?)
wardat ᵈSîn	Dienerin des Sîn.[2]

[47]

ᵈSîn-pa-ṭe-ir	Sîn-pâṭir
apil Tab-ni-ᵈIštar	Sohn des Tabni-Ištar
warad ᵈEn-ki	Knecht des (Gottes) Ea
*u ᵈ*MAḪ	und der (Göttin) MAḪ.[3]

Krauß[4] versteht den bzw. die in den Inschriften genannte(n) Gottheit(en) als den bzw. die persönlichen Götter des Siegelbesitzers.[5] Poebel hat in einer Besprechung der Arbeit von Krauß dieser Deutung widersprochen. Nach seiner Meinung stelle die Formel warad ᵈNN lediglich eine allgemeine Ergebenheitsbeteuerung dar, wie man sie häufig in Gebeten findet.[6]

Natürlich ist nicht mit Sicherheit festzustellen, in welcher Relation der oder die auf dem Siegel genannte(n) Gottheit(en) zu dem Besitzer stehen. Dennoch hat die These Krauß' alle Wahrscheinlichkeit für sich. Wenn auf dem Siegel zwei Götternamen erscheinen, so kann es sich bei dem einen um den persönlichen Gott des Inhabers bei dem anderen um den Stadtgott handeln. Ein solcher Fall liegt z.B. bei dem Siegel eines Bewohners der Stadt Isin vor, der sich "Knecht des Amurru und der Nin-Isina" nennt. Nin-Isina ist die Stadtgöttin von Isin.[7]

---

1 Krauß, Götternamen 25.

2 Ebd. 3o.

3 Ebd. 27.

4 3f.

5 So auch Langdon, RA 16,51f; Stamm, Namengebung 59.

6 OLZ 16,58ff.

7 Kupper, L'iconographie 6o.

Häufig erscheint wardu auch als Element in der Namengebung. Ein in altbabylonischer Zeit weit verbreiteter Name ist *Warad-ì-lí-šu* "Knecht seines Gottes".[1] Oft wird *wardu* mit einem konkreten Götternamen verknüpft, z.B. *Warad-Ištar* "Knecht der Ištar".[2] Solche Namensbildungen sind bereits bei den Sumerern belegt, davon in altsumerischer Zeit z.B. Ur-^{d}Ba-ba$_6$ "Knecht der Baba" und Ur-^{d}Du-mu-zi-da "Knecht des Dumuzi"[3], in neusumerischer Zeit z.B. Ur-dingir-ra "Knecht des Gottes"[4], Ur-^{d}En-líl-lá "Knecht des Enlil"[5] und Ìr-^{d}Ba-ba$_6$ "Knecht der Baba"[6].

4. "*NN, dessen Gott NN, dessen Göttin NN*"

Zum Zwecke der Selbsteinführung des Beters findet sich in den akkadischen Gebetsbeschwörungen mehrfach die Formel

[48]

ana-ku annanna apil annanna šá il-šú annanna ^{d}*ištar-šú annannîtu*^{tu_4}

Ich, NN, Sohn des NN, dessen Gott NN, dessen Göttin NN (ist).[7]

In dieses vorgegebene agendarische Formular fügt der Priester den Namen des Beters und dessen Vaters, sowie den Namen seines persönlichen Gottes oder (bzw. und) seiner persönlichen Göttin. Diese Formel der Selbstbezeichnung ist offensichtlich auf die Gattung der Handerhebungsgebete beschränkt. An einigen Stellen sind die Namen des Beters und seiner Göttin im Text erhalten, z.B.:

[49]

ana-ku ^{m}*Ba-la-si mār ili-šu ša il-šu* ^{d}*Nabû*(PA) ^{d}*ištar-šu* ^{d}*Tašmêtu*

---

1 P. Kraus, Briefe, MVAeG 31,1,115.

2 Stamm, ebd. 262.

3 Edzard, Rechtsurkunden 21o.

4 Limet, L'anthroponymie 136.

5 Ebd. 126. - Weitere Belege u.S. 51.

6 Ebd. 122.

7 Ebeling, Handerhebung 26,26; 38,33; 78,45; 84,5f; Vgl. Meier, AfO 14, 142,48f; 15o,227,9.

Ich, Balasi, der Sohn seines Gottes, dessen Gott Nabû,
dessen Göttin Tašmētu ist.[1]

Hier wird der Schützling Balasi zunächst allgemein als "Sohn seines Gottes" qualifiziert und nennt sodann die Namen seines persönlichen Gottes Nabû und dessen Gemahlin Tašmētu.[2]

B. STELLUNG UND NAME DES PERSÖNLICHEN GOTTES

I. Der persönliche Gott in der sumerischen Religion

Paffrath[3] teilt die zahlreichen sumerischen Gottheiten in drei Kategorien ein:

1. Landesgötter (z.B. Anu, Enlil), d.h. Gottheiten, die zum gemeinsumerischen Pantheon gehören;
2. Stadtgötter (z.B. Ningirsu in Lagaš);
3. Familien- oder Schutzgottheiten.

Die Kategorien (1) und (2) waren in der Weise miteinander verkoppelt, daß die Landesgötter zugleich als Stadtgötter der wichtigsten sumerischen Städte bzw. Stadtstaaten fungieren. Daneben gab es aber auch andere Stadtgötter, die nur auf ihren Wirkungsbereich beschränkt blieben. Dazu gehört Nin-Girsu, der Gott des Stadtstaates Lagaš, dessen Name ("Herr von Girsu") darauf hinweist, daß er ursprünglich Gott von Girsu, d.h.einer der drei Städte, aus denen sich Lagaš zusammensetzte, war.

---

[1] Ebeling, Handerhebung 16,14; vgl. 146,12f.

[2] Eine Analyse der ägyptischen Personennamen führt zu einem ähnlichen terminologischen Befund. Dort sind für den persönlichen Gott die Bezeichnungen "mein Gott" (Ranke, Ägypt. Personennamen II,254), "mein Herr" (ebd. 225), "mein Vater" (ebd. 226. 238) und "mein Schöpfer" o.ä. (ebd. 227. 234.24o.243; vgl. Otto, Fs. v. Rad, 341) belegt. Der Schützling des persönlichen Gottes kann sich als dessen "Diener" bzw. "Dienerin" (Ranke, ebd. 225.24o), "Mann" bzw. "Frau" (ebd. 226) oder "Sohn" bzw. "Tochter" (ebd. 226.233f.24o.243f) bezeichnen.

[3] Götterlehre 19ff.

Gewöhnlich wird in der Forschung angenommen, daß die Familien- oder Schutzgottheiten von den Göttern der Kategorie (1) und (2) streng zu trennen seien.[1] Dies wird etwa so erklärt: Die Landes- und Stadtgötter waren mit ihren Regierungsgeschäften so ausgefüllt, daß ihnen keine Zeit blieb, sich auch noch um die persönlichen Anliegen der einzelnen Menschen zu kümmern. Dafür waren ihre Familien- oder persönlichen Gottheiten da, an die sich die Menschen in ihren alltäglichen Sorgen wandten. Nur in Zeiten ganz großer Not wandte man sich an die "großen" Götter des Landes und der Stadt, und auch dann nur unter Zuhilfenahme der Vermittlung niederer Gottheiten. Zu diesen zählten insbesondere die persönlichen Götter. Soweit die communis opinio der gegenwärtigen Forschung.

Bevor wir dazu Stellung nehmen, wollen wir zunächst uns eine Übersicht über die von den sumerischen Königen verehrten persönlichen Gottheiten verschaffen.

Der Gott Šulutula wird von fast sämtlichen Gliedern der ersten Dynastie von Lagaš (ca. 245o -235o v.Chr.) "mein Gott" o.ä. angeredet, nämlich von Urnanše (Ur-nina)[2], Eannatum[3], Entemena[4] und Ennanatum II.[5] Šulutula fungiert folglich als persönlicher Gott dieser Dynastie. Unter den späteren Fürsten von Lagaš verehrte Urukagina Ninšubur (Ninšaḫ)[6] und Urbaba Ninagal[7] als persönlichen Gott. Gudea erwähnt in seinen umfangreichen Inschriften seinen persönlichen Gott Ningizzida an zahlreichen Stellen, davon elfmal mit der Bezeichnung "mein Gott"[8]. In einer Inschrift Urukaginas wird als persönli-

---

[1] Paffrath, ebd. 55ff; Jean, La religion 119; Falkenstein - v. Soden, SAHG 52; Jacobsen, Adventure 2o3ff.

[2] SAK 6 h iv,1f.

[3] SAK 12 xiii,5f; 22 vii,17f; 24 vii,3f; 26 vi,6f; 28 i iii,5f.

[4] SAK 32 b,6f; c,7f; d,1of; e,11f; f,44f; 34 g, ii,5f; 36 l iii,5f; 4o vi,1f.

[5] SAK 42,2of (Enannatum II).

[6] SAK 42 a iv,6f; b iv, 1o- v,1.

[7] SAK 6o i,7f; v,4f; 62 c,7f; e,6f; f i,7f. iii, 8f.

[8] SAK 68 iii,4f; 74 ix,4; 82 viii,8.11f; 84 ii,8f; 86 i ii,7; iii,7f; 94, v,19f; 1o8 xviii,16; 14o xxiii,18;14o o,1f; 144 b',1f. - Ningizzida erscheint bei Gudea nur einmal ohne ausdrückliche Kennzeichnung als dessen persönlicher Gott, nämlich SAK 12o xxx, 2.

cher Gott des feindlichen Königs Lugalzagesi von Uruk die Göttin Nisaba erwähnt.[1]
Die Götter Lugalbanda und Ninsuna werden von der 3. Dynastie von Ur (ca. 21oo v.Chr.)[2] und von Sîn-kāšid von Uruk (1865/6o -1833 v.Chr.) als persönliche Götter verehrt[3] Lugalbanda ist nach der Überlieferung auch der persönliche Gott des später vergöttlichten Königs von Uruk, Gilgameš, wie aus zwei Stellen des gleichnamigen Epos zu ersehen ist:

[50]

6 GUR šam-ni si-bit ki-lal-lí-lí
ana piš-ša-ti ilī-šu Lugal-bàn-da i-qiš

6 Gur Öl, den Inhalt von beiden,
schenkte er als Salböl für seinen Gott Lugalbanda.[4]

[51]

ša me-e na-di-šu iš-qú-ka
ìl-ka mu-ka-bi-it qa-qa-di-ka
dLugal-bàn-da

Der mit dem Wasser aus seinem Schlauch dich tränkte,
ist dein Gott, der dir Ehre erweist,
Lugalbanda.[5]

In welche Kategorie sind die eben aufgeführten persönlichen Gottheiten einzuordnen? Paffrath hat aus der Tatsache, daß Ningizzida in den Gudea-Inschriften jeweils am Ende der Götterliste erscheint, mit gewissem Recht den Schluß gezogen, daß dieser Gott rangmäßig tief unter der Würde der Reichs- und Stadtgötter gestanden habe.[6] In einer Inschrift wird er sogar als "geliebt von den Göttern" (ki-ága dingir-re-ne-ra)[7] bezeichnet, was ihn

---

[1] SAK 58 iii,11 - iv,3; s.u.S. 1O4 (Text Nr. 164).

[2] SAK 222 c, 1-4.

[3] Falkenstein, ZA 5o,73-76; Wilcke, Lugalbandaepos 52; vgl. Falkenstein, BagM 2,23.32.

[4] KB VI,i 176,191f; vgl. Heidel, Gilgamesh 55,173ff.

[5] V. Soden, ZA 53, 216,14-16.

[6] Götterlehre 55.

[7] SAK 86 i i,6.

"sozusagen auf die Stufe eines Halbgottes" herabdrücke[1]. Auch scheint er - wie Falkenstein beobachtet[2]- in Lagaš neu gewesen zu sein, denn in Stat.[3] I wird von ihm berichtet, daß Ningirsu ihm zunächst Ländereien für eine eigene Tempelwirtschaft zuweisen mußte, bevor Gudea ihm eine Wohnstätte bauen konnte. Eine ähnliche untergeordnete Bedeutung hatten nach Falkenstein auch die Götter Lugalbanda und Ninsuna, die in den Wirtschaftstexten der Ur-III-Zeit auffallend wenig vorkommen, dagegen zusammen mit Opfern für die Statuen der Könige häufig genannt werden.[4]

So richtig diese Beobachtungen sind, so sehr muß man sich jedoch davor hüten, daraus allgemeine Regeln für die Stellung des persönlichen Gottes in der sumerischen Religion abzuleiten. Wir müssen immer die Bruchstückhaftigkeit der uns zur Verfügung stehenden Überlieferung im Auge behalten. Auch fällt es schwer, z.B. Ningizzida in die Kategorie der "kleinen" Götter einzuordnen. Ningizzida wurde in der Ur-III-Zeit vielfach verehrte[5], wie aus den Opferlisten[6] und Personennamen[7] zu ersehen ist. Šulgi baute ihm in Ur einen Tempel. Im übrigen darf aus der Tatsache, daß ein Gott in zeitgenössischen Texten wenig oder garnicht belegt ist, nicht der Schluß gezogen werden, er sei ein untergeordneter Gott. Denn auch Aššur tritt in nachaltbabylonischer Zeit in der Namengebung völlig zurück; auch gibt es kein an ihn gerichtetes Gebet. Niemand würde deshalb auf die Idee kommen, ihn unter die "kleinen"Götter zu rechnen, da wir zahlreiche Königsinschriften besitzen, bei denen er die oberste Stelle einnimmt. Auch Anu fehlt in altbabylonischen Namen[8], obwohl er in den Götterlisten den ersten Platz einnimmt. Man wird also vorsichtig sein müssen in der Klassifizierung der Götter als "große" oder "kleine" Gottheiten und dabei Charakter und Zufälligkeit der uns erhaltenen Literatur zu bedenken haben.

---

[1] Paffrath, ebd. 56.

[2] Falkenstein, Inschriften 1o1.

[3] SAK 86.

[4] Vgl. Wilcke, ebd. 52.

[5] Vgl. Schneider, Götternamen Nr. 4o2; Falkenstein, Inschriften 1o3f.

[6] Schneider,ebd.

[7] Limet, L'anthroponymie 16o.

[8] Vgl. Ranke, Personennamen 14.

Einen positiven Beweis dafür, daß auch solche Götter als persönliche Gottheiten verehrt wurden, die uns aus der Überlieferung als bedeutend bekannt sind, liefert die Namengebung. Aus der Ur-III-Zeit sind Namen belegt, in denen z.B. Baba, Innina, Ištar und Enlil als "mein Gott" angeredet bzw. die Namenträger zu ihnen in eine enge Beziehung gebracht werden: Beispiele:

^{d}Ba-ba-dingir-mu	"Baba ist mein Gott";
^{d}Innina-dingir-mu	"Innina ist mein Gott";
Eš$_4$-tár-dingir-mu	"Ištar ist mein Gott"[1];
En-lí-lá	"Des Enlil (ist er)"[2].

Als Ergebnis unserer Untersuchungen haben wir festzuhalten, daß die Sumerer sowohl "große" als auch "kleine" Gottheiten als persönliche Götter verehrten. In dieser Hinsicht ist zwischen sumerischer und akkadischer Religion kein Unterschied festzustellen. Im ganzen gesehen besitzen wir über die private Religion der Sumerer nur sehr wenige Nachrichten, da die uns erhaltene Literatur fast nur aus offiziellen religiösen Texten besteht, die darüber naturgemäß nur wenige Aufschlüsse geben. Um so gewichtiger ist die Aussagekraft der Namengebung als zeitgenössischem Zeugnis für den persönlichen Glauben der Sumerer. [3]

II. Der persönliche Gott in der babylonisch-assyrischen Religion

Ähnlich wie in der sumerischen Religion können auch bei den Babyloniern und Assyrern sowohl untergeordnete als auch mächtige Gottheiten als persön-

---

[1] Limet, ebd. 141.

[2] Ebd.126. - Weitere Belege s.u.S. 51.

[3] Woolley, Abraham, 217, hat aus dem archäologischen Befund, wonach Familienkapellen erst seit der Ur-III-Zeit belegt sind, den Schluß gezogen, daß auch die Vorstellung vom persönlichen Gott erst um diese Zeit allgemeine Verbreitung gewonnen hat. Die Hinwendung zu den persönlichen Gottheiten hängt nach seiner Meinung damit zusammen, daß die Menschen infolge der politischen Wirren das Vertrauen in die Staatsgötter verloren und sich nunmehr den Familiengottheiten zuwandten. (219f) Woolleys These ist höchst fragwürdig, da man aus einem solchen archäologischen Nachweis kaum so weitreichende Schlüsse ziehen kann, wo doch die aus sehr viel früherer Zeit stammenden Königsinschriften die Vorstellung vom persönlichen Gott bereits kennen.

liche Götter fungieren.[1] Dies gilt nicht nur für die Könige, sondern auch für den gewöhnlichen Menschen, wie wir nun im einzelnen sehen werden.

1. *Der persönliche Gott des gewöhnlichen Menschen*

Wir beginnen mit einer Übersicht über die persönlichen Gottheiten, die in Briefen und Siegeln aus den verschiedenen Zeiten genannt werden.

In den altassyrischen Texten aus Kültepe (19. Jahrhundert v.Chr.) fungieren die westsemitischen Gottheiten Ilabrat, Amurrum und Ištar.ZA.AT als persönliche bzw. Vatergötter.[2] Hirsch[3] zählt diese zu den untergeordneten Göttern und folgert daraus, daß es nur die "kleinen" Götter seien, die dem Schützling den Zugang zu den "großen" ermöglichten. Abgesehen davon, daß es problematisch erscheint, einen so bedeutenden Gott wie Amurru unter die "kleinen" Götter zu rechnen - hier wird allein das babylonische bzw. assyrische Reichspantheon zum Maßstab genommen -, so findet sich aus dieser Zeit ein Text, in dem Aššur "Gott meines Vaters" genannt wird:

[52]

Aššur ì-lí abīka uṣalla u liṭṭula kīma ana aḫūtim aše'uka

Ich bete zu Aššur, dem Gott deines Vaters, daß er sehen möge, wie ich dich um eine (mehr) brüderliche Haltung ersuche.[4]

---

[1] Falkenstein - v. Soden, SAHG 52; anders Meissner, BuA II, 136; Schmökel, Hammurabi 93; Lambert, BWL 7. - Von Soden hebt in diesem Punkt den Charakter der sumerischen Götter von dem der babylonisch-assyrischen Gottheiten ab. Während nach sumerischer Auffassung die einzelnen Götter jeweils einen verhältnismäßig begrenzten Machtbereich gehabt hätten, zeichnen sich die semitischen Gottheiten durch den Drang aus, alle Bereiche der Welt und des Lebens zu durchdringen. Deshalb können auch die Hauptgötter als persönliche Gottheiten gewählt werden "in der Zuversicht, daß diese trotz ihrer Sorge für Himmel und Erde auch für die Nöte des Einzelnen ein Ohr und Herz hatten" (SAHG 52; vgl. v. Soden in Henninger, Lebensraum 54) - Wenn in dieser Hinsicht zwischen sumerischer und akkadischer Religion kein Unterschied besteht, ist auch eine Spekulation über mögliche Hintergründe überflüssig. Überhaupt erscheint es problematisch, sumerische und babylonisch-assyrische Religion so deutlich unterscheiden zu wollen. Beide Religionen sind im Laufe der Geschichte eng miteinander verflochten worden, was die Herauskristallisierung der einzelnen Komponenten stark erschwert oder gar unmöglich macht.

[2] S.o.S. 12ff.

[3] Untersuchungen 81.

[4] CAD "I/J" 95^{a}. Vgl. auch die Bezeichnung Aššurs als *il abīni* "Gott unseres Vaters" bei Hirsch, ebd. 8. In einem aus der Sargonidenzeit stammenden Text wird Aššur "mein Gott" genannt (Kohler-Ungnad, Rechtsurkunden Nr. 182, 13).

Eine Analyse der Namengebung jener Zeit liefert das gleiche Ergebnis. Dort erscheinen Namen wie *Warad-ilīšu* und *Warad-Aššur, Amur-Ili* und *Amur-Aššur, Ili-rē'i* und *Aššur-rē'i* nebeneinander.[1]

In altbabylonischen Briefen werden des öfteren Hauptgottheiten mit "mein, dein Gott" o.ä. angeredet, z.B.:

[53]

ša te-pu-šá-an-ni il-ka ^{d}*Adad li-i[d-d]am-mi-[iq]*

Was du getan hast, möge Adad, dein Gott, vergelten! (wörtlich: schön machen)[2]

54

PN_1 MU-NI-IM PN_2 AD-DA-NI *ana* ^{d}*Adad i-li-šu ana qadištim iqīš* PN_2

Eine gewisse PN_1 hat PN_2 , ihr Vater, dem Adad, seinem Gott, als Geweihte geschenkt.[3]

[55]

be-lí at-ta i-na qí-bi-it Marduk ba-n[i-]i-ka a-šar ta-qá-ab-bu-ú ta-am-ma-ag-ga-ar

Du, mein Herr, wirst auf Befehl des Gottes Marduk, deines Schöpfers, (überall) wo du befiehlst, Gehorsam finden.[4]

Der Gott Amurru wird in einem aus derselben Zeit stammenden Brief ebenfalls als "dein Gott" (*ilka*) bezeichnet und dadurch von den übrigen genannten Gottheiten Anum, Ištar, Šamaš und Ilabrat abgehoben.[5]

---

[1] Vgl. die Tabelle bei Garelli, RA 56,197. - Garelli hat allerdings aus diesem Namensvergleich einen etwas einseitigen Schluß gezogen: "On peut donc admettre que lorsqu'un Assyrien disait 'mon dieu' (ili), le plus souvent, il devait penser à Assur." (199) Mit "mein Gott" können sowohl Aššur als auch andere Götter bezeichnet werden, wenn sie als persönliche Gottheiten fungieren.

[2] Ungnad, ZvRW 36 Nr. 61,4.

[3] CAD "I/J" 96^{b}.

[4] Frankena, AbB 2 Nr. 86,14f. - Zum Terminus "Schöpfer" s.o.S.15f. Vgl. auch den Ausdruck "Ilabrat, dein Schöpfer" in dem Brief F.R. Kraus, AbB 1 Nr. 46,3.

[5] Ebeling, Briefe, MAOG XVI,5,37.

Ein Siegel aus der Kassitenzeit (14. - 12. Jh.) trägt folgende Inschrift:

[56]

ša-kin ^{na_4}*kunukki an-n[i]-i*	Der Träger dieses Siegels
MI-*it-ra(?)*-^{3}UR-*ši*	Mitra-UR-ši
mâr A-bi-im-mu-ut-ta-a[š]	Sohn des Abimmuttaš:
i-na a-ma-at ì-lí-šu	auf Befehl seines Gottes
^{d}*Nè-iri*$_2$*-gal*	Nergal
šu-um-šu li-id-mi-iq	möge sein Name angenehm werden,
ilam^{lam} *u šēdam*	einen Gott und Šēdu
li-ir-ši	möge er haben.[1]

Der Besitzer dieses Siegels verehrte also einen der bedeutenden Götter, nämlich Nergal, als seinen persönlichen Gott.

Auch die babylonisch-assyrische Namengebung weist darauf hin, daß auch "große" Götter als persönliche Götter verehrt wurden, z.B.:

Il-ka-^{d}*Šamaš* "Dein Gott ist Šamaš";
Il-ka-^{d}*A-a* "Dein Gott ist Aja";
^{d}*Marduk-ilum* "Marduk ist der (persönliche) Gott";
^{d}*Sîn-ilum* "Sîn ist der (persönliche) Gott";
^{d}*Šamaš-ì-lí* "Šamaš ist mein Gott"[2];
^{d}*Ištar-il-šu* "Ištar ist sein Gott";
^{d}*Šērum-ì-lí* "Šērum ist mein Gott";
Ì-lí-^{d}*Amurru* "Amurru ist mein Gott"[3] usw.

2. *Der persönliche Gott des Königs*

a. Ebenso wie die gewöhnlichen Menschen hatten auch die babylonisch-assyrischen Könige ihre persönlichen Götter, unter deren besonderen Schutz und Fürsorge sie ihr Leben wußten. In dem oben[4] zitierten Text bezeichnet sich ein König als "Sohn seines Gottes" und bildet also darin gegenüber den anderen Menschen keine Ausnahme. Die altakkadischen Könige verfluchen einen

---

[1] Langdon, Ra 16,8o Nr. 26; Porrada, Collection Nr. 571. - Zu der spezifischen Verwendung von ilum in der vorletzten Zeile s.u.S.7Of. - Weitere Belege für die Bezeichnung von "großen" Gottheiten als "mein usw. Gott" finden sich bei San Nicolò, Rechtsurkunden Nr. 44,7; Kohler-Peiser, Rechtsleben 26; Kupper, L'iconographie 78 Anm. 2.

[2] P. Kraus, Briefe, MVAeG 36,1,115; vgl. Tallquist, Names 21o.

[3] Stamm, Namengebung 21o. - Dort weitere Belege.

[4] S. 27 (Text Nr. 42).

eventuellen Nachfolger, der ihre Inschriften auslöscht, mit den Worten:

[57]

maḫ-rí-iš ì-lí-śu a GUB

Vor seinem Gott soll er nicht stehen![1]

Eine Bauinschrift des assyrischen Königs Tiglatpileser I. (1112 - 1o74 v. Chr.) lautet:

[58]

[ša ...] ēkal-la e-pu-šu ilānu$^{meš-nu}$*-šu a-na lìb-be il-lu-ku nīqe*$^{-meš}$*«nu»[a-na i]lāni*$^{meš-ni}$ *i-na lìb-bi-ma i-ša-kan*

[Wer ...] (von den früheren Königen) einen Palast baute, dessen Götter kommen in ihn hinein, Opferlämmer *[für die G]*ötter stellt er ebendarin bereit.[2]

In einem Gebet an Šamaš heißt es:

59

dingir-lugal-la-ke$_4$ nam-maḫ-zu ḫé-íb-ba

Der Gott des Königs möge deine Größe erheben.[3]

b. Neben diesen allgemeinen Aussagen darüber, daß auch der König seinen persönlichen Gott hat, sind in den Königsinschriften die Namen folgender persönlicher Götter der jeweiligen Könige überliefert:

Die Dynastie von Akkade verehrte A.MAL als ihren persönlichen Gott. In den Inschriften Sargons (2329 - 2274 v.Chr.) und Narâm-sins (2249 - 2213 v.Chr.) erscheint er unter der Bezeichnung "sein Gott" (*il-śu*).[4] Sargon verdankte A.MAL seinen entscheidenden Sieg über den gegnerischen König Lugalzagesi von Uruk.[5]

---

[1] Hirsch, AfO 2o,55 b 1,46-48; 65 b 7,46-48 (Rīmuš); 73 b 4 Rs. ii, 5-7; 78, b 6 ii,44-46 (Narām-sîn).

[2] Weidner, AfO 18,353,84f.

[3] Schollmeyer, HGŠ Nr: 1 ii,28f. - Vgl. auch Pfeiffer, State Letters Nr. 27o Rs. 5-8.

[4] Hirsch, AfO 2o,39 b 4,47f; 75 b 5,21f.

[5] AfO 2o,41 b 6,52ff.

Der altassyrische König Irišum (194o -19o1 v.Chr.) nennt in den Fluch- und Segensformeln einer in Kültepe gefundenen Inschrift den Gott Bēlum "mein Gott".[1] Šamši-Adad I. (1814 - 1782 v.Chr.), ein Zeitgenosse Hammurabis, verehrte Sîn als seinen persönlichen Gott.[2] Für Hammurabi von Babylon und seine Dynastie scheint der Sonnengott Šamaš diese Funktion innegehabt zu haben.[3] Dies hat wohl seinen Grund darin, daß die Familie Hammurabis aus der Stadt des Sonnengottes, Sippar, stammte.[4] Hammurabi nennt sich zu Beginn seiner berühmten Gesetzessammlung "gehorsamer Diener des Šamaš"; sein Sohn und Nachfolger trägt den Namen *Śamśu-ilūna* "Šamaš ist unser Gott". Auch *Arikdênilu* von Assyrien (1325 - 1311 v.Chr.) verehrte Šamaš als seinen persönlichen Gott; in einer Inschrift bezeichnet er sich als "Erbauer des Tempels des Šam[aš], des Tempels des schützenden Gottes" *(ba-ni bît Šam[aš] bît ili na-ṣi-ri)*.[6o].[5]

Ein Grenzstein aus dem 12. Jh. v. Chr. nennt das kassitische Götterpaar Šuqamuna und Šumalija "Gott des Königs und Lamassu des Königs" *(ìl šarri u lamassi šarri)* [61].[6] In einer Grenzsteinurkunde aus der Zeit Merodachbaladans I. von Babylonien (ca. 13oo v.Chr.) werden Ninegal, Šuqamuna und Šumalija als "Götter des Königs" bezeichnet.[7] In dem Brief einer babylonischen Prinzessin werden die Götter des Kassitenkönigs Burnaburiaš, eines Zeitgenossen Amenophis III., um Mitgehen angerufen:

---

[1] Landsberger-Balkan, Belleten 14,224,25.32; 228,5o.74. - Vgl. zu *Bēlum* als nomen proprium einer Gottheit Hirsch, Untersuchungen 22ff. Nach Landsberger-Balkan (ebd. 258) dürfte dieser Gott identisch sein mit dem *Bēlum i/abriia* oder *Bēlum*-LUGAL, der außerhalb des Stadtkerns von Assur verehrt wurde.

[2] S. Text Nr. 3o o.S. 21.

[3] Vgl. Schmökel, Hammurabi 78.

[4] Vgl. Schollmeyer, HGŠ 22.

[5] Ebeling, Inschriften, AOB I,48,1,4-5.

[6] v. Soden, BagM 3,151 Anm. 4 - Hier wird Lamassu parallel zu *ilu* zur Bezeichnung des persönlichen Gottes und dessen Gemahlin verwendet.

[7] Borger, AfO 23, 16 Nr. 2 iv, 1o'-11'; vgl. 3 Nr. 1 iv,4. S. dazu Edzard, WM I/1 92.

[62]

ilānu ša B[u]r-ra-bur-[j]a-aš it-ti-ka li-li-ku

Die Götter des Burnaburiaš mögen mit dir gehen![1]

Die neubabylonischen Könige der Chaldäerdynastie fühlten sich im besonderen mit dem Schreibergott Nabû verbunden, wie beispielsweise aus einem Gebet Aššurbanipals an Nabû hervorgeht.[2] Demgegenüber bevorzugte der letzte Herrscher aus dieser Dynastie, Nabonid (555 - 539 v.Chr.), den Mondgott Sîn, dessen Tempel er in Harrān wieder aufbaute.[3] Diese Bevorzugung Sîns gegenüber den anderen Göttern brachte ihm die Feindschaft der Mardukpriester von Babylon ein, was schließlich mit zu seinem Sturz führte. Die besondere Verehrung Sîns stammte von Nabonids Mutter Adda-gruppi her, die in den Harrān-Inschriften berichtet, daß sie von Jugend auf eine Verehrerin des Sîn und seiner Familie gewesen sei, und dieser ihren Sohn zur Königswürde berufen habe.[4]

c. Das Verhältnis von Staatsgöttern und persönlichen Göttern.

Wie verhalten sich nun die persönlichen Götter des Königs zu den Staatsgöttern? Hier ergeben sich sachliche und terminologische Überschneidungen. Auf Grund seiner herausgehobenen Stellung stand der König zu sämtlichen Göttern seines Reiches in einer so engen Beziehung, wie der gewöhnliche Mensch nur zu seinen persönlichen Göttern.[5] Aššurbanipal berichtet in seinen Analen, das Aššur, Sîn, Šamaš, Adad, Bēl, Nabû, Ištar von Ninive, die himmlische Königin von Kitmuri, Ištar von Arbela, Nergal und Nusku vor ihm her marschieren und seine Widersacher niederschlagen.[6]
Hier ist also nicht genau zu unterscheiden, zu welchen Göttern der König ein persönliches Verhältnis hatte und welche er im Rahmen des Staatskultes anrief. In anderen Texten Aššurbanipals nimmt Aššur einen hervorragenden Platz ein. Der König spricht in einem Erlaß von "Aššur und meinen (übrigen)

---

[1] Knudtzon, EA Nr. 12,7.

[2] Vgl. Pinckert, Nebo Nr. 2; Zimmern, AO VII,3,10.

[3] Röllig, ZA 56,219,9-11.

[4] Gadd, AnSt 8,46 ff.

[5] Vgl. Oppenheim, Mesopotamia 2o5.

[6] Smith, Assurbanipal, H. 1, Kol. iv, 46-49; vgl. i,81f; ix, 86-92; Waterman, Correspondance Nr. 8; Seux, Epithètes 3o-4o.

Göttern" (ᵈ*a[šur] ù ilāni*ᵐᵉˢ*-ia)* *[63]*.[1]

Im assyrischen Krönungsritual reden die Priester gegenüber dem König von Aššur als "deinem Gott":

[64]

šēp-ka ina É.KUR *ù qātē*ᵐᵉˢ*-ka [i-n]a irat Aššur ili-ka lu ṭāb i-na ma-ḫar Aššur ili-ka ša-an-g[u-ut]-ka ù ša-an-gu-ta ša mārē*ᵐᵉˢ*-ka lu ṭa-ba-a[t]* ...

Dein Fuß in Ekur und deine Hände *[ge]*gen Aššur, deinen Gott (ausgestreckt), mögen sich wohlbefinden!
Das Wohlgefallen Aššurs, deines Gottes, möge dein Priester*[tum]*und das Priestertum deiner Söhne finde*[n]*![2]

Der Schutz Aššurs erstreckt sich diesem Text nach nicht allein auf den regierenden König, sondern zugleich auf seine Nachkommen. Aššur scheint folglich die Funktion eines persönlichen Gottes gegenüber dem königlichen Haus ausgeübt zu haben. Demgegenüber tritt Aššur innerhalb der Volksreligion ganz zurück.[3]

Die Grenzen zwischen persönlichen und Staatsgöttern war bei den Königen also offensichtlich fließend. Aus einer neubabylonischen Hemerologie kann man jedoch ersehen, daß dennoch ein gewisser Unterschied bestand. Denn hier wird der Staatsgott Marduk von Papsukkal dadurch unterschieden, daß letzterer als "sein Gott" gekennzeichnet wird:

[65]

kurmassu ana ᵈ*Marduk u* ᵈ*Papsukkal ili-šú liškunma maḫir*

Er (der König) möge ein Speisopfer Marduk und seinem Gott Papsukkal darbringen, und es wird angenommen werden.[4]

Der persönliche Gott des Königs erweist seine Hilfe auch den Untertanen, wenn diese in besonders schwere Not geraten. So schreibt ein Untertan an den assyrischen König in bezug auf einen Kranken:

---

1 Pfeiffer, State Letters Nr. 28 Rs. 16f. - Entsprechend bezieht sich ein Untergebener in einem Brief auf "Aššur und die (übrigen) Götter meines Herrn (ᵈ*Ašur ù ilāni ša šarri*). Ebd. Nr. 349 Rs. 6-8.

2 Müller, Ritual 12,32-34.

3 Vgl. v. Soden, Unsicherheit 36o.

4 CAD "I/J" 97ᵃ.

[66]

dbēlit balāṭi il-ka dam-qu ša umē^{meš} arkūte^{meš} ši-bu-tu lit-tu-tú
šul-mu^{mu} balāṭu a-na šarri bêli-ia ta-da-nu-u-ni ši-i qât-šu ta-ṣa-bat
ina libbi^{bi} ili u ^{d}šêdi ša šarri bêli-ia ib-ta-laṭ

Die Herrin des Lebens, deine gute Gottheit, die dem König, meinem Herrn, ungezählte Tage, hohes Alter, Nachkommenschaft, Friede (und) Leben gibt, ergreift seine (d.h. des Kranken) Hand. Durch den Gott und Šēdu des Königs, meines Herrn, ist er gesund geworden.[1]

Mehrfach berufen sich militärische Führer bei ihren Unternehmungen auf den Beistand der "Götter des Königs", z.B.:

[67]

ilāni ša šarri bēlī-ia ittī-ia kī izzizū ina libbi 4 me ^{giš}qalti
mandīs-sunu radpi(?) ina libbi ^{giš}eleppēti altapra

Als die Götter des Königs, meines Herrn, mir zur Seite standen, habe ich (von den) 4oo Bogen(schützen) zu ihrer Überrumpelung schleunigst auf Schiffen losgesandt.[2]

Ob hier die Staatsgottheiten oder die persönlichen Götter des Königs gemeint sind, läßt sich nicht sicher entscheiden. Zwei Briefe aus Mari geben jedoch von der Auffassung Zeugnis, daß der persönliche Gott des Königs auch für die militärischen Erfolge von dessen Truppen zuständig war.[3]

3. *Die Zahl der vom Individuum verehrten persönlichen Gottheiten*

Wieviele persönliche Götter verehrte nun ein Mesopotamier? Wie wir gesehen haben, werden in den Gebets- und Beschwörungstexten häufig "mein Gott" und "meine Göttin" nebeneinander genannt. Auch bezeichnet sich der Beter mit der Formel "NN, dessen Gott NN, dessen Göttin NN (ist)".[4] Soweit in einer solchen Formel konkrete Götter aufgeführt werden, handelt es sich immer um ein

---

[1] Pfeiffer, ebd. Nr. 296, 4-1o.

[2] Dietrich, Aramäer Nr. 146, 4-6; vgl. 25,5; 82,1o; 1o5,11; 156,3; 165,1o; Pfeiffer, ebd. Nr. 42 Rs. 4f; 43 Rs. 5f; 73,1of; 76,4.

[3] ARM II,5o,12'-13' (s.o.S. 14 (Text Nr. 13)); X,1o7,2o-24 (s.u.S. 149f (Text Nr. 221)).

[4] S.o.S. 31 (Text Nr. 48).

Götterpaar, z.B. Marduk und Ṣarpānītum[1], Aššur und Aššurītu[2], Nabû und Tašmētu[3]. Götterpaare sind häufig auch in den Inschriften der Siegelzylinder zu beobachten, z.B. Šamaš und Aja, Ea und Damkina, Bēl und Bēlēt, Lugalbanda und Ninsuna, Martu und Geštinanna, Ningirsu und Baba, Marduk und Ṣarpānītum[4]. In einer altbabylonischen Urkunde wird vom Tempelbau eines Privatmannes für den Gott Šarrum und dessen Gemahlin Šullat berichtet, die er als seine persönlichen Götter verehrt[5]. Langdon[6] vertritt auf Grund dieser Belege die These, jeder Babylonier habe einen Gott und dessen Gemahlin als persönliche Gottheiten angerufen.

Die Verehrung eines Götterpaares als persönliche Gottheiten mag sicher häufig der Fall gewesen sein. Allerdings darf dies aus folgenden Gründen nicht als allgemein gehandhabte Regel angenommen werden: 1. In den altbabylonischen Briefen wird mehrfach nur eine (männliche oder weibliche) Gottheit als persönlicher Gott genannt.[7] 2. Das Nebeneinander von "mein Gott" und "meine Göttin" in den Gebetsbeschwörungen kann auch von dem agendarischen Charakter dieser Texte her erklärt werden in dem Sinne, daß der Beter hier den Namen entweder seines Gottes *oder* seiner Göttin einsetzte. 3. Das Hinzutreten der Göttergemahlinnen hängt offensichtlich damit zusammen, daß in späterer Zeit die Gemahlinnen der großen Götter gern als Fürbitterinnen angegangen wurden.[8]

Man wird also als Antwort auf die Frage nach der Zahl der vom Individuum verehrten persönlichen Götter folgende Möglichkeiten annehmen müssen:

---

[1] Ebeling, Handerhebung 152,8.

[2] Ebd. 146 II 13.

[3] Ebd. 16,14, s.o.S. 31f (Text Nr. 49).

[4] Krauß, Götternamen 9 ff.

[5] Schorr, Urkunden Nr. 22o,1ff, s.u.S. 60 (Text Nr. 77).

[6] RA 16,49ff.

[7] S.o.S. 38 (Texte Nr. 53-55), o.S. 21 (Texte Nr. 28-29) u.a.

[8] Vgl. Ebeling, Handerhebung 5o,126; 52, 5-7; ders., ZDMG 69,1oo,27.

a. Ein (männlicher oder weiblicher) Gott;

b. ein männlicher Gott und seine Gemahlin;

c. zwei oder mehrere (männliche oder weibliche) Gottheiten.

Diese Möglichkeiten existierten offensichtlich nebeneinander, wobei damit zu rechnen ist, daß es Unterschiede bei den einzelnen Ständen, Gegenden oder Zeiten gab, über die uns genauere Auskünfte fehlen.

4. *Hatten auch Frauen einen persönlichen Gott?*

Als nächstes wollen wir uns nun der Frage zuwenden, ob auch Frauen einen persönlichen Gott besaßen. Stamm[1] zieht aus der Tatsache, daß *ilī* und *ilum*, aber auch etwaige Entsprechungen wie *iltī, bēltī* und *ištarī* in Frauennamen nicht vorkommen, den "unabweisliche(n) Schluß", daß Frauen weder einen persönlichen Gott, noch eine persönliche Göttin hatten. Er nimmt an, daß freie Frauen den Gott ihres Vaterhauses und später den ihres Mannes verehrten, während Sklavinnen, in deren Namen *ilu* bzw. Götternamen belegt sind, ihren eigenen persönlichen Gott besaßen.[2]
Es wäre höchst erstaunlich, wenn Sklavinnen, die nach altorientalischer Auffassung nur wenige Rechte besaßen, in religiöser Hinsicht gegenüber freien Frauen derart bevorzugt würden. Zudem besitzen wir einige Texte, aus denen deutlich hervorgeht, daß auch Frauen einen persönlichen Gott verehren konnten. Zwei aus altbabylonischer Zeit stammende Briefe an weibliche Empfänger enthalten Segenswünsche, die sich auf den persönlichen Gott der Empfängerin, der *ilum nāṣirki* genannt wird, beziehen.[3] Eine altbabylonische Rechtsurkunde regelt die Eheschließung eines gewissen Warad-Šamaš. Darin wird als eine Pflicht der Nebenfrau gegenüber der Hauptfrau folgendes festgelegt:

[68]

^{iṣu}kussī-ša a-na bīt i-li-ša i-na-ši

Ihren Stuhl wird sie zum Tempel ihres Gottes tragen.[4]

Auf Siegelzylindern bezeichnen sich auch Frauen als Dienerinnen bestimmter Gottheiten, z.B.:

---

1 Namengebung 73.

2 Ebd. 3o9.

3 S.o.S. 21 (Text Nr. 28).

4 Schorr, Urkunden Nr. 4,2of; vgl. Pinches, IRAS 1897, 6o7-6o9.

[69]

Marat-ta-ri-bu-um	Mārat-Tarību
wardat ^{d}*Sîn*	Dienerin des Sîn
^{d}*Nin-gal*	(und) der Nin-gal.[1]

Aus diesen Belegen muß gefolgert werden, daß auch Frauen eine (männliche oder weibliche) Gottheit als persönlichen Gott verehren konnten. Es ist zu vermuten, daß dieser in vielen Fällen mit dem persönlichen Gott ihres Mannes und dessen Familie identisch war.

5. *Das Verhältnis des persönlichen Gottes zu Šēdu und Lamassu*

Wie verhält sich nun der als "mein Gott", "mein Schöpfer" o.ä. bezeichnete persönliche Gott zu den Šēdu und Lamassu genannten Gestalten? In den Texten werden diese vielfach einander gleichgeordnet. Ein leider teilweise zerstörter altbabylonischer Brief enthält den Satz:

[70]

[i]l-ka la-ma-as-sà-ka ù [.....] [š]a i-ka-ra-ba-ak-kum [......]

Dein Gott, dein Lamassu und *[.....]*, der dich segnet.[2]

In der oben[3] zitierten Grenzsteinurkunde stehen *il* und *lamassu* für Gott und Göttin des Königs nebeneinander.

In einer Beschwörung gegen die bösen Utukku-Dämonen heißt es:

[71]

[ud]ug sig$_5$-ga lama sig$_5$-ga dingir-SAG.DU-ga-gin$_7$
sag-gá-na ḫé-en-su$_8$-su$_8$-ge-eš
[še-e-du] dum-qi u la-mas-si dum-qi kîma ili ba-ni-šú ina re-še-šú lu-u ka-a-an

Ein gnädiger Šēdu, eine gnädige Lamassu stehe dauernd an seiner Seite, ebenso wie der Gott, sein Schöpfer.[4]

---

[1] Krauß, Götternamen 31; vgl. 3o.39.

[2] F.R. Kraus, AbB 1 Nr. 6,11f; vgl. 15, 1-6; ders., Omina Nr. LXVII.

[3] S. 41 (Text Nr. 61).

[4] Ebeling, AfO 16,3oo,27f.

Hier wird die Funktion von Šēdu und Lamassu, nämlich an der Seite des Menschen zu stehen, mit der des persönlichen Gottes ("sein Schöpfer") verglichen. Analog können auch große Götter wie z.B. Marduk mit dem Terminus ᵈ*lamassu* belegt werden.[1] In den Gebeten und Gebetsbeschwörungen werden die Termini "mein Gott" und "meine Göttin" vielfach parallel zu Šēdu und Lamassu verwendet und meinen wohl ein und dasselbe Götterpaar.[2] Bei der Behandlung der einzelnen Funktionen des persönlichen Gottes werden wir sehen, daß von Šēdu und Lamassu vielfach dieselben Aussagen gemacht werden wie vom persönlichen Gott.

Diese Beobachtungen geben zu der Vermutung Anlaß, daß Šēdu und Lamassu vielfach auch als Bezeichnungen für den persönlichen Gott verwendet wurden. Oppenheim[3] ordnet deshalb *ilu, ištaru,* ᵈ*šēdu* und ᵈ*lamassu* einander in der Bedeutung völlig gleich:" To experience a lucky stroke, to escape a danger, to have an easy and complete success, is expressed in Akkadian by saying that such a person has a 'spirit', i.e. an *ilu, ištaru, lamassu, šēdu*." Allerdings gilt dies nicht überall. Eine Gruppe von Texten versteht unter Šēdu und Lamassu deutlich untergeordnete Schutzgeister, die insbesondere mit dem Haus bzw. Palast in Beziehung stehen.[4] Man könnte Šēdu und Lamassu in diesen Fällen mit den römischen Penaten oder Laren vergleichen. Der Sprachgebrauch ist also nicht ganz einheitlich. Šēdu und Lamassu werden einerseits als Schutzdämonen verstanden und dienen andererseits als Bezeichnungen für den persönlichen Gott und die persönliche Göttin. Dabei muß man bedenken, daß der Unterschied zwischen Göttern und Dämonen in der mesopotamischen Religion fließend war.[5]

---

[1] Vgl. F.R. Kraus, AbB 1 Nr. 7,24.

[2] Vgl. Ebeling, Handerhebung 1o6, 17-19; Lambert BWL 32, 43-46 u.a.

[3] Mesopotamia 199.

[4] Vgl. Falkenstein, Haupttypen 88,11 (s.o.S. 24f Text Nr. 37); Ebeling, Handerhebung 86,21; Meier, AfO 14,146,14of; Luckenbill, Sennacherib 125,52f; Borger, Asarhaddon 64, 62-64; Contenau, La magie 8o; Weber, Beschwörung 36.

[5] Vgl. Jastrow, Religion I, 195; Ebeling, RLA 2,1o6.

C. DER PERSÖNLICHE GOTT IN DER NAMENGEBUNG

Im Verlauf der bisherigen Untersuchungen wurde bereits mehrfach die Namengebung als Belegmaterial für die Vorstellung vom persönlichen Gott herangezogen.[1] Nun muß noch eine grundätzliche Erörterung über die Rolle des persönlichen Gottes in der Namengebung erfolgen. Bekanntlich spiegelt sich in den religiösen Aussagen der Personennamen die individuelle Frömmigkeit oft besser wider als in den offiziellen Texten. Die Namengebung kann daher wertvolle Aufschlüsse über der Verhältnis des Menschen zu seinem persönlichen Gott und zu den übrigen Göttern geben.

Die Bezugnahme auf den persönlichen Gott kann in den Personennamen auf verschiedene Weise geschehen:

1. Der Name enthält eine für den persönlichen Gott charakteristische Bezeichnung, z.B. "mein, dein, sein Gott", "mein usw. Vater", "mein usw. Herr".
2. Im Namen wird ein Gott genannt, der zugleich der persönliche Gott des Namenträgers ist.

Die Möglichkeiten (1) und (2) sind häufig in der Weise miteinander kombiniert, daß ein bestimmter Gott "mein Gott" o.ä. genannt wird. Die Schwierigkeit liegt nun darin, festzustellen, ob auch bei Fall (2) der im Namen vorkommende Gott zugleich als persönlicher Gott des Namenträgers bzw. Namengebers fungiert. Anhaltspunkte hierfür können folgende Momente geben:

1. Ein Vergleich der theophoren Elemente in den Namen von Siegelbesitzern mit den auf ihren Siegeln genannten Göttern.
2. Ein Vergleich der Aussagen, die in Personennamen mit dem Element "mein Gott" o.ä. gemacht werden, mit solchen, die einen konkreten Götternamen enthalten.
3. Eine Untersuchung, ob innerhalb einer Familie derselbe Göttername durch mehrere Generationen hindurch für die Namengebung verwendet wird.

I. Die sumerische Namengebung

Die sumerische Namengebung ist bisher nur wenig untersucht worden, so daß

[1] S.o.S. 16ff.29ff.

für unser Problem nur wenig Material zur Verfügung steht. Die im folgenden dargebotenen Belege sind fast ausschließlich dem umfangreichen Werk von Limet über die Namengebung in der Ur-III-Zeit entnommen.[1]

1. *Namen mit* dingir *"Gott"*

Zahlreiche sumerische Personennamen enthalten das Element dingir "Gott", z.B. Lú-dingir-ra "Mann des Gottes"[2], Ur-dingir-ra "Diener des Gottes", Gemé-dingir-ra "Dienerin des Gottes", Ìr(ir_{11})-dingir-ra "Sklave des Gottes", Dingir-ra-kam "Des Gottes ist er"[3]. Dingir meint hier nicht Gott schlechthin oder einen beliebigen Gott, sondern den persönlichen Gott, mit dem der Namenträger in einer engen Beziehung steht. Dieser wird einigemale auch "mein Gott" genannt, z.B. Dingir-mu-ma-an-sì "Mein Gott hat mich beschenkt" oder A-ba-dingir-mu-ge_{18} "Wer ist wie mein Gott?"[4]

2. *Namen mit einem konkreten Götternamen*

Häufig erscheinen auch Götternamen in den Personennamen. In einigen Fällen werden diese Götter ausdrücklich als "mein usw. Gott" bezeichnet, woraus sich ergibt, daß es sich hier um den persönlichen Gott des Namenträgers handelt. Beispiele:

> ^{d}Ba-ba -dingir-mu "Baba ist mein Gott";
> ^{d}Innina-dingir-mu "Innina ist mein Gott";[5]
> ^{d}En-líl(a)-dingir-zu oder ^{d}En-líl-lá-dingir-zu
> "Enlil ist dein Gott".[6]

Die Zugehörigkeit zu einer bestimmten Gottheit wird auch durch bestimmte Termini ausgedrückt, die wir bereits bei der Behandlung der Bezeichnungen für den Schützling kennengelernt haben:[7]

---

[1] L'anthroponymie.

[2] Dieser Name ist auch altsumerisch belegt, vgl. Edzard, Rechtsurkunden 2o5.

[3] Limet, ebd. 14o.

[4] Ebd. 141.

[5] Ebd.

[6] Ebd. 127.

[7] S.o.S. 27ff.

a. Lú "Mann", z.B. Lú-^{d}Babbar-ra "Mann des Babbar"[1]; Lú-^{d}Ba-ba$_{6}$ "Mann der Baba"[2]; Lú-^{d}Nanna "Mann des Nanna"[3]; Lú-^{d}Enlíl-la "Mann des Enlil"[4];

b. Ur bzw. ìr "Knecht", z.B. Ìr-^{d}-Ba-ba$_{6}$ "Knecht der Baba"[5]; Ur-^{d}En-líl-lá "Knecht des Enlil"[6]; Ur-^{d}Innina "Knecht der Innina"[7]. Solche Namen sind bereits in altsumerischer Zeit belegt, z.B. Ur-^{d}Dumu-zi-da "Knecht des Dumuzi"[8]; Ur-^{d}Nin-suna "Knecht der Ninsuna"; Ur-^{d}Nusku "Knecht des Nusku"[9]. Analoge Namen sind mit gemé "Dienerin" gebildet.[10]

c. Daneben finden sich Namen, bei denen die enge Zugehörigkeit zu einer bestimmten Gottheit nach der Form dingir-ra-kam "des Gottes ist er" gebildet ist, z.B. ^{d}Nanna-kam oder ^{d}Nanna-ra-kam "Des Nanna ist er"[11]; ^{d}Nanše-kam "Der Nanše ist er" oder abgekürzt ^{d}Nanše-na "Seiner Nanše (ist er)"[12]; ^{d}En-líl-lá und ^{d}En-líl(a) "Des Enlil (ist er)"[13].

d. In einer weiteren Gruppe von Personennamen finden sich Aussagen, die eine persönliche Beziehung zwischen dem Namenträger und seiner Gottheit beinhalten. Beispiele: ^{d}Nanna-a-ki-ága "Von Nanna geliebt"; ^{d}Nanna-ra-igi-du$_{5}$ "Von Nanna angeschaut"; ^{d}Nanna-uru-mu "Nanna ist mein Held"; Gìri-^{d}Nanna-ì-díb "Ich habe den Fuß des Nanna gefaßt"; ^{d}Nanna-ar-mu-gi$_{4}$ "An Nanna habe ich mich gewandt";[14]

---

[1] Ebd. 451.

[2] Ebd. 122.

[3] Ebd. 117.

[4] Ebd. 126.

[5] Ebd. 122.

[6] Ebd. 126.

[7] Edzard, ebd. 21o.

[8] Ebd. 211.

[9] Ebd. 212.

[10] Vgl. die Übersicht Limet ebd. 413 ff.

[11] Ebd. 115.

[12] Ebd. 123.

[13] Ebd. 126.

[14] Ebd. 117.

^{d}Šará-ma-an-sum "Šara hat mich beschenkt"[1] ^{d}Nin-gír-su-á-daḫ--^{d}Šul-gi "Ningirsu ist die Hilfe Dungis"[2] ^{d}Nin-líl-zi-mu "Ninlil ist mein Leben"; ^{d}Nin-líl-e-ma-an-ág "Ninlil liebt mich"[3]; ^{d}Utu-silim--mu "Utu ist mein Heil"; ^{d}Utu-mu "O mein Utu";[4] ^{d}Utu-mu-zu "Utu hat mich erkannt"; Da-mu-^{d}Ininna "Meine Kraft ist Ininna"[5].

e. Auch die Anrede der Gottheit mit "mein Vater" bzw. "meine Mutter" bezieht sich wohl auf den persönlichen Gott, z.B. ^{d}Nanše-ama-mu "Nanše ist meine Mutter"[6]; ^{d}Nin-líl-ama-mu "Ninlil ist meine Mutter"[7]; ^{d}Iškur-a-mu "Iškur ist mein Vater"[8]; ^{d}Utu-ab-ba-mu "Utu ist mein Vater"[9].

Limet führt noch eine Liste von ca. 2oo weniger bekannten Gottheiten auf, die ebenfalls in den Personennamen vorkommen. Diese Namen werden zum großen Teil mit den Elementen "Knecht", "Mann" oder "Dienerin" gebildet, was wohl darauf hindeutet, daß hier Lokalgottheiten vorliegen, die ebenfalls als persönliche Götter verehrt wurden.[10]

II. Die akkadische Namengebung

1. *Namen mit ilum "Gott"*

Akkadische Namen enthalten häufig das Element *ilum* "Gott" mit oder ohne Pronominalsuffix. *Ilum* wird mit dem Zeichen AN geschrieben und kann in assyrischer und neubabylonischer Zeit auch *ili* "mein Gott" gelesen werden.[11] Sowohl *ilum* als auch *ilī* sind ähnlich wie im Sumerischen[12] auf den persönlichen Gott des Namenträgers zu beziehen.[13] Namen mit *ilum* kommen besonders häufig in

1 Ebd. 119.

2 Ebd. 124.

3 Ebd. 128.

4 Ebd. 134.

5 Ebd. 137.

6 Ebd. 123.

7 Ebd. 128.

8 Ebd. 132.

9 Ebd. 134.

10 Ebd. 153ff.

11 Vgl. Stamm, Namengebung 71.

12 S.o.S. 50.

13 Vgl. Hoschander, ZA 2o,25o; Stamm, ebd. 72. S. zu dieser Frage o.S. 11f.

altbabylonischer Zeit vor. Beispiele: *A-we-il-ì-lí* "Mann des Gottes"; *A-pil-ì-lí-šu* "Sohn seines Gottes"; *Warad-ì-lí-šu* "Knecht seines Gottes"; *Zikir-ili-šu*"Benennung seines Gottes"[1].

Daneben finden sich auch andere Termini für den persönlichen Gott:
abī "mein Vater", z.B. *Abī-nāṣir* "Mein Vater schützt"; *Abī-iddinam* "Mein Vater hat mir gegeben"; *Abī-ēpir* "Mein Vater versorgt"[2]; *Ilum-a-bi* "Der Gott ist mein Vater"[3];
bēlī "mein Herr", z.B. *Bēlī-ibnianni* "Mein Herr hat mich geschaffen"[4]; *Be-lí-iš-me-an-ni* "Mein Herr hat mich erhört"[5]. Parallele Namen sind mit *ili* "mein Gott" gebildet.

2. *Namen mit einem konkreten Götternamen*

In der nachaltbabylonischen Zeit treten die mit *ilum, ili* u.a. gebildeten Namen immer mehr zurück. An ihre Stelle treten Namen, die mit einem konkreten Götternamen gebildet sind. Die für unser Problem entscheidende Frage ist die nach dem Verhältnis des Namenträgers zu dem in seinem Namen enthaltenen Gott. Folgende Beobachtungen sprechen dafür, daß es sich hier gewöhnlich um den persönlichen Gott handelt:

a. Die konkreten Götternamen nehmen die Stelle ein, an der in altbabylonischer Zeit das Element *ilum, ili* o.ä. gestanden hat. Somit entsprechen die Aussagen, die in *ilum*-haltigen Namen gemacht werden, vielfach denen, die in Namen mit einem konkreten Gott vorkommen.
Beispiele: *Ib-ni-^{d}Uraš* "Uraš hat geschaffen" und *Ìl-šu-ib-ni-šu* "Sein Gott hat ihn geschaffen"[6]; *^{d}Sîn-ub-lam* "Sîn hat mir gebracht" und *Ì-lí-ub-lam* "Mein Gott hat mir gebracht"[7]; *^{d}Sîn-e-ri-im-šu* "Sîn hat sich seiner erbarmt" und *I-ri-man-ni-ili* "Mein Gott hat sich meiner erbarmt"[8].

---

1 P. Kraus, Briefe, MVAeG 36,1,115. - Weitere Belege bei Stamm, ebd. 335f und Gelb, Glossary 27ff.

2 Stamm ebd. 54.

3 Ebd. 3oo.

4 Ebd. 14o.

5 Ebd. 189.

6 Ebd. 139.

7 Ebd. 14o.

8 Ebd. 19o.

b. In einer Anzahl von Namen wird ein konkreter Gott ausdrücklich als "mein, dein, sein Gott" qualifiziert. Beispiele: ^d^*Šamaš-ì-lí* "Šamaš ist mein Gott"[1]; ^d^*Sîn-il-šu* "Sîn ist sein Gott"; ^d^*Dagān-il-šu* "Dagān ist sein Gott"[2]. Zu vergleichen sind Namen mit dem Element *abī* "mein Vater" o.ä., z.B. ^d^*Šamaš-a-bi* "Šamaš ist mein Vater"; ^d^*Sîn-a-bu-šu* "Sîn ist sein Vater"; ^d^*Ṣarpanītum-um-mi* "Ṣarpanītum ist meine Mutter"; ^d^*Ištar-mu-ma-ša* "Ištar ist ihre Mutter"[3].

c. Häufig bekennt sich der Namenträger als Schützling eines bestimmten Gottes, z.B. *Warad-*^d^*Ištar* "Knecht der Ištar"[4]; *Narām-*^d^*Adad* "Liebling Adads"; *Mār-*^d^*Ištar* "Sohn der Ištar"[5]; *Awīl-*^d^*Adad* "Mann Adads"[6]; *Šu-A-šur* "Der des Aššur"; *Ša-at* ^d^*A-a* "Der Aja gehörig"[7].

d. Ranke hat für die altbabylonische Zeit beobachtet, daß man weithin für den Namen des Sohnes die gleiche Gottheit wählte, die bereits Vater oder Großvater im Namen führten.[8] Hier handelt es sich also um den persönlichen Gott der Familie, der sich von Generation zu Generation im Namen fortsetzte. Dabei spielt oft der innerhalb einer Familie ausgeübte Beruf eine Rolle. So wählte sich z.B. eine Fischerfamilie den Süßwassergott Ea zum persönlichen Gott, der durch mehrere Generationen hindurch in den Eigennamen vorkommt. Bei den Gliedern einer anderen Familie, die die Vermesserwürde am Heiligtum des Gottes Uraš in Dilbat innehatte, führen Großvater, Vater und Sohn Uraš-haltige Namen.[9] Nicht immer liegen die Verhältnisse jedoch so klar zutage. Oft finden sich bei Geschwistern die Namen verschiedener Gottheiten.[10]

---

[1] P. Kraus, ebd. 115.

[2] Stamm, ebd. 21o.

[3] Ebd. 2o9.

[4] Ebd. 262.

[5] Gelb, Nuzi Personal Names 95.

[6] Gelb, ebd. 295.

[7] Stamm, ebd. 263.

[8] Vgl. Ranke, Personennamen 12; Stamm, Namengebung 6o.

[9] Stamm, ebd. 6o.

[10] Ebd. 6of.

e. Einen wichtigen Hinweis geben die Siegelzylinder. Auf ihnen bezeichnet sich der Inhaber als Knecht eines oder mehrerer Götter, die wohl in der Regel als seine persönlichen Gottheiten aufgefaßt werden dürfen.[1] Um die Frage zu klären, wie sich die persönlichen Götter zu den in den Eigennamen vorkommenden Götternamen verhalten, stellen wir zunächst die verschiedenen Möglichkeiten zusammen:

α. Der persönliche Gott stimmt mit dem Namensgott des Siegelinhabers überein, z.B.: *[72]*

^{d}*Sîn-ta-bal*	Sîn-tabbal
mār Zi-ni-i	Sohn des Zinû
warad ^{d}*Sîn*	Knecht des Sîn.[2]

β. Der persönliche Gott stimmt mit dem Namensgott des Vaters des Inhabers überein, z.B.: *[73]*

Ma-nu-um	Manu
mār Warad-^{d}*Sîn*	Sohn des Warad-Sîn
warad ^{d}*Sîn*	Knecht des Sîn.[3]

γ. Der persönliche Gott stimmt mit dem Namensgott sowohl des Inhabers als auch von dessen Vater überein, z.B.: *[74]*

Li-pi-it ^{d}*Sîn*	Lipit-Sîn
mār ^{d}*Sîn-ta-ai-ar*	Sohn des Sîn-taiar
warad ^{d}*Sîn*	Knecht des Sîn
u·^{d}*Nin-gal*	und der Ningal.[4]

δ. Vielfach ist jedoch keinerlei Übereinstimmung festzustellen, z.B.: *[75]*

^{d}*Sîn-pa-te-ir*	Sîn-pātir
mār Tab-ni-^{d}*Ištar*	Sohn des Tabni-Ištar
warad ^{d}*En-ki*	Knecht des Enki
u ^{d}MAḪ	und der MAḪ.[5]

---

[1] S.o.S. 29f.

[2] Krauß, Götternamen 3o.

[3] Ebd.

[4] Ebd. 31.

[5] Ebd. 27.

Kupper[1] hat für den Gott Amurru folgende Statistik aufgestellt: Der Gott erscheint auf ca. 3oo Siegelinschriften, davon in 8o-9o Fällen im Namen des Siegelinhabers, 4o mal beim Vater des Inhabers, aber nur selten im Namen von Vater und Sohn.

Der Befund ist also nicht ganz eindeutig. Wir werden annehmen dürfen, daß in vielen Fällen der im Namen vorkommende Gott mit dem persönlichen Gott des Namenträgers bzw. Namengebers identisch ist. Diese Identität muß jedoch nicht immer gegeben sein.[2] Der Vater des neugeborenen Kindes kann auch den Namen eines Gottes gewählt haben, mit dem er sonst in irgendeiner Verbindung gestanden hat (z.B. den Stadtgott), oder dessen Fest mit dem Geburtstag des Kindes zusammenfiel. Die Unterschiedlichkeit von Namensgott und persönlichem Gott hat ihre Ursache vielleicht darin, daß sich der Mensch im Laufe seines Lebens einem neuen persönlichen Gott zuwandte.

Die Namengebung war in alter Zeit eine wichtige Angelegenheit. Häufig kommt in ihr der Dank für die glückliche Geburt des Kindes zum Ausdruck, wie die zahlreichen Danknamen zeigen.[3] Da nach mesopotamischer Vorstellung der persönliche Gott als "Schöpfer" des Kindes angesehen wurde[4], sind die Aussagen, daß "Gott" das Kind gegeben, geschaffen, gebracht oder benannt habe, auf den persönlichen Gott zu beziehen. Beispiele:

I-dí-in-Ištar	"Ištar hat gegeben";
Ì-lí-ub-lam	"Mein Gott hat mir (das Kind) gebracht";
Ìl-šu-ib-ni-šu	"Sein Gott hat ihn geschaffen";
Aššur-bāni-apli	"Aššur ist Erschaffer eines Erben";
dNabû-zēra-ušabši	"Nabû hat einen Erben da sein lassen";
Ilī-ibbanni	"Mein Gott hat mich benannt".[5]

Der Name eines Menschen ist mit dessen zukünftigen Schicksal eng verknüpft. Denn mit der Benennung wird er unter den Schutz seines persönlichen Gottes gestellt, dem er sein Leben verdankt. Deshalb handeln viele Aussagen, die in den Personennamen vom Wirken des Gottes gemacht werden, von den drei Hauptfunktionen des persönlichen Gottes. Ein Name wie *Ì-lí*(AN)*-e-mu-qí*

---

[1] L'iconographie 65f.

[2] Vgl. Stamm, ebd. 6o.

[3] Ebd. 136ff.

[4] S.o.S. 15f.

[5] Stamm, ebd. 136ff.

"Mein Gott ist meine Kraft"[1] drückt die Funktion des persönlichen Gottes, Garant für das Wohlergehen des Menschen zu sein.[2] Die schützende Funktion ist z.B. in dem Namen *Ì-lí-na-ṣi-ri* "Mein Gott beschützt mich"[3] zu ersehen.[4] Nur ein einziger Beleg für die Funktion des persönlichen Gottes als Fürsprecher ist mir begegnet, nämlich *Aššur-ki-mu-ia* "Aššur tritt für mich ein"[5].

Die Namengebung ist insofern für die Analyse der Vorstellung vom persönlichen Gott bedeutsam, als hier Aussagen vorkommen, die sich in der sonstigen Literatur nicht finden. Zugleich gibt die Namengebung gewisse Aufschlüsse über die Wahl des persönlichen Gottes. In der Nähe von Hauptkultstätten bestimmter Gottheiten erscheinen in den von dort stammenden Namen diese Götter besonders häufig, z.B. Šamaš-haltige Namen im Bereich von Sippar.[6] Daraus kann die an sich naheliegende Folgerung gezogen werden, daß die in einer bestimmten Gegend hauptsächlich verehrten Gottheiten häufig auch zu persönlichen Göttern erwählt wurden. Daneben kommen in den Personennamen zahlreiche sonst unbekannte Gottheiten vor. Es sind dies lokale Götter, die ebenfalls als persönliche Götter fungieren konnten.[7]

---

[1] Hirsch, Untersuchungen 41.

[2] Weitere Belege s.u.S. 73f.

[3] Stamm, ebd. 216.

[4] Weitere Belege s.u.S. 86.

[5] Stamm, ebd. 211.

[6] Vgl. Ranke, Personennamen 14f.

[7] Vgl. die Übersichten bei Ranke, ebd. 16ff; Stamm, ebd. 68f; Salonen, Gruß- und Höflichkeitsformeln 17ff.58f.83ff.-
Im ägyptischen Onomastikon lassen sich zahlreiche Entsprechungen zu den mesopotamischen Personennamen beobachten. In vielen Namen wird das enge Verhältnis des Trägers zu seinem persönlichen Gott ausgesagt, z.B. "Der des (bzw. die des) Gottes NN", "Er gehört dem Gott NN", "Der (bzw. die) von Gott NN Geliebte" oder "Der von seinem Gott Geliebte" (Ranke, Ägypt. Personennamen II, 226; vgl. 243). Andere Namen besagen, daß der Träger sein ganzes Vertrauen auf seinen persönlichen Gott setzt, z.B. "Gott NN erhält mich am Leben", "die Göttin NN ist seine Stärke", "Mein Gott ist ein Berg für mich", "Gott NN ist sein (bzw. ihr) Schutz", "Horus ist sein Beschützer", "Amon ist mit mir" oder "Den (bzw. die) Gott NN schützt" (Ebd. 225).

D. DIE KULTISCHE VEREHRUNG DES PERSÖNLICHEN GOTTES

Wie jede Gottheit, so erwartete auch der persönliche Gott, daß ihm der Mensch regelmäßig Gebete und Opfer darbrachte. Für den Ort eines solchen Privatkultes bieten sich zwei Möglichkeiten an: 1. öffentliche Tempel und 2. Privatheiligtümer. Archäologische Funde[1] und Belege in den Texten zeigen, daß beide Möglichkeiten in Mesopotamien vorhanden waren.

1. *Der archäologische Befund*

Gudea erbaute seinem persönlichen Gott Ningizzida einen öffentlichen Tempel, der im Südosten von Tellō - Lagaš gelegen war. Dort stellte er mehrere Statuen von sich selbst auf, um auf diese Weise ständig vor seinem persönlichen Gott anbetend und bittend zu stehen.[2]

In den Privathäusern der Ur-III-Zeit hat Woolley Kapellen ausgegraben, die nach seiner Meinung dem familiären Kult des persönlichen Gottes gewidmet waren.[3] Die Kapelle bildet einen Anbau zum übrigen Haus und war in allen Fällen gleich ausgestattet: Neben einem lehmverputzten Ziegelaltar befand sich hier insbesondere die Familiegruft. Häufig sind in diesen Kapellen kleine Terrakottafiguren und Götterreliefs gefunden worden, die wohl für den Kult des persönlichen Gottes bestimmt waren. Über die Existenz solcher Hauskapellen finden sich allerdings in der sumerischen Literatur keinerlei Hinweise.

Die Wohnhäuser in Aššur enthielten sog. Kultnischen, in denen sich der Privatkult der Familie vollzog.[4] Natürlich ist nicht mit Sicherheit festzustellen, welche Götter hier verehrt wurden. Auf Grund der literarischen Belege wird man wohl an den persönlichen Gott zu denken haben. Für Nippur hat McCown[5]

---

[1] Einen guten Überblick gibt Busink, Tempel 623ff.

[2] Vgl. Falkenstein, Einleitung 154f; Genouillac, Telloh 17ff; Spycket, Les statues 54f.

[3] Vgl. Woolley, Ur 181ff; ders., Abraham 2o8ff; s. auch Jacobsen,Adventure 2o4.

[4] Vgl. Preusser, Wohnhäuser, der als besonders gute Beispiele das sog. Rote Haus und das Große Haus beschreibt.

[5] Nippur passim.

ähnliche Einrichtungen festgestellt. In solchen Kultnischen werden sicher auch die zahlreichen in Mesopotamien gefundenen Figurinen aufgestellt gewesen sein.[1]

Palastheiligtümer wurden mehrfach im Zweistromland nachgewiesen. Der Alte Palast von Aššur enthielt eine Kapelle, die - wie Adad-nīrārī berichtet - alljährlich vom Gott Aššur besucht wurde.[2] Dagegen befand sich im Palast von Babylon kein Tempel.[3] Die bei Hof 1o6 im Zentrum des Palastes von Mari gelegene sog. salle au podium wurde als Breitraum-Zella identifiziert.[4] Dossin[5] nimmt an, daß hier die Göttin Ištar ša êkallim verehrt wurde, die zu den persönlichen Göttern der königlichen Familie gehörte. Auch im Palast von Nuzi befand sich ein Raum, der wie ein Tempel eingerichtet war und wohl für den Privatkult des Königs verwendet wurde.[6]

Die Archäologie läßt auch in diesen Fällen keine sicheren Schlüsse zu, welche Götter in den Palastheiligtümern verehrt wurden. Doch legt sich der Gedanke an die persönlichen Götter nahe.

2. *Die literarischen Belege für Privattempel*

In einem altassyrischen Brief aus Kültepe erwähnt der Schreiber den Tempel des persönlichen Gottes seines Kontrahenten mit den Worten:

[76]

bīt(É) *ilī*(DINGIR)-*[š]u (?)* "Haus[sei]nes (?) Gottes"[7].

Eine altbabylonische Rechtsurkunde aus der Zeit um 2ooo v.Chr. berichtet von der Errichtung eines Privattempels für den Gott Šarrum und dessen Gemahlin Šullat. Für den Bau stellt der eine Vertragspartner Grundstücke und Material zur Verfügung, während der andere als Priester eingesetzt wird:

---

[1] Vgl. Gadd, Ideas 65.

[2] Vgl. v. Driel, Aššur 165.

[3] Unger, Babylon 56.

[4] Vgl. Parrot, Fouilles, Syria 18, Tafel XIII gegenüber S.78; Busink, Tempel 623.

[5] Studia Mariana 47.

[6] Vgl. Starr, Nuzi 156.

[7] Hirsch, Untersuchungen 39.

[77]

bît ᵈŠarrim ù ᵈŠu-ul-la-at Nu-úr-ì-lí-šu mâr ᵈEnlil-na-da a-na ì-lí-šu i-pu-uš 1 Sar bîtim a-na i-li-šu a-na na-pí-iš-ti-šu ú-re(?)-di Pu-zur-ᵈŠamaš-ma ša-gu-um bîtim Nu-úr-ì-lí-šu a-na ša-gu-ti-im ú-la i-ra-ga-am

Einen Tempel für Šarrum und Šullat hat Nūr-ilīšu, der Sohn des Enlil-nādā, seinen Göttern gebaut. Ein Sar Baugrund hat er seinen Göttern für sein Leben hinzugefügt. Puzur-Šamaš allein ist der Priester des Tempels. Nūr-ilīšu wird wegen des Priesteramtes nicht Klage erheben.[1]

Die Nachkommen eines gewissen Awīl-Adad bekräftigen ihren Erbteilungsvertrag durch einen Schwur "in der Kapelle ihres Gottes" (*i-na e-še-ir-tim ša i-li--šu-nu) [78]*.[2] In einer Gebetsbeschwörung klagt der Beter:

[79]

šu-ḫar-ru-ur sa-gi-e-a šu-ḫar-ru-rat a-šir-ti

Still ist meine Kapelle, still mein Heiligtum.[3]

Aus diesen Belegen ist zu ersehen, daß es in Mesopotamien private Heiligtümer gab, in denen die persönlichen Gottheiten der Familie verehrt wurden. Offensichtlich konnten wohlhabende Leute zur Unterhaltung dieses Privatkultes eigene Priester einsetzen, wie dies auch im Alten Testament (vgl. Ri 17f) bezeugt ist.

3. *Die Verehrung des persönlichen Gottes in den Weisheits- und Omentexten*

In der Weisheitsliteratur wird der Mensch des öfteren eindrücklich ermahnt, seinem Gott täglich Gebete und Opfer darzubringen:

[8o]

u_4-mi-šam-ma ìl-ka kit-rab
ni-qu-u qí-bít pi-i si-mat qut-rin-ni
a-na ili-ka šà-gi_8-gur_6-ra-a lu-u ti-i-ši
an-nu-um-ma si-mat ilu-ú-ti
su-up-pu-u su-ul-lu-u u la-ban ap-pi

---

[1] Schorr, Urkunden Nr. 22o; vgl. Meissner, BuA II, 53.

[2] Schorr, ebd. Nr. 194,24. - Weitere Belege bei CAD "A" II 439ᵃ.

[3] Ebeling, Handerhebung 134,75.

úd-da-at ta-nam-din-šum-ma i-rib-ka bi-lat[1]
ù a-na at-ri-im-ma it-ti ili tuš-te-sir

Jeden Tag verehre deinen Gott.
Opfer und Segnung sind die geeignete Begleitung von Weihrauch.
Bringe deinem Gott das šagigurû-Opfer dar,
denn dies ist angemessen gegenüber der Göttlichkeit.
Gebet, Bitte und Niederwerfung
bringe ihm täglich dar, und dein Einkommen wird (in) Talent(en gemessen) werden.
Dann wirst du mit (deinem) Gott hervorragend zurechtkommen.[2]

Ein anderer Weisheitsspruch lautet:

[81]

[at-]ta a-na ilim-ma šu-pe-e su-taq-rib
lu-u ka-a-a-an šagigurû(šà-gi$_8$-gur$_6$)*-ka*
a-na ili ba-ni-ka

Du aber erhebe Gebete zu (deinem) Gott;
Möge dein šagigurû-Opfer beständig vor dem Gott,
der dich geschaffen hat, sein.[3]

Die Wahrsagekunst beschäftigt sich verschiedentlich mit bestimmten Vorzeichen, die als Hinweis darauf gedeutet werden, ob Gebet und Opfer des Menschen von seinem persönlichen Gott angenommen oder verworfen werden. Dies galt als Zeichen für Gnade oder Zorn des Gottes. Beispiele:

[82]

šumma amēlu niqê ana ili-šú na-qí-e it-bi-ma surdû^{mušen} *ištu imitti amēli ana šumēl amēli itiq*^{iq} *amēlu šuāti il-šú niqē-šú ma-ḫi-ir*

Wenn ein Mensch sich aufmacht, um seinem Gott Opfer zu bringen, und ein Falke von der Rechten des Menschen nach der Linken des Menschen vorbeifliegt:: jener Mensch: sein Gott hat das Opfer akzeptiert.[4]

---

1 Lesung mit CAD "I/J" 174^b.

2 Lambert, BWL 1o4, 135-141.

3 Ebd. 1o8,11f.

4 Nötscher, Or 51-54, 178,19.

[83]

šumma amēlu niqê ana ili-šu na-qí-e itbi-ma surdû^{mušen} ištu šumēli amēli ana imitti amēli itiq^{iq} amēlu šuātu šib-sat ili-šú u ^{d}ištari-šú ibaššâ^{meš}-šú niqē-šú ul ma-ḫir

Wenn ein Mensch sich aufmacht, um seinem Gott Opfer zu bringen und ein Falke von der Linken des Menschen nach der Rechten des Menschen vorüberfliegt:: jener Mensch: gegen ihn wird der Zorn seines Gottes und seiner Göttin gerichtet sein; sein Opfer ist nicht akzeptiert.[1]

Neben diesen beiden Belegen aus der Omen-Serie *šumma ālu* ist ein ähnliches Beispiel aus der Reihe der Ölwahrsagungen bekannt:

[84]

šamnum a-na ú-dì-tim i-tu-úr i-lu-um ik-ri-bi-šu i-le-eq-qé

Wenn das Öl eine spitze Form annimmt: der (persönliche) Gott wird seine (d.h. die ihm angebotenen) Weihgaben annehmen.[2]

Bei einer anderen Konstellation des Öls verlangt der persönliche Gott ausdrücklich bestimmte Opfer von seinem Schützling:

[85]

šamnum a-na pāni ^{d}šamšim ip-ṭù-ur-ma šu-ul-ma-am id-di-a-am-ma ki-bi-ir šamnim iṣ-ba-at šu-ul-mu-um a-wi-lam il-šu ik-ri-bi-šu i-ir-ri-ís-su

Wenn das Öl sich zur Sonne hin auflöst und eine Blase bildet und (diese) den Rand des Öles erfaßt: Wohlergehen; von dem Betreffenden verlangt sein Gott Weihgaben für sich.[3]

Die Verehrung des persönlichen Gottes ist offensichtlich Paradigma für eine besonders innige Gottesverehrung, die auch auf andere Götter angewendet werden kann. In einer von Falkenstein veröffentlichten sumerischen Hymne an Šulpa'e heißt es:

[86]

mu-dingir-ra-na li-ib-in-p[à-dè]
me-diner^{ne}-re-ni li-⟨bi-⟩ in-pà-[dè]

---

[1] Nötscher, ebd. 179,2of; vgl. CAD "I/J" 99^{a}.273^{a}.

[2] Pettinato, Ölwahrsagung, II, Text I, 66.

[3] Ebd. Text II, 47.

mu-dingir-ra-ni xx- bi K[A

me-diner^{ne}-re-ni di-la-bi ka-ka mi-ni-en?

Deshalb n[ennt er] (d.h. der Mensch) den Namen seines (persönlichen) Gottes nicht (mehr),

[setzt]deshalb den Namen dessen, der sein einziger Gott ist,

[in aller] M[und].[1]

Falkenstein deutet diesen etwas rätselhaften Satz dahingehend, daß die Menschen sich nun nicht mehr an ihre persönlichen Götter wenden, sondern sich in bezug auf Speis' und Trank ausschließlich an Šulpa'e halten.[2] Parallele hierzu ist eine Aussage aus einer 'Hymne' auf Ur-Ninurta zu verstehen:

[87]

en dingir-bi-gim nam-maḫ-zu me-téš im-mi-i-i-ne

Herr, wie (die Größe) ihrer (persönlichen) Götter preisen sie (d.h. die Menschen) deine Größe alle zusammen.[3]

In einer Beschwörung aus der Serie Maqlû gelobt der Kranke, den Gott Uraš im Falle seiner Heilung wie seinen persönlichen Gott zu verehren:

[88]

up-sá-se-e muḫ-ri-in-ni-ma kīma ili ba-ni-ia lul-tam-mar-ki

Die Machenschaften nimm von mir. Wie den Gott, der mich geschaffen hat, will ich dich dann verehren.[4]

EXKURS:

Die rechtliche Bedeutung der Familiengötterbilder in Nuzi

Einigen Rechtsurkunden aus Nuzi im nördlichen Mesopotamien zufolge besaßen die privaten Götterbilder dort eine familienrechtliche Bedeutung. Wichtigster Beleg hierfür ist eine von Gadd[5] veröffentlichte Adoptionsurkunde:

---

[1] Falkenstein, ZA 55,38,43f.

[2] Ebd.

[3] Falkenstein, ZA 49,113,2o.

[4] Maqlu VI, 118f; vgl. Ebeling, Handerhebung 46,73.

[5] RA 23,126f Nr. 51.

[89]

dup-pí ma-ru-ti ša ^{I}*Na-aš-wa Ar-še-en-ni* ^{I}*Wu-ul-lu mâr Bu-hi-še-en-ni a-na ma-ru-ti i-te-pu-uš a-di-ì* ^{I}*Na-aš-wa bal-tu ù* ^{I}*Wu-ul-lu epra ù lu-bu-uš-ta i-na-an-din e-nu-ma* ^{I}*Na-aš-wa mītu ù* ^{I}*Wu-ul-lu e-pi-ru-um--ma e-pu-uš-šum-ma mār-šu ša* ^{I}*Na-aš-wa i-ba-aš-ši ù it-ti.* ^{I}*Wu-ul-lu mi-it-ḫa-ri-iš i-zu-uz-zu ù ilāni*^{meš} *ša* ^{I}*Na-aš-wa mār-šu-ma ša* ^{I}*Na-aš--wa.* ^{I}*Wu-ul-lu-ma i-leq-qì ù mārat-zu (?)* ^{sal}*Nu-hu-ia a-na aššūtu-ti a-na* ^{I}*Wu-ul-lu i-din ù šum-ma aššuta*^{ta} *ša-ni-ta* ^{I}*Wu-ul-lu i-le-eq-qì ù i-na eqlāti*^{meš} *ù bitāti*^{meš} *ša* ^{I}*Wa-aš-wa ša-aš-šu-um-ma i-ip-pu-šu.*

Tafel der Adoption, wodurch Našwa, Sohn des Aršenni adoptiert hat Wullu, Sohn des Buḫišenni. Solange Našwa lebt, wird Wullu ihm Nahrung und Kleidung geben, und nachdem Našwa tot ist, wird Wullu ihm ein Begräbnis geben. Falls ein Sohn Našwas da sein sollte, wird er (den Besitz) zu gleichen Teilen mit Wullu teilen, und die Götter des Našwa soll der Sohn Našwas erhalten. Aber falls kein Sohn Našwas da ist, soll Wullu auch die Götter Našwas erhalten. Und er hat seine Tochter Nuhuia dem Wullu zur Frau gegeben; falls Wullu eine andere Frau nimmt, soll er die Ländereien und Häuser Našwas verlassen. (5 Zeugen und Schreiber)

Der sohnlose Našwa adoptiert seinen Schwiegersohn Wullu unter der Bedingung, daß er zeit seines Lebens für seinen Unterhalt aufkommt und ihm nach seinem Tode ein würdiges Begräbnis bereitet.[1] Der für unsere Untersuchung interessante Punkt ist die Verteilung der Familiengötterbilder. Falls Našwa doch noch ein Sohn geboren werden sollte, so sollen ihm die Götterbilder vorbehalten sein, während der Besitz zu gleichen Teilen an den leiblichen und an den Adoptivsohn geht. Falls Našwa kein Sohn mehr geboren wird, erhält Wullu auch die Götter Našwas. Wullu verliert jedoch seinen Erbanspruch, wenn er sich zu der ihm gegebenen Tochter Našwas eine andere Frau nimmt.

Koschaker[2] weist zum Modus der Verteilung der Familiengötter auf Parallelbestimmungen in anderen Adoptionsurkunden hin, wonach dem nachgeborenen Sohn gegenüber dem adoptierten die Stellung des Erstgeborenen zukommt. Der Besitz

---

1 Es handelt sich hier, wie Koschaker, ZA 89,189, ausführt, um eine typische Erbtochterehe. Mit der Adoption übernimmt Wullu zugleich die Verwaltung des Vermögens des Našwa, obgleich er zum Vollerben erst nach dessen Tod werden soll.

2 Ebd. 118 f.

der Familiengötter ist also mit der Würde des Erstgeborenen als des pater familias verbunden. In der hier vorliegenden Urkunde wird allerdings festgelegt, daß auch ein nachgeborener Sohn keinen größeren Anteil am Erbe erhält, sondern lediglich die Familiengötter.[1]

Wir können die Geschichte der Familie Našwa-Wullu noch weiter verfolgen. Našwa sind Söhne auch weiterhin versagt geblieben. Dies, sowie die Tatsache, daß Wullu vor ihm gestorben ist, ergibt sich aus einer Teilungsurkunde.[2] Hier verteilt Našwa sein Vermögen unter die vier Söhne Wullus, ohne daß Wullu genannt wird. Der älteste Sohn Wullus erhält die Familiengötter, die hier "meine Götter, die in meinem Hause wohnen" (*ilānu*^{meš}*-ia a-ši-ib b[īti-ia])* *[9o]* genannt werden, diesmal zusammen mit einem doppelten Anteil am Besitz.[3]

Ein verwandter Text[4] legt als letzten Willen des Erblassers fest, daß die Söhne keine neuen Götter machen sollen:

[91]

mārū^{meš}*-ia ar-ki-ia ilāni*^{meš} *la i-pu(!)-šu*

Meine Söhne sollen nicht Götter machen(!) nach meinem Tode.

Eine andere Urkunde bestimmt, daß auch die jüngeren Söhne gewisse Rechte auf die Familiengötter erhalten sollen:

[92]

mārū^{meš} *it-[t]i-ḫa(?)-m[i-iš] ù ilāni*^{meš} *i-zu-zu*

Meine Söhne sollen miteinander auch die Götter teilen.[5]

---

1 Damit wird die These Draffkorns (JBL 76,224) widerlegt, wonach derjenige, der die Familiengötter bekam, einen symbolischen Anspruch auf das Vermögen hatte, denn die primäre Funktion der Hausgötter sei der Schutz des Familienbesitzes. Nach dieser Urkunde erhält auch ein evtl. nachgeborener Sohn nur die Hälfte des Besitzes, im Unterschied zu einer weiteren Erbteilungsurkunde aus der Familie Našwa-Wullu, wonach der älteste Sohn einen doppelten Anteil am Besitz erhält. (Text Nr. 9o).
Der Erstgeborene übernimmt mit den Familiengöttern primär die Pflege des Familienkultes und damit die Stellung des Familienoberhauptes. (Vgl. Greenberg, JBL 81,242, der als Parallelfall auf die häusliche Religion der klassischen Antike verweist.)

2 Gadd, ebd. 9of Nr. 5.

3 Z.2o. - Ergänzung nach Kochaker, ebd. 189.

4 Draffkorn, JBL 76,221.

5 RA 36,119,36f; vgl. Koschaker, ebd. 19o Anm. 53.

Dabei spielt sicher der beträchtliche Wert von solchen Götterfiguren eine Rolle.

Eine ebenfalls aus Nuzi stammende Adoptionsurkunde enthält die ausdrückliche Bestimmung, daß der Adoptivsohn keinen Zugang zu den Göttern haben soll: [93]

a-na ir-wi-iš-ši ù a-na ilāni^{meš} *ni ša* ^{I}*A-ri-qa-ma-ri*
mār Pu-ra-mi-zi ^{I}*Ul-ḫa-pu mār Ḫa-ši-ia la i-ki-ri-ib*

Auf die "Steuereinnahmen" und die Götter des Ariqamari, Sohn des Puramizi, soll Ulḫapu, Sohn des Ḫasija, keinen Anspruch erheben.[1]

E. DIE DARSTELLUNG UND VERGEGENWÄRTIGUNG DES PERSÖNLICHEN GOTTES AUF DEN SIEGELZYLINDERN

Aufschrift, Gestaltung und Verbreitung der in Mesopotamien gefundenen Siegelzylinder haben sich im Verlauf von fast drei Jahrtausenden stark gewandelt.[2] In frühdynastischer Zeit (ca. 25oo v.Chr.) enthielten die Siegel lediglich den Namen ihres Besitzers und waren relativ ungebräuchlich.[3] Zur Zeit der 3. Dynastie von Ur und der 1. Dynastie von Babylon (ca. 2ooo - 17oo v.Chr.) erscheint neben dem Namen die Dedikation des Besitzers an eine bestimmte Gottheit, wohl seinen persönlichen Gott, häufig mit der Formel, "Knecht des (Gottes) NN"[4]. Während es in früheren Epochen nur wenige Siegelbesitzer gab, waren die Siegel nunmehr auf Grund einer offensichtlichen Massenproduktion allgemein verbreitet.

Häufig wird das Verhältnis des Besitzers zu seinem Gott durch die sog. Einführungsszene dargestellt. Darunter ist eine Abbildung zu verstehen, in der dargestellt wird, wie der Mensch durch die Vermittlung seines persönlichen Gottes zu der Hauptgottheit, die oft auf einem Thron sitzt, hingeführt wird. Ein bekanntes Beispiel ist das Siegel Gudeas von Lagaš:[5] Ningizzida, der als Symbol seiner Gottheit eine Hörnerkrone trägt, führt seinen Schützling Gudea zum Stadtgott Ningirsu.

---

[1] Cassin, L'adoption 217, 1o-12.

[2] Vgl. Weber, Siegelbilder; Langdon, RA 16,69ff; Budge, Amulets; Frankfort, Cylinder Seals; Gadd, Ideas 66.

[3] Langdon, RA 16,57; Frankfort, ebd. 8.

[4] S.o.S. 29f.

[5] Vgl. Weber, ebd. Abb. 432; ANEP Nr. 513; Frankfort, ebd. 147 Abb. 37.

Die Darstellung der Einführungsszene ändert sich in altbabylonischer Zeit. Jetzt steht der Verehrer dem Gott direkt von Angesicht zu Angesicht gegenüber, während sein persönlicher Gott die Arme fürbittend für ihn erhebt.[1]

Die unter den Abbildungen befindlichen Inschriften müssen nicht immer mit diesen übereinstimmen. Auch sind Siegelzylinder desselben Besitzers gefunden worden, die jeweils verschiedene Götternamen enthielten. Im Normalfall handelt es sich jedoch sowohl bei den Abbildungen als auch bei den inschriftlich genannten Göttern um die persönlichen Gottheiten des Besitzers.

In der Kassitenzeit nehmen die Siegelinschriften an Umfang stark zu und sind nun in Form kleiner Gebete gestaltet. Beispiel:

[94]

^{d}*Lugal-banda*^{da}	O Lugalbanda
be-lu šur-bu-ú	erhabener Herr
ša wardi ki-ni	deines treuen Dieners,
ti-ri-iṣ qāti-ka	des Schützlings deiner Hand,
ú-su-uḫ murṣa-šu	nimm hinweg seine Krankheit.
lì-ri-ku ūmū-šu	Mögen seine Tage lang sein.[2]

Neben der Einführungsszene finden sich auf den Siegelzylindern auch andere Darstellungen. Mehrfach ist ein bärtiger Gott abgebildet, der seine rechte Hand drohend erhebt und die Linke geballt nach vorne streckt.[3] Das Gegenüber in Tiergestalt stellt wohl einen Dämon dar. Es handelt sich hier wahrscheinlich um den persönlichen Gott, der den feindlichen Dämon abwehrt.[4]

Aus den bisherigen Ausführungen ist deutlich geworden, daß die Siegelzylinder nicht nur eine rechtliche, sondern auch eine religiöse Bedeutung hatten. Sie dienten nämlich zugleich als Amulette. Die Inschrift mit dem Namen des Inhabers sowie seines persönlichen Gottes soll zusammen mit der Einführungsszene die enge Verbindung des Menschen mit seinem persönlichen Gott und dessen Eintreten für ihn bei den übrigen Göttern darstellen und wirksam machen.[5]

---

[1] Vgl. Gadd, Hammurabi 44; Frankfort, ebd. 158.

[2] Langdon, RA 16,78 Nr. 2o.

[3] Vgl. Klengel, MIO 7,344.

[4] Vgl. Weber, Dämonenbeschwörung 35; Langdon, RA 16,59f; Klengel, ebd. 349f.

[5] Vgl. Gadd, Ideas 66 mit Anm. 2.

Die Abbildung des mit dem Dämon kämpfenden Gottes will versinnbildlichen, daß der persönliche Gott stets bereit ist, gegen die Angriffe der feindlichen Mächte seinen Schützling zu verteidigen.[1] So symbolisieren und vergegenständlichen die Siegelzylinder die Funktion des persönlichen Gottes, Garant für das Wohlergehen, Beschützer gegen böse Mächte und Fürsprecher zu sein.[2]
Der Besitz eines Siegelzylinders war für den Bewohner des Zweistromlandes eine bedeutsame Angelegenheit. Mit ihm war sein Schicksal eng verbunden. Dabei spielte offensichtlich das Material eine Rolle, aus dem das Siegel gearbeitet war, wie aus folgendem mittelassyrischen Omentext hervorgeht:

[95]

*[N]*A$_4$ KIŠIB NA$_4$ ZA.GÌN GAR UR.A DINGIR TUKU DINGIR.BI ḪÚL-*šu*

Wenn ein Siegel aus dem ZA.GÌN-Stein gefertigt ist, wird er einen Gott haben: sein Gott wird ihn glücklich machen.[3]

F. DIE WIRKSAMKEIT DES PERSÖNLICHEN GOTTES IM LEBEN DES MENSCHEN

Nach mesopotamischer Auffassung hatte jeder Mensch seinen persönlichen Gott. Solange der persönliche Gott seinem Schützling zur Seite stand, war diesem Gesundheit und Wohlergehen, Glück und Erfolg beschieden.[4] Aus der Tatsache, daß in einigen Texten von einem Kranken gesagt wird, sein persönlicher Gott habe seinen *Körper* verlassen,[5] ist zu entnehmen, daß man sich den persönlichen Gott als normalerweise im *Körper* des Menschen wohnend vorstellte.[6] Not und Krankheit wurden darauf zurückgeführt, daß der persönliche Gott den Menschen verlassen habe.

---

1 Vgl. Weber, Dämonenbeschwörung 35.

2 S. zu diesen Funktionen u.S. 69ff.

3 Köcher, Medizin, II, 194 viii 9'-11'.

4 Vgl. Ebeling, Handerhebung 22, 5-7; 64, 16-18; Meier, AfO 14,142,12-14 u.a.

5 Z.B. Šurpu V-VI, 11.14 (s.u.S.108*[Text Nr. 175]*); Maqlu III, 16 (s.u.S. 107 *[Text Nr. 173]*.

6 Vgl. Contenau, La magie 116.

Im folgenden soll nun anhand der Texte dargestellt werden, wie sich Gegenwart und Abwesenheit des persönlichen Gottes im Leben eines Menschen auswirken. Dabei stehen für unsere Analyse hauptsächlich spätere Texte aus dem 1. Jahrtausend zur Verfügung. Eine Anzahl von älteren Belegen lassen es jedoch als wahrscheinlich erscheinen, daß die wesentlichen Aspekte dieser Vorstellung auch schon in früherer Zeit gegeben waren.

I. Die Gegenwart des persönlichen Gottes

Während die übrigen Götter vom Schicksal des Individuums mehr oder weniger fern sind, steht der persönliche Gott dem Menschen ganz nahe. Von ihm erwartete der Einzelne Leben und Wohlergehen sowie Schutz gegen alle sein Leben bedrohenden Mächte. An ihn wendet er sich zuerst mit der Bitte um Fürsprache bei den anderen Göttern. Sein Schicksal ist somit eng mit dem persönlichen Gott verbunden.[1]

Die Wirksamkeit des persönlichen Gottes läßt sich im wesentlichen auf drei Funktionen zurückführen, die dieser gegenüber seinem Schützling ausübt. Dabei können wir an die in Abschnitt A dargestellten Bezeichnungen für den persönlichen Gott anknüpfen:

1. Der persönliche Gott wird "mein usw. Gott", "Gott des Menschen", "Gott des NN", "mein usw. Schöpfer", "mein usw. Vater" bzw. "meine usw. Mutter", "Gott, der Wohlergehen verleiht", "Wächter des Wohlergehens und Lebens", "der sich kümmernde (Gott)" und "(mein) Hirte" (Nr. 1 - 4. 8 - 9. 1o - 13) genannt. Diese Termini besagen, daß der persönliche Gott in enger Beziehung zum Menschen steht, ihn bei seiner Geburt erschafft und sein Leben hindurch begleitet. Daraus leitet sich die erste Funktion des persönlichen Gottes ab, nämlich Garant für das Wohlergehen des Menschen zu sein.
2. Der persönliche Gott wird "beschützender Gott" und "Gott zu meinen Häupten (Nr. 14 - 15) genannt, weil er den Menschen gegen alle Mächte, die sein Leben bedrohen, beschützt. Dies sind insbesondere Zauberer, Dämonen und feindlich gesinnte Menschen. Die zweite Funktion des persönlichen Gottes besteht also darin, Beschützer gegen böse Mächte zu sein.
3. Die Bezeichnung "Erbarmer und Fürsprecher" (Nr. 16) gibt die dritte Funktion des persönlichen Gottes als Mittler und Fürsprecher wieder.

---

[1] Vgl. Ebeling, TuL I, 115.

Indem der persönliche Gott gegenwärtig ist, übt er diese drei Funktionen gegenüber seinem Schützling aus und verschafft diesem somit ein Leben in Glück und Harmonie. Verläßt jedoch der persönliche Gott den Menschen, so fallen diese Funktionen weg, so daß der Mensch dem Verderben preisgegeben ist.

1. *Der persönliche Gott als Garant für das Wohlergehen des Menschen*

Der Erfolg eines Lebens ist nach mesopotamischer Vorstellung nicht das Resultat von glücklichen Umständen oder außergewöhnlichem Können, sondern eine Gabe des persönlichen Gottes.[1] Wenn der persönliche Gott mit einem Menschen ist, so hat er alles, was er zum Leben braucht, nämlich Gesundheit, Wohlergehen, Reichtum, Erfolg und eine zahlreiche Nachkommenschaft. Die Fürsorge des persönlichen Gottes wird auch mit dem Bild von Hirte und Weide umschrieben:

[96]

dingir lú-u$_x$-lu sipa ú-kin-kin gá lú-u$_x$-lu
DINGIR-LÚ *rē'ûm mušteʾʾû rīta ana* LÚ

Der Gott des Menschen ist ein Hirte, der (gute) Weide für den Menschen sucht.[2]

Als "Wohlergehen verleihender Gott" und "Wächter des Wohlergehens und Lebens" wacht der persönliche Gott über *šulmum* "Heil, Wohlergehen" und *balāṭum* "Leben" seines Schützlings. Er schenkt ihm *lamassu* "Lebenskraft".[3] "Glück haben" und "erfolgreich sein" wird in Mesopotamien mit dem Ausdruck "einen Gott besitzen" (sumerisch dingir tuku, akkadisch *ilam rašûm*) wiedergegeben.[4] So übersetzt Stamm den akkadischen Namen *rāši-ili* (wörtlich: "Besitzer eines Gottes") mit "Glückspilz".[5] Der Satz *mārūšu i-lam išû* (wörtlich: "seine Söhne werden einen Gott haben") bedeutet demnach "seine Söhne werden glücklich/erfolgreich sein"; umgekehrt ist der Ausdruck lú-dingir-nu-tuk = *ša i-lam la i-šú-u* (wörtlich: " einer, der keinen Gott hat") mit

[1] Vgl. Jacobsen, Adventure 2o3f.

[2] CAD "I/J" 95[a]. Die Anrede "mein Hirte" findet sich weiterhin in einem Brief an den persönlichen Gott (s.u.S. 91f *[*Text Nr. 14o*]*) sowie in dem Gedicht (Der Mensch und sein Gott" (s.u.S. 109 *[*Text Nr. 177*]*).

[3] S.o.S. 15 Text Nr. 15.

[4] Vgl. Oppenheim, Mesopotamia 199.

[5] Ebd. 252; vgl. AHw I, 374[a].

"einer, der kein Glück hat", "Unglücksrabe" wiederzugeben.[1] Dieselbe Vorstellung begegnet auch in einer Siegelzylinderinschrift:

[97]

ša-kin *^{aban}kunukki an-n[i-]i*	Der Träger dieses Siegels
NN *mār* NN	NN, der Sohn des NN,
i-na a-ma-at ì-lí-šu	auf das Wort seines Gottes
^{d}Nè-iri$_{2}$-gal	Nergal hin
šu-um-šu li-id-mi-iq	möge sein Name angenehm,
ilam^{lam} u šēdam	einen Gott und einen Šēdu
li-ir-ši	möge er haben.[2]

Dieser Inschrift zufolge soll der Siegelbesitzer "auf das Wort seines Gottes Nergal hin" "einen Gott und einen Šēdu" erhalten. Während es sich im ersten Fall um eine konkrete, mit Namen genannte Gottheit, nämlich Nergal, handelt, ist im zweiten Fall "Gott" in einer allgemeinen funktionalen Bedeutung zu verstehen. Wenn in den Texten also davon gesprochen wird, daß der Mensch "einen Gott haben wird" o.ä., so muß nicht immer an eine bestimmte Gottheit gedacht sein. Vielmehr kann der Ausdruck gleichbedeutend mit "glücklich sein, Erfolg haben" gebraucht sein. Jacobsen interpretiert daher *ilum* ursprünglich als "personification of a man's 'luck' and ability to effective thinking and acting"[3]. Allerdings identifiziert man *ilum*/ dingir in der Regel mit dem persönlichen Gott des Menschen.[4] So verdeutlicht der akkadische Übersetzer in einem zweisprachigen Gebet[5] das ohne Personalsuffix verwendete sumerische dingir mit *ilšu* "sein Gott", ein Zeichen dafür, daß er bei dem Ausdruck "einen Gott haben" an den persönlichen Gott dachte. In den Weisheitstexten wird *ilum* und *ilka* alternativ gebraucht.[6]

---

1 CAD "I/J" 1o1^{b} mit weiteren Belegen. Folgerichtig übersetzt CAD das Wort *ilānû* (wörtlich: "Gesegnet mit einem Gott") mit "lucky" ("glücklich"), vgl. CAD "I/J" 1o2^{a}. Hiermit ist das griechische εὐδαίμων zu vergleichen, das ursprünglich "einen guten Daimon (besitzen)" meint und dann die Bedeutung "glücklich, wohlhabend, reich" erhalten hat.

2 Porada, Collection Nr. 571; s.o.S. 39 [Text Nr. 56].

3 Tammuz 45; vgl. Oppenheim, ebd. 199.

4 Vgl. Jacobsen, ebd. 35.

5 Schollmeyer, HGŠ Nr. 2,55 (s.u.S. 118 [Text Nr. 198]).

6 S.u.S. 75ff u.o.S. 12.

Aussagen über den persönlichen Gott als Garanten für das Wohlergehen des Menschen finden sich in verschiedenen Literaturgattungen und haben dort eine jeweils charakteristische Ausprägung erhalten. Sie sollen nun der Reihe nach behandelt werden.

a. Die altbabylonischen Briefeinleitungsformeln

Die aus altbabylonischer Zeit stammenden Briefe beginnen häufig mit dem Wunsch, der persönliche Gott möge dem Briefempfänger Wohlergehen und Gesundheit zuteil werden lassen:

[98]

dUtu ù dNin-subur ba-ni-i-ka aš-šu-mi-ia d[a]-ri ⟨-iš⟩ u₄-mi li-ba-al-li-ṭú-ka il[um n]a-[ṣ]i-ir-ka a-na na-pi-iš-ti-ka lā i-gi aš-šu-mi-ia lu-ú ša-al-ma-ta

Šamaš und Ilabrat, dein Schöpfer, mögen dich um meinetwillen für allezeit gesund erhalten! Möge der dich beschützende Gott gegen dein Leben nicht nachlässig werden! Um meinetwillen mögest du wohlbehalten sein![1]

Ein anderer Segenswunsch lautet:

[99]

ilum na-ṣi-ir-ka re-eš-ka a-na da-mi-iq-tim li-ki-il a-na šu-ul-mi-i-ka

Der dich beschützende Gott möge sich um dich zum Guten kümmern![2]

Die Fürsorge des persönlichen Gottes umschreibt auch folgender Wunsch:

[100]

be-el-ki ù be-li-it-ki ki-ma ki-si ša qá-ti-šu-nu li-iṣ-ṣú-ru-ki

Dein Herr und deine Herrin mögen dich wie den Beutel (in) ihrer Hand beschützen.[3]

Der Ausdruck besagt, der persönliche Gott möge sich so des Wohlergehens seines Schützlings annehmen, wie ein Mensch den Beutel mit seinen Wertsachen verwahrt.

---

[1] F.R. Kraus, AbB 1 Nr. 46, 3-6.

[2] Salonen, ebd. 33.

[3] P. Kraus, Briefe, MVAeG 36,1,18o.

Zum Vergleich ist auch ein altassyrischer Brief aus Kültepe heranzuziehen, der folgenden Satz enthält:

[1o1]

iš-té-en a-ta ì-lí tù-kúl-tí ú ba-áš-tí a-ba-kà lu-ša-lim-ma

Einer (bist) du, mein Gott, meine Hilfe und meine Kraft möge deinen Vater heil machen....[1]

Analoge Aussagen werden auch von den Lamassu-Gottheiten gemacht. Ein Schreiber wünscht dem Empfänger, die Lamassu-Gottheiten mögen ihm einen guten Leumund bei seinem Fürsten und ein hohes Alter verschaffen:

[1o2]

la-ma-as-sú ša bi-ia-a-ti-ia i-na li-it-tim ù šu-mi dam-qí-im
i-na ekalli ta-at-ta-na-al-la-ku a-bi ka-ta li-la-ab-bi-ru ...
la-ma-as-sí bi-ia-ti-ia li-iṣ-ṣú-ur-ka

Die Lamassu-Gottheiten meines Väterchens mögen in Kraft und gutem Ruf im Palast, wo du ständig (aus- und ein)gehst, dich, meinen Vater, alt werden lassen! ... Die Lamassu meines Väterchens möge dich behüten.[2]

b. Namengebung

Die Personennamen drücken auf mannigfache Weise aus, daß der Namenträger in seinem persönlichen Gott die alleinige Kraft und Stärke seines Lebens sieht. Er bekennt, daß ihm sein persönlicher Gott alle zum Leben notwendigen Güter, insbesondere Gesundheit und Wohlergehen, gewährt.

Aus der *sumerischen* Namengebung können folgende Beispiele angeführt werden:

ᵈNin-líl-zi-mu "Ninlil ist mein Leben"[3];
ᵈUtu-silim-mu "Utu ist mein Heil"[4];
Da-mu-ᵈInnina "Meine Kraft ist Ininna"[5].
Á-dingir-gá-ta "Durch die Kraft meines Gottes"[6].

---

[1] Hirsch, Untersuchungen 15[a].

[2] F.R. Kraus, AbB 1, Nr. 15, 1-6.

[3] Limet, L'anthroponymie 128.

[4] Ebd. 134.

[5] Ebd. 137.

[6] Ebd. 141.

Eine Fülle von Belegen bietet die *akkadische* Namengebung:

Ì-lí(AN)*-e-mu-qí*	"Mein Gott ist meine Kraft" ;[1]
dNN-*emūqi*	"Gott NN ist meine Kraft" ;[2]
A-šur-i-dì	"Aššur ist meine Kraft" o.ä. ;[3]
dNN-*nūri*	"Gott NN ist mein Licht";
dNN-*šamši*	"Gott NN ist meine Sonne" ;[4]
*Ni-mi-it-ti-*d*Marduk*	"Marduk ist meine Stütze";
Im-dí-ilum	"Der Gott ist meine Stütze" ;[5]
d*A-a-ti-la-ti(-i)*	"Aja ist meine Hilfe";
Ri-sí-ilum	"Der Gott ist meine Hilfe" ;[6]
Mudammiq-ilu	"Der Gott erweist Wohltat" ;[7]
Ì-lí-za-ni-in-i	"Mein Gott ist mein Versorger";
d*Enlil-za-ni-in-šu*	"Enlil ist sein Versorger" .[8]

In anderen Namen kommt das beständige Mitsein des persönlichen Gottes zum Ausdruck:

d*Nabû-a-lik-idī-ia*	"Nabû geht mir zur Seite" ;[9]
d*Nabû-ṣa-bit-qāti*	"Nabû faßt bei der Hand" ;[10]
*I-na-šār-*d*Nusku-allak*	"Im Windhauch des Nusku gehe ich" .[11]

Auf Grund empfangener Wohltaten setzt der Namenträger bzw. Namengeber sein dauerndes Vertrauen auf seinen persönlichen Gott:

Ú-qá-ilam(AN)	"Ich harre des Gottes" ;[12]
*A-na-*d*Šamaš-tak-la-ku*	"Ich vertraue auf Šamaš";
Ta-kil-a-na-ili-šu	"Er vertraut auf seinen Gott" .[13]

---

[1] Hirsch, ebd. 41.

[2] Stamm, ebd. 212.

[3] Ebd. 211.

[4] Ebd. 212.

[5] Ebd.

[6] Ebd.

[7] Ebd. 22o.

[8] Ebd. 213.

[9] Ebd.

[10] Ebd. 221.

[11] Ebd. 196.

[12] Ebd. 195.

[13] Ebd. 196.

c. Weisheitsliteratur

Die Weisheitstexte ermahnen den Menschen, Erfolg und Wohlergehen allein von seinem persönlichen Gott zu erwarten. Nicht auf Reichtum oder sein Alter soll der Mensch bauen, sondern auf seinen persönlichen Gott. Dies beinhaltet der folgende Weisheitsspruch:

[1o3]

[a-d]aḫ-zu níg-tuku-nu-me-a	*re-ṣu-ka ul maš- [ru-ú]*
[dingir]-ra-àm	*i-lu-um-[ma]*
[sig]-kal-ga	*ṣe-ḫe-er r[a-bi]*
dingir[a-daḫ]-zu na-nam	*ilum-ma r[e-ṣu-ka]*

Nicht Reichtum ist deine Unterstützung,
es ist (dein) Gott.
Du mögest klein oder groß sein,
(dein) Gott ist deine Unterstützung.[1]

Eine solche Lebensauffassung soll den Menschen jedoch keineswegs dazu verleiten, überhaupt nichts an eigener Leistung zu erbringen. Der folgende Text ermahnt deshalb, der Mensch solle seine ganze Kraft einsetzen; denn dann gehöre sein Gott ihm:

[1o4]

u_4-da ir-pag- an-ág-en	*u_4-ma ta-kap-pu-ud*
dingir-zu nì-zu	*ìl-ka ku-u*
u_4-da ir-pag nu-an-ag-en	*u_4-ma ul ta-kap-pu-ud*
dingir-zu nì-nu-zu	*ìl-ka la-a ku-u*

Wann (immer) du planst,
gehört dein Gott dir.
Wann (immer) du nicht planst,
gehört dein Gott nicht dir.[2]

Wir haben hier eine mesopotamische Variante zu unserem deutschen Sprichwort "Hilf dir selbst, so hilft dir Gott" vor uns.

Voraussetzung für die Gegenwart des persönlichen Gottes und damit für ein glückliches und erfolgreiches Leben ist die regelmäßige Darbringung von Gebeten und Opfern.[3] Auf diesen Zusammenhang von Opfer und Wohlergehen weisen die Weisheitslehrer immer wieder mahnend hin. Im sog. "pessimistischen Dia-

---

1 Lambert, BWL 227f, 42-45.
2 Ebd. Z. 23-26 vgl. 29-32.
3 S.o.S. 58ff.

[1o5]

amēlu šá niqā ana ili-šú ip-su ip-pu-uš libba-šu ṭāb(dùg-ga)*-šú*
qip-tu eli qip-tu ip-pu-uš

Der Mensch, der seinem Gott ein Opfer darbringt, mit ihm ist sein (des Gottes) Herz zufrieden, er erwirbt Vertrauen über Vertrauen.[1]

In ähnlicher Weise argumentiert der Freund gegenüber dem leidenden Gerechten im Ludlul:

[1o6]

n[a]-ṭil pa-an ilim-ma ra-ši la-mas-[sa] n[a]-ak-di pa-li-iḫ
ᵈištari ú-kam-mar ṭuḫ-[da]

Nur wer (seines) Gottes Antlitz schaut, besitzt Lebenskraft,
wer heißen Herzens die Göttin verehrt, häuft Über[fluß].[2]

Die Ausdrücke "Gottes Antlitz schauen" und "die Göttin fürchten" meinen hier die kultische Verehrung.[3]

Später greift der Freund dieses Thema noch einmal auf:

[1o7]

ša la tu-ba-ʾ-ú ṭè-em ili mi-nu-ú ku-šìr-ka
ša-di-id ni-ir ili lu-ú ba-ḫi sa-di-ir a-kal-šú
ša-a-ra ṭa-a-ba šá ili^meš ši-te-ʾ-e-ma
ša šatta(mu-an-na) *tu-ḫal-li-qu ta-rab a-na sur-ri*

Wenn du nicht suchst den Rat des Gottes, was ist dein Glück?
Wer das Joch des Gottes trägt, der hat niemals Mangel an Nahrung, auch wenn sie mager ist.
Suche den guten Wind des Gottes,
Was du im Jahr verloren hast, wirst du in einem Augenblick aufholen.[4]

---

[1] Lambert, BWL 146,56f.

[2] Ebd. 7o,21f. - Landsberger (ZA 43,47) und Lambert übersetzen *lamassu* mit "Schutzengel" bzw. "protecting angel". Aus dem in Parallele stehenden Wort *ṭuḫda* "Überfluß" ist jedoch zu ersehen, daß *lamassu* hier als Begriff für "Lebenskraft" (s.o. S. 25) gebraucht ist.

[3] Vgl. Nötscher, Amgesicht Gottes schauen. - Zu entsprechenden Aussagen in den Psalmen s. u. S. 282.

[4] Lambert, BWL 84,239-242.- Lambert weist darauf hin, daß in Z.241 ebenso wie in Z.49,82,219 und 295 der Plural *ili^meš* für den persönlichen Gott gebraucht ist. Dazu ist im Alten Testament der Gottesname *ʾlhjm* zu vergleichen, der ursprünglich ebenfalls einen Plural darstellt, später jedoch durchweg singularisch konstruiert und verstanden wird.

In dem von Nougayrol veröffentlichten Gedicht zum Hiobproblem heißt es:

[1o8]

aḫ4-ri-ti-iš ūmi^mi la ta-ma-aš-šu-u il[-ka]
ba-ni-ka ki ta-da-am-mi-qú-nim a-at-ta

Für alle Zukunft aber darfst du [deinen] Gott nicht vergessen,
deinen Schöpfer, wenn du es gut haben möchtest![1]

Lob und Dank soll der Mensch insbesondere dann darbringen, wenn ihm sein persönlicher Gott zu sichtbarem Erfolg und Gelingen verholfen hat:

[1o9]

u4-da á-tuku ní-te dingir-ra , *u4-ma né-me-el pa-la-aḫ ili*
mu-ni-in-lá , *ta-ta-mar*
dingir ár-ag-en ù lugal-ra ba-an-na-ab-bé , *ila ta-na-ʾ-ad ana šarri ta-kar-rab*

Am Tage, da du den Gewinn der Verehrung (deines) Gottes gesehen hast, sollst du (deinen) Gott preisen und zum König beten.[2]

Ein Sittenkodex, der in Omenform gestaltet ist, gibt dem Menschen folgende Ratschläge in bezug auf den Wert der Verehrung des persönlichen Gottes:

[11o]

šum[ma] ana ili šit-qú-ul šulum balāṭim u4-mi akal-šu ina-pu-uš

Wenn er gegen (seinen) Gott im Gleichgewicht ist: Wohlergehen während seines ganzen Lebens; seine Nahrung wird sich mehren.[3]

[111]

šumma ana ili i-kar-rab ila iraššši

Wenn er zu Gott betet, bekommt er einen Gott.[4]

[112]

[šumma da-]lil ili i-da-lal libba-šu ṭāb

[Wenn] er Gottes [Pr]eis verkündet, wird er sich wohlbefinden.[5]

---

1 Nougayrol, RB 59,246 Str. 8 u. 9.

2 Lambert, BWL 229, 24-26; vgl. Ebeling, Handerhebung 82,92f.

3 F.R. Kraus, ZA 43,94,7o'.

4 Ebd. 94,66'. S. zu der spezifischen Verwendung von ilum o.S. 71.

5 Ebd. 96,2.

d. Omenliteratur

Die Omenliteratur beschäftigt sich verschiedentlich mit dem Problem, ob der Mensch einen persönlichen Gott hat, der ihm wirksam zur Seite steht, oder nicht. Einem altbabylonischen Omentext zufolge können folgende Anzeichen hierfür Auskunft geben:

[113]

DIŠ LÚ *iš-tu* 1 UŠ *a-na 30* GAR LÚ *u-we-ed-di*
LÚ *šu-ú* DINGIR-*šu it-ti-šu ka-ia-an*

Wenn ein Mensch einen anderen Menschen aus (einer Entfernung von) einem UŠ bis 3o GAR erkennt:
mit diesem Menschen wird sein Gott immer sein.[1]

[114]

DIŠ LÚ *na-ap-lu-šú šu-šu-ri-iš i-ba-aš-ši*
DINGIR-*šu a-na da-mi-iq-tim ka-a-a-an-šum*

Wenn eines Menschen Blick geradeaus (=aufrichtig) ist:
sein Gott wird dauernd zum Guten mit ihm sein.[2]

[115]

DIŠ LÚ *ša-ra-sú-ki-ma qí-it-mi ṣa-al-ma-at* LÚ *šu-ú a-ka-lum* ⟪1⟫
DINGIR-*šu a-na a-ka-lim i-na-di-šum*

Wenn das Haar eines Menschen so schwarz wie Asche ist:
diesem Menschen wird sein Gott Brot zur Speise geben.[3]

Zwei Ölomina lauten:

[116]

šamnum a-na ṣit-it ša-am-ši-im ip-ṭù-ur
i-lu-um re-eš a-wi-lim i-na-aš-ši

Wenn das Öl sich nach Sonnenaufgang hin auflöst:
der Gott wird den Betreffenden unterstützen.[4]

[117]

šamnum a-na pāni ᵈ*šamšum ip-ṭù-ur-ma šu-ul-ma-am*
it-ta-di-a-am a-na be-el šamnim šu-lum i-lim ki-nu-um

---

1 Köcher-Oppenheim, AfO 18,65,14f.

2 Ebd. Z. 21f.

3 Ebd. 66 II 37f.

4 Pettinato, Ölwahrsagung, II, Text I,69.

Wenn das Öl sich zur Sonne hin auflöst und eine Blase bildet::
für den Ölspender: die Huld des Gottes ist beständig.[1]

Ähnliche Aussagen finden sich auch in einer Sammlung von physiognomischen Omina aus der Bibliothek Aššurbanipals. Unter physiognomischen Omina sind Aussagen über das Schicksal des Menschen auf Grund seiner körperlichen Beschaffenheit zu verstehen. Beispiele:

[118]

š[umma] šārat qaqqadi KIMIN-*ma pa-ni arik i-la-ni*: *re-ṣa iraššì*

[Wenn] er in bezug auf das Haupthaar dto.(.....) und in bezug auf das Gesicht lang ist, ist er glücklich: einen Helfer wird er bekommen?[2]

Die von Nötscher bearbeitete Omenserie *šumma ālu* enthält ebenfalls Angaben darüber, wie man das Mitsein bzw. Gnädigsein des persönlichen Gottes erkennen kann:

[119]

šumma ina eqli libbi âli ^{iṣ}*gišimmaru izziz ilu ana amēli damiq i-piš amēli šuāti i-sàr-rù*

Wenn auf dem Feld inmitten einer Stadt eine Dattelpalme steht, wird der Gott dem Menschen gnädig sein; das Werk jenes Menschen wird gedeihen.[3]

[12o]

šumma eqla epra tam-la-a ù-ma-al-li šum-šú ina damiq-tim ittami il-šú sa-lim-šú

Wenn er das Feld mit Erdreich als Terasse auffüllt,wird sein Name in Ehren genannt werden, sein Gott wird ihm gnädig sein.[4]

[121]

šumma kalbu itti-šú it-te-en-dú maṣṣarti ili-šú elī-šu bašât^{at}

Wenn ein Hund sich an ihn (d.h. einen Fürsten) anschmiegt, wird der Schutz seines Gottes über ihm sein.[5]

---

1 Ebd. Text II,29.

2 F.R. Kraus, Omina 76 Nr. LXVII vgl. LXXVII und LXXXI.

3 Nötscher, Or 51-54, 82,27.

4 Ebd. 82,35.

5 Ebd. 66,5.

In Traumomina gibt es analoge Wahrsagungen auch in bezug auf den Besitz von Šēdu und Lamassu:

[122]

DIŠ KA₅.A *iṣ-bat* ᵈLAMA DAB-*bat*
DIŠ KA₅.A *iṣ-bat-ma ina* ŠU-*šú* È
ᵈLAMA TUK *u ina* ŠU-*šú* È

Wenn er einen Fuchs ergreift: er wird sich einer Lamassu bemächtigen.
Wenn er einen Fuchs fängt und dieser ihm entschlüpft:
er wird eine Lamassu haben, aber sie wird ihm entgleiten.[1]

[123]

DIŠ LÚ *i-nu-ma ṣa-al-lu a-lum im-ta-na-qú-ta-šum*
ù i-ḫa-az-zu-ma la i-ši-im-mu-šu
LÚ *šu-ú* ᵈKAL *u še-e-du i-na zu-um-r[i-š]u ra-ki-is*

Wenn ein Mensch, während er schläft, (träumt, daß) die Stadt wieder und wieder auf ihn herabfällt,
und er stöhnt, aber niemand hört ihn,
Šēdu und Lamassu werden mit dem Körper dieses Mannes verbunden sein.[2]

e. Königsinschriften

Die Erwähnung des persönlichen Gottes als Garanten für das Wohlergehen erfolgt vor allem in den sumerischen Königsinschriften aus Lagaš. Eannatum schließt die Berichte über seine Taten häufig mit der Formel d i n g i r - r a - n i ᵈŠ u l - u t u l a "dessen Gott ist Šulutula"[3]. Der Hinweis auf den persönlichen Gott nach der Aufzählung der Werke bedeutet hier wohl, daß Eannatum die Kraft zur Vollendung dieser Taten seinem persönlichen Gott zuschreibt und dessen Lob den übrigen Göttern gegenüber verkündet.[4]

Auch Gudea von Largaš erwähnt in den von ihm erhaltenen Inschriften seinen persönlichen Gott recht häufig.[5] Vor allem bringt er ihn in Zusammenhang mit seiner Erhebung zum Stadtfürsten, wie in Statue B berichtet wird:

---

[1] Oppenheim, Dreams 326, x+9.x+1o, vgl. 11.12.15.

[2] Köcher-Oppenheim, AfO 18,67, 28-3o.

[3] SAK 22 b vii, 17f; 24 c vii, 3f; 29 i iii,5f.

[4] Vgl. Paffrath, Götterlehre 57.

[5] Belege s. o. S. 33 mit Anm. 8.

[124]

sag-zi unken-na pa-è-a ^{d}Nin-giz-zi-da dingir-ra-na-ke$_4$
u$_4$ ^{d}Nin-gir-su-ke$_4$ uru-ni-šè igi-zi im-ši-bar-ra
Gú-de-a sipa-zi-sè kalam-ma ba-ni-pà-da-a

... welchen als ersten unter der Menge (der Menschen) hat erstrahlen lassen Ningizzida, sein Gott, als Ningirsu auf seine Stadt geworfen hatte einen günstigen Blick, daß Gudea zum gesetzlichen Hirten im Lande er erwählt hatte.[1]

Gudea verdankt es also seinem persönlichen Gott Ningizzida, daß er ihn in der "Menge"[2] der Menschen hervorgehoben hat, so daß ihn der Stadtgott Ningirsu zum Fürsten erwählte. Die Fürsorge des persönlichen Gottes bezieht sich demnach mehr auf die Person Gudeas, während ihn der Stadtgott in das Hirtenamt beruft.

Von der Hilfe Ningizzidas in dieser entscheidenden Phase seines Werdegangs rührte die bleibende Dankbarkeit her, die Gudea seinem persönlichen Gott zeitlebens erwiesen hat. Sie hat insbesondere in dem Bau eines Tempels für Ningizzida ihren Niederschlag gefunden.[3]

Auch Sargon von Akkade verdankte den entscheidenden Sieg über seinen Gegenspieler Lugalzagesi von Uruk der Hilfe seines persönlichen Gottes A.MAL, der - einer Inschrift zufolge - das feindliche Heer mit seiner Keule schlug.[4]

Der neubabylonische König Nabonid berichtet in den Harrān-Inschriften, daß er von seiner Herkunft her nicht zum Königtum bestimmt gewesen sei, sein persönlicher Gott Sin ihn jedoch dazu berufen habe.[5]

---

1 SAK 66 b iii, 3-9.

2 Das sumerische Wort unken kann sowohl für eine irdische Ratsversammlung als auch für die Versammlung der Götter gebraucht werden. (Vgl. v. Dijk, Götterlieder, II, 123f; Jacobsen, Tammuz 162ff) Das entsprechende akkadische Wort ist *puḫrum*. Im vorliegenden Fall liegt es wohl näher, an eine irdische Menschenversammlung zu denken. (So auch Thureau-Dangin mit der Ergänzung "der Menschen")

3 S.o.S. 58.

4 Hirsch, AfO 2o,41 b 6,52ff.

5 Gadd, AnSt 8,56 ff.

Die Tatsache, daß Könige ihren Werdegang auf die Hilfe ihres persönlichen Gottes zurückführen, können wir außerdem beim hethitischen König Ḫattušili III.[1], bei den nordsyrischen Königen[2] und beim israelitischen König David[3] beobachten.

f. Gebete und Gebetsbeschwörungen

In Gebeten und Gebetsbeschwörungen kommt häufig die Bitte um die Gegenwart des persönlichen Gottes vor, die mit der Bitte um Leben, Gesundheit und Wohlergehen identisch ist, z.B.:

[125]

[ina] an-ni-ku-nu ki-nim šá là innennû$^{ú?}$
ili-i$_{10}$ lizziz^{iz} ina imni-ia$_5$
^{d}ištar-i$_{10}$ lizziz^{iz} ina šumêli-ia$_5$
ilu mu-šal-lim-mu ina idê^{meš}-ia$_5$ lu ka-a-a-an

Auf eure feststehende Zusage, die nicht gebeugt wird,
trete mein Gott zu meiner Rechten,
meine Göttin zu meiner Linken,
der Gott, der Wohlergehen verleiht, stehe dauernd an meiner Seite.[4]

In einer Gebetsbeschwörung an Marduk bittet der Beter, Marduk möge ihn den gnädigen Händen seines persönlichen Gottes zu Wohlergehen und Leben anvertrauen:

[126]

ia-a-ši ana qātē damqāti^{meš} šá ili-ia ana šul-me balāṭi
pi-iq-da-an-ni

Mich übergib den gnädigen Händen meines Gottes zu Wohlergehen
(und) Leben.[5]

An der aufrichtigen und erlesenen Rede eines Menschen läßt sich ersehen, daß der persönliche Gott an seiner Seite ist, wie aus folgendem Gebet an Marduk hervorgeht:

---

1 S.u.S. 128ff.

2 S.u.S. 160f.

3 S.u.S. 237ff.

4 Ebeling, Handerhebung 22, 4-7.

5 Ebd. 38,2o.

[127]

e-nu-ma at-ta i-lu-uš i-du-uš-šu
at-mu-šú nu-us-su-uq-ma sè-qar-šu šu-šur

Wenn du, sein Gott, an seiner (des Menschen) Seite bist,
ist sein Wort auserlesen, seine Rede aufrichtig.[1]

g. Der persönliche Gott als Geber von Nachkommen

Das Wohlergehen eines Menschen hing in innerer und äußerer Beziehung vom Vorhandensein einer zahlreichen Nachkommenschaft ab. Denn die Kinder, insbesondere die Söhne, mußten zum Lebensunterhalt der Familie beitragen und später ihre alten Eltern versorgen. Die persönliche Gott erweist daher seine Funktion als Garant für des Menschen Wohlergehen dadurch, daß er ihm Söhne und Töchter beschert. So wird er in einem Gebet folgendermaßen angeredet:

[128]

ba-nu-u šu-me-ia na-ṣir na-piš-ti-ia
mu-šab-šu-u zēri-ia

Schöpfer meines Namens, Schützer meines Lebens,
der mir Nachkommen schafft.[2]

Auch in der Namengebung kommt zum Ausdruck, daß man dem persönlichen Gott die Geburt von Kindern verdankte[3] und ihn deshalb den "Schöpfer" des Menschen nennt.[4]

h. Sterben als Abberufenwerden durch den persönlichen Gott

In einigen altbabylonischen Rechtsurkunden wird für "Sterben" die Ausdrucksweise "der persönliche Gott beruft den Menschen ab" verwendet. Merkwürdigerweise ist sie nur für Frauen belegt, wie z.B. in folgendem Testament:

[129]

a-di Mu-na-wi-ir-[tum] ba-al-ṭí-[at] eq[lam] bītam amtam
qāssa-ma(?) ú-ka-[al] [iš]-tu i-lu-ša iq-te-ru-[ši] ša
Ibqu-ì-lí-ša-ma

---

[1] Hehn, BA V, 37o, 44f.

[2] Langdon, PSBA 34,76,41.

[3] S.o.S. 16.

[4] S.o.S. 15.

Solange Munawirtum (die Erblasserin) lebt, wird sie Feld, Haus, Magd in ihrer eigenen Hand halten; sobald ihr Gott sie abberuft, gehört es ausdrücklich (der Adoptivtochter) Ibku-iliša.[1]

Verwandt ist hiermit wohl die Wendung *mu-ut ilī-šu imât* "den Tod seines Gottes sterben". Sie wird in CAD mit "to die a natural death"[2] wiedergegeben. Die Fürsorge des persönlichen Gottes erstreckt sich also nicht allein auf das Leben des Menschen, sondern auch auf seinen Tod. Wenn ein Mensch - um mit dem Alten Testament zu reden - "alt und lebenssatt" stirbt, so ist auch dies eine Gabe seines Gottes, der ihn nun abberuft.

i. *Der Austausch von persönlichen Gottheiten*

Es wurde bereits darauf hingewiesen, daß das Schicksal des Menschen eng mit seinem persönlichen Gott verknüpft war.[3] Wollte der Mensch sich aus seinem bisherigen Schicksal herauslösen, so mußte er sich auch einen anderen persönlichen Gott wählen. Die im folgenden zitierte neubabylonische Beschwörung beinhaltet offensichtlich die Zeremonie des Austausches von persönlichen Gottheiten:

[13o]

NENNI A NENNI *šá* DINGIR-*šú* NENNI *u* ^{d}EŠ$_4$-TAR-*šú* NENNI-*tum*
ša DINGIR-M*[EŠ] attunu tīdāšuma anāku la idûšu*
ilšu kīma ilija ištaršu kīma ištarija limḫuranni
da-ru-ta-aš si[m]-ti lu-uš-ta-an-na-a it-ti-šu

NN, Sohn des NN, dessen Gott NN, dessen Göttin NN (ist),
dessen Götter ihr (die großen Götter) kennt, die ich aber nicht kenne,
möge sein Gott wie mein Gott und seine Göttin wie meine Göttin mich annehmen.
Möge ich für immer das Schicksal mit ihm vertauschen.[4]

---

[1] Schorr, Urkunden Nr. 18, 15-18; vgl. 25,11 f; 29,12 f; 2o9,29; 222,17f.
[2] "I/J" 99[b]; vgl. v. Soden, AHw Lfg. 8,691[a].
[3] S.o.S. 69.
[4] CAD "D" 118[a].

2. *Der persönliche Gott als Beschützer gegen böse Mächte*

Das Leben des Menschen war nach mesopotamischer Vorstellung ständig von bösen Mächten bedroht.[1] Die überaus zahlreichen Dämonen verursachen schlimme Krankheiten, Wahnsinn, aufregende Leidenschaften und zerstörten das Familienleben. Sie lauern an entlegenen Orten und treiben hauptsächlich in der Nacht ihr Unwesen.[2] Krankheiten und Dämonen wurden weithin ineinsgesetzt, so daß man auch in der Medizin manche Krankheit nur mit dem Namen des sie verursachenden Dämons bezeichnete.[3] Das Wirken von Hexen und Zauberern war eng mit dem der Dämonen verknüpft. Jastrow charakterisiert diesen Sachverhalt folgendermaßen: "Die Hexen besitzen alle Eigenschaften von Dämonen, so daß beide in den Beschwörungsformeln oft genug miteinander vermengt werden. Die Hexe ist augenscheinlich nur die Person, in der sich der bis dahin unsichtbare Dämon manifestiert.[4]

Angesichts dieser unheimlichen Gefahr, die dem Menschen seitens Dämonen und Zauberern drohte, bedurfte er eines Beschützers, und als solcher diente ihm sein persönlicher Gott. Solange er im Menschen wohnte, war dieser gegen ihre Angriffe gefeit. Hatte er allerdings den Menschen verlassen, so hörte seine Einflußnahme auf und ein böser Dämon ergriff von ihm Besitz. Über den Schutz, den der persönliche Gott dem Menschen gewähren kann, dachte man bei Sumerern und Akkadern jeweils etwas anders. In der sumerischen Beschwörung wird ein Dämon zwar unter Hinweis darauf, daß der Kranke "Sohn seines Gottes" sei, beschworen.[5] Der persönliche Gott war jedoch zu schwach, um die Dämonen tatsächlich vom Menschen fernzuhalten. Diese greifen den Menschen aus völlig unerfindlichen Gründen an, weswegen niemand gegen sie immun ist.[6] Alles, was der persönliche Gott in einem solchen Fall noch tun konnte, war, sich für ihn in der Götterversammlung, wo das Schicksal des Menschen entschieden wird, einzusetzen.

---

[1] Vgl. Jastrow, Religion, I, 285ff; Meissner, BuA II, 198ff; Weber, Dämonenbeschwörung; Ebeling, RLA 2, 1o7ff; Edzard, WM I/1 46ff; Contenau, La magie 84 ff.

[2] Vgl. Meissner, ebd. 199.

[3] Vgl. v. Soden, Wissenschaft 1o7.

[4] Religion, I, 285.

[5] S. die o.S. 27 (Text Nr. 40) zitierte Formel.

[6] Vgl. Lambert, BWL 6.

Diese Auffassung änderte sich in nachsumerischer Zeit. Man nahm nunmehr an, daß der persönliche Gott stark genug war, den Menschen gegen Dämonen und böse Mächte zu beschützen. Wenn dennoch ein Mensch in die Hände der Dämonen fiel, was sich in Krankheit und Not manifestierte, so lag dies nicht an der Ohnmacht des persönlichen Gottes. Vielmehr hatte er ihn aus Zorn über seine Sünden verlassen.[1] In normalen Zeiten war der persönliche Gott völlig imstande, seinen Klienten gegen die Dämonen abzuschirmen.

Da die Nacht die bevorzugte Wirkungszeit der Dämonen war, bittet der Mensch speziell für diese Zeit um den Schutz seines persönlichen Gottes:

[131]

ma-ṣar šul-me u balâti šu-kun eli-ia$_5$
^{d}*šêdu na-ṣi-ru ilu mu-šal-li-mu šu-zi-iz ina rêši-ia*$_5$
[li-iṣ-ṣu-]ru-ni kal mu-ši a-di na-ma-ri

Einen Wächter des Wohlergehens und Lebens bestelle für mich,
einen schützenden Šêdu, einen Gott, der Wohlergehen verleiht,
laß mir zu Häupten treten,
sie sollen mich bewachen die ganze Nacht bis zum Hellwerden.[2]

Die Schutzfunktion des persönlichen Gottes kommt auch in zahlreichen Personennamen zum Ausdruck. Beispiele:

^{d}*Adad-šuma-uṣur*	"Adad, schütze den Erben";
^{d}*Sîn-tabni-uṣur*	"Sîn, du hast geschaffen, schütze"[3];
Ì-lí-na-ṣi-ri	"Mein Gott beschütze mich"[4];
É-a-andulli (AN-DÙL-*lí*)	"Ea ist mein Schutz";
Ì-lí-andul (AN-DÙL)	"Mein Gott ist Schutz";
^{d}NN-*dūri*	"Gott NN ist meine Mauer";
^{d}*Enlil-du-ur-šu*	"Enlil ist seine Mauer";
Ištar-ekal-li	"Ištar ist mein Palast";
Ištar-na-ma-ri	"Ištar ist mein Berg(=Hort)"[5];
Ì-lí-ḫi-ta-an-ni	"Mein Gott wache über mich"[6].

[1] Vgl. Jacobsen, Adventure 212f; ders., Tammuz 19.44f.

[2] Ebeling, Handerhebung 4o, 46-48.

[3] Stamm, Namengebung 158.

[4] Ebd. 216.

[5] Ebd. 211.

[6] CAD "Ḫ" 159^b.

3. *Der persönliche Gott als Mittler und Fürsprecher*

Über das Schicksal des Menschen entscheidet nach dem Glauben der Mesopotamier die Versammlung aller Götter.[1] Dort wird ständig Gericht über die Menschen geführt und entsprechend ihrer Taten Recht gesprochen. Wenn ein Mensch in Not gekommen und sich keiner Schuld bewußt ist, so nimmt er an, daß sein Prozeß im Himmel nicht den tatsächlichen Verhältnissen entsprechend geführt werde. Er bittet daher einflußreiche Götter, sich für seinen Prozeß zu verwenden. Insbesondere Šamaš, der Gott des Rechts, wird in solchen Fällen angerufen.

Als Mittler und Fürsprecher steht dem Menschen insbesondere sein persönlicher Gott zur Verfügung.[2] Später werden auch gern die Gemahlinnen der großen Götter deswegen angegangen.

a. Die Fürsprache des persönlichen Gottes in der sumerischen Religion

Bei den sumerischen Stadtfürsten von Lagaš hatte der persönliche Gott die Aufgabe, seinen Schützling fürbittend beim Stadtgott zu vertreten, um sich dessen bleibende Gunst zu versichern.[3] Die Könige stellten deshalb Statuen ihrer persönlichen Götter im Tempel des Stadtgottes auf, damit sie für das Leben und Wohlergehen des Königs dort beten können. So lautet eine Inschrift Entemenas:

[132]

dingir-ra-ni ^{d}Šul-utula u$_4$-ul-la-šè nam-ti(l)-la-ni-sè
^{d}Nin-gir-su-ra é-ninnû-a ḫe-na-šè-gub

Sein Gott Šulutula in der Zukunft möge er für sein (d.h. des Entemena) Leben (vor) Ningirsu im e-ninnû-Tempel stets stehen.[4]

---

[1] Vgl. Jacobsen, Tammuz 163ff.

[2] Die Vorstellung vom Fürsprecher ist den irdischen Verhältnissen entnommen. Dort wendet sich der gewöhnliche Mensch selten direkt an seinen König, wenn er ein Anliegen hat, sondern benutzt dazu die Vermittlung hoher Würdenträger. Insbesondere der Kronprinz wurde um Fürsprache beim Herrscher angegangen. Vgl. Zimmern, Vater, Sohn, Fürsprecher 9f.

[3] Vgl. Paffrath, Götterlehre 59.

[4] SAK 36 1 iii, 5 - iv, 5; vgl. SAK 4o vi, 1-8.

Sein Nachfolger Urukagina bittet:

[133]

dingir-ra-ni ^{d}Nin-[šah] ... (abgebrochen) u$_{4}$ ul-la-šè
^{d}Nin-gir-su-ra é-ninnû-a ka ḫe-na-gál

Möge sein Gott Nin-[šah]... (abgebrochen) in künftigen Tagen
(vor) Ningirsu im e-ninnû-Tempel beten.[1]

Auch Gudea führt seinen persönlichen Gott Ningizzida in den neuerbauten Tempel Ningirsus ein, damit er dort für ihn Fürbitte einlege.[2] In seinem Bericht über die Tempelweihe heißt es:

[134]

^{d}Lugal-kur-dúb igi-šè mu-na-gin ^{d}Ig-alim^{lim}-ke$_{4}$ gír
mu-na-gá-gá ^{d}Nin-giz-zi-da dingir-ra-ni šu mu-da-gál-gál

Lugalkurdub ging ihm (d.h. Gudea) voraus, Igalima bereitete ihm
den Weg, Ningizzida, sein Gott, betete für ihn.[3]

In sumerischer Zeit übte insbesondere die als ^{d}lama bezeichnete persönliche Göttin die Fürbittfunktion aus.[4] Urukagina erbaute für die "gute Lama" einen Tempel.[5] Ninkagina, die Mutter eines Stadtfürsten, stellte eine Statue der Lama im Vorhof der Göttin Baba zum Zwecke der Fürbitte auf.[6]
Als Mittlerin zwischen Gott und Mensch erhält sie ihrem Schützling das Wohlwollen der Götter.[6]

---

[1] SAK 42 a iv, 6 - v, 4.

[2] SAK 84 ii, 8-1o.

[3] SAK 1o8 xviii, 14 - 18. - Lugalkurdub ist nach SAK 1o4 xiv, 18 ein Beiname des Emblems Ningirsus; In SAK 128 vii, 12ff wird er Krieger und Stellvertreter Gudeas genannt. (vgl. Index SAK 259) - Thureau-Dangin übersetzt den Ausdruck šu mu-da-gál-gál mit "hielt ihn an der Hand". šu gal-gal bedeutet wörtlich "die Hand (am Mund) vorhanden sein lassen", woraus dann die Bedeutung "für jemanden beten" abgeleitet ist. (Vgl. Falkenstein- v. Soden, SAHG 155; ders., Grammatik, II, 142.)

[4] Vgl. Spycket, RA 54, 75f.

[5] SAK 56 v, 2of; vgl. 44 g ii, 6-8.

[6] SAK 64 f ii, 2f.

[7] Vgl. Spycket, ebd. 77f.

b. Die Fürsprache des persönlichen Gottes in der babylonisch-assyrischen Religion

Die fürsprechende Funktion des persönlichen Gottes ist auch in der babylonisch-assyrischen Religion belegt, wenn sie auch in den Texten etwas in den Hintergrund tritt. In einem Gebet an Šamaš heißt es:

[135]

> dingir lú-u_x-lu dumu-a-ni-šè šu-bar-zi-zi-ne-bur-e-eš
> ša-ra-da-gub
> *il amēli aš-šú ma-ri-šu ka-a-ša aš-riš iz-za-az-ka*
>
> Der Gott des Menschen, wegen seines Sohnes tritt er unterwürfig vor dich hin.[1]

Mit "Sohn" ist hier der Schützling des persönlichen Gottes gemeint , für den sich dieser bei Šamaš einsetzen soll.[2]

Wenn der persönliche Gott mit dem Menschen ist, so hat er die Gewißheit, daß seine Gebete erhört werden und er bei Göttern und Menschen in gutem Ruf steht:

[136]

> *ilu u ^{d}lamassu qa-ba-a u ma-ga-[ra]*
> *u_4-me-šam-ma lil-li-ki arki[-ia]*
>
> Gott und Lamassu, Sprechen und Bewilligung,
> mögen alltäglich hinter *[mir]* wandeln![3]

[137]

> *šēdu damqu lamassu damiqtu ūme^{me}-šam-ma a-a ip-par-ku ina idâ-a-a*
> *eli(?) ili u šarri bēli u rubī li-da-me-qú ūmu^{mu}-u-a*
>
> Ein guter Šēdu, eine gute Lamassu sollen täglich nicht von meiner Seite weichen,
> sie sollen meine Tage (?) angenehm machen bei Gott und König, Herrn und Fürsten![4]

---

1 Schollmeyer, HGŠ Nr. 2, 38f.

2 S.o.S. 27ff.

3 Ebeling, Handerhebung 18, 33f.

4 Ebeling, Handerhebung 14o o 6f; vgl. 22 Anm. 12.

Ein Gebet aus dem ersten vorchristlichen Jahrhundert macht die Wirksamkeit der Fürbitte des persönlichen Gottes abhängig von der Zustimmung der Göttin Ištar:

[138]

lú-u$_x$-lu nì dingir-ra-a-ni šà-dib gà-gà-bi mu-un-da-ága
ama-^{d}Inanna-bi zà-šè ba-an-di-ni-ib-gar-ra
a-me-lu ša ili-šu šab-šu še-ri-ik-tu ep-ša u ^{d}iš-tar-šu iq-ti-nu-su
zà-ki-a da-dúg nam-ama-^{d}Inanna-zu li-bé-in-kin-kin dingir
na-a dug-UD-ag-ag-bi nu-še
a-di aš-rat sa-lim ilu-úti-ka la iš-te-'-u ilu ma-am-man
te-iṣ-pi-šu li-im-ma

Der Mensch, der seinem ärgerlichen Gott ein Geschenk macht, und dessen Göttin für ihn eintritt,
und der nicht im Heiligtum den Willen deiner Gottheit gesucht hat -
ein Gott wird sich seinem Wunsch widersetzen.[1]

Die fürbittende Funktion des persönlichen Gottes wird bildlich in der sog. Einführungsszene dargestellt.[2] In Uruk-Warka wurde eine aus der Zeit des Kassitenkönigs Nazimarutaš (132o - 1295 v.Chr.) stammende Stele gefunden, die darstellt, wie die Lama-Göttin fürbittend ihre Hände zu Inanna erhebt, um für die in der Inschrift genannten Personen zu beten. Die Stele trägt folgende Unterschrift:

[139]

^{d}lama u$_4$-mah k[i]-gal da-rí nam-mi-in-gub
^{d}nin-é-an-na nin-a-ni-ir in-na-ni-in-ba

(Sir?-ban) hat errichtet für immer auf einem Sockel eine Lama,
die hoch steht,
und für die Herrin des Eanna hat er sie gegeben.[3]

Die persönliche Göttin trägt hier die Bezeichnung Lama und wird auf einem Sockel als Fürbitterin vor der "Herrin des Eanna" (=Inanna/Ištar) aufgestellt.

Nur ein einziger Personenname ist mir begegnet, in dem die fürbittende Funktion des persönlichen Gottes ausgesagt wird, nämlich *Aššur-ki-mu-ia* "Aššur tritt für mich ein"[4].

---

[1] Langdon, RA 12,81, 3o-33.
[2] S.o.S. 66ff.
[3] Spycket ebd. 73 vgl. Abb. 2
[4] Stamm, Namengebung 213.

II. Die Abwesenheit des persönlichen Gottes

Solange der persönliche Gott im Menschen wohnt,ist ihm Erfolg, Wohlergehen, Gesundheit sowie Harmonie mit seiner Umwelt beschieden. Verläßt ihn jedoch der persönliche Gott aus Gründen, die wir unten[1] erörtern werden, so hat dies katastrophale Folgen. Die vom persönlichen Gott in normalen Zeiten gegenüber seinem Schützling ausgeübten Funktionen fallen nun weg. Niemand sorgt mehr für sein Wohlergehen, kein Gott beschützt ihn gegen böse Mächte oder tritt als Fürsprecher für ihn ein. Die Folgen sind Not und Krankheit, Entfremdung von der Umwelt und fehlende Gebetserhörung.

Die Klage über die Schrecklichkeit eines solchen Zustandes hat in der sumerischen und akkadischen Literatur mehrfachen Niederschlag gefunden. Drei Beispiele seien hierfür zitiert. Das erste ist ein aus altbabylonischer Zeit stammender Gottesbrief, in welchem sich ein Mann namens Gudea darüber beschwert, daß ihn sein "Hirte", d.h. sein persönlicher Gott, verlassen habe. Er fühlt sich wie ein Schaf unschuldig mißhandelt und beteuert seinem Gott, daß er ihm nicht feindlich gesinnt sei:

[14o]

dingir-mà ù-na-du$_{11}$
Gù-dé-a ì-zu na-ab-bé-a
udu-gin$_x$ sipa-gi-na nu-tuku
na-gada-gi-na nu-mu-un-túm-túm-mu

zeḫ sag-dù-dù nu-zu bala-sè mu-un-ag
anše gin$_x$ ^{kuš}usan$_3$-ḫul-gál-la ḫul-gál-la bí-in-túm
sag ì-tuku inim nu-um-me igi-tuku igi mu-x
nì-ag-a-mu a-rá-imin-e mu-un-DU
zag-ba a-rá-imin-e nu-mu-un-da-pà

dingir-mu lú-kúr-zu nu-me-en šà-zu šà-x ḫa-ma-ra-gi$_4$-gi$_4$

Sage meinem Gott,
So spricht Gudea:

---

[1] S. 99ff.

Wie ein Schaf habe ich keinen vertrauenswürdigen Hirten,
Kein vertrauenswürdiger Hirte sorgt (?) für mich.

Wie ein unglückliches Zicklein werde ich mit ungerechtem Tadel mißhandelt,
Wie ein Esel, der mit der Peitsche geschlagen wird, so werde ich herumgestoßen.
Ich habe einen "Kopf", (aber) äußere kein Wort, wer Augen hat ...,
Siebenmal sind meine Taten ... geworden,
Siebenmal befand ich mich nicht (?) an ihrer Seite(?),

Mein Gott, ich bin nicht dein Feind, möge sich dein Herz ... mir zuwenden![1]

Als zweites Beispiel soll der Beginn des sumerischen Gedichtes "Der Mensch und sein Gott" zitiert werden, wo der unschuldig Leidende seinen persönlichen Gott anklagend fragt:

[141]

en-na-me-*[šè]* èn-mu nu-tar-re-en ki-mu nu-kin-*[k]*in-en
ús-zi nu-mu-ub-díb-bé-en

Wie lange wirst du mich vernachlässigen, mich ungeschützt lassen?
(Wie lange) wirst du mich ohne Führung lassen?[2]

In ähnlicher Weise klagt auch der Mensch in dem babylonischen Gedicht Ludlul bēl nēmeqi darüber, daß Gott und Göttin, Šēdu und Lamassu ihn im Stich gelassen haben:

[142]

id-da-ni ili$_{14}$ šá-da-šu i-[mid]
ip-par-ku ^{d}ištar-[i] i-bé-[eš...]
[i]s-li-it še-⟨ed⟩ dum-qí šá i-di-[ia]
ip-ru-ud la-mas-si-ma šá-nam-ma i-še-ʾ[e]

Mein Gott hat mich fallen gelassen und ist verschwunden,
meine Göttin ist untätig geworden und hat sich entfernt.[3]

---

[1] Kramer-Bernhardt, Texte Nr. 56.

[2] Kramer, VTS 3,175,98.1oo.

[3] Lambert, BWL 32, 43-46.

Im weiteren Verlauf des Gedichtes kehrt diese Klage wieder:

[143]

ul i-ru-ṣa ilu qa-ti ul iṣ-bat
ul i-ri-man-ni ^{d}*iš-ta-ri i-da-a-a ul il-lik*

Mein Gott rettete (mich) nicht, indem er mich bei der Hand nahm,
noch zeigte meine Göttin Erbarmen, indem sie mir zur Seite ging.[1]

Nach diesen allgemeinen Belegen über die Klage der Gottverlassenheit soll nun der Zustand der Abwesenheit des persönlichen Gottes im einzelnen dargestellt und analysiert werden. Wir beginnen mit der Behandlung der Folgen der Abwesenheit des persönlichen Gottes, die in Krankheit, Entfremdung von der Umwelt und Fehlen der Gebetserhörung bestehen. Daran schließt sich eine Erörterung der Ursachen für diese Abwesenheit an, nämlich Zorn der Götter, Sünde des Menschen und Zauberer und böse Mächte. Den Abschluß bildet eine Darlegung der verschiedenen Rituale und Gebete, die die Rückkehr des persönlichen Gottes bewirken. Ein großer Teil der Belege stammt auch hier aus späterer Zeit. Einige sumerische und altbabylonische/altassyrische Texte[2] geben jedoch zu der Vermutung Anlaß, daß das Bild von der Abwesenheit des persönlichen Gottes seit dem Beginn des 2. Jahrtausends in etwa konstant geblieben ist.

1. *Die Folgen der Abwesenheit des persönlichen Gottes*

a. Krankheit

Krankheiten erfassen nach der Vorstellung der Mesopotamier den Menschen nie grundlos. Sie sind vielmehr eine Folge der Abwesenheit des persönlichen Gottes. Denn nur wenn dieser sich vom Menschen entfernt hat, können sie von seinem Körper Besitz ergreifen. Über den kausalen Zusammenhang von Gottverlassenheit und Krankheit geben folgende Texte Auskunft:

[144]

lú dingir-nu-tuku-ra sila-àm du-a-ni-ta
la be-el ilāni^{meš} *su-u-qú a-na a-la-ki-su*
sag-gig túg-gim ba-an-dul-dul-la
mu-ru-uṣ qaq-qa ki-ma su-ba-ti ik-[ta-tam-šu]

---

[1] Ebd. 46, 112f.

[2] S.u.S. 95 (Texte Nr. 147-149).

Wer keinen Gott[1] hat, wenn er auf der Straße geht,
wird das Kopfweh ihn wie ein Gewand umhüllen.[2]

[145]

ní-nu-te-na dingir-ra-na gi-gin$_x$ in-ša$_5$-ša$_5$
la pa-li-iḫ ili-šu ki-ma qa-ne-e uḫ-ta-aṣ-ṣi-iṣ
ama-dingir sag-èn-tar nu-tuku uzu-bi in-sig-sig-ga
ša ^{d}*ištar pa-qi-da la i-šu-u šīri*^{meš}*-šu u-šaḫ-ḫa-aḫ*
Den, der seinen Gott nicht fürchtet, reißt es (d.h. das Kopfweh)
wie Schilfrohr um,
wer keine Göttin als Betreuerin hat, dessen Fleisch quält es.[3]

In diesen beiden Texten ist das Kopfweh deutlich personifiziert vorgestellt und gehört eng mit dem entsprechenden Dämon zusammen.[4]

Eine anschauliche Schilderung des Krankheitszustandes findet sich in einem akkadischen Handerhebungsgebet:

[146]

a-sab-bu-ʾ ki-ma a-gi-i šá up-pa-qu šâru lem-na
i-šá-ʾ it-ta-nap-raš lìb-bi ki-ma iṣ-ṣur šá-ma-mi
a-dam-mu-um ki-ma su-um-ma-tu$_4$ *mu-ši u ur-ra*
na-an-gu-la-ku-ma a-bak-ki ṣar-biš
ina ʾu-ú-a a-a šum-ru-ṣa-at ka-bat-ti
šak-nu-nim-ma mur-ṣu ti-ʾ-i ḫu-lu-uq-qu-ú u šaḫ-lu-uq-ti

Ich schwanke wie eine Wasserflut, die böser Wind stark macht,
es fliegt, es flattert mein Herz, wie ein Vogel des Himmels,
ich wimmere wie eine Taube Tag und Nacht,
ich glühe, ich weine qualvoll,
mit Weh und Ach ist mein Inneres erkrankt ...
Es geschahen mir Krankheit, "Kopfkrankheit", Verderben und Vernichtung.[5]

---

1 Im Text steht der Plural *ilāni*^{meš} "Götter), der hier jedoch ebenso wie häufig in der Weisheitsliteratur (S. Anm.) für den Singular gebraucht ist und den persönlichen Gott meint.

2 Thompson, Devils 54, 6-1o; vgl. 8o, 194f.

3 Langdon, RA 16,61f.

4 S.o.S. 85.

5 Ebeling, Handerhebung 132, 62-66; 134,69. Vgl. 78,51ff u.a.

Ein Vergleich mit Krankheitsschilderungen in den Psalmen legt sich hier nahe.[1]
Wir beobachten hier weiterhin, daß der Beter eine Fülle von Leiden aufzählt, wie sie bei einem einzelnen Menschen nur selten gleichzeitig vorkommen. Diese Erscheinung hängt mit dem kultisch-agendarischen Quarakter der Texte zusammen, bei denen das Individuelle gegenüber dem Allgemeinen zurücktritt.

b. Wirksamkeit der Dämonen und des Bösen allgemein

Die Ursachen für die Krankheiten werden nicht im medizinischen, sondern im dämonischen Bereich gesucht. Die Dämonen können jedoch nur dann Gewalt über den Menschen gewinnen, wenn dessen persönlicher Gott ihn verlassen hat. So besteht eine weitere Folge der Gottverlassenheit darin, daß Krankheitsdämonen vom Körper des Menschen Besitz ergreifen. Die Folgen (a) und (b) sind also nicht voneinander zu trennen. Beispiele:

[147]

[lú]-dingir(?)-da-nu-me-a gab mi-ni-in-ri-eš
[..g]iš-eden-na-bi mi-ni-in-tu-ra-[...]

[Dem Menschen] ohne [Gott] haben sie (d.h. die Dämonen) sich entgegengestellt,
seinen Wuchs ihm krank gemacht.[2]

[148]

šul-dingir-nu-tuku gaba i-ni!-in-ri-eš

Sie (d.h. die Dämonen) stellten sich dem Jüngling,
der keinen Gott hat, entgegen.[3]

Eine altassyrische Beschwörung gegen die Dämonin Lamaštu, die insbesondere das Kindbettfieber verursacht, besagt ebenfalls, daß nur Menschen ohne einen persönlichen Gott von dieser Dämonin ergriffen werden können:

[149]

a-na be-el lá i-li-im i-ša-ru-um té-šé-er

Auf einen Gottlosen (wörtlich: "Besitzer eines Nicht-Gottes")
stracks geht sie zu.[4]

---

1 S.u.S.274.286 u.o.

2 Falkenstein, Haupttypen 49.

3 V. Dijk, Götterlieder, II, 1o7.

4 V. Soden, OrNS 25,143,18-2o; vgl. Thompson ebd. 98/1oo,25f.

In denselben Bereich gehören auch Mächte, die als "das Böse" oder "das böse Auge" bezeichnet und häufig in den Texten personifiziert vorgestellt werden. Als Beispiel sei die folgende sumerische Beschwörung zitiert:

[150]

KA-E-sír-ra-ka gub-bu-da-ba
šul-dingir-nu-tuku gaba im-ma-an-ri

Wenn es (d.h. das "böse Auge") an dem Eingang der Straße steht,
stellt es sich dem Jüngling, der keinen Gott hat, entgegen.[1]

c. Entfremdung von der Umwelt

Eine ebenso gravierende Folge der Entfernung des persönlichen Gottes wie das körperliche Leiden ist die Entfremdung des Menschen von seiner Umwelt. Das Leben des Mesopotamiers war wie das des altorientalischen Menschen überhaupt eingebettet in die Gemeinschaft seiner Familie, seiner Stadt und seines Volkes. Um so schwerwiegender mußte es sein, wenn sich die Umwelt von einem Menschen abwandte; ein auch nur vorübergehender Ausstoß aus der Gemeinschaft konnte leicht zu einer lebensbedrohenden Gefährdung werden. Nicht etwa zwischenmenschliche Spannungen wurden als Ursache für eine solche Entfremdung angesehen; Entfremdung von der Umwelt beruhte vielmehr darauf, daß der persönliche Gott einen Menschen verlassen hatte. Zu den körperlichen Nöten eines Gottverlassenen kommt also der Schmerz über die Abwendung der Freunde und Verwandte hinzu.

So klagt z.B. der unschuldig Leidende in dem Gedicht "Der Mensch und sein Gott" darüber, daß die Beziehungen zu seinen Freunden gestört, und sein persönlicher Gott dem nicht Einhalt gebietet:

[151]

du$_{10}$-sa-mu inim-gi-na na-ma-ab-bé
ku-li-mu inim-zi-du$_{11}$-ga-mu-šè(?) lul ma-ši-gá-gá
lú-lul-la-ke$_{4}$ KA-téš mu-un-du$_{11}$
dingir-mu nu-mu-na-ni-ib-gi$_{4}$-gi$_{4}$-in
ḫul-gál-e KA-téš mu-DU

Mein Genosse spricht zu mir kein wahres Wort,
Mein Freund antwortet mit Lügen auf mein ehrliches Wort.

[1] V. Dijk, ebd. 1o7.

Der Mann des Truges hat Ränke(?) gegen mich geschmiedet (?),
(und) du, mein Gott, wehrst ihm nicht.
Der Böse hat sich gegen mich verschworen(?).[1]

Im Ludlul führt der Leidende ebenfalls heftige Klage darüber, daß sich alle Menschen, angefangen vom König und seinen Höflingen, über Verwandte und Freunde bis hin zum Sklaven, von ihm abgewandt haben:

[152]

šarru šīr ilī ^{d}šamši šá nišī^{meš}-šú
lìb-bu-uš ik-ka-ṣir-ma pa-ta-ru-uš lim-niš
na-an-za-zu tés-li-tu uš-ta-na-ad-da-nu elī-ia$_5$
paḫ-ru-ma ra-man-šu-nu ú-šaḫ-ḫa-zu nu-ul-la-a-ti
a-na rap-ši ki-ma-ti e-te-me e-da-niš
su-qa a-ba-ʾ a-ma tur-ru-ṣa ú-zu-na-a-ti
āli-i$_{14}$ ki-i a-a-bi ni-kil-man-ni
a-na a-ḫi-i a-ḫi i-tu-ra
a-na lem-ni u gal-le-e i-tu-ra ib-ri
šu-piš ina [puḫri i]-ru-ra-ni ar-di

Der König, das Fleisch der Götter, die Sonne seiner Völker,
sein Herz ist wütend (über mich) und kann nicht besänftigt werden.
Die Höflinge planen feindliche Anschläge gegen mich.
Sie versammeln sich und äußern unfromme Worte.
Meinen vielen Verwandten bin ich wie ein Einsiedler.
Wenn ich auf der Straße gehe, richten sich Ohren.
Meine Stadt sieht mich finster an wie einen Feind.
Mein Freund ist zum Feind geworden,
mein Genosse zum bösen Feind und gallû-Dämon.
Mein Sklave verflucht mich öffentlich in der Versammlung.[2]

In einer Beschwörung der Maqlû-Serie sagt der Kranke von seiner Zauberin:

---

[1] Kramer, VTS 3, 174, 35-38. 4o. Vgl. den Gottesbrief an Nintinugga (Falkenstein - v. Soden, SAHG sum. Nr. 41).

[2] Lambert, BWL 32 - 34, 55 - 58. 79 - 8o. 82. 84 - 85. 89.

[153]

tap-ru-si itti-ia ili-ia u ^{d}ištar-ia
tap-ru-si itti-ia se-ʾ se-ʾ-tu aḫu aḫattu
ib-ru tap-pu u ki-na-at-tu

Du hast mit mir entzweit meinen Gott und meine Göttin,
du hast mit mir entzweit Freund, Freundin, Bruder, Schwester,
Genossen, Gefährten und Dienerschaft.[1]

Entfremdung vom persönlichen Gott und Entfremdung von der Umwelt erscheinen hier parallel nebeneinander.

d. Fehlen der Gebetserhörung und schlechte Omina

Eine weitere Folge der Abwesenheit des persönlichen Gottes besteht darin, daß die Gebete des Menschen nicht mehr erhört werden, da er keinen Gott hat, der seine Anliegen unterstützt. So klagt der Leidende im Ludlul:

[154]

ila al-si-ma ul id-di-na pa-ni-šú
ú-sal-li ^{d}iš-tar-ri ul [ú]-šá-qa-a re-ši-šá

Ich rief zu meinem Gott, aber er zeigte mir nicht sein Antlitz.
Ich betete zu meiner Göttin, jedoch erhob sie nicht ihr Haupt.[2]

Ein analoger Passus findet sich in einem Handerhebungsgebet:

[155]

qa-bu-u la še-mu-ú id-dal-pu-nin-ni

Sprechen ohne Erhörung beunruhigten mich.[3]

Gleichzeitig muß der von seinem Gott verlassene Mensch feststellen, daß alle ihm erteilten Omina Ungutes verkünden:

[156]

idātu^{meš}-ú-a ^{izu}têrētu-ú-a dal-ḫa-ma ul i-šá-a purussî kit-ti

Meine Vorzeichen, meine Eingeweidevorzeichen sind verwirrt,
können nicht richtig entschieden werden.[4]

---

1 Maqlu III, 114f.

2 Lambert, BWL 38, 4f.

3 Ebeling, Handerhebung 114 o, 14.

4 Ebd. 78, 58; vgl. 132, 48; ders., ZDMG 69, 97, 41.

2. *Die Ursachen für die Abwesenheit des persönlichen Gottes*

Die sumerische Religion führte Krankheit und Leid im allgemeinen auf die Wirksamkeit böser Dämonen zurück, die ohne erkennbaren Grund den Menschen überfallen.[1] Krankheiten wurden deshalb ausschließlich mit den Mitteln der Magie bekämpft, ohne daß man sich an die Götter mit der Bitte um Sündenlösung oder Versöhnung wandte. Vielmehr lassen die sumerischen Beschwörungstexte keinerlei Verbindung zwischen Leid und Sünde erkennen.[2]

In dieser Auffassung tritt mit Beginn der Fremdherrschaft unter den Kassiten (ca. 14oo - 12oo v.Chr.) eine grundlegende Wandlung ein. Zwar werden Krankheiten weiterhin als durch Dämonen verursacht angesehen. Der eigentliche Grund für deren Wirksamkeit liegt nun aber in der Sünde des Menschen. Man war der Meinung, daß die gerechten Götter über die bösen Mächte volle Kontrolle ausübten, und der Mensch ihnen nur dann anheimfallen konnte, wenn er sich eine Sünde hatte zuschulden kommen lassen. Eine solche Fehlleistung erzürnte den persönlichen Gott, so daß dieser sich von seinem Schützling abwandte und ihn den bösen Dämonen überließ.[3]

Seitdem sich diese Vorstellung durchgesetzt hat, bittet man bei Krankheit einerseits die Götter um Sündenlösung und Versöhnung, und sucht andererseits durch magische Rituale die Dämonen und bösen Mächte zu vertreiben. Denn die Sünde des Menschen hatte den Zorn der Götter verursacht, so daß der Mensch nun den bösen Mächten ausgeliefert ist. Hier fließen also Elemente aus dem Bereich von "Religion" und Magie zusammen. Zum Bereich der "Religion" gehören Zorn der Götter und Sünde des Menschen, zum Bereich der Magie Zauberer und Dämonen. Die Verquickung dieser beiden Bereiche läßt sich insbesondere an der für das Zweistromland charakteristischen Gattung der Gebetsbeschwörung beobachten. Sie stellt eine Verbindung von Bittgebet und magischem Ritual dar.[4] Gebete werden an personhafte Götter, denen gegenüber der Mensch verantwortlich ist und folglich auch schuldig werden kann, gerichtet. Dämonen und böse Mächte dagegen sucht man durch Beschwörung zu beeinflussen, da es sich hier um quasi automatisch wirkende, unpersönliche Kräfte handelt.

---

[1] S.o.S. 85.

[2] Falkenstein, Haupttypen 56; ders., MDOG 85,9; v. Soden, ZDMG 89,159.

[3] Vgl. v. Soden, ebd.; Jacobsen, Tammuz 44f; ders., Adventure 212f; Lambert, BWL 15.

[4] Vgl. v. Soden, RLA 3, 3. Lfg. 168 ff.

Allerdings ist der Unterschied zwischen Religion und Magie, zwischen Göttern und Dämonen fließend. Es findet sich in Mesopotamien kaum ein Gebet, das nicht zugleich magische Elemente enthielte.
Wenn wir nun die im Gebiet von Religion und Magie liegende Ursachen für die Abwesenheit des persönlichen Gottes behandeln, so muß man dabei im Auge behalten, daß Zorn der Götter, Sünde des Menschen und Wirksamkeit von Zauberer und bösen Mächten nach babylonischer Auffassung nicht voneinander losgelöst betrachtet werden können, sondern im konkreten Fall immer gleichzeitig vorhanden sind.

a. Der Zorn des persönlichen Gottes und der übrigen Götter

Seit der Kassitenzeit gilt es - wie wir gesehen haben[1]- als Normaldogmatik im Zweistromland, daß die Ursache für die Abwesenheit des persönlichen Gottes in dessen Zorn begründet liegt und mit ihm auch die übrigen Götter erzürnt sind. Beispiele:

[157]

šib-sat ili u amēlu-ti bašâ^{a} muḫḫi-ia$_{5}$

Zorn des Gottes und der Menschen liegt auf mir.[2]

In der Beschwörungsserie Namburbi heißt es:

[158]

šumma amēlu lu qāt ra-bi(?)-ṣu(?) lu(?)...
lu ^{amēl}mītu uš-tar[ib-šu]
ki(?)-mil(?)-ti ili u ^{d}ištari sa-dir-š[ú]
Wenn einen Menschen die Hand des Rābiṣu(?)-Dämons oder ...
oder ein Toter zum Zittern gebracht hat(?),
ist Zorn des Gottes und der Göttin für ihn regelmäßig.[3]

---

[1] S.o.S. 99.

[2] Ebeling, Handerhebung 78, 57; vgl. 1o, 9f; 82, 1o7; 134, 71; ders., ZDMG 69, 97, 35f; Mullo-Weir, IRAS 1929, 765, 14; CAD "I/J" 96^{b}.

[3] Ebeling, RA 5o Nr. 3o Vs. 1 - 3.

Gleichbedeutend mit Zorn ist der Ausdruck "Abwenden des Antlitzes", wie er z.B. in folgendem Handerhebungsgebet vorkommt:

[159]

ili-i$_{10}$ *ana a-šar šá-nim-ma suḫ-ḫu-ru pa-nu-šú*

Meines Gottes Antlitz ist nach einem anderen Ort gewandt.[1]

Zahlreiche Omentexte geben darüber Auskunft, woran ein Mensch erkennen kann, daß der Zorn seines persönlichen Gottes über ihm waltet.
Ein altbabylonischer Omentext besagt:

[160]

DIŠ LÚ *šu-ut-tam ša i-im-ma-ru la ú-ka-al*
DINGIR-*šu it-ti-[š]u ze-e-ni*

Wenn ein Mann sich nicht an den Traum, den er hatte, erinnert:
sein Gott ist mit [i]hm zornig.[2]

Drei Beispiele aus der Omenserie *šumma ālu* lauten:

[161]

šumma kalbu ina gišerši-*šú ir-bi-iṣ il-šú itti-šu zi-e-ni*

Wenn ein Hund auf seinem (d.h. des Fürsten) Bett liegt,
wird sein Gott mit ihm zürnen.[3]

[162]

šumma kalbu giš*paššūr amēli iš-tin il-šú itti-šú sa-bu-us*

Wenn ein Hund den Tisch jemandes anpisst, wird ihm sein Gott zürnen.[4]

[163]

šumma ina libbi eqli E-ZI-ZU SAR *īpuš e-zi-iz ili ana amēli ibašši: šir-šu ul iṭâb*

Wenn er ezizu-Kraut (Wicke?) in dem Feld pflanzt, wird der Zorn des Gottes auf dem Menschen ruhen: er wird sich nicht wohlbefinden.[5]

---

1 Ebeling, Handerhebung 134, 77.
2 Köcher-Oppenheim, AfO 18, 64, 31f.
3 Nötscher, Or 51 - 54, 66, 6.
4 Ebd. Z. 15.
5 Ebd. 84, 42.

In dem letzten Beispiel stehen Zorn des persönlichen Gottes und Unwohlsein auf seiten des Menschen deutlich nebeneinander.

b. Die Sünden des Menschen

Auf die unterschiedliche Beurteilung der menschlichen Sünden innerhalb der Religion Mesopotamiens wurde bereits hingewiesen.[1] Nach sumerischer Auffassung mußte die Ursache für Not und Krankheit nicht nur auf seiten des Menschen liegen. Auch Götter konnten Sünden begehen, wie aus folgendem Text Urukaginas von Lagaš in bezug auf die Zerstörung der Stadt durch Lugalzaggesi von Umma hervorgeht:

[164]

nam-tag Uru-ka-gi-na lugal gir-su^{ki}-ka nu-gál
Lugal-zag-ge-si ensi umma^{ki}-ka dingir-ra-ni ^{d}Nisaba-ke$_4$ nam-tag-bi gú-na ḫe-il-il

Eine Sünde (seitens) Urukaginas, Königs von Girsu, besteht nicht. (Aber) Lugalzaggesi, König von Umma: seine Göttin Nisaba trage diese Sünde auf ihrem Haupte.[2]

Nicht Lugalzaggesi, sondern dessen persönliche Gottheit Nisaba ist für das angerichtete Unheil verantwortlich und soll deshalb "diese Sünde auf ihrem Haupte" tragen. Eine solche Aussage wäre in späterer Zeit unmöglich gewesen, denn seit Hammurabi setzte sich der Glaube durch, daß die Götter über menschliche Fehler erhaben seien.[3] Die Ursache für Krankheit und Not muß also allein bei den Menschen gesucht werden, nämlich bei ihren Sünden. Der von einer Not betroffene Babylonier bekennt deshalb zunächst seine Sünden. In dem folgenden Beispiel ist dieses Sündenbekenntnis an den persönlichen Gott selbst gerichtet:

[165]

šiptu:ili-ia$_5$ ul i-de [xxxxxx]
niš$^{!}$-ka kab-tu qa-liš [a]z-za-kar[4]
sib-si-ka am-te-eš-⟨si⟩ ma-gal aš-te-i-ka
ši-pir-ka ina dan-na-ti x x

---

[1] S.o.S. 99.

[2] SAK 58 iii, 6 - iv, 3; vgl. Jacobsen, Adventure 2o4.

[3] Vgl. v. Soden, ZDMG 89, 168.

[4] Lesung nach Lambert, BWL 289.

i-ta-ka ma-gal e-[te-ti-iq]
ul i-de-ma ma-gal e[ḫ-ta-ṭi]
ma-a-du ár-nu-u-a e-ma e-pu-šu u[l i-de]

Beschwörung. Mein Gott, ich weiß nicht ....
Deinen gewichtigen Namen habe ich immer wieder leichtfertig ausgesprochen,
deine Ordnungen mißachtet, (und doch) dich gar sehr gesucht.
Dein Werk habe ich immer wieder in der Not ... ,
deine Grenze immer wieder überschritten.
Ich weiß (es) nicht, und doch habe ich gar sehr gesündigt.
Meiner Sünden sind viele, wo immer ich sie begangen habe,
weiß ich nicht.[1]

Der Beter bekennt eine Vielzahl von Sünden, die er teils bewußt, teils unbewußt begangen hat. Zugleich weiß er sich jedoch immer noch als in seiner Hand stehend. Der folgende verwandte Text enthält die Aussage, daß der Mensch nicht erst seit gestern oder heute, sondern bereits von Jugend an gegen seinen persönlichen Gott gesündigt hat:

[166]

meṣ-ḫe-ru-ti la mu-da-ku-ma gu-lul-tu ēpušu[šu] *ana-ku ul i-de*$_x$
ṣe-eḫ-ra-ku-ma eḫ-ta-ṭi
i-ta-a ša ili-ià lu e-tiq

Meine Niedrigkeit kannte ich nicht, um den Frevel, den ich begangen, wußte ich nicht;
als ich noch klein war, habe ich gesündigt;
die Grenze meines Gottes habe ich überschritten.[2]

Diese Auffassung kommt bereits in dem sumerischen Gedicht "Der Mensch und sein Gott" zum Ausdruck:

[167]

u$_4$-na-me dumu-nam-tag-nu-tuku ama-a-ni nu-tu-ud
Nie ward einer Mutter ein sündloses Kind geboren.[3]

---

1 Langdon, PSBA 34, 76, 24-30; vgl. Falkenstein-v. Soden, SAHG akkad. Nr. 79

2 Schollmeyer, HGŠ Nr. 18, 20-23.

3 Kramer, VTS 3, 176, 102.

Bei solchen Sätzen legt sich der Vergleich mit der biblischen Erbsünde nahe. In der folgenden Beschwörung wird Krankheit ausdrücklich als Sündenstrafe aufgefaßt:

[168]

lú-u_x(GIŠGAL)-lu dumu dingir-ra-na šul-a-LUM
nam-tag-ga an-kin-kin
a-me-lu mār ili-šu e-nu-un ar-nam e-mi-id
á-šù-gìr-bi gig ba-an-ák-eš gig-bi tu-ra ab-ná
meš-re-tu-šu mar-ṣi-iš ep-ša mar-ṣi-iš ina mur-ṣi ni-il

Dem Menschen, dem Sohn seines Gottes, ist Strafe für seine Sünde auferlegt.
Seine Glieder sind siech, krank liegt er im Siechtum darnieder.[1]

Häufig klagt der Beter, daß sein jetziger Zustand dem eines Menschen gleich ist, der seinem persönlichen Gott nicht die nötige kultische Verehrung erwiesen hat. Denn dies galt als eine schwere Sünde. Beispiel:

[169]

ki-i la pa-liḫ ili-ia_5 u ^{d}ištari-ia_5 ana-ku ip-še-ek

Wie einer, der meinen Gott und meine Göttin nicht fürchtet, bin ich geworden.[2]

Welcher Art waren nun die Sünden, die den Zorn des persönlichen Gottes hervorrufen konnten? Die Babylonier kannten eine Vielzahl von Begriffen für Sünde, die wir nach van Selms[3] in drei Kategorien einteilen können:

1. Tabusünden: *ikkibu, anzillu, asakku;*
2. Kultische Sünden: *arnu, ḫaṭû, egû* mit Derivaten;
3. Unterlassungssünden: *salû, sil'atu, šēṭu* mit Derivaten.

Einen umfangreichen Sündenkatalog bietet die zweite Tafel aus der Beschwörungsserie Šurpu, die de Liagre Böhl[4] treffend einen "babylonischen Beichtspiegel" genannt hat. Wir geben den Text auszugsweise wieder:

---

[1] Schollmeyer, HGŠ Nr. 2, 49-52.

[2] Ebeling, Handerhebung 134, 68; vgl. Lambert, BWL 38,12f; Falkenstein - v. Soden, SAHG akkad. Nr. 17.

[3] Zonde 14-56.

[4] RGG^3, I, 820.

[170]

5 NÍG-G[IG] DINGIR-*šú i-ku-lu* NÍG-GIG ^{d}XV-*šú i-ku-lu*

6 *a-na an-na ul-la iq-bu-u a-na ul-la an-na iq-bu-u*

20 [KI] [AD] DUMU *ip-ru-su*

21 [KI] DUMU AD *ip-ru-su*

22 [KI] AMA DUMU-SAL *ip-ru-su*

23 [KI] DUMU-SAL AMA *ip-ru-su*

29 *ṣab-ta la ú-maš-ši-ru ka-sa-a la ú-ram-mu-u*

32 *ul i-di šèr-ti* DINGIR *ul i-di en-nit* ^{d}EŠ$_4$-DAR

33 DINGIR *i-da-aṣ* ^{d}EŠ$_4$-DAR *im-te-eš*

34 *a-na* DINGIR-*šú ar-nu-šú a-na* ^{d}EŠ$_4$-DAR-*šú gíl-lat-su*

36 AD AMA *im-te-eš a-na* NIN-GAL-*ti ug-dal-lil*

37 *ina ṣe-ḫer-ti it-ta-din ina ra-bi-ti im-da-ḫar*

38 *a-na ia-ʾ-a-nu i-ba-[á]š-ši iq-ta-bi*

39 *a-na i-ba-áš-ši ia-[ʾa-nu] iq-ta-bi*

45 *ku-dúr-ru la ket-ti uk-ta-dir ku-dúr-[ru ke]t-ti ul ú-k[a]-dir*

47 *a-na* É *tap-pe-e-šú i-te-ru-ub*

48 *a-na* DAM *tap-pe-e-šú iṭ-ṭe$_4$-ḫi*

49 ÚŠ-MES *tap-pe-e-šú it-ta-bak*

50 *ṣu-bat tap-pe-e-šú it-ta-al-ba-áš*

51 *mi-ra-nu-uš-šú eṭ-lu la ú-maš-ši-ru*

75 *ina sur-qí* MU DINGIR-*šú i-me-šu*

78 *is-ru-ru-ma niš qa-ti ir-šu-u*

80 DINGIR-*šú u* ^{d}EŠ$_4$-DAR-*šú* KI-*šú ú-za-an-nu-ú*

81 *ina ši-pa-ri iz-za-az-zu-ma la šal-ma-a-te i-ta-mu-u*

5 Der gegessen hat, was tab[u] für seinen Gott ist,

6 der statt "JA" "NEIN", statt "NEIN" "JA" gesagt hat,

20 der den Sohn vom Vater getrennt hat,

21 der den Vater vom Sohn getrennt hat,

22 der die Tochter [von] der Mutter getrennt hat,

23 der die Mutter [von] der Tochter getrennt hat,

29 der einen Gefangenen nicht losgelassen, einen Gebundenen nicht freigemacht hat.

32 Er kennt nicht die Sünde gegen den Gott, er kennt nicht das Vergehen gegen die Göttin.

33 Er kränkte den Gott, verachtete die Göttin.

34 Seine Sünden sind gegen seinen Gott, seine Vergehen gegen seine Göttin.

36 Er hat Vater und Mutter verachtet, die ältere Schwester gering geschätzt,
37 er gab kleines (Gewicht) und erhielt großes (Gewicht),
38 er sagte "es ist", als es nicht war,
39 er sagte "er ist n[icht]", als es war.
45 Er hat eine falsche Grenze gezogen, eine richtige Grenze nicht gezogen,
47 er ist in seines Nächsten Haus eingedrungen,
48 hatte Verkehr mit der Frau seines Nächsten,
49 vergoß des Nächsten Blut,
5o nahm des Nächsten Gewand weg,
51 (und) bekleidete nicht einen jungen Mann, als er nackt war.
75 Weil er beim Weihrauchopfer den Namen seines Gottes vergaß,
78 weil er zu beten begann, nachdem er überheblich gewesen war,
8o erzürnt er seinen Gott und seine Göttin wider sich,
81 indem er in der Versammlung aufstand und Unheilvolles sprach.[1]

Diesem Text zufolge kann man den persönlichen Gott auf die verschiedenste Weise erzürnen. Neben kultischen Sünden (vgl. Z. 5. 75-76) werden zahlreiche Verfehlungen gegenüber den Mitmenschen genannt, die in auffallender Weise an die Gebote des Alten und Neuen Testaments erinnern. Man kann seinen Gott erzürnen, indem man den Nächsten belügt, die Familienglieder entzweit (Z. 2o-23), einen Gefangenen nicht befreit (Z. 29), des Nächsten Haus, Frau, Leben oder Gewand antastet (Z. 47-5o) oder einen nackten Jüngling nicht bekleidet (Z. 51). Viele dieser sittlichen Verfehlungen gehören nicht unter die gerichtlich strafbaren Verbrechen, sondern fallen unter den Bereich der Mitmenschlichkeit. Die Überzeugung, daß sich die Götter nicht mit einer rein kultischen Verehrung benügten, sondern daneben ein sittliches Leben forderten, setzte sich bereits in altbabylonischer Zeit durch.[2]

Die Aufzählung eines solch umfassenden Katalogs von Sünden hat wohl seinen Grund darin, daß sich der Beter scheute, die Entscheidung über Art und Schwere seiner Sünden zu treffen und sich deshalb aller möglichen Sünden schuldig bekannte.[3]

---

[1] Šurpu II, 5 ff.

[2] Vgl. v. Soden, ZDMG 89, 149.

[3] Ebd. 16o f.

Der Zusammenhang von ethischem Verhalten des Menschen und Wohlwollen bzw. Zorn des persönlichen Gottes ist auch aus folgendem Text zu ersehen:

[171]

šal-ṭi-iš e-li-šu-nu e tuk-tan-ni-iš(?)
a-na an-nim-ma ilu-šu e-zi-is-su
šú-kil a-ka-lu ši-qí ku-ru-u[n-n]u
e-riš kit-tu e-pi-ir ù ku-ub-bit
a-na an-nim-ma ìl-šú ḫa-di-iš

Du sollst sie (d.h. die Menschen) nicht tyrannisch unterdrücken,
deshalb zürnt sein Gott mit ihm.
Gib Speise zu essen, gib Wein zu trinken,
Suche das Recht, gib Speise (dem Armen) und erweise Respekt.
Deshalb hat sein Gott Wohlgefallen an ihm.[1]

c. Zauberer und böse Mächte

Während von den Dämonen m.W. nie gesagt wird, daß sie den persönlichen Gott vom Menschen entfernt haben, begegnet diese Vorstellung in bezug auf Zauberer zweimal in der Serie Maqlû:

[172]

ili-ia₅ ù ^d^ištar-ia₅ ú-šes-su-ú elî-ia₅

Meinen Gott und meine Göttin entfernten sich (d.h. Zauberin und Alp) von mir.[2]

[173]

i-na ru-ḫi-šá iš-di-hi ip-ru-us
ú-šá-as-si ili-ia₅ u ^d^ištar-ia₅ ina zumri-ia₅

Mit ihrer (d.h. der Zauberin) Hexerei beendete sie mein Wohlbefinden,
entfernte meinen Gott und meine Göttin von meinem Leibe.[3]

In denselben Zusammenhang gehört wohl auch folgender Beschwörungstext, der die Zauberer als Verursacher des Zorns von Gott und Göttin beschuldigt:

---

[1] Macmillan, BA V, 5 Nr. 1 Rs. 6f. 9-11; vgl. Lambert, BWL 1o2, 61-63.

[2] Maqlu I, 6.

[3] Maqlu II, 15f.

[174]

itti ili u d*ištari(XV) ú-zi-nu-in-ni ú-lam-me-nu-in-ni*

Sie haben mich mit Gott und Göttin entzweit und mir Böses zugefügt.[1]

Anderen Texten zufolge ist es der böse Fluch, der den Menschen von seinem persönlichen Gott getrennt hat. Beispiel:

[175]

lú-u$_x$-lu-bi áš-ḫul dud-gin$_7$ šum-ma
LÚ *šu-a-tu$_4$ ar-rat* ḪUL-*ti$_x$ ki-ma im-me-ri it-bu-uḫ-šú*
dingir-a-ni su-a-na bad-du
DINGIR-*šú ina* SU-*šú it-te-si*
ama dInanna-a-ni šà-kús-ù bar-šè ba-da-gub
d*Iš-tar-šú muš-tal-tu$_4$ ina a-ḫa-a-ti it-ta-ziz*

Ein böser Fluch hat diesen Menschen wie ein Schaf geschlachtet,
sein Gott verließ seinen Körper,
seine Göttin[2], sonst um ihn besorgt, trat beiseite.[3]

[176]

[mím-ma lim-]nu ša is-sak-nam-ma [ili uštēṣi]
*[ili] a-na ia-a-ši kīma šamê*e *ana-ku a-na šá-a-šú [ru-ú-qu]*
*[*d*]šēdu damqu ú-še-is-sa i[na bîti-ia]*

["Jegliches Bö]se, das mir geschehen ist, [hat meinen Gott davongehen lassen,]
[Mein Gott] ist für mich wie der Himmel, ich bin für ihn [fern],
den freundlichen Šēdu hat es entfernt a[us meinem Hause]."[4]

d. Der Einfluß des persönlichen Gottes und der übrigen Götter auf das Wirken der bösen Mächte

Dämonen, Zauberer und sonstige böse Mächte können ihre schädliche Wirksamkeit nicht unbeschränkt ausüben. Die Götter bestimmen letztlich, wann und

---

[1] Lambert, AfO 18, 293, 68; vgl. Mullo-Weir, IRAS 1929, 281, 3.

[2] Der sumerische Text ergänzt "seine Mutter".

[3] Šurpu V-VI, 9-14.

[4] Ebeling, Handerhebung 86, 19-21.

wo sie in Aktion treten dürfen. So wird die von Zauberern und Dämonen bewirkte Krankheit zugleich als Werk der Götter, insbesondere des persönlichen Gottes angesehen. Dieser Glaube kommt bereits in dem aus altbabylonischer Zeit stammenden Gedicht "Der Mensch und sein Gott" zum Ausdruck. Darin klagt der Leidende, daß "sein Hirte", d.h. sein persönlicher Gott, böse Mächte für ihn ausgesucht habe:

[177]

na-gada-mu lú-erím-nu-me-en-na á-ḫul ma-kin-kin

Mein Hirte hat böse Mächte ausgesucht gegen mich,
der ich (doch) nicht (sein) Feind bin.[1]

Die hier und im Gottesbrief des Gudea[2] vorkommende Beteuerung des Menschen, daß er nicht der Feind seines persönlichen Gottes sei, läßt darauf schliessen, daß sich ein in Not geratener Mensch wie der Feind seines Gottes vorkam.
In der sog. babylonischen Theodizee klagt der Leidende:

[178]

ilu a-na šar-ra-bi ul pa-ri-is a-lak-ta

Der Gott sperrt dem Šarrabu-Dämon nicht den Weg.[3]

Hier ist derselbe Sachverhalt negativ ausgesprochen. Der persönliche Gott gebietet dem Treiben des Dämons nicht Einhalt.

Auch in Gebeten und Beschwörungen wird mehrfach gesagt, daß das Wirken von Dämonen und bösen Mächten mit Zustimmung des persönlichen Gottes geschieht:

[179]

ša ina šumi(?) ili u ᵈištar ʾ-i-il-ti ʾ-i-la-an-[ni]
utukku rābiṣu etemmu lilū ḫi-mi-ti di-mi-tum šim-mat šēri ṣi-da-nu

Die im Namen (?) des Gottes und der Göttin mich durch Bann gebunden haben,
Utukku, Rābiṣu, Etemmu, Lilu, Lähmung, Schwindel, Vergiftung des Fleisches, Schwindelanfall.[4]

---

[1] Kramer, VTS 3, 174, 34.

[2] S.o.S. 91f (Text Nr. 140).

[3] Lambert, BWL 84, 244.

[4] Schollmeyer, HGŠ Nr. 29, 7f.

[180]

lumnu šá ina zumri-ia$_5$ ba-šu-u se-ir-ta(?)
ša ilu u ^{d}ištar i-mi-du-in-ni
Das Böse in meinem Körper ist die Strafe,
die Gott und Göttin mir auferlegt haben.[1]

In einer anderen Beschwörung werden die "Machenschaften seitens eines Gottes oder des Gottes des Menschen" (*up-ša-še-e ša ili u ìl amēli*) beschworen.[2] Ein babylonisches Ölomen erwähnt den "Bann des Gottes" (*māmīt ilim*), der den betreffenden Menschen gepackt hat.[3] In einem Ritual aus dem Ištar-Tammuz-Kult beschwört der Priester die Göttin Ištar mit den Worten:

[181]

"Ohne dich naht sich der Gallû(-Dämon) dem kranken Menschen nicht!"[4]

3. *Die Rückkehr des persönlichen Gottes*

Wie kehrt nun der persönliche Gott zum Menschen wieder zurück und bewirkt damit dessen Gesundung und erneutes Wohlergehen? Die Rückkehr erfolgt dadurch, daß die die Abwesenheit des persönlichen Gottes bewirkenden Ursachen aufgehoben werden: Der persönliche Gott und die übrigen Götter versöhnen sich wieder mit dem Menschen, seine Sünden werden gelöst, Dämonen und böse Mächte ausgetrieben, und der Kranke wird in die Hand seines persönlichen Gottes zurückgegeben. Auch bei den Aussagen über die Rückkehr des persönlichen Gottes beobachten wir eine Vermengung von religiösen und magischen Elementen.

a. Die Versöhnung des persönlichen Gottes und der übrigen Götter

Die Bitte um Versöhnung kann entweder direkt an den persönlichen Gott gerichtet werden, oder der Beter wendet sich an andere Götter mit der Bitte, sie mögen seinen persönlichen Gott mit ihm wieder versöhnen.

---

1 Ebeling, RA 50 Nr. 24 Rs. 9 f.

2 Meier, AfO 14, 142, 38.

3 Pettinato, Ölwahrsagung, II, Text I, 68.

4 Ebeling, TuL 53 o 17.

α. Direkte Bitte an den persönlichen Gott

Am Schluß der sog. babylonischen Theodizee bittet der unschuldig Leidende:

[182]

ri-ṣa liš-ku-nu ilū šá id-da-[an]-ni

ri-ma li-ir-šá-a ^{d}iš-tar šá x*[...]*

Möge der Gott, der mich verworfen hat, mir Hilfe geben,

möge die Göttin, die (mich verlassen hat) Erbarmen zeigen.[1]

In dem bereits zitierten Gebet an den persönlichen Gott[2] lautet ein entsprechender Passus:

[183]

ili-ia$_5$ si-lim[3] ištari-ia$_5$ nap-ši-ri

a-na te-nin-ti nis qātē-ià suḫ-ḫi-ra-ni pa-ni-ku-nu

ag-gu lib-ba-ku-nu li-nu-ha

lip-pa-aš-ra ka-bat-ta-ku-nu salīmu^{mu} šuk-na-ni

Mein Gott, versöhne dich, meine Göttin laß dich begütigen!

Zu meinem Flehen und Handerhebungen wendet euer Antlitz!

Euer ergrimmtes Herz beruhige sich gegen mich,

euer Gemüt werden begütigt, Freundlichkeit bringt mir entgegen![4]

Auch in den Handerhebungsgebeten begegnet die direkte Bitte an den persönlichen Gott um Versöhnung mehrfach. Beispiele:

[184]

ili-i$_{10}$ u ^{d}ištari-i$_{10}$ ša iš-tu ūm^{um} ma-du-ti is-bu-su [eli-ia]

ina kit-ti u mêšari lis-li-mu itti-ia$_5$:ur-ḫi lid-me-iq

pa-da(?)-ni l[i-šir]

Mein Gott und meine Göttin, die seit vielen Tagen in Zorn geraten sind über mich,

mögen in Recht und Gerechtigkeit sich mit mir versöhnen; mein Weg werde gut, mein Pfad glatt.[5]

---

1 Lambert, BWL 88, 295f.

2 S.o.S. 103 (Text Nr. 166).

3 So Variante; im Haupttext DI.MU.

4 Langdon, PSBA 34, 77, 36-39.

5 Ebeling, Handerhebung 8, 23f.

[185]

kīma ḫurāṣi ili-i$_{10}$ u ^{d}ištar-i$_{10}$ lislimu^{mu} itti-ia$_{5}$

Wie (durch) Gold mögen mein Gott und meine Göttin sich mit mir versöhnen![1]

β. Bitte um Vermittlung anderer Gottheiten

Häufig wendet sich der Babylonier an besonders einflußreiche Gottheiten mit der Bitte, sie möchten ihren Einfluß bei seinem persönlichen Gott geltend machen, um ihn wieder zu versöhnen. Während also sonst der persönliche Gott als Fürsprecher gegenüber den anderen Göttern fungiert, liegt hier der umgekehrte Fall vor. Oft benutzt der Beter dabei eine Formel, mit der er seine innige Verbindung mit der angerufenen Gottheit zum Ausdruck bringt, indem er die Anrufung mit der Anrufung seines persönlichen Gottes vergleicht:

[186]

eš-e-ki as-ḫur-ki kīma ^{TÚG}ulinni ili-ia$_{5}$ u ^{d}ištar-ia$_{5}$
^{TÚG}ulinna-ki aṣ-bat

Ich habe dich (auf)gesucht, mich dir zugewandt, indem ich wie den Gewandsaum meines Gottes und meiner Göttin deinen Gewandsaum erfasse.[2]

Nach dieser Einleitungsformel folgt dann die eigentliche Bitte um Intervention beim persönlichen Gott:

[187]

lu-uš-pur-ki ana ili-ia$_{5}$ zi-ni-i ^{d}ištari-ia$_{5}$ zi-ni-ti
^{d}Gu-la bēltu šur-bu-tu$_{4}$ ina a-mat qí-bi-ti-ki ṣir-ti šá ina é-kur
^{d}Enlil šur-ba-ta
ù an-ni-ki ki-nim šá lā innennû ù
ili-i$_{10}$ šab-su li-tu-ra ^{d}ištari-i$_{10}$ zi-ni-tum li-is-saḫ-ra

Ich will dich senden zu meinem zornigen Gott, meiner zornigen Göttin,
Gula, große Herrin, durch das Wort deines erhabenen Befehls, der im Ekur Enlils hoch(geschätzt) ist,
und deine feste Zusage, die nicht gebeugt wird,
möge mein ärgerlicher Gott umkehren, meine zornige Göttin sich (her)wenden.[3]

---

[1] Ebd. 80, 71.

[2] Ebd. 46, 73; vgl. 54 u 11 u.o.; Schollmeyer, HGŠ Nr. 22, 5f.

[3] Ebd. 46,81.85-87. - Die Formel "ich will dich senden usw." begegnet auch Schollmeyer, HGŠ Nr. 6, 13f; Kunstmann, Gebetsbeschwörung 82.

Die Bitte um Intervention wird durch den Hinweis auf den großen Einfluß, den die Göttin Gula im Enliltempel zu Nippur ("Ekur") besitzt, unterstrichen.

In einem anderen Gebet, das an Ištar gerichtet ist, lautet die Bitte um Versöhnung:

[188]

qí-bi-ma ina qí-bi-ti-ki ilu ze-nu-ú li-is-lim
dištaru šá is-bu-sa li-ṭu-ra

Befiehl, und auf deinen Befehl hin versöhne sich der zürnende Gott, die Göttin, die in Groll geraten ist, kehre um![1]

Ein Handerhebungsgebet an Ninurta bringt die Gewißheit des Beters zum Ausdruck, daß die angerufene Gottheit Sünden zu vergeben und den persönlichen Gott zu versöhnen imstande ist:

[189]

šá ár-nu i-šu-ú ta-paṭ-ṭar ár-nu
šá il-šú itti-šú ze-nu-ú tu-sal-lam ár-ḫiš

Wer Sünde (begangen) hat, machst du von der Sünde los, mit wem sein Gott zürnt, den versöhnst du schleunigst![2]

γ. Omina

Auch die Wahrsagekunst kann Auskunft darüber geben, ob sich der persönliche Gott wieder mit dem Menschen versöhnt. Folgendes Beispiel aus der Reihe der physiognomischen Omina sei hierfür zitiert:

[190]

šumma šārat qaqqadi damiq-ma pa-ni ma-sik: šu-ú-ma [xx] kiṣir libbi ili-šú GAB-*šú*

Wenn ⟨er in bezug auf⟩ das Haupthaar schön und ⟨in bezug auf⟩ das Gesicht häßlich ist ..., wird der Groll seines Gottes für ihn weichen.[3]

---

1 Ebeling, Handerhebung 134,85f; vgl. 82,11ff; Mullo-Weir, IRAS 1929,282, 9f; Šurpu V-VI, 184.

2 Ebeling, Handerhebung 26, 23f.

3 F.R. Kraus, Omina Nr. LXVI; vgl. Nötscher, Or 51-54, 84,41; Pettinato, Ölwahrsagung, II, Text II, 25.

b. Austreibung der Dämonen durch magische Riten

Gleichzeitig mit der Bitte um Versöhnung des persönlichen Gottes geschieht die Austreibung der Dämonen und bösen Mächte mittels magischer Praktiken. Dadurch soll erreicht werden, daß statt der Dämonen wieder der persönliche Gott im Körper des Menschen Wohnung nimmt. Eine sumerische Beschwörung lautet:

[191]

[nam-tar-sìg]-ga-a-ni azág-sìg-ga-a-ni bar-šè ḫé-im-ta-gub
nìg-ḫul-gál-e sil₄ igi-mu-ta
udug é-ta ḫa-ba-ra-è bar-ta-bi-šè ḫa-ba-ra-an-gub-ba
[ù]-bí-zu ḫul-dúb zi-an-na ḫé-pà zi-ki-a hé-pà

Der Namtar, der ihn geschlagen hat, der Asakku, der ihn geschlagen hat, möge nach außen treten!
Alles Böse, entferne sich von meinem Antlitz!
Der Utukku möge aus dem Haus herausgehen, zur Seite treten!
Entferne dich, Böser! Der Himmel sei beschworen, die Erde sei beschworen![1]

In einem akkadischen Handerhebungsgebet bittet der Beter, der persönliche Gott bzw. die persönliche Göttin mögen die "Feinde", d.h. Zauberer und Dämonen[2], entfernen:

[192]

kīma giš*mesi lu-ni-is-su-u lemnēti*meš*-ia*
*arrat lemutti*ti *lā ṭābtum*tum *a-a iṭḫâ*a *a-a isniqa*qa

Wie Zürgelholz (?) mögen sie (d.h. mein Gott und meine Göttin) meine Feinde entfernen!
Der böse, ungute Fluch möge (mir) nicht nahen, (mich) nicht bedrängen.[3]

Indem die Dämonen und bösen Mächte entfernt werden, tritt wieder der persönliche Gott an die Seite des Menschen:

---

1 Falkenstein, Haupttypen 33.

2 Zur Bezeichnung der Zauberer und Dämonen als "Feinde" s.u.S. 248ff.

3 Ebeling, Handerhebung 8o, 73f.

[193]

^{d}šēdu ḫa-a-a-ṭu al-lu-ḫap-pu ḫab-bi-lu gal-lu-u rābiṣu ilu lemnu
ú-tuk-ku ^{LÚ}lilû ^{SAL}lilītu im-me-du pu-zur šá-ḫa-ti
ina pān nûri-ka šu-ṣi mikīl(!) reš lemutti ṭu-ru-ud ú-tuk-ku
kušud^{ud} lem-nu
ma-ṣar šul-me u balāṭi šu-kun eli-ia$_5$
^{d}šēdu na-ṣi-ru ilu mu-šal-li-mu šu-zi-iz ina reši-ia$_5$
[li-iṣ-ṣu]ru-ni kal mu-ši a-di na-ma-ri

Der Šēdu, der Späher, "Fangnetz", Übeltäter, Gallû, Rābiṣu, der böse Gott,
der Utukku, Lilû, die Lilītu treten beiseite ins Verborgene
mit deinem "göttlichen Licht", scheuch hinaus den "Erheber des bösen Hauptes"[1], vertreib den Utukku, verjage den Bösen!
Einen Wächter des Wohlergehens und Lebens bestelle für mich,
einen schützenden Šēdu, einen Gott, der Wohlergehen verleiht, laß mir zu Häupten treten.
[Sie sollen] mich *[bewachen]* die ganze Nacht, bis zum Hellwerden.[2]

c. Reinigung und Sündenlösung

Die dritte Voraussetzung für die Rückkehr des persönlichen Gottes besteht in der Reinigung des Menschen und der Aufhebung seiner Sünde. Dadurch werden zugleich die Dämonen und bösen Mächte aus seinem Körper entfernt. Folgende Texte sollen diesen Sachverhalt verdeutlichen:

[194]

lú-u$_x$-lu dumu-dingir-ra-na-ke$_4$ tu$_5$-a-tu$_5$-tu$_5$-da-na
šu-na u-me-tag ugu-na u-me-ni-sìg
[udug]- ḫul a-lá-ḫul gedim-ḫul gal$_5$-lá-ḫul dingir-ḫul maškim-ḫul
*[*lú-ḫul i*]*gi-ḫul ka-ḫul eme-ḫul uš$_{12}$ a-ri-a nì-ak-a nì-ḫul-dím-ma-ka-a-ni
*[*n*]*am-ba-te-gá-e-ne dug$_4$-ga-na nam-ba-gi$_4$-gi$_4$
*[*udug-sig$_5$-g*]*a ^{d}Lama sig$_5$-ga nam-en-na nam-lugal-la kalam-ma-ke$_4$

1 S. zu der Wendung "das Haupt zum Guten bzw. zum Bösen erheben" o.S. 21f.

2 Ebeling, Handerhebung 38-4o,42-44.46-48;vgl.148,22-25;Ebeling,TuL 53f, 18-23.

*[...]*su-na dag-dag-ga-na ḫé-en-su$_8$-su$_8$-gi-eš

*[...]*ni-šè ḫé-DU su-na ḫê-DU

Wenn (dieser) Mensch, Sohn seines Gottes, sich badet, wenn du seine Hände berührt hast, die Spitze seines Hauptes besprengt hast, der böse *[Dämon]*, der böse Alû, der böse Etemmu, der böse Gallû, der böse Gott, der böse Rābiṣu,
[der böse Mensch], das böse*[Au]*ge, der böse Mund, die böse Zunge, Gift, Same, die Machenschaften gegen sein Böses,
sollen sich ihm nicht nähern, auf (Enkis)Befehl sollen sie nicht zu ihm zurückkehren.
[Der gute Udug], die gute Lama, Herrschaft und Königtum über das Land *[...]*mögen in seinem Körper und in seiner Wohnung gegenwärtig sein, mögen an seiner Seite gehen, mögen in seinem Körper gegenwärtig sein.[1]

In einem akkadischen Handerhebungsgebet heißt es:

[195]

kīma šamê^{e} *lūlil ina ru-hi-e šá ep-šu-u-ni*

kīma irṣiti^{ti} *lu-bi-ib ina ru-si-e lâ ṭâbûti*^{meš}

kīma qí-rib šamê^{e} *lu-ut-ta-mir lip-ta-aṭ-ṭi-ru ki-ṣir limnûti*^{meš}*-ia*$_5$

^{giš}*bi-nu lillil-an-ni* ^{Ú}DIL-BAT *lip-šur-an-ni*

^{giš}*uqūru ar-ni-ia lip-ṭur*

Wie der Himmel möge ich rein werden von den Geifereien, die (mir) geschehen sind,
wie die Erde möge ich lauter werden von den Schmutzereien, den unguten,
wie das Innere des Himmels möge ich leuchten, es mögen gelöst werden die Fessel(n) meiner Feinde![2]
Tamariskenholz möge mich reinigen, Dilbat-Kraut
möge mich befreien, Palmmark möge meine Sünden lösen![3]

---

1 Šurpu IX, 79-86; vgl. V-VI, 185f.

2 Mit den "Feinden" sind hier wohl Zauberer und Dämonen gemeint, s.u.S. 248ff.

3 Ebeling, Handerhebung 8o, 81-84.

Wenn der persönliche Gott wieder gegenwärtig ist, dann sind zugleich die Sünden wie weggefegt. Dies besagt das folgende aus kassitischer Zeit stammende Gebet an Marduk:

[196]

šá i-šu-ú ìl-šú [ku]š-šu-da ḫi-ṭa-tu-šú
šá ìl-šú la i-šu-ú ma-ʾ-du ar-nu-šù

Wessen Gott gegenwärtig ist, dessen Sünden sind vertrieben,
wessen Gott nicht gegenwärtig ist, dessen Übertretungen sind viele.[1]

d. Die Rückgabe des Menschen in die Hände seines persönlichen Gottes

Die in (a), (b) und (c) behandelten Vorgänge, nämlich Versöhnung des persönlichen Gottes und der übrigen Götter, Dämonenaustreibung und Sündenlösung, bilden eine Einheit und schaffen die Voraussetzungen für die abschließende Zeremonie, in der der Mensch feierlich in die Hände seines Gottes zurückgegeben wird. Dadurch erfolgt die Heilung des Menschen, indem durch die Vermittlung des Beschwörungspriesters die Gemeinschaft mit dem persönlichen Gott wiederhergestellt wird. In der Serie Šurpu lautet das entsprechende Ritual folgendermaßen:

[197]

nam-erím gu-bi edin-na ki-kù-ga-šè ḫa-ba-ni-íb-e$_{11}$-dè
ma-mit qa-a-šá ana ṣe-ri aš-ri el-li li-še-ṣi
nam-erím ḫul-gál bar-šè hé-[i]m-ta-gub
ma-mit li-mut-tum ina a-ḫa-a-[ti] li-iz-ziz
lú-u$_x$-lu-bi ḫé-en-[sikil] [ḫ]é-en-dadag
a-me-lu šu-a-tú li-[l]il [l]i-bi-ib
šu-ša$_6$-ga dingir-r[a-na-šè ḫé]-en-ši-in-gi$_4$-gi$_4$
a-na qa-at dam-[qa-a-t]i šá DINGIR-*šú lip-pa-qid*

Möge er (d.h. Marduk) den Bann, den Faden in das Feld, den reinen Ort, hinausbringen.
Möge der böse Bann beiseite treten.
Möge dieser Mensch gereinigt und geläutert werden,
möge er in die guten Hände seines Gottes übergeben werden.[2]

---

1 Hehn, BA V, 37o u 42f; Lambert, AfO 19, 57, 1o9f.

2 Šurpu V-VI, 164-171; vgl. Thompson, Devils 8,12f; 76,144f; 11o,22f.

Neben Marduk, wie im vorigen Text, spielt bei der Rückgabe des Menschen in die Hände seines persönlichen Gottes insbesondere Šamaš als Gott des Rechts eine bedeutende Rolle. Dies hat seinen Grund wohl darin, daß die Gesundung des Menschen als ein rechtlicher Akt vorgestellt wurde, wodurch dem Kranken zu seinem Recht, d.h. zu Wohlergehen verholfen wurde. In den Šamaš-Texten geschieht die Rückgabe an den persönlichen Gott durch eine Zeremonie am Morgen bei aufgehender Sonne. Dabei spricht Šamaš das befreiende Wort und gibt den Kranken wohlbehalten in die Hände seines Gottes zurück[1]. Beispiele:

[198]

dUtu nì-su-íl-la-mu ḫe-em-si-lá
dŠamaš ana ni-iš qa-ti-ià qu-lam-ma
ninda-bi kú-a zizkur-ra-na dingir da-ga-na gar-mu-un-ra-ab
a-kal-šu a-kul ni-qá-a-šu mu-ḫur-ma i-la-am: il-šú ana i-di-šu šú-ku-un
du11-ga-zu-ta SUL-A-LUM-bi ḫe-gab-gab nam-tag-ga-bi ḫe-zi-zi
ina qi-bi-ti-ka en-ne-is-su lip-pa-ṭi-ir a-ra-an-šú li-in-na-si-iḫ
éš-lá-bi ḫa-ba-an-bar tu-ra-ni-šè ḫa-ba-an-til-le-en
ka-su-us-su li-taš-ši-ir mar-ṣu-us-su li-ib-lu-uṭ
Šamaš, habe acht auf das Erheben meiner Hände!
Seine Speise iß, auf sein Opfer hin stelle einen[2] Gott an seine Seite!
Auf dein Wort werde seine Strafe gelöst, seine Sünde werde entfernt!
Von seinem Gebundensein werde er frei, von seiner Krankheit möge er genesen![3]

Eine Variante stellt das folgende Ritual dar, demzufolge der Mensch erst Šamaš übergeben wird, und Šamaš ihn dann dem persönlichen Gott übergibt:

199

dUTU sag-kal dingir-re-e-ne-ke4 šu-na u-me-ni-sum
dŠamaš a-ša-rid ilāni pi-qid-su-ma
dUTU sag-kal dingir-re-e-ne-ke4 silim-ma-na šu-ša6-ga dingir-ra[-na] ḫe-en-ši-in-gi-gi
dŠamaš a-ša-rid ilāni šal-mu-us-su a-na qa-at damqāti ša ili-[šú pi-] qid-su

---

[1] Vgl. Schollmeyer, HGŠ 7.

[2] Der akkadische Text fügt erklärend "seinen" hinzu, s.o.S. 71.

[3] Ebd. Nr. 2, 54-58; Rs. 1f; vgl. Nr. 1 ii, 75f.

Šamaš, Fürst der Götter, nimm ihn in Obhut!
Šamaš, Fürst der Götter, den gnädigen Händen seines Gottes
befiehl sein Wohlergehen an![1]

Das sumerische Gedicht "Der Mensch und sein Gott" endet folgendermaßen: Nachdem der persönliche Gott dem Leidenden seine Sünde gezeigt hat, reut es ihn und der Gott zieht seine strafende Hand von ihm zurück. Er entfernt die Krankheitsdämonen und stellt stattdessen den guten Udug und die gute Lama an seine Seite. So bleibt dem Menschen nur noch Lob und Dank an seinen persönlichen Gott:

200

118 [sizkur-a-ra-zu-ni] [dingir-ra]-ni giš ba-an-tuku[-àm]
119 [ír-a] -nir-gál-i-si-iš-lá-[a-ni] šà-dingir-ra-na mu-un-ši-[ḫun]
120 inim-zi-inim-kù-ga-du$_{11}$-ga-ni-a dingir-ra-ni šu ba-an-ti
124 [á]-sìg-nigín-e á mu-ni-tál-la líl-la im-mi-in-sìg
126 [gur] uš(?)-a(!?) du-lum-ma-ni ḫúl-la mi-ni-in-tu
128 [...] ^{d}udug-sig$_5$(?) KA-e en-nu-un-ag maškim mu-un-da-an-tab
129 [...] ^{d}lama-^{d}lama igi-ša$_6$ mu-na-an-sì
130 [guruš-e] nam-maḫ-dingir-ra-na zi-dè-eš-š[è im-me]

[Seine Gebete und Bitten] erhörte sein Gott,
[Das Weinen, K]lagen und Jammern, das [ihn] erfüllte, [besänftigte] das Herz seines Gottes,
Die aufrichtigen Worte, die schlichten Worte, die er gesprochen hatte, nahm sein Gott an.
Den (ihn) umzingelnden Krankheitsdämon, der seine Schwingen weit ausgebreitet hatte, verjagte (?) er.
Er wendete des [M]enschen Leiden in Freude,
Gab ihm den .. guten(?) ... Udug (als) Wächter und Pfleger,
Gab ihm .. die Lama mit der gütigen Miene.
[Der Mensch rühmte] fortan die Erhabenheit seines Gottes.[2]

1 Schollmeyer, HGŠ Nr. 3 Rs. 17-20; vgl. 18,2f; Šurpu VII, 84-87; s. auch Falkenstein, ZA 55, 39, 63f.

2 Kramer, VTS 3, 176, 118-120. 124. 127-130.

Die Rückkehr des persönlichen Gottes bedeutet für den Menschen körperliche Gesundung[1], Frieden mit Göttern und Menschen[2], Harmonie mit der Familie und erneuten Wohlstand[3], gute Omina[4], Gehör bei den Menschen, Recht und Gerechtigkeit[5].

---

[1] Vgl. Ebeling, Handerhebung 82, 9o u.o.

[2] Ebd. 78, 61 u.o.

[3] Vgl. Ebd. 134, 89f.

[4] Vgl. Ebd. 48, 114f.

[5] Ebd. 5o, 12o-122.

2. Kapitel :

KLEINASIEN

Die in den Staatsarchiven und Tempelbibliotheken der alten hethitischen Hauptstadt Ḫattuša, dem jetzigen Boghazköi, gefundenen religiösen Texte aus dem 14. und 13. vorchristlichen Jahrhundet zeigen sowohl formal als auch inhaltlich eine auffallende Verwandtschaft zu der entsprechenden mesopotamischen Literatur.[1] So ist es nicht erstaunlich, daß hier auch die Vorstellung vom persönlichen Gott begegnet, die sich inhaltlich weithin mit den Aussagen der mesopotamischen Religion deckt. Dabei kann die Frage dahingestellt bleiben, ob diese Vorstellung im Ganzen aus Mesopotamien stammt, oder ob lediglich ihre formale Ausgestaltung von dort her beeinflußt ist.[2]

I. Die Terminologie

1. *Die Bezeichnungen für den persönlichen Gott*

Als Bezeichnungen für den persönlichen Gott sind in hethitischen Texten insbesondere "mein usw. Gott" "mein Herr" bzw. "meine Herrin" und "Gott zu meinen usw. Häupten" belegt, zu denen es jeweils in Mesopotamien Parallelen gibt.[3]

a. "Mein/sein Gott"

Die Bezeichnung "mein/sein Gott" (DINGIR-*IA* / DINGIR^{LIM}-*ŠU*) erscheint mehrfach in dem Gebet des Kantuzili[4] sowie in den Annalen des Ḫattušili.[5]

---

[1] Vgl. v. Schuler, WM I/1, 148; Güterbock, JAOS 78, 237ff.

[2] Vgl. v. Schuler, ebd. 194; Goetze, Kleinasien 88.

[3] S.o.S. 8ff (Nr. 1 und 4) und 21f (Nr. 15).

[4] S.u.S. 124 (Text Nr. 202) und S. 135ff (Texte Nr. 215-218).

[5] S. Großer Text iv, 74 - Götze, Ḫattušiliš 38; i,75 - Ebd. 14.

Ähnlich wie in Mesopotamien wird hierdurch die enge Beziehung zwischen dem Menschen und seinem persönlichen Gott ausgedrückt.

b. "Mein Herr" bzw. "meine Herrin"

Parallel zu "mein Gott" o.ä. reden Muwatalli[1] und Ḫattušili[2] ihre persönlichen Gottheiten häufig mit "mein Herr" bzw. "meine Herrin" (EN-*IA* bzw. GAŠAN-*IA*)an. Sie stellen damit ihr Leben unter den besonderen Schutz ihrer persönlichen Gottheit als ihres "Herrn" bzw. ihrer "Herrin".

c. "Gott zu unseren Häupten"

Muršili II. bezeichnet seinen persönlichen Gott an einer Stelle als "Gott zu unseren Häupten" (DINGIR-*LAM ŠA* SAG.DU-*NI*).[3] Derselbe Terminus begegnet auch in einem Ritual gegen Impotenz, in welchem der Betende gelobt, den ihm Hilfe gewährenden Gott zum "Gott zu seinen Häupten" (DINGIR-*LUM ŠA* SAG.DU-*ŠU*) zu machen.[4] Dieser Bezeichnung liegt die Vorstellung zugrunde, daß sich der persönliche Gott schützend am Haupt des ihm anvertrauten Menschen aufhält.[5]

2. *Die Bezeichnungen für den Schützling*

Als wichtigste Bezeichnung für den Schutzbefohlenen ist der Ausdruck "Liebling des Gottes X" belegt[6],der allerdings auch für das Verhältnis des Königs zu der Staatsgottheit, der Sonnengöttin von Arinna, verwendet wird, wie die Inschrift auf dem Siegel Ḫattušili III. zeigt:

[2o1]

UR.SAG *na-ra-a[m* ... ^{d}*Išta]r* ^{URU}*Ša-mu-ḫa*

Held, Lieblin[g der Sonnengöttin von Arinna, des Wettergottes von Nerik und der Išta]r von Šamuḫa.[7]

---

1 S.u.S. 126 (Text Nr. 2O5).

2 S.u.S. 128ff (Texte Nr. 2O8-211).

3 Gurney, Prayers 16,6.

4 KUB VII 8 iii 11-14.

5 S.o. S. 21f - Vgl. dazu auch Kammenhuber, ZA 56, 84; v.Schuler,WM I/1 211.

6 Vgl. Goetze, Kleinasien 88.

7 Güterbock, Siegel 28 Nr. 45 - Ergänzung nach KBo VI 28 Vs. 2.

In einem in Boghazköi gefundenen akkadisch verfaßten Heilungsritual erscheint die Bezeichnung des Beters als "NN, Sohn des NN, dessen Gott NN, dessen Göttin NN (ist)", wie sie auch in Mesopotamien[1] belegt ist.

II. Name und Stellung des persönlichen Gottes

Von einigen hethitischen Königen sind uns die Namen ihrer persönlichen Gottheiten bekannt. Muršili II. (ca. 1333 - 13o5 v.Chr.) verehrte den Vegetationsgott Telipinu als persönlichen Gott.[2] Sein Sohn und Nachfolger Muwatalli (ca. 13o5 - 128o v.Chr.) nennt den Wettergott *piḫašaššiš* "seinen Gott".[3] Die Annalen Ḫattušili III. (ca. 1272 - 1245 v.Chr.) sind dessen persönlicher Göttin, der Ištar von Šamuḫa gewidmet.[4] Ein Felsrelief zeigt den letzten hethitischen König Tutḫalija IV. (ca. 1245 - 1218 v.Chr.) in der Umarmung durch seinen persönlichen Gott Šärruma.[5] Von Tutḫalija IV. heißt es in Texten, daß er von seinem Gott Šärruma geleitet und an der Hand geführt werde.[6]

Überblicken wir diese Übersicht, so finden wir unter den von den hethitischen Königen verehrten persönlichen Gottheiten sowohl bedeutende als auch untergeordnete Götter. Telipinu ist ein bedeutender Vegetationsgott protohattischen Ursprungs, von dem auch ein Mythus erhalten ist. Auch Šärruma ist ein aus der sonstigen Überlieferung bekannter Gott. Dagegen haben der Wettergott *pihašaššiš* und die Ištar von Šamuḫa nur lokale Bedeutung. Es können also ähnlich wie in Mesopoatmien[7] sowohl "große" als auch "kleine" Götter zu persönlichen Gottheiten erwählt werden.

---

[1] Meier, ZA 45,2o2,35f; Falkenstein, ebd. 15,2off. S. zu dieser Selbstbezeichnung o.S. 27ff (Nr. 4).

[2] Vgl. Gurney, Prayers 16,6. - S. zu diesem Gott v. Schuler, WM I/1 2o1f; Goetze, Kleinasien 143ff.

[3] S.u.S. 126f (Texte Nr. 205-206).

[4] S.u.S. 128ff (Texte Nr. 208-211).

[5] Beran, ZA 57,26of mit Abb. 1; Klengel, Hethiter Abb. 38. - S. zu diesem Gott v. Schuler, ebd. 194.

[6] Klengel ebd. 142.

[7] S.o.S. 34ff.

Obwohl sich die Namen der erhaltenen persönlichen Gottheiten ausschließlich auf Könige beschränken, können wir annehmen, daß auch gewöhnliche Menschen einen persönlichen Gott verehrten. Nachrichten darüber fehlen leider, da die hethitischen Texte sämtlich aus Palast-und Tempelarchiven stammen und deshalb über die persönliche Religion wenig aussagen.

III. Die Funktionen des persönlichen Gottes

Die Funktionen, die nach hethitischer Vorstellung der persönliche Gott zugunsten seines Schützlings ausübt, entsprechen im wesentlichen denen, die wir bei der Behandlung der mesopotamischen Religion kennengelernt haben.[1] Nur in einigen Details kommen spezielle Aussagen vor, die in Mesopotamien nicht belegt sind.

1. *Der persönliche Gott als Garant für das Wohlergehen des Menschen*

Die Fürsorge des persönlichen Gottes beginnt mit der Geburt des Menschen. Der persönliche Gott erschafft den Menschen, ähnlich wie in Mesopotamien[2]. Dies geht z.B. aus dem Gebet des Kantuzili hervor:

[2o2]

ši-i-ú-ní-mi zi-ik-mu i-ia-aš zi-ik-mu ša-am-na-a-eš

O mein Gott! Du hast mich gezeugt, du hast mich geschaffen![3]

Ein anderer Text besagt, daß der Mensch den Körper seiner Mutter, die Seele aber seinem persönlichen Gott verdankt:

[2o3]

n[u?]karū maḫḫan annaza ŠÀ-za ḫaššanza ešun
nu-mu-kan DINGIR-*I̭A appa apun* ZI-*an anda tāi*

---

[1] S.o.S. 68ff.

[2] S.o.S. 12 (Nr. 8).

[3] KUB XXX 1o Rs. 11f. - Umschrift und Übersetzung dieses und der folgenden Texte stammen, soweit kein anderer Bearbeiter angegeben ist, von H. Eichner. -
Kantuzili ist vielleicht mit dem Bruder des Königs Šuppiluliuma I. identisch. Vgl. Kammenhuber, ebd. 154.

Sobald ich ehedem aus dem Mutterleib geboren war,
setzte mein Gott mir danach jene Seele ein.[1]

Zu einer solchen Aussage über das Einsetzen der Seele durch den persönlichen Gott gibt es in Mesopotamien m.W. keine Parallele.

Die Fürsorge des persönlichen Gottes erstreckt sich über das gesamte Leben des Menschen. Wohlergehen und Erfolg sind Gaben von ihm. Kantuzili fährt in dem bereits zitierten Gebet[2] fort, indem er seinem Gott dafür dankt, daß er ihm zu einer erfolgreichen Karriere verholfen hat. Sein Gott hat alles so glücklich gefügt, daß er schließlich in ein hohes Amt berufen wurde:

[2o4]

am-me-el DINGIR-*IA ku-it-mu-za* AMA-*IA ha-a-aš-tà nu-mu am-me-el* DINGIR-*IA ša-al-la-nu-ut mu-mu-us-ta! [...] iš-hi-eš-ša-mi-it-ta zi-ik-pát* DINGIR-*IA nu-mu-kán a-aš-ša-u-aš an-tu-uh-ša-aš an-da zi-ik-pát[...] har-ap-ta in-na-ra-a-u-wa-an-ti-ma-mu pí-e-di i-ia-u-wa zi-ik-pát* DINGIR-*IA ma-ní-ía-ah-ta nu-mu am-me-el* DINGIR-*IA* ^I^*Kán-tu-zi-li-in tu-ug-ga-as-ta-aš iš-ta-an-za-na-aš-ta-aš* ÌR-*KA hal-za-it*

O mein Gott, nachdem mich meine Mutter geboren hatte, hast du, mein Gott, mich großgezogen. Mein *[...]* und mein Band bist du, mein Gott. Guten Menschen hast du mich *[...]* zugesellt und hast mir das Handeln an machtvoller Stätte[3] verliehen. *[...]* Du, mein Gott, hast *[mich]*, den Kantuzili, zum Knecht deines Körpers und deiner Seele berufen.[4]

Muwatalli berichtet in einem Gebet an seinen persönlichen Gott, den Wettergott *pihašaššiš*, daß dieser ihn großgezogen und schließlich in die Königswürde eingesetzt habe:

---

[1] KUB XXXVI 76 ii 15f.

[2] S.o.S. 124 (Text Nr. 2O2).

[3] Gemeint ist wohl: du hast mir ein hohes Amt verliehen.

[4] KUB XXX 1o Vs. 6 - 9.

[2o5]

... ^{d}U *pí-ha-aš-ša-aš-ši-iš* EN-*IA* DUMU.LÚ.ULU^{LU}*-aš e-šu-un*
A-BU-IA-ma A-NA ^{d}UTU ^{URU}TÚL*-na Ù A-NA* DINGIR^{MEŠ} *hu-u-ma-an-da-aš*
^{LÚ}SANGA *e-eš-ta nu-mu-za A-BU-IA* DÙ*-at* ^{d}U *pi-ha-aš-ša-aš-ši-iš-ma-mu*
an-na-az da-a-aš nu-mu šal-la-nu-ut nu-mu A-NA ^{d}UTU ^{URU}TÚL*-na*
Ù A-NA DINGIR^{MEŠ} *hu-u-ma-an-da-aš* ^{LÚ}SANGA *i-ia-at A-NA* KUR
^{URU}*HA-AT-TI-ma-mu* LUGAL*-iz-na-an-ni*

Wettergott *pihašaššiš,* mein Herr! Ich war ein (gewöhnliches) Menschenkind, mein Vater aber war der Sonnengöttin von Arinna und allen Göttern Priester.[1] Mein Vater hat mich gezeugt, doch du, Wettergott *pihašaššiš,*hast mich von der Mutter genommen und hast mich großgezogen. Der Sonnengöttin von Arinna und allen Göttern hast du mich zum Priester gemacht und hast mich im Lande Ḫatti in die Königswürde eingesetzt.[2]

Der persönliche Gott wird hier mit einer Amme verglichen, der das Kind von seiner Mutter nimmt und großzieht. Obwohl bei Muwatalli offensichtlich eine völlig normale Erbfolge vorliegt, führt er seine Einsetzung zum König ausdrücklich auf den Willen seines persönlichen Gottes, des Wettergottes *pihaššaššiš,* zurück. Eine ähnliche Vorstellung finden wir auch bei Gudea von Lagaš[3], Nabonid[4], Ḫattušili III., der allerdings auf illegitime Weise auf den Thron kam[5], Barrakīb von Sam'al[6] und bei David[7].

Am Schluß des Gebets bittet Muwatalli, sein persönlicher Gott möge ihm auch fernerhin zur Seite gehen:

---

[1] Hiermit ist die Umschreibung der hethitischen Königswürde gemeint.

[2] KUB XXX 14 (=A) iii, 25-31.

[3] S.o.S. 80f.

[4] S.o.S. 81.

[5] S.u.S. 128ff.

[6] S.u.S. 160.

[7] S.u.S. 237ff.

[2o6]

nu-mu ZAG-*ni* GEŠPÚ-x *kat-ta i-ia-an-ni nu-mu-kán* GUD-*i* GIM-*an hu-it-ti-ia-u-wa-an-zi har-pí-ia-ah-hu-ut* ᵈU-*ni-li-ma-mu a-wa-an ša-ra-a i-ia-an-ni nu ha-an-da-an ú-uk ki-is-sa-an me-ma-al-lu IŠ-TU* ᵈU *pí-ha-aš-ša-aš-ši-wa-za ka-ni-iš-ša [-an-za šal-l]a-nu--wa-an-za MI-IM-MA me-iš-ta*

Schreite zu meiner Rechten! Geselle dich mir zu, wie einem Rind, um (die Stränge) zu ziehen. Nach Wettergottweise schreite zu mir herauf.[1] Dann will ich fürwahr folgendermaßen sprechen: "Ein vom Wettergott *pihašaššiš* Auserwählter und Großgezogener ist in jeder Hinsicht gediehen!"[2]

Die Bitte um das Mitsein bzw. Zur-Seite-Stehen des persönlichen Gottes findet sich häufig auch in mesopotamischen Texten.[3] Indem der Gott mit dem Menschen ist, gerät alles, was er tut, wohl.

Ein Abschnitt aus dem täglichen Gebet des Königs Muršili an seinen persönlichen Gott Telipinu beinhaltet die Bitte um Leben und Gesundheit für den König und seine Familie:

[2o7]

[...ᵈ*Te-l]i-pí-nu-uš šar-ku-uš* DINGIR-*[LIM-iš]* ><
[LUGAL SAL.LUGAL DUMU.MEŠ]Š.LUGAL TI-*an ḫar-ak nu-uš-ma-aš*
[TI-*tar ŠA* EGI]R UD-*MI ḫa-ad-du-la-tar* MU.KAM.ḪI.A GÍD.DA
[in-na-ra-ua-tar] pí-eš-ki

[... Tel]ipinu, erhabener Gott [ ]
erhalte am Leben [den König, die Königin, und die Prin]zen, und
gewähre ihnen [Leben, zu]künftige Gesundheit, lange Jahre
und Mannhaftigkeit(?).[4]

---

[1] Goetzes Interpretation "Walk by my side in true Storm-god fashion" (ANET 398 b) vernachlässigt hethitisch *šarā* "herauf" und ergibt zudem keinen Sinn. Gemeint ist wohl: Wie ein Unwetter rasch und mächtig heraufzuziehen pflegt, so soll auch jetzt der Wettergott dem Beter beispringen.

[2] KUB XXX 14 (=A) iii, 71-75.

[3] S.o.S. 22 (Text Nr. 32) u.o.; vgl. zu der damit verbundenen Vorstellung o.S. 68ff.

[4] Gurney, Prayers II A iii, 3-6 (S. 2o-22).

Ḫattušili III. führt in seinen Annalen seine gesamte Laufbahn auf das Wirken seiner persönlichen Göttin, der Ištar von Šamuḫa, zurück. Dieses autobiographische Werk verfolgte das Ziel, "das illegitime Vorgehen Hattusilis als ein Ergebnis göttlichen Ratschlusses auszuweisen"[1]. Der mit der Geschichte von Davids Aufstieg vergleichbare Bericht[2] erzählt am Anfang von der Jugend des Königs und dem Beginn seiner Beziehungen zur Göttin Ištar:

[2o8]

A-NA A-BU-IA-za ^{I}Mur-ši-li EGIR-*iš [*DUMU-*aš e-šu-]un*
nu-mu kap-pí-in-pát DUMU-*an* ^{d}IŠTAR ^{URU}*Ša-mu-ḫa*
A-NA A-BU-IA ú-e-ik-ta nu-mu A-BU-IA [A-N]A DINGIR^{LIM} ÌR-*an-ni*
pa-ra-a pí-eš-ta GIM-*an-ma-za-kán ŠA* DINGIR^{LIM} *aš-šu-la-an*
uš-ki-iš-ki-u-wa-an te-eḫ-ḫu-un IŠ-TU DINGIR^{LIM}-*mu*
pa-ra-a pa-ra-a SIG-*iš-kat-ta-ri nu-mu* ^{d}IŠTAR ^{URU}*Ša-mu-ḫa*
GAŠAN-*IA* ^{GIŠ}TUKU *pi-eš-ta ŠA A-BI-E-IA-ia-mu*
Ù ŠA ŠEŠ-*IA ka-ni-eš-šu-u-wa-ar pí-eš-ta*
am-mu-ug-ma-kán DINGIR^{LUM} GAM-*an pit-ta-iš-ki-u-wa-an te-eḫ-ḫu-un*
nu-mu É-ir ku-id e-eš-ta nu-kán IŠ-TU É-IA
^{d}IŠTAR ^{URU}*Ša-mu-ḫa ḫa-an-ti-ia-nu-un* ^{SAL}*Pu-du-he-pa-as-ma*
ŠA ^{d}IŠTAR ^{URU}*La-wa-za-an-ti-ia* GEME-*aš* DUMU.SAL
^{I}*Pi-en-ti-ip-ŠARRI*
^{LÚ}SANGA ^{d}IŠTAR *e-eš-ta nu-za a-pu-u-un-na*
AŠ-ŠUM DAM-*UT-TIM mar-ri Ú.UL da-aḫ-ḫu-un*
IŠ-TU INIM DINGIR^{LIM} *za-an da-aḫ-ḫu-un* DINGIR^{LIM}-*an-mu* Ù-*it*
ḫi-en-ik-ta

Meinem Vater Muršili war ich das jüngste *[*Kind*]*
und, als ich noch klein war, forderte mich die Ištar von Šamuḫa
von meinem Vater. Und mein Vater gab mich der Gottheit zum Dienste.
(Im) gleich(en Verhältnis) aber wie ich der Gottheit Huld erfuhr,
wurden mit (Hilfe der) Gottheit meine
Verhältnisse besser und besser. Und die Ištar von Šamuḫa,
meine Herrin, gab mir die Waffe, auch meines Vaters
und meines Bruders Gnade gab sie mir.
Ich aber nahm von da immerzu zur Gottheit meine Zuflucht.

---

[1] Klengel, Hethiter 88.

[2] S.u.S. 237ff.

Und welches Haus ich hatte, mit meinem Hause
war ich der Ištar von Šamuḫa treu ergeben. Die Puduḫepaš aber
war der Ištar von Lawazanzijas Dienerin und die
Tochter des Pentipšarri,
des Priesters der Ištar. Und auch diese
nahm ich nicht aufs Geratewohl zur Ehe,
(sondern) auf Geheiß der Gottheit nahm ich sie, die Gottheit
wies sie mir durch einen Traum zu.[1]

Ḫattušili war also dem Bericht nach als jüngster Sohn des Königs Muršili von der Thronfolge weit entfernt. Zudem war er - wie aus einem Paralleltext hervorgeht[2] - von gebrechlicher Gesundheit, so daß sein Vater ihn der Ištar von Šamuḫa übergab. Doch in ihrem Dienst gedieh der Knabe und mit Hilfe seiner Göttin erlangte er die Gunst sowohl seines Vaters als auch seines älteren Bruders. So nahm er die Ištar von Šamuḫa als seine persönliche Göttin an und wandte sich in allen Dingen zuerst an sie. Sogar seine Frau, die Tochter eines Ištarpriesters, wählte er sich auf ausdrücklichen Befehl der Göttin.

Wir sehen hier in paradigmatischer Weise, wie der persönliche Gott als Garant für das Wohlergehen eines Menschen fungiert. Aus unscheinbaren Anfängen steigt ein Mensch dank der Hilfe seines persönlichen Gottes zu Glück und Erfolg auf. Die Gunst von Vater und Bruder - als Voraussetzungen für seinen Aufstieg - sind ebenso ein Werk des persönlichen Gottes,wie die Wahl der Gemahlin. Ähnliches können wir auch im Alten Testament beobachten.[3]

Auch seine zahlreiche Nachkommenschaft verdankt Ḫattušili seiner persönlichen Göttin und stellt sich deshalb mitsamt seinem Hause in ihren Dienst:

[2o9]

... DAM-*an-ni da-aḫ-ḫu-un nu ḫa-an-da-a-u-en*
[nu-un-n]a-aš DINGIR^{LUM} *ŠA* ^{LÚ}*MU-DI* DA*[M-aš-ša] a-aš-ši-ia-tar pí-eš-ta*
nu-un-na-aš DUMU.NITA.MEŠ DUMU.SAL.MEŠ *-i-ia-u-e?-en*
nam-ma-mu DINGIR^{LUM} GAŠAN-*IA [me-mi-iš-ta]*
QA-DU É^{TI}*-u̯a-mu* ÌR-*aḫ-ḫu-ut nu A-NA* [DING]IR^{LIM} *QA-DU* É^{TI}*-IA*
[pa-h]a-aš-ḫa-ḫa-at nu-un-na-aš É-*ir ku-it e-eš-šu-u-en*
nu-un-na-aš-kán DINGIR^{LUM} *an-da ar-ta-at*

---

[1] KBo VI 29 i § 2 - Götze, Ḫattušiliš 44-46.

[2] Großer Text I, 14f - Götze, ebd. 8.

[3] S.u.S. 188ff.

Und wir hielten eheliche Gemeinschaft (?),
[und u]ns schenkte die Gottheit die Liebe des Gatten [und]der Gat[tin],
und wir zeugten uns Söhne (und) Töchter. Dann
[sprach] die Gottheit, meine Herrin, zu mir:
"Mitsamt deinem Hause sei mir untertan!" Und der [Gott]heit war ich mitsamt meinem Hause
treu. Und welches Haus wir uns geschaffen hatten, zu uns trat die Gottheit ein.[1]

Wie in der mesopotamischen Religion gehört die Gewährung von Kindern zu den Fürsorgeaufgaben des persönlichen Gottes.[2] Einen besonderen Zug stellt hierbei der Satz dar, daß die Liebe der Ehegatten ein Geschenk der Göttin gewesen sei. Sodann fordert die Ištar Ḫattušili auf, sich mit seinem gesamten Haus (=Familie) in ihren Dienst zu stellen, was Ḫattušili dann auch gehorsam tut. Sodann tritt die Göttin in sein Haus ein. Zu der feierlichen Verbindung zwischen einem Mann samt seiner Familie und dem persönlichen Gott gibt es Parallelen in Südarabien[3] und im Alten Testament (2Sam 7)[4]. Mit Hilfe seiner persönlichen Göttin erlangt Ḫattušili schließlich den Thron. Auch während seiner Regentschaft steht ihm die Göttin hilfreich zur Seite:

[21o]

nu-mu dIŠTAR GAŠAN-*IA* LUGAL.*UT*.*TA* *ŠA* KUR URU*Ḫa-at-ti-ia*
pí-eš-ta nu-za LUGAL.GAL *ki-iš-ḫa-ḫa-at nu-mu* DUMU.LUGAL *da-a-aš*
nu-mu-kán dIŠTAR GAŠAN-*IA* LUGAL-*iz-na-an-ni an-da ka-ni-eš-ta*

Und die Ištar, meine Herrin, gab mir auch die Königsherrschaft im Lande Ḫatti;
und ich wurde Großkönig. Und mich, den Königssohn, nahm sie (in Gnade an);
und mir war die Ištar, meine Herrin, (auch) während meiner Königsherrschaft gewogen.[5]

---

1 Götze, Bruchstücke 13 III.

2 S.o.S. 83.

3 S.u.S. 148.

4 s.u.S. 235f.

5 Großer Text IV, 47-49 - Götze, Ḫattušiliš 36.

Zum Dank für ihre Hilfe überläßt Ḫattušili der Ištar einen Tempel samt Steuerfreiheit und gibt ihr seinen Sohn zum Dienst.[1] Auch Gudea[2] und die Davididen[3] erbauen Tempel für ihre persönlichen Gottheiten, um ihren Dank für die erwiesene Gunst ihrer Götter zum Ausdruck zu bringen. Ḫattušili verfügt weiterhin, daß auch seine Nachkommen auf dem Thron die Ištar von Šamuḫa verehren sollen:

[211]

ku-is-sa-kán zi-la-du-wa DUMU-*ŠU* DUMU.DUMU-*ŠU* SAG.BAL.BAL
<*zi-la-du-wa ŠA Ḫa-at-tu-ši-li* ^{SAL}*Pu-du-ḫe-pa ša-ra-a*
iš-par-za-zi na-aš-kan ŠÀ DINGIR.MEŠ *A-NA* ^{d}IŠTAR ^{URU}*Ša-mu-ḫa*
na-aḫ-ḫa-an-za e-eš-du

Und wer in Zukunft, der Sohn, Enkel, Nachkomme
in Zukunft des Ḫattušili (und) der Puduḫepaš
zur Regierung kommt, der soll unter den Göttern der Ištar von Šamuḫa
ein Verehrer sein.[4]

2. *Der persönliche Gott als Beschützer gegen Feinde*

Ebenso wie in der mesopotamischen Religion sorgt der persönliche Gott für das Wohlergehen seines Klienten dadurch, daß er ihn gegen die sein Leben bedrohenden feindlichen Mächte und Menschen beschützt. So berichtet Ḫattušili in seinen Annalen von einer für ihn gefährlichen Situation, als er auf Grund von Verleumdungen sich einem Gerichtsverfahren - wohl einer Art Gottesgericht - unterziehen mußte. Damals empfahl ihn seine persönliche Göttin einer Gottheit, die seine Sache glücklich zuende führte. Die Ištar hielt ihn auch sonst ständig an der Hand, so daß er nie einem übelgesinnten Gott anheim fiel. In allen Nöten stand die Göttin ihrem Schützling hilfreich zur Seite.

[212]

nu-mu<*ar-pa-šá-at-ta-pát(?) nu-mu* ŠEŠ-*IA* ^{I}NIR.GÁL-*iš*
A-NA ^{GIŠ}DUBBIN *lam-ni-ia-at* ^{d}IŠTAR-*ma-mu* GAŠAN-*IA* Ù-*at*
nu-mu Ù-*it ki-i me-mi-iš-ta* DINGIR^{LIM}-*ni-wa-at-ta*

---

1 Großer Text IV, 66ff - Götze, ebd. 38.

2 S.o.S. 58.

3 S.u.S. 240ff.

4 Großer Text IV, 86-89 - Götze, ebd. 4o. - Vgl. auch das Gebet des Muwatalli KUB VI 45 iii 54ff.

am-mu-ug tar-na-aḫ-ḫi nu-wa li-e na-aḫ-ti
nu DINGIR^{LIM}*-za par-ku-u-e-eš-šu-un nu-mu* DINGIR^{LUM} *ku-id*
GAŠAN-*IA* ŠU-*za ḫar-ta*
nu-mu 𒑱*hu-u-wa-ap-pí* DINGIR^{LIM}*-ni*𒑱*hu-u-wa-ap-pí ḫa-an-na-aš-ša-ni*
pa-ra-a Ú-UL ku-wa-pí-ik-ki tar-na-aš U-UL-ma-mu
^{GIŠ}KU ^{LÚ}*ku-wa-pí-ik-ki še-ir wa-aḫ-nu-ut*
^{d}IŠTAR*-mu-za-kán* GAŠAN-*IA ḫu-u-ma-an-da-za-pát da-aš-ki-it*
ma-a-an-mu iš-tar-ak-zi ku-wa-pí nu-za-kán ir-ma-la-aš-pát
ŠA DINGIR^{LIM} *ḫa-an-da-an-da-tar še-ir uš-ki-nu-un*
DINGIR^{LUM}*-mu* GAŠAN-*IA ḫu-u-ma-an-da-za-pát* ŠU*-za har-ta*

Und gegen mich wurden Verleumdungen laut. Und mein Bruder Muwatalli leitete ein Verfahren gegen mich ein. Ištar aber, meine Herrin, erschien mir im Traume
und sagte mir folgendes im Traume: "Einer Gottheit werde ich dich anvertrauen. Fürchte dich nicht!"
Und dank der Gottheit wurde ich rein. Und weil mich die Gottheit, meine Herrin, an der Hand hielt,
überließ sie mich einem übelgesinnten Gott, einem übelgesinnten Gericht
niemals. Nicht aber
überwand mich jemals die Waffe des Feindes.
Ištar, meine Herrin, errettete mich immer bei jeder Gelegenheit;
und wenn es mir einmal schlechtging, sah ich gerade krank
das Walten der Gottheit deutlich.
Die Gottheit, meine Herrin, hatte mich bei all und jeder Gelegenheit bei der Hand.[1]

Durch ihre bleibende Gegenwart gewährt die persönliche Göttin ihrem Schutzbefohlenen Kraft und Hilfe in allen Situationen, auf dem Schlachtfeld ebenso wie in Krankheit.

3. *Der persönliche Gott als Mittler und Fürsprecher*

Die Funktion des persönlichen Gottes, Mittler und Fürsprecher des Menschen gegenüber den anderen Göttern zu sein, kommt am deutlichsten in dem bereits zitierten Gebet des Muwatalli[2] zum Ausdruck. Dort heißt es:

---

[1] Großer Text I,35-46; vgl. II,24f -Götze,ebd. 16;II,37 - Götze, ebd. 18; IV, 43 ff - Ebd. 34-36 u.ö.

[2] S.o.S. 126f (Texte Nr. 205-206).

[213]

ki-nu-na am-mu-uk ^{I}NIR.GÁL LUGAL-*uš tu-e-da-az*
[IŠ-]TU ^{d}U *pí-ha-aš-ša-aš-ši šal-la-nu-wa-an-za ar-ku-ú-e-eš-ki-mi*
[.. I]Š-TU EME-*IA ku-i-e-eš* DINGIR^{MEŠ} *hal-zi-ih-hu-un*
n[u A-N]A DINGIR^{MEŠ} *ar-ku-wa-nu-un nu-mu-kán* DINGIR^{MEŠ}-*aš*
ú-wa-ia-nu-ut da-pí-as
a[m-me-e]l-ma ŠA ^{I}NIR.GÁL ÌR-*KA A-WA-TE*^{MEŠ} *ŠA* EME-*IA [da-a n]a-at-kán*
A-NA PA-NI DINGIR^{MEŠ} *šu-un-ni nu-za A-NA* DINGIR^{MEŠ}
[ku-e A-WA-TE^{MEŠ} *a]r-ku-wa-ar i-ia-mi*
na ... [-at-mu EGIR-*p]a*$^{?}$ *li-e wa-ah-nu-wa-an-zi*
MUŠEN-*iš*$^{!}$ ^{GIŠ}*tap-pa-an* EGIR-*pa e-íp-zi na-aš* TI-*iš*$^{!}$-*zi*$^{!}$
ú-u]k$^{?}$*-m]a*$^{?}$*-za-[ká]n* ^{d}U *pí-ha-aš-ša-aš-ši-in* EN-*IA* EGIR-*pa AṢ-BAT*
nu[-mu hu-iš-]nu-ut nu-za A-NA DINGIR^{MEŠ} *ku-it ar-ku-wa-ar i-ía-mi*
nu-kán A-WA-TE^{MEŠ} *A-NA* DINGIR^{MEŠ} *an-da šu-un-ni*
n[u-mu] iš-ta-ma-aš-ša-an-da
nu a-pí-ia-ia ^{d}U *pí-ha-aš-ša-aš-ši-in šar-li-iš-ki-mi*

Jetzt aber bin ich, Muwatalli, der König, der von dir, dem Wettergott *pihaššašiš* Großgezogene, damit befaßt zu beten. Den Göttern allen, die ich mit meiner Zunge gerufen und an die ich ein Gebet gerichtet habe, empfehle (?) du mich an. Nimm die Worte meiner, des Muwatalli, deines Knechtes, Zunge und laß sie vor die Götter gelangen. Die Dinge, die ich zum Gegenstand des Gebets an die Götter gemacht habe, sollen sie mir nicht abschlagen. Der Vogel nimmt Zuflucht zum Nest und bleibt am Leben. Ich aber habe Zuflucht zum Wettergott *pihaššašiš*, meinem Herrn, genommen; nun erhalte mich am Leben! Laß die Worte des Gebets,das ich an die Götter richte, zu den Göttern hingelangen, auf daß sie mich erhören sollen. Dann werde ich den Wettergott *pihaššašiš* stets preisen.[1]

Muwatalli bittet also seinen persönlichen Gott, er möge die Worte seines Gebets zu den Göttern bringen und sich dort für die Erfüllung seiner Bitten einsetzen. Denn wie ein Vogel zu seinem Nest Zuflucht nimmt, so flüchtet er sich zu seinem persönlichen Gott. Ähnliche Vertrauensäußerungen wie dieses Vogelgleichnis finden sich insbesondere in den Psalmen[2] Zum Dank für seine

---

1 KUB VI 45 + XXX 14 (=A) 32-44.

2 S.u.S. 245f.

Intervention gelobt der König, seinen persönlichen Gott immerfort zu preisen. Auch die Psalmen schließen häufig mit einem Lobgelübde.[1] Die anderen Götter und Menschen werden dann staunend sprechen:

[214]

dU *pí-ha-aš-ša-aš-ši-iš* EN-*IA* *ne-pí-ša-aš* LUGAL-*uš* UKÙ-*an*
ka-ni-iš-ta nu-wa-ra-an∢*ku-la-a-ni-it-ta*
nu-wa-ra-an-kán aš-ša-nu-ut nu-wa-ra-an-kan
me-e-hu-na-aš ar-nu-ut

Fürwahr, der Wettergott *pihaššašiš*, mein Herr, der König des Himmels, hat einen Menschen auserwählt und hat ihn ausgezeichnet (?) und hat für ihn gesorgt (?) und hat ihn zu den (rechten) Zeiten hingelangen lassen.[2]

IV. Die Abwendung des persönlichen Gottes

Ähnlich wie in Mesopotamien[3] wurden Krankheit und Not als Folgen der Sünde des Menschen verstanden. Diese hatte den Zorn des persönlichen Gottes erregt, so daß er sich von seinem Schützling abwandte. Über diesen Kausalzusammenhang von Sünde, Leid und Gottverlassenheit gibt insbesondere das Gebet des Kantuzili Auskunft. Es beginnt mit einem Rückblick auf die Fürsorge des persönlichen Gottes in der Vergangenheit. Sodann beteuert Kantuzili, daß er sich keiner Sünde bewußt ist und seine Genesung allein von seinem persönlichen Gott erwartet:

---

1 Vgl. Ps. 13,6; 22,23ff u.ö.

2 KUB VI 45 Rs. iii, 51-53. - Der letzte Teil des Satzes besagt wohl, daß der Wettergott seinen Schützling in den Stand versetzt, sein Anliegen jeweils zum richtigen Zeitpunkt (und nicht zur Unzeit) vorzubringen und so Erhörung zu finden.

3 S.o.S. 99ff.

[215]

nu-za DUMU-*an-na-az ku-it* ŠA DINGIR-*IA du-ud-du-mar*
na-at-ta ša-a-ak-hi na-at ⟨*ka-ni-es-mi-pát*⟩
ku-i-ta im-ma mi-eš-ha-ti nu-za-ta ŠA DINGIR-*IA*
du-ud-du-mar ha-at-ta-ta hu-u-ma-an-ta sa-kin-n[u-]ú?-un
nu GÙB DINGIR-*IA Ú-UL ku-uš-ša-an-ka li-in-ku-un*
li-in-ga-in-na-aš-ta Ú-UL ku-us-sa-an-ka šar-ra-ah-ha-at
ši-ú-ní-mi-ma-mu ku-it šu-up-pi a-da-an-na na-at-ta
a-ra na-at Ú-UL ku-uš-ša-an-ka e-du-un
nu-za tu-ik-kam-ma-an na-at-ta pa-ap-ra-ah-hu-un
GUD-*un-aš-ta ha-a-lí-az a-ap-pa Ú-UL ku-uš-ša-an-ka*
kar-šu-un UDU-*un-aš-ta a-ša-ú-na-az* EGIR-*pa* KI.MIN
NINDA-*an-za ú-e-mi-ia-nu-un na-an-za A-HI-TI-IA*
na-at-ta ku-wa-pí-ik-ki e-du-un wa-a-tar-ma-az
ù-e-mi-ia⟨*-nu-un*⟩ *na-at A-HI-TI-IA Ú-UL ku-wa-pi-ik-ki*
e-ku-un ki-nu-na-ma-an ma-a-an la-az-zi-ih-ha-at
nu tu-el ši-ú-na-aš ud-da-an-ta na-at-ta SIG$_5$-*ih-ha-at*
ma-a-am-ma-an in-na-ra-ah-ha-at-ma nu tu-e-el
ši-ú-na-aš ud-da-an-ta Ú-UL in-na-ra-ah-ha-at

Seit der Kindheit habe ich auch dann das gnädige Walten meines Gottes erkannt, wenn ich es nicht an mir erfuhr(?). Und als ich das Erwachsenenalter erreicht hatte, tat ich die Gnade und Weisheit meines Gottes bei jeder Gelegenheit kund. Nicht habe ich je, mein Gott, falsch geschworen, auch habe ich niemals einen Eid übertreten. Auch habe ich, mein Gott, Reines, das mir zu essen nicht erlaubt ist, niemals gegessen und habe meinen Leib nicht verunreinigt. Ein Rind habe ich niemals aus der Hürde entfernt, ein Schaf niemals aus dem Pferch.[1] Bin ich auf Brot gestoßen, so habe ich es nicht irgendwo abseits gegessen; bin ich auf Wasser gestoßen, so habe ich es nicht irgendwo abseits getrunken. Wenn ich jetzt gesundete, würde ich da nicht auf dein göttliches Geheiß gesundet sein? Und wenn ich kraftvoll würde, wäre ich da nicht auf dein göttliches Geheiß kraftvoll geworden?[2]

---

1 Gemeint sind Tiere, die zu rituellen Zwecken bestimmt sind.

2 KUB XXX 1o Vs. 1o - 19; vgl. ANET^2 4of.

Obwohl sich Kantuzili also keiner Sünden bewußt ist, bittet er im folgenden seinen persönlichen Gott, er möge sein Inneres öffnen und ihm seine Sünden zeigen. Dies soll entweder durch eine Traumoffenbarung oder durch ein Orakel geschehen:

[216]

[ki-nu-n]a?-mu-za am-me-el DINGIR-*IA* ŠÀ-*ŠU* ZI-*ŠU*
hu-u-ma-an-te-it kar-dí-it ki-í-nu-ud-du nu-mu
wa-aš-du-ul-mi-it
[te-e-id-]du ne-za-an ga-ni-eš-mi na-aš-šu-mu DINGIR-*IA*
za-aš-hé-ia me-e-ma-ú nu-mu-za DINGIR-*IA* ŠÀ-*ŠU ki-nu-ud-du*
[nu-mu wa-aš-d]u-ul-mi-it te-e-id-du ne-za-an ga-ni-eš-mi
na-aš-ma-mu SALENSI *me-e-ma-ú*
[na-aš-ma-mu Š*]*A dUTU LÚAZU *IŠ-TU* UZUNÍG.GÍG
me-e-ma-ú nu-mu-za DINGIR-*IA hu-u-ma-an-te-it kar-di-it*
*[*ŠÀ-*ŠU* ZI-*ŠU(?)] ki-i-nu-ud-du nu-mu wa-aš-du-ul-mi-it*
te-id-du ne-za-an ga-ni-eš-mi

[Jetzt abe]r (?) soll mir mein Gott sein Inneres und seine Seele aus ganzem Herzen öffnen und mir meine Sünden sagen, damit ich sie erkenne. Entweder soll mein Gott im Traum zu mir sprechen und mein Gott soll mir sein Inneres öffnen und mir meine Sünden sagen, damit ich sie erkenne, oder die Seherin soll zu mir sprechen, oder der Orakelpriester (LÚAZU) des Sonnengottes soll zu mir auf Grund der Eingeweide (oder:Leber-)schau sprechen. Mein Gott soll mir aus ganzem Herzen sein Inneres und seine Seele öffnen und mir meine Sünden sagen, damit ich sie erkenne.[1]

Schließlich wendet sich Kantuzili an den Sonnengott mit der Bitte um Intervention. Der Sonnengott möge seinen Einfluß bei dem persönlichen Gott geltend machen, damit dieser sich ihm wieder zuwenden und die von ihm geschickte Krankheit entfernen möge. Die Bitte um Vermittlung anderer Gottheiten ist uns in mesopotamischen Texten mehrfach begegnet.[2]

---

1 KUB XXX 1o Vs. 24 - 28.

2 S.o.S. 112f.

[217]

[LÚSIPAD *-ŠU-N]U zi-ik nu-ut-ta*

hu-u-ma-an-ti-ia ha-lu-ka-aš-ti-i?-is?

[ša-ni-zi-iš nu-mu-uš-ša-an ku-iš DINGIR-*IA] ša-a-it*

nu-mu-uš-ša-an ar-ha pa-aš-ku-ut-ta a-ap-pa-ia-mu-za

[a-pa-a-aš-pát kap-pu-id-du ...] hu-uš-nu-ud-du

nu-mu ku-ís DINGIR-*IA i-na-an pa-íš nu-mu gi-en-zu*

[nam-ma har-du? ...

[Sonnengott, aller Länder Hirte?] bist du. Deine Botschaft ist jedem [angenehm. Mein Gott, der mir] zürnte und der mich verworfen hat, [eben der soll mich wieder berücksichtigen ...].. soll (mich) am Leben erhalten. Mein Gott, der mir die Krankheit gegeben hat, soll mir wieder gnädig [sein ..][1]

Nach einer Schilderung des trostlosen Zustandes, in dem sich Kantuzili jetzt befindet[2], wendet er sich noch einmal direkt an seinen persönlichen Gott mit der Bitte, er möge ihn an der Gerichtsstätte nicht zu einem vernachlässigten Menschen machen. Wie in Mesopotamien[3] hat die Gesundung offensichtlich auch bei den Hethitern einen rechtlichen Aspekt.

[218]

ki-nu-na ši-ú-ni-mi pí-ra-an du-wa-ad-du hal-zí-iš-ša-ah-hi

nu-mu DINGIR-*IA is-ta-ma-aš [nu-]mu* LUGAL-*an*

a-aš-kí DINGIR-*IA Ú-UL aš-ša-nu-wa-an-da-an an-du-uh-ša-an*

li-e iš-ša-at-ti

Jetzt aber rufe ich immerfort 'Gnade!' vor meinem Gott. Höre mich, o mein Gott, und mache mich an des Königs Tor[4], o mein Gott, nicht zu einem vernachlässigten (?) Menschen.[5]

---

1 KUB XXX 10 Rs. 1-4.

2 S. dazu mesopotamische Klagen über die durch Gottverlassenheit verursachte Krankheit und Not o. S. 91ff (Texte Nr. 14o - 143).

3 S.o.S. 118.

4 Das "Tor des Königs" ist die Gerichtsstätte.

5 KUB XXX 1o Rs. 22 - 23.

3. Kapitel :

ARABIEN

Vorbemerkung:

Wenn wir nun zur Behandlung der Vorstellung vom persönlichen Gott in Arabien und Syrien-Palästina übergehen, so müssen wir dabei die völlig andere Quellensituation im Auge behalten. Während uns für Mesopotamien und Kleinasien eine beträchtliche Anzahl von Gebeten, Königsinschriften, Weisheitstexten u.a. zur Verfügung steht, sind wir für die nun zu behandelnden Gebiete fast ausschließlich auf zumeist kurze Weihinschriften angewiesen. Dies hat zur Folge, daß wir über Einzelheiten der in Arabien und Syrien-Palästina beheimateten Religionen nur sehr schlecht unterrichtet sind.

A. NORD - UND ZENTRALARABIEN

Religion und Kultur der Bewohner Nord- und Zentralarabiens sind durch eine enge Vermengung von nomadischen und seßhaften Elementen gekennzeichnet. Obwohl die Übergänge zwischen beiden Lebensformen fließend sind, können wir in bezug auf die Vorstellung vom persönlichen Gott gewisse Unterschiede feststellen.

1. *Die Vorstellung vom persönlichen Gott bei der nomadischen Bevölkerung*

Die Organisationsform der Nomaden ist der Stamm bzw. die Sippe, deren charakteristisches Merkmal das ausserordentlich starke Zusammengehörigkeitsgefühl ihrer Mitglieder ist. Dies hat seine Ursache in den Gefahren und Schwierigkeiten, die die nomadische Lebensweise mit sich bringt. Indem nun das Leben des Individuums ganz in das Leben des Stammes bzw. der Sippe integriert ist, geht auch seine persönliche Religion völlig in der Religion der Gemeinschaft auf. Während in den hochentwickelten Kulturen des Alten

Orients, wie etwa Mesopotamien oder Kleinasien, die Funktionen der Götter (z.B. Landesgott, Stadtgott, persönlicher Gott, Vegetationsgott) auf verschiedene Gottheiten verteilt sind, konzentrieren sich in der Religion der Nomaden alle wesentlichen Funktionen auf den Stammes- bzw. Sippengott.

Diese sozio-kulturellen Gegebenheiten bedingen, daß für den einzelnen Nomaden der Stammesgott zugleich als sein persönlicher Gott fungierte.[1] Als Beweis für diese These lassen sich zwei Texte aus dem Götzenbuch des Ibn al-Kalbi, einer wertvollen Quellensammlung über das arabische Heidentum aus dem 9. nachchristlichen Jahrhundert, anführen, in denen Stammesangehörige ihren Stammesgott auch gegenüber Genossen "mein usw. Gott" nennen. In einer Erzählung über den Gott Wadd heißt es: "Mein Vater pflegte mich mit Milch zu ihm (d.h. dem Gott Wadd) zu schicken, indem er sagte: 'Gib sie deinem Gott zu trinken.' "[2] In einer anderen Episode herrscht der Priester des Heiligtums eines Stammesgottes einen Angehörigen dieses Stammes mit den Worten an: "Willst du das Asyl deines Gottes verletzen?"[3] Da die Anrede "mein usw. Gott' im Alten Orient gewöhnlich an den persönlichen Gott gerichtet ist[4], können wir wohl in diesen Fällen annehmen, daß der Stammesgott zugleich als persönlicher Gott des Individuums verehrt wurde.

2. *Die Vorstellung vom persönlichen Gott bei der seßhaften Bevölkerung*

Die Bewohner der Städte hatten in ihren Häusern Götterstatuen, die sie offensichtlich als ihre persönlichen Götter verehrten. Dies geht aus einem ebenfalls im Götzenbuch des Ibn al-Kalbî überlieferten Bericht hervor: "Alle Araber in Mekka hatten einen Götzen in ihrem Hause, den sie anbeteten. Wenn einer von ihnen eine Reise unternehmen wollte, war das letzte, was er in seiner Wohnung tat, daß er mit der Hand über das Idol hinfuhr. Und wenn er zurückkehrte, war das erste, was er beim Betreten seines Hauses zu tun pflegte, daß er es wieder streichelte."[5]
Was hier für Mekka berichtet wird, darf wohl auch für andere Städte als repräsentativ gelten. Über die Person des Gottes wird in dem Text nichts ausgesagt. Da jedoch in Mekka bis zur Zeit Mohammeds das Stammes- und Sippenbe-

---

1 Vgl. Baudissin, Kyrios III, 598ff.

2 Klinke-Rosenberger, Götzenbuch 59.

3 Ebd. 62.

4 S.o.S. 8f (Nr. 1) und passim.

5 Ebd. 47.

wußtsein der Beduinen stark nachwirkte[1], wird man annehmen können, daß vielfach der alte Stammesgott als persönlicher Gott verehrt wurde.

Andere Texte schränken den Besitz eines Hausgottes auf den Kreis der Vornehmen ein. Von einem solchen Vornehmen aus Medina mit Namen 'Amr b. al-Ǧamûh wird berichtet: "Er hatte in seinem Hause einen Götzen aus Holz mit Namen Manât, den er, wie die Vornehmen (*ašrâf*) zu tun pflegen, als Gott verehrte."[2] Der Satz darf wohl dahingehend verstanden werden, daß die Vornehmen ein solches Götterbild nicht als Gott schlechthin verehrten, sondern als ihren persönlichen Gott. Privater Kultus ist sowohl in Mesopotamien[3] als auch in Syrien-Palästina[4] einschließlich des Alten Testaments[5] belegt.

Für die ärmeren Bevölkerungsschichten, die nicht das Geld hatten, ein eigenes Götterbild oder Heiligtum zu unterhalten, galt folgender Brauch: "Wer sich kein Idol leisten konnte und auch kein Heiligtum, der stellte vor dem heiligen Bezirk (in Mekka) und vor anderen Örtlichkeiten, die ihm gefielen, einen Stein auf. Darauf umkreiste er ihn gleich seinem Umlauf um das 'Haus'[6] Man nannte diesen Stein al-ansâb ..."[7]
Als Ersatz für ein eigenes Götterbild oder Privatheiligtum diente demnach ein Stein, der in einem öffentlichen Heiligtum aufgestellt und als persönlicher Gott verehrt wurde. Eine Parallele hierzu stellt die Bethelerzählung (Gen 28) dar, derzufolge Jakob ebenfalls einen Stein zur Verehrung seines persönlichen Gottes aufstellte.[8]

---

[1] Wißmann, Bauer 44.

[2] Klinke-Rosenberger, ebd. 139 Anm. 433. - Lammens, BIFAO 17,7o, vertritt die These, daß die Vornehmen nicht Besitzer von Hausgöttern gewesen seien; vielmehr hätten sie das Amt des Hütens der Stammesgötter innegehabt, das sich in den führenden Familien von Generation zu Generation vererbte. Zwar stammten bei der nomadischen Bevölkerung die Priester der Stammesheiligtümer vielfach aus bestimmten adligen Familien. (vgl. Wellhausen, Reste 13o) Dies kann jedoch nicht für die Stadtbevölkerung gelten. Dort besaßen offensichtlich - wie der obige Text zeigt - die wohlhabenderen Familien ein eigenes Götterbild, abgesehen davon, daß die Priester der öffentlichen Heiligtümer weithin den aristokratischen Schichten angehörten.

[3] S.o.S. 58ff.

[4] S.u.S. 163f.

[5] S.u.S. 171ff.

[6] Gemeint ist die Kaaba, der heilige Stein in Mekka.

[7] Klinke-Rosenberger, ebd. 47.

[8] S.u.S. 188ff.

War jemand von seinem heimatlichen Kultort entfernt, so vollzog er an seinem jeweiligen Aufenthaltsort folgende Zeremonie: "Wenn einer auf Reisen ging und in einer Niederlassung abstieg, dann nahm er vier Steine. Er wählte den schönsten und bestimmte ihn als seinen Gott. Darauf machte er drei Kochsteine für seinen Kochtopf. Wenn er dann fortwanderte, ließ er den Stein, der sein Gott war, zurück. Wenn er sich darauf in einer anderen Wohnstätte niederließ, handelte er gleichermaßen."[1] Die zweimalige Kennzeichnung des Steins als "sein Gott" deutet darauf hin, daß es sich hier um den persönlichen Gott des Menschen handelt.

Über die Funktion des persönlichen Gottes geben die spärlichen Texte keinerlei Auskunft. Aus dem Vergleich mit der Religion Altsüdarabiens[2] kann man jedoch schließen, daß die Funktionen im wesentlichen denen entsprechen, wie sie sowohl in Mesopotamien als auch Kleinasien vorliegen.

B. SÜDARABIEN

Im Süden der arabischen Halbinsel bestand seit etwa 1ooo v.Chr. eine hochentwickelte seßhafte Kultur, die ihren Reichtum hauptsächlich aus der Bodenwirtschaft bezog. Aus den zahlreichen uns erhaltenen Inschriften läßt sich einiges über die Religion dieses Landes und Volkes entnehmen. Demnach wurden neben der offiziellen Trias, bestehend aus dem Gott des Venussterns ʿAṯtar, dem Sonnengott Šams und dem Mondgott, der in Sabaʾ ʾAlmaqah, in Qatabān ʿAmm und in Maʿīn Wadd heißt, lokale Stämme-, Sippen- und Familiengottheiten verehrt.[3] Vielfach stoßen wir in den Inschriften auf Bezeichnungen, die von einer individuellen Gottesbeziehung zeugen und in die Vorstellung vom persönlichen Gott eingeordnet werden können. Sie sollen nun zunächst der Reihe nach behandelt werden.[4]

---

1 Ebd.

2 S.u.S. 146ff.

3 Vgl. Jamme, Le panthéon 113; Höfner, WM I/1, 5o7.

4 Vgl. zum Folgenden Baudissin, Kyrios III, 575ff.

I. Die Bezeichnungen für den persönlichen Gott

1. "*Mein usw. Patron*"

Der häufigste Terminus für eine Gottheit, die einer bestimmten Menschengruppe oder Einzelperson zugeordnet ist, ist *šayīm (sym)*, den wir im Deutschen am besten mit "Patron" wiedergeben. Dem Wort *šayīm* liegt die gemeinsemitische Wurzel *šym* "setzen, stellen, legen" zugrunde.[1] Nach altsabäischer Auffassung war es Aufgabe des Priesterfürsten, des sog. Mukarrib, "Gottes- und Patronsgemeinden (*gwm d ʾlm wšymm*) einzurichten.[2] Diese Gemeinden waren zunächst rein religiöse Verbände,bestehend aus Menschen, die eine bestimmte Gottheit als ihren Patron oder Gott verehrten. Später haben sich daraus die Stämme entwickelt.[3]

Die enge Beziehung zwischen dem Patron und seinem Schützling kommt dadurch zum Ausdruck, daß er zumeist am Schluß einer Inschrift genannt wird, häufig in der Formel "bei Taʾlab Riyyām".[4] Dies erinnert an die sumerischen Königsinschriften,bei denen ebenfalls häufig am Schluß der persönliche Gott aufgeführt wird.[5]

---

[1] Höfner, WZKM 54,81.

[2] RES 3945,1; CIH 366. - Dabei ist der Unterschied zwischen einer "Gottesgemeinde" und einer "Patronsgemeinde" unklar. Höfner (ebd. 82) versucht die Deutung, daß"die 'Gottesgemeinden' vielleicht mehr zu eigentlich kultischen Zwecken, die 'Patronatsgemeinden' mehr zu 'profanen' Zwecken organisierte Verbände gewesen" seien. Da jedoch zwischen den Termini "Gott" und "Patron" kein Unterschied festzustellen ist (S.u.S. 145), erscheint es fraglich, ob man "Gottesgemeinden" und "Patronsgemeinden" so differenzieren kann, abgesehen davon, daß die Alternative kultisch-profan für damalige Verhältnisse kaum angemessen sein dürfte.

[3] Vgl. Höfner, in Gese u.a., Religion 26o; diess., WZKM 54,84.

[4] Z.B. RES 419o, 18; Mordtmann, Inschriften 11, zitiert u.S. 147 (Text Nr. 219).

[5] S.o.S. 80.

2. "*Mein usw. Gott*"

In zahlreichen Inschriften wird eine bestimmte Gottheit als "sein Gott" bzw. "ihr Gott" (*ʾlhhw* bzw. *ʾlhmw*) bezeichnet.[1] Eine allgemeine Ergebenheitsformel kann deshalb nicht vorliegen, weil die Hinzufügung von "sein Gott" o.ä. nur in bestimmten Fällen und häufig zusammen mit anderen für den persönlichen Gott gebrauchten Termini erfolgt. In RES 2789,5 und 3o22,4 werden die "Götter der Könige von Maʿīn" aufgeführt, die von den "Göttern Ma'īns" ausdrücklich unterschieden werden.

3. "*Meine usw. Sonnengöttin*"

Als eine weitere Bezeichnung für den persönlichen Gott ist wohl der Ausdruck Šams "Sonnengöttin" aufzufassen, der immer mit dem Personalsuffix verbunden vorkommt.[2] Dies deutet darauf hin, daß Šams hier nicht als Erscheinungsform der Sonnengottheit[3] verstanden ist, sondern den persönlichen Gott eines Individuums bzw. einer Familie meint.[4] In dieser Funktion kommt Šams zum ersten Mal in einer Inschrift aus der Zeit um 5o v.Chr. vor.[5] Darin rufen die Stifter neben anderen Gottheiten auch "ihre Sonnengöttin, die Herrin von Hirran" an. In der nachfolgenden Zeit begegnet uns diese Bezeichnung überaus häufig. Sie spielt insbesondere bei den Königen eine Rolle. Našaʾkarib Yuhaʾmin, ein König aus der Gurat-Dynastie, widmet in CIH 573,2 "seiner Sonnengöttin Tanūf, der Herrin von Ġaḏran" 24 Statuen. Wie aus einer weiteren Inschrift[6] hervorgeht, berufen sich die Untertanen - ähnlich wie in Mesopotamien[7] - auf die Šams des Königs als dessen persönlicher Gottheit.

---

[1] Z.B. ʿAmm: RES 4329,3; ʿAṯtar: CIH 41,2; 42,3; 46,5; 43o,5f; Ḏū Samāwī: CIH 517,4; RES 3957,3f; Azîzlat: CIH 557,1f.

[2] CIH 4o,5; 46,5; 332,7; 34o,4f; 448,3; RES 3441,1; 4197 bis,3.

[3] So Höfner, WM I/1, 531.

[4] So richtig Ryckmans, Les religions 44.

[5] RES 4198,3f.

[6] Mordtmann-Mittwoch, Inschriften Nr. 21,15 mit Anm. S. 27.

[7] S.o.S. 44.

Eine bedeutsame Variante liegt in dem Ausdruck "Sonnengöttin ihrer Väter" (*šams abthmw*) vor, der in CIH 332,7 für den Gott Taʾlab Riyyām verwendet wird. Ähnlich wie bei der Bezeichnung "Gott meines usw. Vaters", die sowohl in Mesopotamien als auch in Syrien-Palästina belegt ist[1], handelt es sich hier um die Vorstellung, daß der persönliche Gott innerhalb einer Familie oder Sippe durch Generationen hindurch "vererbt" wird.

4. *"Herr des Hauses"*

Der persönliche Gott wird des öfteren auch "Herr des Hauses" (*bʿl bt*) oder "Herr seines/ihres Hauses" (*bʿl bthmw*) genannt.[2] Dabei ist "Haus" (bt) im Sinne von Familie, Sippe verstanden.[3] Wir können diesen Terminus, der auch in Nordsyrien belegt ist[4], mit den mesopotamischen Bezeichnungen "Gott der Familie" und "Gott meines usw. Vaters"[5] vergleichen.

5. *Manḍaḥ, Munḍiḥ*

Zusammen mit "Patron" und "Sonnengöttin" wird am Schluß von Inschriften häufig der Manḍaḥ/Munḍiḥ (Plural: Manaḍiḥat) aufgeführt. Da Manḍaḥ immer entweder durch das persönliche Suffix oder durch einen Genetiv determiniert ist, liegt die Annahme nahe, daß hier ebenfalls eine Bezeichnung für den persönlichen Gott vorliegt.[6] Mehrfach werden die Manḍaḥ-Gottheiten "Herren des/ihres Hauses" genannt (*mnḍḥhmw bl bthmw*)[7]; auch findet sich der Ausdruck

---

[1] S.o.S. 12ff u.S. 155ff.

[2] CIH 179,4f; 194,3; 568,2f; RES 41o1,2f; 4198,4.

[3] Vgl. Ryckmans, Les religions 27.

[4] S.u.S. 154f.

[5] S.o.S. 12ff.14f.

[6] Vgl. Höfner in Gese u.a., Religionen 278; Jamme, Le panthéon 125. - Über die Grundbedeutung des Wortes Manḍaḥ/Munḍiḥ gehen die Meinungen auseinander. Allgemein verbreitet ist die Erklärung, daß Manḍaḥ auf arabisch naḍaḥa zurückzuführen sei, was soviel wie "mit Wasser besprengen, befeuchten" bedeutet. Manḍaḥ wäre demnach ursprünglich eine Bewässerungsgottheit, die erst sekundär zum persönlichen Schutzgott wurde. Demgegenüber vertritt van den Branden (BiOr 16, 184) die These, daß Manḍaḥ von der 4. Form des Verbums mḍḥ "verteidigen" abzuleiten sei, und somit "défenseur, protecteur" bedeute. Diese Auffassung wurde schon früher von H. Winckler (Inschriften 22 Anm. 22) vertreten.

[7] CIH 4o,5; 172; 194,3.

"Manaḍiḥat ihrer Häuser"[1]. Anläßlich der glücklichen Vollendung des Baues einer Sperrmauer danken zwei Könige von Saba' neben ʿAṯtar und 'Almaqah auch "den Sonnengöttinnen und den Manḍaḥ-Gottheiten der Könige von Saba' und der Sippe ḏū Raidan"[2]. Die Manḍaḥ-Gottheiten übten auch den Schutz über Tempel aus[3] und sind deshalb vielleicht mit den mesopotamischen Gestalten Šēdu und Lamassu[4] zu vergleichen.

Die Frage nach der gegenseitigen Zuordnung dieser verschiedenen Bezeichnungen für den persönlichen Gott kann nur gestellt, aber nicht beantwortet werden. Zumeist sind in den Inschriften mehrere Bezeichnungen nebeneinander genannt, ohne daß ein System erkennbar wäre. Die folgende Übersicht soll dies verdeutlichen:

CIH 448,5: "ihre Sonnengöttinnen und ihre Götter";
CIH 5o6,4: "ihre Götter und ihre Manḍaḥ-Gottheiten";
RES 4198,3f: "ihre Sonnengöttin, Herrin von Hirran und der Herr des Hauses Riman";
RES 4197 bis,3: "ihre Sonnengöttinnen und ihre Manḍaḥ-Gottheiten";
RES 2774,3: "sein Gott und sein Patron";
RES 3971,2f: "ihre Patrone, Sonnengöttinnen und Manḍaḥ-Gottheiten".

Sicher darf man vermuten, daß die Bezeichnungen in gewisser Weise untereinander austauschbar gewesen sind.[5] Andererseits wird man damit rechnen müssen, daß die Terminologie zeitlich und örtlich verschieden verwendet wurde.

II. Name und Stellung des persönlichen Gottes

Zu welcher Kategorie von Göttern gehören nun die persönlichen Gottheiten? Alle eben aufgeführten Bezeichnungen kommen keineswegs nur niederen Göttern zu, sondern meinen "eine bestimmte Funktion, die auch Götter von hohem Rang, wenn sie unter diesem spezifischen Aspekt gesehen werden, übernehmen können"

---

1 Mordtmann, Inschriften, 37 Anm. zu Z. 2.

2 RES 4775,3; vgl. 3441; CIH 211,2.

3 Belege bei Jamme, ebd. 125; v.d.Branden, ebd. 185.

4 S.o.S. 47f.

5 Vgl. Caskel in Le Antiche Divinità 113.

6 Höfner, WM I/1,515; anders Caskel, ebd. 113.

So können auch Gottheiten, die zur offiziellen Trias gehören, mit diesen Bezeichnungen belegt werden und fungieren folglich als persönliche Gottheiten. Vier Brüder weihen "ihrem Patron ʾAlmaqah Thahwân" einen Stier.[1] In CIH 41,3 kommt "ihr Manḏaḥ, der Herr von Sabʿān" vor, der wohl mit "ʾAlmaqah, dem Herrn von Sabʿān" gleichzusetzen ist. ʿAṯtar wird in CIH 47,2 als "ihr Manḏaḥ" bezeichnet. Dies gilt auch für die Bezeichnung "sein/ihr Gott", der für ʿAmm[2] und ʿAṯtar[3] belegt ist. Es muß also gefolgert werden, daß ähnlich wie in Mesopotamien und Kleinasien[4] sowohl "große" als auch "kleine" Götter als persönliche Gottheiten fungieren konnten.

Der Terminus *šayīm* wird besonders häufig für den Mondgott Taʾlab verwendet.[5] Taʾlab war ursprünglich der Gott einer Sippe namens Banū Bataʾ und wurde dann zum Gott ihres Stammes Hamdān. Indem diese Sippe an Ansehen und Macht gewann und schließlich den Königsthron erlangte, stieg auch das Ansehen ihres Patrons Taʾlab. Es gelang ihm sogar, vorübergehend den Reichsgott ʾAlmaqah zu verdängen, der zugleich der persönliche Gott der Sirwaḥ-Dynastie war.[6] Taʾlab wurde hauptsächlich in einem Heiligtum in Riyyām verehrt und trug daher den Beinamen Taʾlab Riyyām.

III. Die Funktionen des persönlichen Gottes

Der persönliche Gott fungiert in der Religion Altsüdarabiens als Garant für das Wohlergehen des Menschen und als Beschützer gegen Feinde. Die Funktion der Fürbitte gegenüber den anderen Göttern ist in den Texten nicht belegt. Als Beispiel für das Wirken des persönlichen Gottes sei die folgende Inschrift zitiert:

---

1 CIH 4o8,3f. - Ob in CIH 366 ʿAṯtar "Patron" genannt wird, ist unsicher.

2 RES 4329,3.

3 CIH 41,2; 42,3; 46,5; 43o,5f.

4 S.o.S. 34ff.123.

5 Mordtmann, Inschriften 11 (s.u.S. 147 [Text Nr. 219]); RES 419o (s.u.S.14[illegible] [Text Nr. 22o]); CIH 332,1; 343,2f; 356,1 usw.

6 Vgl. Nielsen, Ilmukah 68f.

[219]

> ... daß Taᵓlab auch weiterhin seine beiden Knechte Baraġ und Albân, die Söhne Hamdân, und ihren Stamm Ḥâschid beglücke mit Wohlergehen, Heil, Kraft und Stärke und reichlichem Gut und Fülle von Macht und Herrschaft, und daß er breche und erniedrige und demütige alle ihre Feinde und Widersacher, und daß er sie beglücke mit der Gunst ihres Herrn, NN, und daß er sie beglücke mit reichlichen Früchten und Ernten ... und daß er sie behüte vor der Demütigung und Gewalt des Widersachers. Bei ihrem Patron Taᵓlab Riyyām.[1]

Der persönliche Gott gewährte demnach als Garant für das Wohlergehen des Menschen alle zum Leben notwendigen Güter. Neben Gesundheit und körperlichem Wohlergehen gehören dazu die Gunst der Vorgesetzten[2] und ein reicher Erntesegen.[3] Zugleich beschützt der persönliche Gott seine Knechte vor ihren Feinden, indem er sie vernichtet. Dieser Schutz erstreckte sich nicht nur auf den innermenschlichen, sondern auch auf den dämonischen Bereich, wie folgende Inschrift zeigt:

[22o]

> ... und es möge sie (d.h. die Stifter) befreien Taᵓlab Riyyām von Erniedrigung und dem bösen Blick eines Hassers; und er möge erniedrigen und vernichten und demütigen ihren Feind und ihren Hasser.[4]

Die Ausdrücke "böser Blick", "Hasser" und "Feind" weisen auf Zauberer und Dämonen hin[5], vor denen der persönliche Gott den Menschen beschützen soll.

---

[1] Mordtmann, Inschriften 11.

[2] S.o.S. 73 (Text Nr. 1O2).

[3] Vgl. auch RES 419o,9f.

[4] RES 419o, 15 - 18; vgl. die Erwähnung des "bösen Blicks" in 4233,17 sowie des "Zauberspruchs" in RES 423o C,3. S. dazu Höfner, WM I/1, 514f.

[5] S.u.S. 248ff.

Die Bindung an den persönlichen Gott konnte offensichtlich durch eine feierliche Dedikation geschehen. Nach CIH 3o,3 weiht sich ein Mann samt seinen Söhnen "seinem Patron Wadd Šahîr", und stellt sich damit feierlich unter den Schutz seines Gottes.[1]
Zu einem solchen Vorgang gibt es Parallelen im Alten Orient. Ḫattušili berichtet in seinen Annalen, er habe sich samt seinem Hause in den Dienst seiner persönlichen Göttin, der Ištar von Šamuḫa, gestellt.[2]
Von Jakob wird in Gen 35, 1-8 erzählt, er habe mitsamt seinen Angehörigen alle fremden Götter abgelegt und in Bethel feierlich einen Altar errichtet zum Zeichen dafür, daß er nun allein den in Bethel erschienenen Gott verehrte.[3] Auch der Kern der sog. Nathanweissagung (2Sam 7) wird ähnlich zu interpretieren sein.[4]

---

[1] Mordtmann, Inschriften 26.

[2] S.o.S. 129f(Text Nr. 2o9).

[3] S.u.S. 195f.

[4] S.u.S. 235f.

4. Kapitel :

SYRIEN - PALÄSTINA

Für die Vorstellung vom persönlichen Gott finden sich auch im syrisch - palästinensischen Raum zahlreiche Belege, die von der Amarnazeit (ca. 1400 v.Chr.) bis ins 1. nachchristliche Jahrhundert reichen. Wir beginnen - wie in den vorhergehenden Kapiteln - mit einer Analyse der Terminologie.

I. Die Bezeichnungen für den persönlichen Gott

1. "*Mein usw. Gott*"

Der in Mesopotamien stereotyp für den persönlichen Gott verwendete Terminus "mein usw. Gott" ist in Syrien-Palästina nur selten belegt. König Bod'aštart von Sidon erbaut "seinem Gott Ešmun" (*lʾlj ʾšmn*) einen Tempel.[1] Auf die Verehrung Ešmuns als persönlicher Gott der sidonischen Dynastie könnte das Vorkommen von Ešmun als theophores Element in den Namen zweier Könige dieser Dynastie, nämlich Ešmunazar I. und Ešmunazar II. hindeuten.
Im folgenden Brief aus Mari werden Dagan und der persönliche Gott des Empfängers angerufen, sie mögen ihm bei einem Feldzug zu Hilfe kommen:

[221]

ᵈDa-gan ù il-ka ša[i?-na?i?-di?-ka?]
iz-za-az[-zu]
ta-pu-ut-ka li-il-li-ku-ma
a-lam ṣa-ba-at ù da-am$_x$-da-am
du-uk-ma

---

[1] KAI 15.

Dagan und dein Gott, die [an deiner Seite(?)]
stehen,
mögen dir zu Hilfe kommen,
und erobere (so) eine Stadt und bringe (dem Feinde) eine
vernichtende Niederlage bei.[1]

2. "*Mein usw. Herr*"

Eine aramäische Stele aus dem 9. Jahrhundert v.Chr. hat Barhadad "dem Melqart, seinem Herrn, der, als er ihm ein Gelübde tat, auf seine Stimme hörte" (*LMRᵓH LMLQRT ZJ NZR LH WŠMᶜL[QL]H*) [222] geweiht.[2] Melqart ist Stadtgott von Tyrus und wird hier offensichtlich von Barhadad als persönlicher Gott verehrt. Die Anrede "mein Herr" (*mrᵓj*) für den persönlichen Gott ist auch bei Barrākib von Samᵓal belegt.[3]

In einem ugaritischen Brief hebt der Schreiber eine Gottheit, die er "mein Herr" (*bᶜly*) nennt, ausdrücklich von den übrigen Göttern ab. Gemeint ist wohl der persönliche Gott im Unterschied zum Sonnengott, zu Aštarte und ᶜAnat sowie den Göttern von Alšy (=Zypern):

[223]

ankn.rgmt.l.b ly ...
l.špš.ᶜlm.l.ᶜštrt
l.ᶜnt.l.kl.il.alš [y?]
nmry.mlk.ᶜlm
Ich aber habe zu meinem Herrn[4] gesprochen ...
zu der ewigen Sonne, zu Aštarte,
zu ᶜAnat, zu allen Göttern von Alšy [zugunsten von?]
Nmry, dem ewigen König.[5]

---

[1] ARM X, 1o7, 2o-24; vgl. Römer, Frauenbriefe 39.

[2] KAI 2o1.

[3] KAI 216,7 (s.u.S. 158 Text Nr. 231).

[4] Virolleaud ergänzt den Ausdruck zu "mein (Gott) Baᶜal" und löst dadurch die Schwierigkeit, daß die Verbindung eines Eigennamens mit einem Personalsuffix gewöhnlich nicht möglich ist. Näher liegt es jedoch, den Ausdruck mit "mein Herr" wiederzugeben.

[5] PRU V, 8 - Nr. 18.113. - Zu Belegen in Personennamen vgl. Gröndahl, Personennamen 33. 8o u.ö.

3. "*Gott des NN*"

In einer Anzahl von Inschriften wird eine Gottheit zu einem bestimmten, mit Namen genannten Individuum in Beziehung gesetzt und mit dem Ausdruck "Gott des NN" benannt. Dussaud[1] versteht unter "NN" den Chef einer priesterlichen Familie. Alt[2] vertritt demgegenüber die These, daß es sich hier um den Stifter des betreffenden Kultes handele. Beide Deutungen werden dem Sinn dieser Gottesbezeichnung jedoch nicht gerecht. Es handelt sich hier um einen Terminus, der den persönlichen Gott eines Menschen meint und bereits in Mesopotamien belegt ist.[3]
Den ältesten Beleg für diese Gottesbezeichnung im syrisch-palästinensischen Raum finden wir in Ugarit. Dort werden in der aus der Zeit um 12oo v.Chr. stammenden Aqhat-Legende die persönlichen Gottheiten Danels als *ilm dnil* "Götter des Danel" bezeichnet.[4] Die Fluchformel der Kilamuwa-Inschrift[5] führt neben Rākib-el, dem persönlichen Gott des Herrscherhauses, noch zwei weitere Sippengottheiten auf, nämlich *Bᶜl ṢMD ʾŠ LGBR* "Baᶜal-ṢMD, der (dem Hause) GBR (zugehört)" und *Bᶜl ḤMN ʾŠ LBMH* "Baᶜal-ḤMN, der (dem Hause) BMH (zugehört)". Baᶜal-ṢMD bedeutet "Herr des Zweigespanns" und ist wohl ebenso wie Baᶜal-Hammon als Wettergottgestalt aufzufassen.[6] Diese beiden Baᶜale fungieren also als persönliche Gottheiten der Sippen GBR und BMH.

Die übrigen Belege stammen zumeist aus späteren Epochen. In einer Inschrift aus Petra (ca. 1oo v.Chr.) weiht ein Mann samt seinen Söhnen eine Bildsäule *L]ʾLH WʾLW ʾLHʾ [RB]ʾ BNḤBTʾ* "dem Gott des *[*Wāi*]*lu, dem *[*großen*]* Gott in Naḥabta" für das Leben des nabatäischen Königs und seiner Familie.[7]

---

[1] Les Arabes 123.

[2] Kl.Schr. I, 61.

[3] S.o.S. 9 (Nr. 2). - Allerdings ist die von Dussaud aufgestellte These nicht ganz abwegig, da das Familienoberhaupt, dessen persönlicher Gott als "Gott des NN" bezeichnet wird, gewöhnlich zugleich priesterliche Funktionen ausübte. Das von einer Familie unterhaltene Heiligtum ihres Gottes konnte dann u.U. auch andere Verehrer anziehen. Für den Bereich der griechischen Religion nimmt Petersen (Hausgottesdienst 26) an, daß die Götter, deren Priestertum in bestimmten Familien Athens erblich war, ursprünglich die θεοὶ πατρῷοι dieser Geschlechter waren.

[4] 2 Aqht I, 7. 13.

[5] KAI 24, 15f (S.u.S. 154).

[6] Vgl. Gese, Religionen 216.

[7] RES 1434,5.

Ein Feueraltar aus Dêr il-Meshqûq enthält eine Widmung an den *ʾLH MʿJNW* "Gott des Muʿīn" aus dem Jahre 124 v.Chr.[1] Zum Wohl des nabatäischen Königs Aretas IV. weihen um 2o n.Chr. die Enkel eines gewissen Ḥoṭaišu eine Statue dem "Gott des Ḥoṭaišu" (*ʾLH ḤṬJŠW*).[2]

In griechisch verfaßten Inschriften finden sich folgende nach der Formel "Gott des NN" verfaßte Gottesbezeichnungen: θεὸς ʾΑμέρου[3]; θεὸς ʾΑρκεσιλάου[4]; θεὸς Αὔμου[5]; θεὸς Μαλειχάθου[6].

Vielfach werden auch konkrete, mit Namen genannte Götter durch diese Formel zu einem Individuum in eine persönliche Beziehung gesetzt. Ein nabatäischer Altar ist *BʿLŠMN ʾLH ŚʾJDW* "Baʿalšamīn (?), dem Gott des Saʾidu" geweiht.[7] Dieselbe Gottheit wird auf einem Kultstein aus der Zeit 72 - 73 n.Chr. *BʿLŠMN ʾLH MTNW* "Baʿalšamīn, Gott des Matan(?)" genannt.[8] Bei den Nabatäern spielt weiterhin deren Hauptgott Dušāra eine große Rolle.Er wird in einer Inschrift aus dem Jahre 62 v.Chr. *DWŠRʾ ʾLH MNBTW* "Dušāra, Gott des Manbatu" genannt.[9]
Eng verwandt mit der Bezeichnung "Gott des NN" ist der Ausdruck "Gott des Königs", den man wohl ebenfalls auf den persönlichen Gott beziehen muß.[10] Er begegnet bereits in der Amarnazeit, und zwar in einem Brief Rib-Addis, des "Regenten" des Pharao in Byblos, an Haia(?):

---

[1] RES 2o53.

[2] CIS II, 354.

[3] Alt, ebd. 73 Nr. 3o.

[4] Alt, ebd. 73 Nr. 32.

[5] Alt, ebd. 73-75 Nr. 33-45.

[6] Alt, ebd. 76f Nr. 51-52.

[7] CIS II, 176.

[8] RES 2o51,5f.

[9] RES 1432,3. - Der Beleg ist allerdings unsicher, da Manbatu vielleicht als Ortsname aufzufassen ist.

[10] S.o.S. 39ff.

[224]

^{d}A-ma-na ilu ša šar[r]i [be-li-k]a
ti-di-nu bašta-ka i-na
pa-ni šarri be-li-ka

Amun, der Gott des Köni[g]s, [dei]nes Herrn ,
gebe dir Kraftfülle vor
dem König,deinem Herrn.[1]

Ein anderer Vasallenfürst schreibt an seinen ägyptischen Oberherrn:

[225]

ji-ki-im-ni-mi ilim^{lim} ša šarri bēl[i-i]a
aš-šum i-bi-iš nu-kur-ti i-na am[ēl]ūt $^{m[\bar{a}tu}$g]i-na

Es bewahre mich der Gott des Königs, m[ein]es Herr[n],
in bezug darauf, Feindschaft zu machen gegen die Le[u]te von [G]ina.[2]

In einem Text aus Ugarit werden die "Götter des Königs" von den "Göttern des Landes Ugarit" deutlich unterschieden:

[226]

ilānū^{meš} ša ^{mat}a-mur-ri
ilānu^{meš} ša ^{mat}u-ga-ri-it
ù ilānu^{meš} ša-a šarri bēli-ka
a-na šul-ma-ni lişşuru^{ru}-ka

Die Götter von Amurru,
die Götter des Landes Ugarit
und die Götter des Königs, deines Herrn,
mögen dich in gutem Zustand bewahren![3]

Inschriften aus der Zeit des Nabatäerkönigs Aretas IV. (9. v.Chr. - 4o n. Chr.) bezeichnen Dušāra als *DWŠRʾ ʾLH MRʾNW* "Dušāra, der Gott unseres Herrn"[4].

---

[1] Knudtzon, Amarna-Briefe Nr. 71, 4-6; vgl. 2o, 26; 25o, 2o. - Zu Amun als Gott der Dynastie von Theben s. V. Ions, Ägyptische Mythologie, 1968, 91 ff.

[2] Knudtzon, ebd. Nr. 25o,2of.

[3] PRU III, 18 - Text Nr. 15. 24+5o.

[4] CIS II, 2o8; 2o9; 211; 35o.

Ca. fünfzig Jahre später kommen Inschriften mit folgenden Gottesbezeichnungen vor: *ʾʿRʾ DJ BBṢRʾ ʾLH RBʾL* "Aʿra, der in Bosra ist, der Gott Rabels"[1] und *DWŠRʾ ʾʿRʾʾLH MRʾNʾ DJ BBṢRʾ* "Dušāra Aʿra, der Gott unseres Herrn, der in Bosra residiert"[2]. Dušāra und Aʿra sind demnach offensichtlich im Lauf der Zeit miteinander identifiziert worden. Dušāra war diesen Texten zufolge nicht nur Staatsgott des nabatäischen Reichs, sondern zugleich persönlicher Gott der Dynastie.[3] Vielleicht war er zunächst der persönliche Gott des Königs, bevor er zum nabatäischen Hauptgott wurde.[4] Neben Dušāra wird in einer weiteren Inschrift auch Baʿalšamīn unter die persönlichen Gottheiten des Königs gerechnet: *DWŠRʾ* ... *WBʿLŠMN ʾLHJ MRʾNʾ* "Dušāra und Baʿalšamīn, die Götter unseres Herrn"[5].

4. "*Herr des Hauses*"

Die uns aus Südarabien[6] bereits bekannte Bezeichnung "Herr des Hauses" (*BʿL BT*) kommt auch in den aus dem heutigen Zincirli in Nordsyrien stammenden Inschriften vor. "Haus" (*BT*) meint in diesem Zusammenhang die Familie, mit der die persönliche Gottheit in einer Schutzbeziehung steht. Der älteste Beleg findet sich bei Kilamuwa, einem in der Mitte des 9. vorchristlichen Jahrhunderts regierenden Königs des Kleinstaates von Samʾal. Er nennt in der Fluchformel einer Inschrift neben zwei anderen Sippengottheiten[7] "Rākib-ʾēl, den Herrn des Hauses" (*RKBʾL BʿL BT*)[8]. Rākib-ēl ist wahrscheinlich eine Wettergottgestalt, dessen Name "Wagenfahrer Els" bedeutet.[9] Er spielt auch bei den späteren Königen von Samʾal eine Rolle als persönlicher

---

[1] CIS II, 218.

[2] RES 83.

[3] Vgl. Alt, ebd. 69f; Dussaud, Les religions 411; Milik, Syria 35, 235.

[4] Vgl. Starcky, DBS VII, 987; Savignac-Starcky, RB 64, 2o8.

[5] Savignac, RB 43, 576 Nr. 19.

[6] S.o.S. 144.

[7] S.o.S. 151.

[8] KAI 24, 16.

[9] Vgl. Gese, Religionen 216.

Gott. Eine Statue für Panammuwa II. aus der 2. Hälfte des 8. Jahrhunderts v.Chr. bezeichnet ihn ebenfalls als *Bʿ L BT*,[1] und hebt ihn somit unter den übrigen dort genannten Gottheiten "Hadad, El, Šamaš und alle Götter von Jaʾudi (=Samʾal)" hervor. Die dem "Herrn des Hauses" entsprechende Größe, des "Vaterhauses" (*BT ʾB*) wird in den Zincirli-Inschriften mehrfach erwähnt[2].

Die Bezeichnung "Herr des Hauses" ist später auch bei den Nabatäern belegt. Eine Inschrift aus dem 1. oder 2. nachchristlichen Jahrhundert lautet:

[227]

ʾLH NṢBJB ʿLʿZʾ WMRʾ BJTʾ ʿBD WHBʾLHJ ŠJRʾ

"Dies sind die Stelen von Al-ʿUzzâ und dem Herrn des Hauses, die gemacht hat Wahballâhî, der Karawanenführer".[3]

Dalman[4] und nach ihm andere Forscher[5] haben vermutet, daß mit dem "Herrn des Hauses" Dušāra gemeint sei, entweder im Sinne von "Herr des (königlichen) Hauses" oder weil der Landesgott innerhalb seines Bereiches "Hausherr" sei. Savignac[6] gibt den Ausdruck in einer ähnlich lautenden Inschrift mit "seigneur du temple" wieder. Solche Thesen erübrigen sich auf dem Hintergrund des Vergleichsmaterials aus Nordsyrien und Südarabien, wo die Bezeichnung "Herr des Hauses" deutlich auf den persönlichen Gott bezogen ist.

5. "*Gott meines/seines Vaters*" o.ä.

Eine weitere Bezeichnung für den persönlichen Gott, die auch in Mesopotamien belegt ist[7], stellt der Ausdruck "Gott meines/seines Vaters" o.ä. dar. Als ältester Beleg aus dem syrisch-palästinensischen Raum kann ein Brief aus den Mari-Archiven angeführt werden, in dem der König Išḫi-Addu von Qaṭna an

---

1 KAI 215, 22.

2 KAI 214, 9; 215, 7; 216, 12. - In 215,7 und 216,7 scheint mit "Vaterhaus" das gesamte Königreich gemeint zu sein. Dynastie und Land werden demnach ineinsgesetzt.

3 RES 1088.

4 Petra-Forschungen 97.

5 Z.B. Cantinau, Le Nabatéen II, 8; Milik, Syria 35, 235; Starcky, DBS VII, 995.

6 RB 42,413f.

7 S.o.S. 12ff.

den König Išme-Dagān von Êkallâtum (ca. 17oo v.Chr.) schreibt:

[228]

šu-bu-lum-ma la tu-ša-ab-ba-lam
aš-šum ilim ša a-bi-ia
šum-ma-an li-ib-bi im-ra-aṣ

Wenn du mir überhaupt nichts geschickt hättest,
um des Gottes meines Vaters willen
mein Herz wäre bekümmert gewesen.[1]

Ein späterer Herrscher von Qatna, Akizzi, beruft sich in einem Schreiben an den ägyptischen Pharao Amenophis III. auf Šamaš il a-bi-ia "Šamaš, der Gott meines Vaters"[2]. Die in Qaṭna gefundenen Tempelinventare erwähnen Opfergaben abwechselnd an den "Gott des Vaters" und an den "Gott des Königs".[3]

In einem Brief an König Hammurapi von Aleppo heißt es:

[229]

aš-šum ᵈAdad bēl Ḫa-l[a-apKI]
ù ilim ša a-bi-k[a]

im Namen Adads, des Herrn von A[leppo]
und des Gottes dei[nes] Vaters[4]

Hier erscheinen also der Stadtgott und der persönliche Gott des Herrschers nebeneinander. In einem anderen Mari-Text[5] werden die "Götter meines Vaters" (*ilānī ša a-bi-ia*) erwähnt.

König Panammuwa I. von Samʾal (ca. 75o v.Chr.) erwähnt auf seiner Hadadstatue den "Gott seines Vaters" (*ʾLH ʾBH*), der wohl mit Rākib-ēl, dem persönlichen Gott seiner Dynastie[6] identisch ist.[7] Der bereits erwähnte Herrscher Barrākib[8] nennt sich "Sklave des ... und der Götter meines Vaterhauses" (*[ʿBD ...]Wʾ LHJ BJT ʾBJ*)[9]. Welcher Gottesname in dem abgebrochenen Stück

---

[1] ARM V, 2o, 15-17.

[2] Knudtzon, ebd. Nr. 55, 53. 57. 59. 63.

[3] De Vaux, Ugaritica VI, 5o4.

[4] ARM X, 156, 1of.

[5] ARM X, 113, 21.

[6] S.o.S. 154f.

[7] KAI 214, 29 mit Anm. z.St.

[8] S.o.S. 150.

[9] KAI 217, 2f.

gestanden hat, muß unsicher bleiben.[1] Ein wichtiges Zeugnis für den Terminus "Gott meines usw. Vaters" ist der Sohnesverheißung an Danel aus der ugaritischen Aqhat-Legende zu entnehmen. Unter den Pflichten des idealen Sohnes wird dort genannt:

[23o]

> *nsb.skn.ilibh.bqdš.ztr.ᶜmh*
>
> "der aufstellt (eine) Stele(n) dem Gott seines Vaters im Heiligtum, ... seinem 'Sippenverwandten'(?)"[2].

In der Deutung des Ausdrucks *ilibh* gehen die Meinungen auseinander. Goetze[3] übersetzt "divine ancestors(?)", Albright[4], Eißfeldt[5] und Gray[6] bringen *ʾib* mit hebräisch *ʾWB* "Totengeist" in Zusammenhang. Obermann[7] setzt *ʾib* mit *ʾabu* "Vater" gleich und übersetzt "ancestral gods, house gods, family gods"[8]. Diese letztere Deutung erscheint mir als die wahrscheinlichste, da sie auch dem Inhalt der Verheißung am besten entspricht: Wenn Danel kinderlos stirbt, so droht sein Familienheiligtum (*qdš*) zu verweisen, da niemand mehr den Kult seines persönlichen Gottes aufrecht erhält. Somit hört auch seine Familie auf zu existieren - eine für antike Anschauung unvorstellbare Katastrophe. Um ein solches Unglück abzuwenden, verheißt El dem Danel die Geburt eines Sohnes, dessen vornehmste Pflicht es sein wird, die Verehrung des Familiengottes weiter zu pflegen.[9]

Der *ʾel ʾeb* wird noch in einem weiteren Text aus Ugarit (RS 24.253) gewähnt, wo von dem Opfer eines Schafes "an dem Fenster des Vätergottes" (*bʾurbt.ʾel ʾeb*) die Rede ist.[10] Unsicher ist das Vorkommen von *ʾel ʾeb* in einer ugariti-

---

[1] Vgl. die möglichen Ergänzungen bei Donner, MIO III, 87f.

[2] 2 Aqht I, 27.

[3] JAOS 58, 278.

[4] Religion 227 Anm. 31.

[5] El 42.

[6] VTS 15, 173 Anm. 2.

[7] JAOS 6 Suppl. 15.

[8] Vgl. Auch Koch, ZA 58, 214.

[9] Vgl. Koch, ebd. 215; Obermann, ebd. 14f. Zur kultischen Verehrung des Familiengottes in Mesopotamien s.o.S. 58ff.

[10] Nach Gray, ebd. 173 Anm. 2

schen Götterliste[1] sowie in Personennamen[2].
Aus späterer Zeit ist die palmyrenische Inschrift eines Altars überliefert, der gewidmet ist "von Lišamš und Zebîdâ ... vom Stamm der Benê Migdat an Šamaš, dem Gott des Hauses ihrer Väter (*ʾLH BJT ʾBWHN*)" *[231]*[3]

6. "*Gott zu meinen Häupten*"

Eine weitere Bezeichnung für den persönlichen Gott, die wir bereits bei den Mesopotamiern[4] und Hethitern[5] kennengelernt haben, ist der Ausdruck "Gott zu meinen Häupten" (*il rēšīja*). Er kommt in einem Brief des Königs Iarīm-lim von Aleppo an Iašūb-Iaḫad von Dîr vor, der in den Mari-Archiven gefunden wurde:

[232]

at-ma-kum ᵈ*Adad ì-lí a-li-ia*
ù ᵈ*Sîn ì-lí re-ši-ia*

Ich schwöre dir bei Adad, dem Gott meiner Stadt,
und bei Sîn, dem Gott zu meinen Häupten.[6]

Hier wird der Stadtgott Adad deutlich von dem persönlichen Gott des Königs, Sîn, unterschieden.

7. *Lamassu*

In den Mari-Briefen trägt der persönliche Gott des Königs häufig die Bezeichnung ᵈ*lamassu*, die insbesondere in Mesopotamien verbreitet ist.[7] So schreibt Išme-Dagān an Iasmaḫ-Adad:

[233]

ù aš-šum i-na ma-a-at nu-ku-ur-tim
wa-aš-ba-ku li-ib-bi l[a]-ma-sí ⟨-ia⟩ i-na-aḫ-[ḫ]i-[i]d

---

[1] Vgl. Gordon, Manuel, Nr. 17, 14.

[2] Virolleaud, Syria 16, 183 - RS 6133.

[3] CIS II, 3978 nach Baethgen, Beiträge 88. - Zum Bericht Sanheribs über den Raub der "Götter seines Vaterhauses" des Königs von Aškalon s.o.S. 14.

[4] S.o.S. 21f.

[5] S.o.S. 122.

[6] Dossin, Syria 33, 67, 27f.

[7] S.o.S. 25ff.

Aber betreffend der Tatsache, daß ich mich im Feindesland befinde,
hat das Herz meiner Lamassu Angst.[1]

Die Untergebenen berufen sich bei ihren Unternehmungen ähnlich wie in Mesopotamien[2] auf den persönlichen Gott ihres Königs, der im folgenden Text ebenfalls als Lamassu bezeichnet wird:

[234]

ᵈlamassi be-lí-ia lu di-en-ni-ma
ḫa-ar-ra-an be-lí-ia ša-al-ma-at

Die Lamassu meines Herrn folgte ![3] mir gewiß,
so daß die Expedition meines Herrn sicher war.[4]

In anderen Texten reden die Untergebenen vom "Gott meines Herrn" (*ilum*^lum^ *ša be-lí-i[a]*)[5] bzw. von den "Göttern unseres Herrn" (*ilī*^meš^ *[š]a be-lí-ne*)[6].

Aus der Namengebung läßt sich außerdem die Anrede des persönlichen Gottes als "mein Vater" entnehmen, z.B. *A-bi-ᵈAdad* "Mein Vater ist Adad"[7] oder *Abī-milku* "Mein Vater ist Milk"[8]. Der Schützling bezeichnet sich als "Knecht" seines Gottes, z.B. *ʿb-di-a-ra-aḫ* "Knecht des (Gottes) Araḫ"[9] oder *ʿbdršp* "Knecht des Rešep"[10], als "Sohn" bzw. "Tochter" seines Gottes, z.B. *Bi-na-am-mi* "Sohn des Ammi", *Bi-it-ti-ᵈDagan* "Tochter des Dagan"[11] als "Mann" seines Gottes, z.B. *I-ši-Baʿal* "Mann des Baʿal"[12] o.ä.

---

[1] ARM IV, 68, 17f vgl. 2o.

[2] S.o.S. 44.

[3] Vgl. v. Soden, AHw I, 533ᵃ.

[4] ARM II, 13o, 26f; vgl. VI, 12, 16.

[5] ARM II, 35, 13.

[6] ARM II, 77, 7'.

[7] Bauer, Ostkanaanäer 9 mit weiteren Belegen.

[8] Gröndahl, Personennamen 47; vgl. 181 u.ö.

[9] Bauer, ebd. 5o.

[10] Gröndahl, ebd. 181.

[11] Bauer, ebd. 52, vgl. 61. S. für Ugarit Gröndahl, ebd. 8o u.ö.

[12] Gröndahl, ebd. 1o2.

II. Die Stellung des persönlichen Gottes

Überblicken wir die Namen der in Syrien-Palästina inschriftlich belegten persönlichen Gottheiten, so stellen wir fest, daß sich darunter sowohl Hauptgötter, wie z.B. Baʿalšamīn oder Šamaš, als auch untergeordnete Götter, wie z.B. Rākib-ēl, finden. Sogar El, der Vater und Schöpfer aller Götter und Menschen, kann zu einem Individuum in eine persönliche Beziehung eintreten, wie der Keret-Text[1] und Personennamen, wie *ʾelgn* "El schützt", *ʾelḥbn* "El liebt mich" und *ʿbd ʾel* "Diener des El"[2] beweisen. Dieser Befund stimmt mit den im übrigen Alten Orient gewonnenen Ergebnissen[3] überein.

III. Die Funktionen des persönlichen Gottes

Die Aussage, die über das Wirken des persönlichen Gottes gemacht werden, lassen sich den drei Funktionen zuordnen, die auch sonst im Alten Orient für die Vorstellung vom persönlichen Gott konstitutiv sind.

1. *Der persönliche Gott als Garant für das Wohlergehen des Menschen*

In erster Linie sorgt der persönliche Gott für Gesundheit, Wohlergehen und Erfolg seines Schützlings. Davon zeugen insbesondere die Königsinschriften. Barrākib von Samʾal führt seine Einsetzung zum König auf die Gunst seines assyrischen Oberherrn Tiglat-pileser und seines persönlichen Gottes Rākib-ēl zurück:

[235]

BṢDQ ʾBJ WBṢDQJ HWŠBNJ MRʾJ RKBʾL WMRʾJ TGLTPLJSR ʿL KRSʾ ʾBJ

Auf Grund der Loyalität (*ṣdq*) meines Vaters und auf Grund meiner eigenen Loyalität haben mich gesetzt mein Herr Rākib-ēl und mein Herr Tiglatpileser auf den Thron meines Vaters.[4]

---

[1] S.u.S. 162 (Text Nr. 237).

[2] Gray, VTS 15, 181f.

[3] S.o.S. 34ff.123ff.145f.

[4] KAI 216, 4-8.

Die Berufung auf den persönlichen Gott bei der Erlangung des Thrones ist auch bei Gudea[1], den hethitischen Königen Muwatalli und Ḫattušili[2] sowie bei David[3] belegt. Euler[4] hat im Anschluß an diese und andere nordsyrische Inschriften die These aufgestellt, daß der persönliche Gott dort als Verleiher von Macht und Rechtsanspruch für den König fungierte. Insbesondere Usurpatoren, wie z.B. Kilamuwa[5], berufen sich zur Begründung ihres Thronanspruchs mangels erblicher Legitimation auf ihren persönlichen Gott.

Die Fürsorge des persönlichen Gottes erstreckt sich nicht allein auf den Akt der Thronbesteigung, sondern auch auf die gesamte Regierungszeit des Königs. Azitawadda erbittet von seinem persönlichen Gott Baᶜal-KRNTRJŠ Leben, Heil, Überwindung der Feinde und eine lange Regierungszeit:

[236]

WBRK Bᶜ L KR[N]TRJŠ ᵓJT ᵓZTWD ḤJM WŠLM Wᶜ Z ᵓDR ᶜL KL MLK LTTJ Bᶜ L KRNTRJŠ WKL ᵓLN QRT Lᵓ ZTWD ᵓRK JMM WRB ŠNT WRŠᵓ T Nᶜ MT Wᶜ Z ᵓDR ᶜL KL MLK WKN

Und es segne der Ba`al-KRNTRJŠ den ᵓZTWD mit Leben und Wohlergehen (*ŠLM*) und mächtiger Stärke über jeden König hinaus, indem ihm, dem ᵓZTWD, der Baᶜal-KRNTRJŠ und alle Götter der Stadt, Länge der Tage und Fülle von Jahren und gute Regierung und mächtige Stärke über jeden König hinaus geben.[6]

Hier ist die Voranstellung und deutliche Absetzung des persönlichen Gottes Baᶜal-KRNTRJŠ gegenüber den anderen Göttern gut zu beobachten.

Auch die Gewährung von Nachkommenschaft, ein wichtiger Bestandteil des Wohlergehens des Menschen, gehört zu den Aufgaben des persönlichen Gottes.[7] Im ugaritischen Keret-Text verheißt El seinem Knecht einen Nachkommen:

---

[1] S.o.S. 80f.

[2] S.o.S. 125ff.

[3] S.u.S. 237ff.

[4] ZAW 56, 3o9.

[5] KAI 24 und 25.

[6] KAI 26 III, 2-7.

[7] S.o.S. 83 und 130.

[237]

dbḫlmy.ʾel.ytn
bžrty.ʾab.ʾadm
wld.sph.lkrt
wġlm.lʿbd.ʾel

Denn in meinem Traum hat El gewährt
In meiner Vision der Vater der Menschen,
Ein Nachkomme soll dem Krt geboren werden,
Ein Sohn dem Diener des El.[1]

2. *Der persönliche Gott als Beschützer gegen Feinde*

Ein Beispiel für die zweite Funktion des persönlichen Gottes, Beschützer gegen Feinde zu sein, läßt sich einem Bericht des Königs Zakir von Hamath entnehmen, wonach ihm sein persönlicher Gott Baʿalšamīn in höchster Not ein Orakel mit folgendem Inhalt zuteilwerden läßt:

[238]

ʾL TZḤL KI ʾNH HML[KTK Wʾ NH][ʾQ]M ʾMK Wʾ NH ʾḤṢLK MN KL [MLKJʾ
ʾL ZJ] MHʾW ʿLJK MṢR

Fürchte dich nicht; denn ich habe [dich] zum Kön[ig gemacht,
und ich werde mich] mit dir [erheb]en, und ich werde dich erretten vor allen [diesen Königen, die] einen Belagerungswall gegen dich aufgeworfen haben.[2]

Baʿalšamīn hat seinen Schützling zum König erhoben und will ihm deshalb auch in der gegenwärtigen Gefahr beistehen und ihn aus der Umklammerung durch seine Feinde erretten.

3. *Der persönliche Gott als Fürsprecher*

Die dritte Aufgabe des persönlichen Gottes besteht darin, seinen Schützling fürsprechend bei den anderen Göttern zu vertreten. In der Aqhat-Legende

---

[1] Gray, Krt Text 14.

[2] KAI 2o2 A, 13 - 15.

bringt Danel seinen persönlichen Gottheiten, die als "Götter des Danel" bezeichnet werden[1], ein Opfer dar, damit sie zu seinen Gunsten beim Gott El intervenieren möchten:

[239]

uzrm.ilm.ylḥm
uzrm.yšqy.bn.qdš
ltbrknn.lṯr.il.aby
tmrnn.lbny.bnwt

Er (Danel) gibt Speiseopfer an die Götter,
er gibt den Heiligen Trankopfer.
Daß sie ihn bei Stier-El, dem Väterlichen, segnen mögen,
ihn stärken hin zum Schöpfer aller Geschöpfe.[2]

König Ihumelek von Byblos richtet an seine persönliche Göttin, die Baʿalat von Byblos, folgende Bitte:

[24o]

WTTN [LW HRBT B]ʿLT GBL ḤN Lʿ N ʾLNM WLʿN ʿM ʾRṢ Z

Und es möge *[ihm]* geben *[die Gebieterin "Her]rin von Byblos"*
Gnade vor den Göttern und ⟨Gnade⟩ vor dem Volk dieses Landes.[3]

IV. Die kultische Verehrung des persönlichen Gottes

Zum Schluß sei noch auf die Frage eingegangen, wo die persönlichen Götter verehrt wurden. In dem bereits zitierten Aqhat-Text ist von einem Heiligtum (*qdš*) die Rede, in welchem dem Familiengott Opfer dargebracht und eine Stele errichtet wurden.[4] Solche Privatheiligtümer wurden z.B. in Jericho ausgegraben.[5] Der Palast der Könige von Qaṭna enthielt einen Privattempel, der wohl dem persönlichen Gott des Königs[6] gewidmet war.[7] Ein aus dem 2. Jahrhundert v.Chr. stammender Steinsessel enthält folgende Inschrift:

---

[1] S.o.S. 151.

[2] 2 Aqht I, 22 - 25.

[3] KAI 1o, 9f.

[4] S.o.S. 157 (Text Nr. 23o).

[5] Vgl. Kenyon, Jericho 59.

[6] S.o.S. 156 (Text Nr. 228).

[7] Busink, Tempel 514ff.

[241]

LRBTJ LʿŠTRT ʾŠ BGW HQKŠ ʾŠ LJ ʾNK ʿBDʾBST BN BDBʿL

Meiner Herrin, der ʿAštart, welche in meinem Heiligtum ist, (weihte) ich, ʿBDʾBST, Sohn des BDBʿL, (diesen Sessel).[1]

Demnach verehrte ein Mann namens `BD'BST seine persönliche Göttin ʿAštart in einem privaten Heiligtum.

Die zahlreichen in Palästina gefundenen Figurinen[2] waren wahrscheinlich für den Kult des persönlichen Gottes bestimmt. In Petra haben in Stein gehauene Opferstätten vielfach als Familienheiligtümer gedient.[3]

---

[1] KAI 17.

[2] S. dazu ausführliche u.S. 179f.

[3] Vgl. Dalman, Petra 65f.

ZUSAMMENFASSUNG

1. Zu den verschiedenen Aufgabenbereichen, die die altorientalischen Götter innehaben (z.B. Landesgott, Stadtgott, Vegetationsgott, Gott des Rechts usw.) kann die Funktion des persönlichen Gottes treten. Der persönliche Gott steht zu einem Individuum und dessen Familie in einem engen Vertrauens- und Schutzverhältnis. Dies kann auf seiten des Menschen durch eine feierliche Dedikation bestätigt werden.

2. Als persönliche Götter können sowohl Hauptgottheiten als auch untergeordnete Gottheiten fungieren.

3. Für den persönlichen Gott sind im Alten Orient folgende Bezeichnungen belegt:
   a. "Mein usw. Gott" (Mesopotamien, Kleinasien, Arabien, Syrien-Palästina);
   b. "Mein usw. Patron" (Arabien);
   c. "Gott des NN" (Mesopotamien, Syrien-Palästina);
   d. "Gott des Menschen" (Mesopotamien);
   e. "(Der) Gott" (Mesopotamien);
   f. "Mein usw. Herr" bzw. "meine usw. Herrin" (Mesopotamien, Kleinasien, Arabien, Syrien-Palästina);
   g. "Meine usw. Sonnengöttin" (Arabien);
   h. "Gott meines usw. Vaters" (Mesopotamien, Syrien-Palästina);
   i. "Gott der Familie" (Mesopotamien";
   j. "Herr des Hauses" (Arabien, Syrien-Palästina);
   k. Manḍaḥ/Munḍiḥ (Arabien);
   l. "Mein usw. Schöpfer" (Mesopotamien);
   m. "Mein usw. Vater" bzw. "meine usw. Mutter" (Mesopotamien, Syrien-Palästina);
   n. "Gott, der Wohlergehen verleiht" (Mesopotamien);
   o. "Wächter des Wohlergehens und Lebens" (Mesopotamien);

p. "Der sich kümmernde (Gott)" (Mesopotamien);
q. "(Mein) Hirte" (Mesopotamien);
r. "Beschützender Gott" (Mesopotamien);
s. "Gott zu meinen Häupten" (Mesopotamien, Kleinasien, Syrien-Palästina);
t. "Erbarmer und Fürsprecher" (Mesopotamien);
u. Lama und Udug (Mesopotamien);
v. Šēdu und Lamassu (Mesopotamien, Syrien-Palästina).

4. Jeder Mensch, auch der König, hat eine (oder mehrere) persönliche Gottheit(en). Beim König sind die Übergänge zwischen persönlichen Göttern und Staatsgöttern allerdings fließend.

5. Der in Personennamen vorkommende Gottesname ist in der Regel mit dem persönlichen Gott des Namenträgers bzw. Namengebers identisch.

6. Der persönliche Gott kann entweder in öffentlichen Tempeln oder in privaten Heiligtümern verehrt werden. Von der regelmäßigen Ausübung dieses Kultes hängt das Wohlwollen des persönlichen Gottes ab.

7. In normalen Zeiten wohnt der persönliche Gott im Menschen bzw. steht ihm zur Seite und übt gegenüber seinem Schützling folgende Funktionen aus:

7.1. Als Garant für sein Wohlergehen schenkt er dem Menschen Gesundheit, Erfolg, Harmonie mit der Umwelt und die Gunst der Vorgesetzten. Ihm verdankt er sein Leben von Geburt an. Bei Königen bezieht sich die Hilfe des persönlichen Gottes mehrfach auf die Erlangung des Thrones, und zwar sowohl bei legaler als auch bei illegaler Nachfolge.

7.2. Der persönliche Gott schützt den ihm anvertrauten Menschen gegen alle sein Leben bedrohenden Feinde. Dies können sowohl politische und militärische Feinde als auch (insbesondere in Mesopotamien) Zauberer und Dämonen sein.

7.3. Der persönliche Gott vertritt den Menschen als Mittler und Fürsprecher bei den anderen Göttern. Die Darstellung dieser Funktion erfolgt auf den mesopotamischen Siegelzylindern durch die sog. Einführungsszene.

8. Über Folgen und Ursachen der Abwesenheit des persönlichen Gottes geben insbesondere eine große Zahl mesopotamischer Texte Auskunft:

8.1. Wenn der persönliche Gott den Menschen verläßt, gewinnen Zauberer, Dämonen und sonstige böse Mächte Gewalt über ihn. Sie verursachen Mißerfolg, Krankheit und Entfremdung von der Umwelt. Zugleich werden seine Gebete nicht mehr erhört und schlechte Orakel ihm erteilt.

8.2. Die Ursachen für die Abwesenheit des persönlichen Gottes liegen in der Sünde des Menschen, die den Zorn des persönlichen Gottes und der übrigen Götter erregen. Einige Texte besagen, daß Zauberer und böse Mächte die Abwesenheit des persönlichen Gottes direkt verursacht haben.

8.3. Die Rückkehr des persönlichen Gottes erfolgt durch seine Versöhnung, sowie Dämonenaustreibung, Reinigung und Sündenlösung.

2. Teil :

DIE VORSTELLUNG VOM PERSÖNLICHEN GOTT IM ALTEN TESTAMENT

Methodische Vorüberlegungen

Das Alte Testament redet von Jahwe als dem einzigen Gott, der die Welt geschaffen und Israel zu seinem Volk erwählt hat. Dieser Glaube war - wie sich bei näherem Zusehen ergibt - nicht von Anfang an in Israel selbstverständlich, sondern stellt das Ergebnis einer sich über mehrere Jahrhunderte erstreckenden Entwicklung dar.[1] Bis in die Zeit des Exils und vielleicht noch darüber hinaus verehrten die Israeliten neben ihrem Volksgott Jahwe andere Gottheiten, ganz abgesehen davon, daß ihre Vorfahren "fremden Göttern" (Jos 24,2) dienten.

Unsere Untersuchung geht von der Frage aus, in welchem Verhältnis der einzelne Israelit zu Jahwe einerseits und zu den übrigen im Alten Testament genannten Göttern andererseits gestanden hat und wie sich dieses Verhältnis in der Geschichte der israelitischen Religion entwickelt hat. Als Modell für die Beziehung des Individuums zu Gott wollen wir die im 1. Teil der Arbeit dargelegte Vorstellung vom persönlichen Gott benutzen und aufzeigen, daß sich die charakteristischen Momente dieser Vorstellung auch im Alten Testament nachweisen lassen.

Welche Kriterien stehen nun hierfür zur Verfügung? Zunächst sind die verschiedenen Bezeichnungen zu nennen, die im Alten Orient für den persönlichen Gott belegt sind[2] und von denen sich folgende im Alten Testament finden:

---

[1] Vgl. Wellhausen, Geschichte 28ff. 1oof; W.H. Schmidt, Das erste Gebot 7ff. 44ff u.a.

[2] S. die Übersicht o.S. 165f.

"Mein/dein/sein Gott", "Gott meines/deines/seines Vaters", "mein Hirte" und "Gott des NN". Hinzu kommen analog gebildete Termini wie "Gott meines Lebens", "Gott meines Heils" o.ä.[1]

Die suffigierte Form von *ʾl* bzw. *ʾlhm* "mein usw. Gott" wird ca. 18o mal in bezug auf einen Einzelnen verwendet, während sie in bezug auf das Volk ca. 32o mal (davon 25o mal im Dtn und in dtr Texten) vorkommt. Wenn ein Individuum "mein Gott" sagt oder andere Menschen ihm gegenüber von "deinem bzw. seinem Gott" reden, so drückt sich hierdurch eine Beziehung des Individuums zur Gottheit aus, die verschiedenen Inhalts sein kann:

1. Ein Beter kann zu jedem beliebigen Gott in der direkten Anrede "mein Gott" sagen, um dadurch seiner Ergebenheit Ausdruck zu verleihen.
2. Ein Mensch kann den Gott seines Volkes "mein Gott" nennen, wenn er ihn von den Göttern anderer Völker unterscheiden will, ohne daß damit unbedingt ein persönliches Verhältnis impliziert sein muß. (Vgl. Num 22,18; Jos 9,23; Ri 11,24; Ru 1,16; 2Sam 24,24; 1Kön 5,18 = 2Chron 2,3; Dan 3, 14; 4,5)
3. Der Terminus "mein/dein/sein Gott" wird auch für Personen gebraucht, die von Berufs wegen mit der betreffenden Gottheit in engem Kontakt stehen, wie z.B. Priester (vgl. Lev 21,7.12.17; Num 25,13; Jo 1,13; Dtn 18,7), Propheten (vgl. 1Sam 12,19; 1Kön 13,6; 17,12.2of; 18,1o; 2Kön 19,4; Jes 7,13; Jer 42,3.5; Hos 9,17; Mi 7,1o; Sach 11,4; 14,5) und politische Führer wie Josua (Jos 9,23), Mose (Dtn 4,5; Jos 14,9), oder Kaleb (Jos 14,8). In diesem Fall steht nicht die persönliche Zugehörigkeit im Vordergrund, sondern die Beauftragung durch Gott und daraus folgend eine bleibende Verbundenheit.[2]

---

[1] W.H.Schmidt beschreibt in THAT I, 149 diese Begriffe als solche, die die "enge Verbundenheit mit Gott" aussagen, und vermutet, hier könnte eine Israels Umwelt geläufige Redeweise nachklingen". Unsere Untersuchung will diese Vermutung zur Gewißheit erheben.

[2] Vgl. Eißfeldt, Kl.Schr. III,37. - Im übrigen leidet die Untersuchung Eißfeldts über die Stellen mit "mein Gott" darunter, daß er sich ausschließlich mit dieser Anrede beschäftigt und ihren religionsgeschichtlichen Zusammenhang völlig außer Acht läßt. Wenn er zu dem Schluß kommt, daß der Anrede "mein Gott" "die Gewißheit einer allen irdischen Wechselfällen trotzenden, über Geld und Gut, Leib und Leben erhabenen Gemeinschaft des Beters mit seinem Gott" zugrunde liegt, in der es "letztlich um nichts anderes geht als um Gott und die Seele, die Seele und ihren Gott" (Ebd. 4o.47), so zeugt dies mehr von Eißfeldts liberalem Gottesglauben, als von ihrem tatsächlichen Inhalt.

4. Der Terminus "mein usw. Gott" bezeichnet eine Gottheit als persönlichen Gott, mit dem das Individuum in einer dauernden engen Beziehung steht.

Die Vorstellung vom persönlichen Gott - also die 4. Möglichkeit - kann im Einzelfall nur dann als sicher nachgewiesen werden, wenn aus dem Kontext hervorgeht, daß hier eine dauernde persönliche Gottesbezeichnung vorliegt. Dabei muß allerdings damit gerechnet werden, daß die Übergänge zu den Möglichkeiten (2) und (3) fließend sind.

Als weiteres Kriterium für den Nachweis der Vorstellung vom persönlichen Gott dienen Aussagen, die den drei für den persönlichen Gott charakteristischen Funktionen zuzuordnen sind.[1] Während es für die beiden ersten Funktionen des persönlichen Gottes, nämlich Garant für das Wohlergehen des Menschen und Beschützer gegen böse Mächte zu sein, eine Fülle von Belegen gibt, fehlen für die dritte Funktion, nämlich Mittler und Fürsprecher gegenüber anderen Göttern zu sein, jegliche Hinweise. Allerdings zeigen Stellen wie Hi 16,19; 19,25 und 33,23, daß das Phänomen der Fürbitte in Israel nicht unbekannt war.

Unsere Untersuchung soll so verlaufen, daß wir zunächst die Aussagen des Alten Testaments über private Kulte behandeln, wobei die mit Ephod und Teraphim bezeichneten Gegenstände hier eine besondere Rolle spielen. Danach gehen wir zum Objekt dieses Privatkultes über, nämlich den persönlichen Gottheiten. Als solche wurden in Israel der sog. "Gott der Väter", die Baʿale und Jahwe selbst verehrt. Ein weiteres wichtiges Zeugnis für die Verehrung des persönlichen Gottes bietet eine Gruppe von Individualpsalmen, die wir als "Gebete an den persönlichen Gott" bezeichnen wollen. Die Vorstellung vom persönlichen Gott hat schließlich darin ihre im Alten Orient einzigartige Ausprägung erfahren, daß sie insbesondere in exilisch-nachexilischer Zeit auf das Verhältnis Jahwes zum Volk Israel übertragen wurde.

A. PRIVATER KULTUS IN ISRAEL

Der Jerusalemer Tempel war nicht zu allen Zeiten die einzig legitime Kultstätte in Israel. Erst die deuteronomische Bewegung, die hauptsächlich in der Reform des Josia (vgl. 2Kön 22f) ihren Niederschlag gefunden hat, erhob die Forderung, alle Heiligtümer im Lande niederzureißen und Jahwe allein an dem von ihm erwählten Ort in Jerusalem anzubeten. (vgl. Dtn 12 u.ö.)

[1] S. für Mesopotamien o.S. 69ff.

Für die Zeit davor geben eine Anzahl Texte davon Zeugnis, daß es in Israel neben dem Tempel in Jerusalem auch private Familienkultstätten gegeben hat. Sogar nach der Reform des Josia bestanden noch solche Separatheiligtümer, wie aus der Polemik nachexilischer Propheten zu ersehen ist.

I. Die literarischen Zeugnisse von privaten Kultstätten

1. *Die Texte*

a. Ri 17 und 18 berichten von einer Episode aus der Richterzeit. Ein Mann namens Micha fertigt sich ein eigenes Götterbild an, stellt es in seinem Privatheiligtum (*bjt ˀlhm* , V.5) auf und nimmt sich einen Leviten als Priester. (Kap. 17) Vorbeiziehende Angehörige des Stammes Dan holen bei dem Leviten ein Orakel ein und nehmen schließlich den Priester samt Götterbilder mit sich. (Kap. 18)[1]. Bezeichnend ist die Frage der Daniten an den Leviten: "Ist es für dich besser, Priester für das Haus eines einzigen Mannes zu sein oder Priester zu sein für einen Stamm (*šbṭ*) oder eine Sippe (*mšpḥh*) in Israel?" (18,19) Demnach waren Familien-, Sippen- und Stammeskulte in damaliger Zeit in Israel durchaus selbstverständlich.[2]

b. Als David erfährt, daß Saul ihm nach dem Leben trachtet, läßt er sich durch Jonathan beim König für das Mahl am Neumondstag mit der Ausrede entschuldigen, er müsse in seinem Heimatort Bethlehem am jährlichen Opferfest seiner Sippe (*zbh hjmjm lkl hmšpḥh*) teilnehmen. (1Sam 2o,6) Einen solchen *zbḥ hjmjm* bringt auch Elkana, der Vater Samuels dar, jedoch nicht an seinem Heimatort, sondern am Jahweheiligtum in Silo. (1Sam 1,21)

c. Ex 21,5f enthält im Rahmen des Gesetzes über die Freilassung von "hebräischen" Sklaven folgendende Bestimmung: "Spricht aber der Sklave: Ich habe meinen Herrn lieb und mein Weib und meine Kinder, ich will nicht frei

---

[1] Vgl. zur literarkritischen Analyse dieser offensichtlich aus zwei Quellen zusammengesetzten Erzählung Noth, Essays Muilenburg 68.

[2] Familie ("Haus"), Sippe und Stamm werden terminologisch im Alten Testament nicht immer so säuberlich unterschieden wie an dieser Stelle. Vielmehr scheinen die damit bezeichneten soziologischen Größen ineinander überzugehen. Vgl. Rost, Vorstufen, 44f; de Vaux, Lebensordnungen I, 48. - Preuß, Verspottung 61ff, hat mit Recht auf die mit der Erzählung verwobenen Motive der Götzenbildverspottung hingewiesen, z.B. die Umstände der Entstehung des Bildes, das Verhalten des Priesters und schließlich der Diebstahl selbst.

werden, so bringe ihn sein Herr vor den Gott (*h'lhjm*) und stelle ihn an die Tür oder den Pfosten und durchbohre mit einem Pfriem sein Ohr, und er sei sein Sklave für immer." Während Eißfeldt[1] und Fohrer[2] *h'lhjm* als "Türgottheit niederer Ordnung" verstehen, Loretz[3], de Vaux[4] und Cazelles[5] an ein lokales Heiligtum denken, hat Schwally[6] als erster richtig vermutet, daß hiermit die Familiengötter gemeint seien. Die These, es handele sich um nichtjahwistische Kulte, bestätigt sich einmal durch die Tatsache der Umdeutung von *h'lhjm* in "Richter" bei alten Übersetzungen (Targum Onkelos, Peschitta, vgl. Septuaginta), zum anderen durch die Beobachtung, daß im entsprechenden Passus des dtn Gesetzes der Hinweis auf die Gottheit fehlt (vgl. Dtn 15,17). Der Sinn der Zeremonie ist die "Eingliederung des Sklaven in die 'Sphäre' des Eigentümers"[7] verbunden mit seiner Unterstellung unter den Schutz des Familiengottes. Deshalb beruft sich der Knecht Abrahams bei seinen Unternehmungen auf den persönlichen Gott seines Herrn (vgl. Gen 24,12.27.42).[8]

d. Ein ausdrückliches Verbot des Privatkultes findet sich in Dtn 27,15. Der Vers gehört ursprünglich nicht zum sog. sichemitischen Dodekalog - wie gewöhnlich angenommen wird[9] -, sondern bildet ebenso wie der zusammenfassende Vers 26 einen Zusatz zum Dekalog V.16 - 25.[10] Er lautet: "Verflucht ist, wer ein Schnitzbild oder ein Gußbild (*psl wmskh*) macht, das Jahwe ein Greuel ist,und es im Verborgenen aufstellt." (Ex 2o,4; Dtn 5,8).

e. Trotz dieses scharfen Verbotes gab es private Kultstätten in Israel offensichtlich bis in die Zeit des Exils und sogar darüber hinaus. Jer 2, 27 geißelt der Prophet diejenigen Israeliten, "die zum Baum sagen: 'Du bist mein Vater!' und zum Stein: 'Du hast mich geboren!'" Steine und

---

1 Kl.Schr. I, 268.

2 Religion 93f.

3 Bibl 41,16f.

4 Lebensordnungen I, 249f.

5 Etudes 46f.

6 ZAW 11,182.

7 Horst, Gottes Recht 1oo.

8 S.u.S. 199.

9 Vgl. z.B. v. Rad, Das fünfte Buch Mose 119.

10 Vgl. Horst, RGG^3, II, 69.

Bäume als Kultobjekte sind auch sonst im Alten Testament belegt (vgl. Gen 28,18ff; Jer 3,6; 17,2 u.ö.). Die Ausdrücke "mein Vater" und "du hast mich geboren" deuten darauf hin, daß die hier angebeteten Gottheiten zu ihren Verehrern in einer persönlichen Beziehung gestanden haben.

f. Einem privaten Götterbild gilt auch der Spott Deuterojesajas. Er schildert in Jes 44,9ff die Anfertigung eines solchen Bildes aus demselben Holz, das der Mensch zugleich zur Feuerung benutzt. Sodann kniet er vor seinem Machwerk nieder und betet: "Rette mich, denn du bist mein Gott!" (*hṣjlnj kj ᵓlj ᵓth*) Die Aussage "du bist mein Gott" begegnet mehrfach in den Psalmen (vgl. Ps 22,11; 31,15; 63,2; 86,2; 14o,7) und ist an den persönlichen Gott des Menschen gerichtet.[2]

2. *Das Objekt des Privatkultes*

Nachdem wir die Belege für privaten Kultus in Israel zusammengestellt haben, müssen wir nun fragen, an welche Gottheiten dieser Kultus gerichtet war. Baudissin vertritt die Meinung, daß in all diesen Fällen der Volksgott Jahwe im Rahmen der Familie bzw. Sippe verehrt wurde.[3] Nun setzen aber nach altorientalischer Vorstellung private Opfer, insbesondere wenn sie regelmäßig dargebracht werden, immer eine persönliche Beziehung zu der angebeteten Gottheit voraus, die in bezug auf den Volksgott gewöhnlich nicht gegeben ist. Ihm werden nicht in einer privaten Feier, sondern in einem allgemeinen Kultfest am offiziellen Heiligtum die Opfer dargebracht.[4] Der Kult einer Familie oder Sippe richtet sich in der Regel an den von ihr speziell verehrten Gott,nämlich an ihren persönlichen Gott.[5] Dies läßt sich auch sonst im Alten Orient beobachten.[6] In einzelnen Fällen kann eine Familie

---

[1] S.o.S. 15ff die Termini "mein usw. Schöpfer" und "mein usw. Vater" in Mesopotamien sowie S. 124f (Texte Nr. 2O2-2O3), wonach ähnliche Aussagen in Kleinasien belegt sind.

[2] S.u.S. 274f (zu Ps 22,1Of). 28O (zu Ps 31,15). 285 (zu Ps 63,2). 292 (zu Ps 14o,7).

[3] Kyrios III, 328ff.

[4] Vgl. z.B. das babylonische Neujahrsfest zu Ehren Marduks als des Reichsgottes.

[5] Vgl. Weber, Ges.Aufs. III, 149f.

[6] S.o.S. 58ff.163f.

den Volks- oder Stammesgott zugleich als ihren persönlichen Gott verehren[1]; die beiden Funktionen - Volksgott und persönlicher Gott - müssen jedoch nicht in Personalunion bei derselben Gottheit zusammenfallen.

In Ri 17f wird nach dem Zusammenhang deutlich Jahwe als derjenige vorgestellt, dem Götterbild und Privatkult geweiht sind. (vgl. Ri 17,3; 18,6) Andererseits wird die von Micha verehrte Gottheit mehrfach nur *ʾlhjm* genannt (17,5; 18,5.9), in 18,25 sogar *ʾlhj* "mein Gott". Diese Anrede deutet auf den persönlichen Gott hin, der nicht mit Jahwe identisch gewesen sein muß, da der Jahwename auch auf spätere Redaktion zurückgehen kann. In 1Sam 2o,6 wird über das Objekt des Sippenkultes nichts gesagt. Da aber die Davididen später Jahwe als ihren persönlichen Gott verehrt haben[3], ist zu vermuten, daß Jahwe bereits von der Sippe Isais als spezieller Gott verehrt wurde. Andererseits ist das scharfe Verbot von privaten Götterbildern (vgl. Dtn 27, 15) oder deren Verspottung (vgl. Jes 44,9ff) nicht allein vom Bilderverbot erklärbar. Es muß sich vielmehr um fremde Gottheiten gehandelt haben, die in einem privaten Kult als persönliche Götter verehrt wurden.

Für die Verehrung der persönlichen Gottheiten standen also drei Möglichkeiten zur Verfügung:

a. Öffentliche Heiligtümer (vgl. 1Sam 1,3ff)[4];
b. private Kapellen (vgl. Ri 17f);
c. im Haus aufgestellte Götterbilder (vgl. Dtn 27,25).

Diese drei Möglichkeiten sind auch sonst im Alten Orient nachweisbar.[5] Mit einem solchen Privatkultus haben offensichtlich insbesondere die im Alten Testament mehrfach erwähnten Gegenstände Ephod und Teraphim zu tun, mit denen wir uns nun im folgenden Abschnitt beschäftigen wollen.

---

[1] S.u.S. 244.

[2] Preuß, Verspottung 66, faßt die Anrede "mein Gott" als Verspottung auf, die dem Hörer bzw. Leser den Gedanken nahelegen soll: "Wie kann man so etwas nur 'mein Gott' nennen!" Diese These ist m.E. falsch, da die Anrede "mein Gott" hier durchaus sachgemäß in bezug auf den persönlichen Gott des Redenden berwendet wird. Dies gilt auch für Gen 31,3o.32 (s.u. S. 177).

[3] S.u.S. 231ff.

[4] Elkana, der Vater Samuels, wallt alljährlich zum Jahweheiligtum in Silo, um dort ein "Jahresopfer" (vgl. 1Sam 20,6) darzubringen; dies läßt wahrscheinlich auf eine persönliche Jahweverehrung durch Elkanas Familie schließen.

[5] S.o.S. 58ff.163f.

II. Ephod und Teraphim[1]

1. *Vorkommen und Funktion*

Ephod und Teraphim erscheinen häufig gemeinsam und bezeichnen ein Götterbild. In der bereits behandelten Michageschichte[2] stehen die Bezeichnungen *ᵓpwd wtrpjm,psl* "Schnitzschild" und *mskh* "Gußbild" nebeneinander. (Ri 17,4f) Aus dem Kontext ist jedoch deutlich, daß es sich nur um ein einziges Götterbild handelt.[3]
In Hos. 3,4 kündigt der Prophet an, die Israeliten werden lange Zeit ohne Könige und Obere, ohne Opfer und Massebe, ohne Ephod und Teraphim sein.

Einigemale werden Ephod und Teraphim jeweils allein genannt. Nach Ri 8,27 fertigt Gideon aus erbeuteten Schmuckstücken einen Ephod an und stellt ihn in Ophra auf. 1Sam 21,1o meldet der Priester Ahimelek dem David, daß das Schwert des Philisters Goliath in einem Mantel eingewickelt hinter dem Ephod liege. David läßt sich mehrfach den Ephod bringen, um ein Orakel einzuholen. (1Sam 23,6.9; 3o,7; vgl. Ez 21,26; Sach 1o,2) Michal, Davids Frau, legt einen Ephod, angetan mit Ziegenhaaren, in Davids Bett, um ihren Vater Saul zu täuschen. (1Sam 19,13.16) Nach Jes 3o,22 wird das Volk "den goldenen Ephod eurer Bilder" (*ᵓpwdt mskt zhbk*) wegwerfen.

Der Teraphim allein kommt in der Geschichte von Rahels Diebstahl vor. (Gen 31,33ff).[4] Das Wort wird im Alten Testament zumeist singularisch gebraucht (z.B. Gen 31,33ff; 1Sam 19,13.16), an einigen Stellen aber auch pluralisch (z.B. 2Kön 23,24; Sach 1o,2).

---

[1] Als Literatur sei zum Folgenden genannt: Albright, Religion 129; Budge, Amulets 213ff; Draffkorn, JBL 81,222ff; Elliger, RGG³, II,521f u. VI, 69Of; Fohrer, Religion 1O4f; Friedrich, Ephod; Gordon, BASOR 66, 25ff; Greenberg, JBL 81,239ff; Heaton, Alltag 2o6 mit Anm. 112; Hoffmann-Greßmann, ZAW 4o,75ff; May-Engberg, Megiddo Cult 27ff; Meyer, Elephantine 65f mit Anm. 1; Morgenstern, HUCA 18,1ff; Nötscher, Altertumskunde 268; Pedersen, Israel III-IV,5oo; v. Rad, ThAT I,37; Schwally, ZAW 11,182; Seebaß, Erzvater 36f; Sellin, Studien Nöldeke 6O9ff; Smend, BHH I,42O; Smith, JThSt 33,33ff; Thiersch, Ependytes; de Vaux, Lebensordnungen II, 182ff; Wellhausen, Geschichte 1o2.

[2] S.o.S. 172.

[3] Vgl. Greßmann, SAT I,2,252; Morgenstern, HUVA 18,3; Hoffmann-Greßmann, ZAW 4o,1o5.-Ob Greßmann (SAT I,2,254) mit seiner Vermutung recht hat,daß hier ein Stierbild gemeint sei (vgl. 1Kön 12,28ff),kann dahingestellt bleiben.

[4] S.u.S. 177.

Während der Ephod an den bisher aufgeführten Stellen deutlich ein Götterbild bezeichnet, ist er in 1Sam 2,18; 14,3; 22,18 und 2Sam 6,14 als kultisches bzw. priesterliches Bekleidungsstück vorgestellt. Daraus hat sich die Anschauung der Priesterschrift entwickelt, wonach der Ephod einen Teil des hohenpriesterlichen Gewandes bildete. (vgl. Ex 28,6ff; 39,2ff; Lev 8,7)

Während Ephod und Teraphim häufig ohne jegliche Polemik erwähnt und offensichtlich als völlig legitime Bestandteile des religiösen Lebens im alten Israel angesehen werden (vgl. z.B. Ri 17f; 1Sam 19; Hos 3,4), gilt ihnen an anderen Stellen des Alten Testaments heftige Kritik. In 1Sam 15,23 stellt Samuel die Teraphim mit Zauberei, Sünde und Ungehorsam zusammen. Josia rottet nach dem Bericht von 2Kön 23,24 die Teraphim als "Greuel" aus. Das Wort wird später zum verächtlich gebrauchten Sammelbegriff für alle Götzenbilder, die wie die Wahrsager nur Lügen reden. (vgl. Sach 1o,2)[1]

Für welche Gottheiten waren nun Ephod und Teraphim als Kultgegenstände bestimmt? Über diese Frage geben die Geschichten von Laban und Micha Auskunft. Gen 31,3o fragt Laban, als er den Diebstahl seines Teraphim entdeckt, Jakob vorwurfsvoll: "Warum hast du meinen Gott gestohlen?"[2] Ri 18,24 herrscht Micha die Daniten, die sich eben mit Ephod und Teraphim davonmachen wollen, mit den Worten an: "Meinen Gott, den ich gemacht habe, habt ihr genommen samt dem Priester und seid abgezogen!" In beiden Fällen nennen also die Besitzer ihren Ephod bzw. Teraphim "mein Gott" und bringen so ihr persönliches Verhältnis zu den Götterbildern und dem in ihnen verkörperten Gott zum Ausdruck. Es liegt deshalb nahe, hier an den persönlichen Gott des Familienoberhauptes zu denken, dem Ephod und Teraphim geweiht sind. Beide Begriffe scheinen nicht nur in Gen 31,3o und Ri 18,24, sondern auch sonst im Alten Testament private Götterbilder zu bezeichnen, die für den Kult des persönlichen Gottes bestimmt waren. Ephod und Teraphim werden im Alten Testament fast immer im Zusammenhang mit Einzelpersonen (vgl. Ri 8,27; 1Sam 21,1o; 23,6.9; 3o,7) oder Privathäusern (vgl. 1Sam 19,13.16) genannt, nie aber mit öffentlichen Heiligtümern und den dort aufgestellten Götterbildern in Verbindung gebracht. Dies deutet darauf hin, daß hier Termini für private Kultgegenstände vorliegen.

---

[1] Vgl. Fohrer, Religion 1o5.

[2] Vgl. "dein Gott" V.32.

Umstritten ist die Frage, wieweit mit dem Besitz solcher Familiengötterbilder eine besitzrechtliche Funktion verbunden war. Gordon[1] hat als erster auf die Parallelen zwischen Labangeschichte und Adoptionsurkunden aus Nuzi hingewiesen, die wir oben[2] bereits behandelt haben. Nach seiner Meinung beinhaltete der Besitz der Teraphim den Anspruch auf einen Hauptteil des Erbes sowie die Führerrolle in der Familie.[3] Laban habe ursprünglich keine Söhne gehabt und deshalb Jakob adoptieren wollen, nachdem er ihm seine Töchter als Frauen gegeben habe. Als Laban dann doch noch Söhne bekam (vgl.Gen 31,1), habe Jakob sein Recht auf die Familiengottheiten verloren, Rahel versuchte deshalb, den Teraphim für ihren Gatten zu stehlen. Zu dieser These paßt nicht, daß Rahel sich des Teraphim durch einen Diebstahl bemächtigen will und sich außerdem auf ihn setzt, was kaum anders als eine Verspottung aufzufassen ist.[4] Auch geben die Nuzitexte darüber, daß mit dem Besitz der Familiengötter ein Hauptteil des Erbes und die Führerrolle in der Familie verbunden sei, keine eindeutige Auskunft.[5]

Dagegen hat die Auffassung Greenbergs[6], wonach der Besitzer der Familiengötter primär die Pflicht hatte, den Familienkult weiterzupflegen, alle Wahrscheinlichkeit für sich. Denn die Bedeutung der kultischen Verehrung des persönlichen Gottes, die insbesondere dem Erstgeborenen zustand, läßt sich sowohl für Mesopotamien als auch für Syrien-Palästina (Ugarit) nachweisen.[7] Für Israel wird man Ähnliches anzunehmen haben, obwohl das Alte Testament darüber keine näheren Hinweise gibt.

---

1 BASOR 66,25ff.

2 S. 64ff (Texte Nr. 89-93).

3 Ebd. S. 26. - Gordons Argumente in bezug auf die Führerschaft Michas oder Gideons innerhalb ihres Sippenverbandes entbehren jeder textlichen Grundlage.

4 Vgl. Seebaß, Erzvater 37; Loretz, Bibl 41,175; Preuß, Verspottung 57.

5 S.o.S. 65.

6 JBL 81,242ff.

7 S.o.S. 75ff; 157 (Text Nr. 230).

2. *Herkunft und Aussehen*

Über Herkunft und Aussehen des *Ephod* gibt es verschiedene Theorien, die sich insbesondere mit dem Problem beschäftigen, warum das Wort sowohl ein Götterbild als auch ein priesterliches Kleidungsstück bezeichnen kann. Wahrscheinlich war es ursprünglich ein Gewand, das einem Götterbild umgelegt wurde, aber auch vom Priester bei bestimmten kultischen Anlässen getragen werden konnte.[1] In Ugarit kommt das Wort *ʾpd* für das Gewand der Göttin Anat vor.[2] Nach 1Sam 14,18; 23,9 und 3o,7 holte man sich demnach ein solches Gottesgewand zu Orakelzwecken herbei. Zuweilen konnte Ephod auch zur Bezeichnung für das ganze Götterbild werden. (z.B. Ri 8,27) Nachdem der Ephod als Gewand für ein Götterbild auf Grund des sich durchsetzenden Bilderverbotes überflüssig geworden war, lebte er als priesterliches Kleidungsstück weiter.[3]

Mit den *Teraphim* sind wahrscheinlich die zahlreichen bei Ausgrabungen in Palästina gefundenen Figurinen gleichzusetzen.[4] Ohata[5] stellt bei den aus Tel Zeror stammenden Figurinen, die der Königszeit zuzuweisen sind, drei charakteristische Eigenschaften fest: "Alle diese Figurinen sind 1) ziemlich klein, sodaß man annehmen muß, daß sie außerhalb des Tempels verehrt wurden. 2) Sie sind mit Hilfe einer Matrize oder eines Modells hergestellt, was auf eine Massenproduktion hindeutet. 3) Sie sind teilweise auch in den Särgen gefunden." Götterbilder dieser Größenordnung (ca. 1o bis 2o cm) passen gut auf den in Gen 31 beschriebenen Teraphim,den sich Rahel unter ihren

---

1 Vgl. de Vaux, Lebensordnungen II, 183; Elliger, RGG[3] II,522; Fohrer, Religion 1o4f; v. Rad, ThAT I,37.

2 Vgl. Aistleitner, Wörterbuch Nr. 351.

3 Morgenstern (HUCA 18,1ff) bietet eine andere Erklärung, derzufolge der Ephod ursprünglich ein Zeltschrein analog zu den Kubbezelten der vorislamischen Araber gewesen ist. Dieser Zeltschrein diente als Behältnis zur Aufbewahrung der Bilder der Stammesgötter. (S. 11) Morgenstern nimmt weiterhin an, daß Ephod und Teraphim für die Daniten dieselbe Rolle spielten wie die Lade für die Ephraimiten. (S.5) Er schließt aus der Erwähnung von anderen Häusern in Ri 18,14.22, daß Micha Haupt eines Clans gewesen sei, dem in dieser Eigenschaft die Aufsicht über die Clangötter zustand. (Vgl. Friedrich, Ephod) Jedoch lassen sich weder für die Führerrolle Michas noch für die Auffassung des Ephod als Behältnis im Alten Testament konkrete Anhaltspunkte finden.

4 Vgl. Smith, JThSt 33,33ff; Budge, Amulets 213ff; Nötscher, Altertumskunde 229.268; Heaton, Alltag 2o6 mit Anm.112; May-Engberg, Megiddo-Cult 27ff; für Elephantine Meyer, Elephantine 65.

5 Orient 5,38.

Kamelsattel legt. Andere Größenordnungen werden jedoch in 1Sam 19,12ff vorgestellt, wonach der Teraphim mindestens die Größe eines menschlichen Gesichts gehabt haben muß. Entgegen der Meinung Albrights[1] sind auch Figurinen dieser Größe in Palästina gefunden worden.[2] Die Teraphim konnten offensichtlich verschiedene Maße haben, was sicher mit dem mehr oder weniger großen Wohlstand ihrer Besitzer zusammenhing.[3] Auch für den übrigen Orient läßt es sich als wahrscheinlich erweisen, daß Figurinen solcher Art als persönliche Gottheiten verehrt wurden.[4]

III. Die Rolle des persönlichen Gottes in der Namengebung

In der Namengebung spiegelt sich in Israel wie im übrigen Alten Orient[5] die Religion des Individuums und der Familie wider.[6] Die Personennamen bringen häufig zum Ausdruck, daß sich der Einzelne in der Hand der Gottheit weiß und von ihr Schutz und Hilfe erhofft.[7] Vielfach geht es um den Dank der Eltern für das geschenkte Kind und um die Bitte für sein Wohlergehen.[8] Wie bei der sumerischen und akkadischen Namengebung[9] müssen wir auch hier die Frage stellen, um welche Gottheit es sich dabei handelt.

Zur Klärung dieser Frage beginnen wir mit einer Analyse der in den Namen

---

1 Religion 129.

2 Vgl. Parrot, Louvre und Bibel 41ff.

3 Aus 1Sam 19,11ff schließen zu wollen, der Teraphim sei ursprünglich eine Kultmaske gewesen (vgl. Elliger, RGG³ VI,69o), erscheint im Hinblick auf das sonstige Vorkommen des Beriffs im Alten Testament als unzulässig. Ebenso einseitig ist die These von Hoffmann und Greßmann (ZAW 4o,75ff), wonach der Teraphim samt Ephod ursprünglich Wahrsagebilder gewesen seien. Die Funktion von Ephod und Teraphim, zu Wahrsagezwecken zu dienen (vgl. 1Sam 15,23; Ez 21,26; Sach 1o,2), läßt sich leicht aus ihrem Charakter als Götterbilder ableiten.

4 S.o.S. 59.164.

5 S.o.S. 49ff.

6 Vgl. Noth, Personennamen 217.

7 Vgl. Heaton, Alltag 57.

8 Noth, ebd. 133f.

9 S.o.S. 49ff.

vorkommenden Gottesbezeichnungen. Zumeist wird der Gott mit *ʾl* bzw. *ʾlj*[1] angeredet. Es legt sich nahe, daß damit nicht Gott schlechthin oder ein beliebiger Gott gemeint ist, sondern die Gottheit, mit der sich der Namengeber bzw. Namenträger in besonderer Weise verbunden fühlt, nämlich sein persönlicher Gott. Denn von ihm erhofft man nach altorientalischer Vorstellung Fürsorge und Schutz für das Leben des Individuums und seiner Familie.

Als eine weitere Gottesbezeichnung begegnet das Element *ʾb* "Vater", z.B. in Namen wie *ʾbjmlk* oder *ʾbjndr*. Noth[2] bezieht diesen Terminus nicht auf die Relation der Gottheit zum Namenträger, sondern zu einer Menschengruppe, d.h. zum Stamm. Aus dem Vergleich mit entsprechenden sumerischen und akkadischen Namen[3] kann jedoch geschlossen werden, daß *ʾb* bzw. *ʾbj* den persönlichen Gott des Namenträgers bezeichnet. Noth[4] nimmt auch für das Element *ʾl* an, daß hiermit der Stammesgott gemeint sei. Es erscheint jedoch als zweifelhaft, ob die Stammesverfassung überall in Palästina - zumindest in historischer Zeit - als die entsprechende soziologische Bezugsgröße vorausgesetzt werden darf.

In einer Reihe von Personennamen wird ausgesagt, daß der Gott *ʾl* sei, z.B. *ʾbjʾl* oder *ʾljh(w)*.[5] Noth weist mit Recht darauf hin, daß es hier nicht um den göttlichen Charakter der angerufenen Gottheit gehe - denn dieser war im Alten Orient unbestritten -, sondern um das Bekenntnis, "daß die genannte Gottheit für den Namenträger vorzugsweise oder schlechthin Gott ist, unter der stillschweigenden Voraussetzung, daß es auch noch andere Götter gibt"[6]. Mit einer solchen Gottheit, die für den Einzelnen "vorzugsweise oder schlechthin Gott" ist, kann nach altorientalischer Auffassung nur der persönliche Gott gemeint sein. Da für den Namenträger und seine Umgebung klar war, welcher Gott gemeint war, wurde der persönliche Gott einfach mit *ʾl* bezeichnet.[7]

---

1 Dabei ist umstritten, ob in *ʾLJ* das *J* lediglich Bindevokal ist oder als Suffix der 1. Person Singular (="mein Gott") aufzufassen ist. (Vgl. Noth, ebd. 34ff) Von den mesopotamischen Parallelen her erscheint die zweite Möglichkeit als wahrscheinlicher.

2 Ebd. 73f.

3 S.o.S. 17f.

4 Ebd. 92ff.

5 Belege bei Noth, ebd. Nr. 33o.48o.864.1o76.1197.1358.

6 Ebd. 14o.

7 S.o.S. 11f.

Die Zugehörigkeit zu einer bestimmten Gottheit, nämlich zum persönlichen Gott, kommt auch in Namen mit dem Element *ʿbd* "Knecht" o.ä. zum Ausdruck, z.B. *ʿbdʾl* oder *ʿbdj*.[1] Hier ist "Knecht" nicht im Sinne allgemeiner Untertänigkeit gemeint, sondern bezeichnet den Namenträger als Knecht seines persönlichen Gottes. Dies meint auch der Name *lʾl* "dem (persönlichen) Gott zugehörig", der mit den sumerischen Namen Dingir-ra-kam "Des Gottes ist er" o.ä.[2] oder den akkadischen Namen *Šu-A-šur* "Der des Aššur" o.ä.[3] zu vergleichen ist.
Häufig kommen in den Personennamen auch namentlich genannte Gottheiten vor, insbesondere Jahwe und Baʿal[4]. Ebenso wie in der mesopotamischen Namengebung handelt es sich hier in der Regel um den persönlichen Gott des Namenträgers bzw. Namengebers.[5]

Die Bekenntnis-, Vertrauens-, Dank- und Wunschnamen bringen auf vielfache Weise die Fürsorge und den Schutz zum Ausdruck, den der persönliche Gott dem ihm anvertrauten Menschen zuteil werden läßt bzw. lassen möge. Wir können die in den Namen gemachten Aussagen den beiden Hauptfunktionen des persönlichen Gottes zuordnen, nämlich Garant für das Wohlergehen und Beschützer gegen Feinde und böse Mächte zu sein. Zur ersten Gruppe gehören Namen mit den Elementen *ʿzr* "Hilfe", z.B. *ʾbjʿzr*, *plṭ* "Rettung", z.B. *ʾljplṭ*, *ṣwr* "Fels", z.B. *ʾljṣwr*, *ḥzq* "Kraft", z.B. *ḥzqjh(w)*, *šlm* "Wohlergehen", z.B. *ʾbjšlm*, *ḥlq* "Anteil", z.B. *ḥlqjh(w)*, *nr* "Leuchte", z.B. *ʾbjnr*.[6] Aussagen über den Schutz des persönlichen Gottes enthalten Namen wie *mʿwzh* "Jahwe ist Burg" *ʾbjšwr* "Mein Vater ist Mauer", *mḥsjh* "Jahwe ist Zuflucht" u.a.[7] Zu allen diesen Namen gibt es Entsprechungen insbesondere in der akkadischen Namengebung.

Wie wir gesehen haben, wird in der mesopotamischen und hethitischen Religion der persönliche Gott als Schöpfer des neugeborenen Kindes angesehen.[8]

---

1 Belege bei Noth, ebd. Nr. 1oo5ff.

2 S.o.S. 51 (Abschn. c).

3 S.o.S. 54 (Abschn. c).

4 Übersicht s.u.S. 225f.

5 S.o.S. 50ff.

6 Noth, ebd. 154ff.

7 Ebd. 157f.

8 S.o.S. 15ff.124f.

Dieselbe Vorstellung können wir auch in der israelitischen Namengebung nachweisen. Dort gibt es häufig Namen mit dem Element *ntn* "geben", z.B. *ʾlntn* oder *j(h)wntn*, *ʿśh* "schaffen", z.B. *ʿśhʾl*, *qnh* "schaffen", z.B. *ʾlqnh*.[1]

IV. Volksreligion und Privatkultus

Wie verhält sich nun die private Verehrung von persönlichen Gottheiten, wie sie in literarischen und archäologischen Zeugnissen sowie in der Namengebung deutlich wird, zu der offiziellen Jahwereligion? Es wird in der Forschung allgemein zugestanden, daß die Jahweverehrung nicht von Anfang an die allein gültige Religion war, sondern erst im Laufe der Zeit die übrigen lokalen und privaten Kulte zurückdrängte und schließlich ganz und gar ausschloß.[2] Während der Jahwekult primär als eine Angelegenheit des gesamten Volkes galt, verehrten die einzelnen israelitischen Sippen und Familien ihre eigenen Gottheiten. Ein solches Nebeneinander verträgt sich durchaus auch mit Noths Amphiktyoniethese, wonach "der Jahwekult nur auf dem Boden der Amphiktyonie als ganzes, d.h. als Bundeskult, Anspruch auf Ausschließlichkeit" erhob und lokale Heiligtümer keineswegs verbot.[3]

Die Entwicklung hin zur Ausschließlichkeit der Jahweverehrung wurde entscheidend durch zwei Tatsachen beeinflußt: 1. durch seine Funktion als Staatskultus im davidischen Reich[4] und 2. durch die prophetische Verkündigung vom alleinigen Anspruch Jahwes auf sein Volk.[5]

Als Geburtsstunde der gemeinsamen Jahweverehrung hat man früher vielfach den sog. "Landtag zu Sichem" angenommen, von dem Jos 24 handelt.[6] In der neu-

1 Noth, ebd. 17off.

2 Vgl. Sellin, Oriental Studies Haupt 125; Noth, Zwölf Stämme 112ff; v.Rad, ThAT I,34; Fohrer, Religion 5off.

3 Noth, ebd. 113. - Von Rad (ebd.34) nimmt in ähnlicher Weise an, daß "für den Alltag des israelitischen Bauern der Jahwe, der über der Lade thronte, zunächst nur von beschränkter Bedeutung gewesen" sei, während ihm lokale Kulte sehr viel näher gelegen hätten.

4 S.u.S. 231ff.

5 Vgl. Noth, Zwölf Stämme 114.

6 Vgl. Sellin, Geschichte I,97ff; v.Rad, ThAT I,3o.

eren Diskussion setzt sich jedoch immer mehr der Zweifel über die Historizität des hier berichteten Ereignisses durch.[1]

Um sich den Charakter der Religion Israels bis in die Zeit des Exils klarzumachen, gilt es zwei Ebenen zu unterscheiden. Die eine Ebene stellt die Religion des Volkes als ganzen, der Jahwekult dar. Die andere Ebene bilden die zahlreichen lokalen und Gruppenkulte, darunter auch die Verehrung der persönlichen Gottheiten. Erst im Zuge einer bestimmten theologischen Entwicklung, bei der die Katastrophe des Exils eine wesentliche Rolle spielte, setzte sich die Erkenntnis durch, daß sich beide Ebenen widersprechen und die Jahweverehrung die übrigen Kulte ausschließt. Lange Zeit hindurch existierten beide Religionstypen friedlich nebeneinander, wie es auch sonst in den Religionen des Alten Orients zu finden ist.

Wenn wir nun zur Frage übergehen, welche Götter als persönliche Gottheiten verehrt wurden, so sind zunächst die sog. Vätergötter zu nennen, von denen die Erzählungen der Genesis eine lebendige Anschauung geben. Hier läßt sich in geradezu klassischer Weise zeigen,wie ein Mensch sich einen persönlichen Gott "erwirbt" und worin dieser seine Wirksamkeit im Leben des Menschen erweist.

B. DER PERSÖNLICHE GOTT IN DEN VÄTERGESCHICHTEN

Albrecht Alt hat in seiner berühmten Abhandlung "Der Gott der Väter" als erster den besonderen Charakter der von den Vorfahren Israels verehrten Gottheiten erkannt. Allerdings ist an seiner Wesensbestimmung dieses Religionstyps auf Grund des im 1. Teil der Untersuchung vorgelegten Materials grundsätzlich Kritik zu üben. Wir beginnen mit einer Analyse der Terminologie und versuchen sodann die Wirksamkeit des Patriarchengottes im Rahmen der altorientalischen Vorstellung vom persönlichen Gott näher zu bestimmen.

---

[1] Vgl. G. Schmitt, Landtag 8off; Smend, Bundesformel 16ff; W.H.Schmidt, Glaube 1o2; Kutsch, ThQ 15o,319; Perlitt, Bundestheologie 246 ff.

I. Die Bezeichnungen für den Vätergott[1]

1. "*Gott meines usw. Vaters*"

Die am häufigsten in den Erzählungen der Genesis vorkommenden Gottesbezeichnung ist nach der Formel "Gott meines usw. Vaters" gebildet. Sie lautet *ʾlhj ʾbj* "Gott meines Vaters" (Gen 31,5.42), *ʾlhj ʾbjk* "Gott deines Vaters" (Gen 31,29)[2] bzw. *ʾl ʾbjk* "Gott deines Vaters" (Gen 49,25). Einigemale wird der Ausdruck durch Hinzufügung des Eigennamens des jeweiligen "Vaters" erweitert: *ʾlhj ʾbjw jṣḥq* "Gott seines Vaters Isaak" (Gen 46,1), *ʾlhj ʾbj ʾbrhm wʾlhj ʾbj jṣḥq* "Gott meines Vaters Abraham und Gott meines Vaters Isaak" (Gen 32,1o).

2. "*Mein usw. Gott*"

Parallel zu "Gott meines Vaters" o.ä. wird im Pentateuch mehrfach auch *ʾlhjm* mit Personalsuffix gebracht. In Ex 18,4 erklärt Mose den Namen seines Sohnes *ʾljʿzr* ("Mein Gott ist Hilfe") mit den Worten: *ʾlhj ʾbj bʿzrj* "Der Gott meines Vaters ist meine Hilfe gewesen". In Gen 43,23 stehen *ʾlhjkm* "euer Gott" und *ʾlhj ʾbjkm* "Gott eures Vaters" in einem zusammenhängenden Ausdruck nebeneinander. Auf die Frage Isaaks an Jakob, wie er so schnell ein Wildbret gefunden habe, antwortet dieser: *hqrh ʾlhjk lpnj* "(Jahwe) dein Gott hat es mir begegnen lassen" (Gen 27,2o)[3].

---

[1] Literatur: Alt, Kl.Schr. I,1ff; ders. PJB 36,1ooff; Andersen, StTh 16, 17off; Cazelles, DBS 7,142ff; ders., BuL 2,39ff; Cross, HThR 55,225ff; Dhorme, La religion 313ff; Dussaud, Les origines 231ff; Eißfeldt, Kl. Schr. I,2o6ff; III, 386ff; IV, 79ff; Fohrer, Religion 2off; Haran, Annual .. IV, 3off; Hoftijzer, Verheißungen 84ff; Hyatt, JAOS 59,81ff; ders. VT 5,13off; Lewy, RHR 11o,29ff; Lohfink, Theol. Akad. 1,9ff; Maag, SchThU 28,2ff; ders., VTS 7,129ff; ders., VTS 16,2o5ff; May, JBL 6o, 113ff; Noth, Pentateuch 58ff; v. Rad, ThAT I,21ff; Seebaß, Erzvater 29ff. Eine Übersicht über die Forschung gibt Weidmann, Religion.

[2] Mit Samaritanus, LXX u.a.

[3] Jahwe ist hier wohl als Zusatz des Jahwisten anzusehen.

3. "*Gott des NN*"

Neben "mein usw. Gott" und "Gott meines usw. Vaters" finden sich Ausdrücke, die nach der Formel "Gott des NN" gebildet sind, nämlich *ʾlhj ʾbrhm* (Gen 31, 53) und *ʾlhj nḥwr* "Gott Nahors" (Gen 31,53). Dabei kann der Eigenname durch Hinzufügung von "dein Vater" näher bestimmt werden, z.B. *ʾlhj ʾbjk wʾlhj jṣḥq* "Gott Abrahams, deines Vaters, und Gott Isaaks" (Gen 28,13). An die Stelle von "Gott Isaaks" tritt einigemale der Ausdruck *pḥd jṣḥq (ʾbjw)*, der in Anlehnung an palmyrenisch paḥdâ "Familie, Clan, Sippe" mit "Verwandter Isaaks" wiederzugeben ist (Gen 31,42.53).[1] Die Bezeichnung "Gott Jakobs" kommt im Pentateuch nie allein vor[2]; stattdessen findet sich die Bezeichnung *ʾbjr jʿqb* "Starker Jakobs" (wörtlich: "Stier Jakobs"; Gen 49,24)[3].

Der Terminus "Gott des NN" wird mit dem Terminus "Gott meines usw. Vaters" in folgenden zusammenfassenden Formeln kombiniert: *ʾlhj ʾbjk ʾlhj ʾbrhm ʾlhj jṣḥq wʾlhj jʿqb* "Gott deines Vaters, Gott Abrahams, Gott Isaaks und Gott Jakobs" (Ex 3,6); *ʾlhj ʾbtjkm ʾlhj ʾbrhm ʾlhj jṣḥq wʾlhj jʿqb* "Gott eurer Väter, Gott Abrahams, Gott Isaaks und Gott Jakobs" (Ex 3,15 vgl. 16); *ʾlhj ʾbtm ʾlhj ʾbrhm ʾlhj jṣḥq wʾlhj jʿqb* "Gott ihrer Väter, Gott Abrahams, Gott Isaaks und Gott Jakobs" (Ex 4,5).[4] Durch diese Formeln wird Jahwe mit den Göttern der drei Erzväter identifiziert.

4. "*Gott*"

In einer Anzahl von Stellen spricht der Erzähler lediglich von *ʾlhjm*, wo jedoch der Kontext deutlich macht, daß der Vätergott gemeint ist. So wird z. B. in Gen 31, 1-42 der den Jakob beschützenden Gott dreimal "Gott meines/ deines Vaters" (V.5.29.42) und siebenmal einfach "Gott" (V.7.9.16 *[*2mal*]*.

---

[1] Vgl. Albright, Steinzeit 434 Anm. 84, der auf die Grundbedeutung "Schenkel, Hüfte, Lenden" hinweist. Andere (z.B. Alt, Kl.Schr. I,25) übersetzen "Schreck Isaaks".

[2] Vgl. aber 2Sam 23,3; Ps 46,8.12; 84,9 usw. S. dazu u.S. 300.

[3] Dummermuth (ZAW 70,84) erwägt die Verehrung eines Stiersymbols durch die Jakobsippe, so daß die Bedeutung "Starker" eine spiritualisierte Ableitung wäre.

[4] Aus diesen beiden letzten Formeln hat Alt die Bezeichnung "Gott der Väter" abgeleitet, die sich seitdem in der alttestamentlichen Wissenschaft eingebürgert hat. Sie gibt jedoch erst ein sekundäres Stadium der Überlieferung wieder, in dem drei ursprünglich selbständige Vätergottbezeichnungen kombiniert wurden.

24.42) genannt.[1]

Betrachten wir diese Übersicht über die Terminologie, so stellen wir eine weitgehende Übereinstimmung mit den auch sonst im Alten Orient für den persönlichen Gott verwendeten Bezeichnungen fest.[2] Es liegt also die Vermutung nahe, daß der Vätergott eine Erscheinungsform des persönlichen Gottes darstellt. In der Formel "Gott meines Vaters" o.ä. muß sich "Vater" ursprünglich nicht unbedingt auf den leiblichen Vater beziehen[3], sondern kann in abgekürzter Form für das "Vaterhaus" (*bjt ᵓb*), d.h. die Familie stehen.[4] Die spätere Überlieferung hat den Ausdruck allerdings als auf den unmittelbaren Vorfahren bezogen verstanden und deshalb den Namen des jeweiligen Patriarchenvaters eingefügt.
Innerhalb der Familie stellt das Oberhaupt die Bezugsperson zum persönlichen Gott dar, weshalb dieser auch "Gott des NN" heißen kann. In Gen 27,2o redet der Sohn gegenüber dem Vater vom Familiengott als "dein Gott". Die gemeinsame Verehrung des persönlichen Gottes stellt ein wichtiges Bindeglied zwischen den einzelnen Familienangehörigen dar. So weisen in Gen 5o,17 die Jakobsöhne nach dem Tod ihres Vaters gegenüber Joseph darauf hin, daß sie doch alle dem "Gott deines Vaters" dienen. Auch die Knechte und Mägde gehören zur Familie und verehren deshalb auch deren Gott.[5] So ruft der Knecht Abrahams auf seiner Brautwerbungsreise für Isaak den Familiengott mit den Worten an: *ᵓlhj ᵓdnj ᵓbrhm* "Gott meines Herrn Abraham" (Gen 24,12.27).[6]

---

[1] Auf die Bezeichnung *ᵓl šdj*, die die Priesterschrift für den Vätergott verwendet, soll u.S. 215ff gesondert eingegangen werden.

[2] S. die zusammenfassende Übersicht o.S. 165f.

[3] So May, JBL 6o,123ff; W.H.Schmidt, Glaube 19.

[4] *BJT ᵓB* kommt in den Patriarchenerzählungen Gen 12,1; 2o,13 und 24,7 vor. Der Ausdruck kann im Alten Testament auch einen Verband von mehreren Familien als Unterabteilung der Sippe bezeichnen (vgl. Num 3,24; 34,14) oder sogar mit dem Stamm identisch sein (vgl. Num 17,17; Jos 22,14). Das "Vaterhaus" gewinnt insbesondere seit dem Exil große Bedeutung, wie z.B. aus dem Gliederungsprinzip der Priesterschrift ersichtlich ist.

[5] Vgl. de Vaux, Lebensordnungen I,25.

[6] Der Jahwename ist wohl sekundär durch den Jahwisten eingefügt. (vgl. Maag, SchThU 28,6) S. dazu u. S. 199.

II. Das Wirken des Vätergottes

Um den Nachweis zu erbringen, daß der Gott der Patriarchen zum Typus "persönlicher Gott" gehört, genügt es nicht, die Parallelität in der Terminologie aufzuzeigen. Hinzukommen muß eine Analyse der Wirksamkeit des Vätergottes, wie sie in den Erzählungen der Genesis berichtet wird.

Wir beginnen mit den Jakoberzählungen, in denen die für den persönlichen Gott typischen Bezeichnungen hauptsächlich vorkommen. Wie die Gestalt Jakobs überhaupt den Ausgangspunkt der Erzväterüberlieferung bildet[1], so scheint auch die Vorstellung vom Vätergott dort ursprünglich beheimatet zu sein. Dabei spielt keine Rolle, daß der Terminus "Gott Jakobs" dort nicht begegnet. Der Sache nach ist mit dem "Gott meines usw. Vaters" der persönliche Gott Jakobs gemeint.[2] Wie dieser Gott seinen Schützling durch alle Gefahren und Wirrungen hindurch schließlich zum Erfolg führt, schildern die Jakoberzählungen in geradezu paradigmatischer Weise. Dabei lassen sich die beiden hauptsächlichen Funktionen des persönlichen Gottes beobachten, nämlich Garant für das Wohlergehen und Beschützer gegen Feinde und böse Mächte zu sein. Die Abrahamerzählungen und die Josephgeschichte ergeben ein ähnliches Bild.

1. *Die Jakoberzählungen*

Die Jakoberzählungen stellen literarkritisch und überlieferungsgeschichtlich ein kompliziertes Gebilde dar, auf dessen Problematik hier nicht näher eingegangen werden kann. W. Richter hat zu Recht das Gelübde des Jakob in Gen 28, 2o-22 als "theologische Rahmung" der gesamten Jakoberzählungen herausgearbeitet.[3] Darauf nehmen Gen 31,7.11.13 und 35,1.3.7 bezug. Entscheidend für unser Problem ist die bei Richter nicht berücksichtigte Frage nach der Gottesvorstellung, die dem Gelübde und seiner Erfüllung zugrundeliegt.

a. Die Bethelgeschichte (Gen 28, 1o-22)

Die Bethelgeschichte (Gen 28, 1o-22) bildet die Exposition zu den Jakoberzählungen. Als älteste Schicht kann man wahrscheinlich eine Kultgründungs-

---

[1] Vgl. Noth, Pentateuch 6o.

[2] Gegen Seebaß, Erzvater 51 mit Anm. 197.

[3] BZ NF 11,21ff.

sage herauskristallisieren, die ihren Skopus in der Ortsbenennung (V.19) hat und im wesentlichen vom Elohisten stammt (V.1o-12. 17-19). Ein elohistischer Redaktor hat das Gelübde (V. 2o-22) hinzugefügt, wodurch die Gotteserscheinung eine andersartige Zielrichtung erhielt. Schließlich identifizierte der Jahwist das dem Jakob erscheinende Numen mit dem Vätergott und schiebt die Gottesrede V. 13-16 in den Text ein (vgl. 12, 1-3; 13, 14-17; 15,5; 26, 3-5 u.ö.).[1]

α) Der Gott Bethel

Bevor wir auf die Bedeutung der in Gen 28 geschilderten Ereignisse eingehen, wollen wir zunächst der Frage nachgehen, um welche Gottheit es sich in dem Traumgesicht Jakobs handelt. I. Levi[2] hat als erster die These aufgestellt, daß Bethel nicht nur Ortsname, sondern auch Gottesname gewesen sei. Zwar macht die Bedeutung des Namens *bjt ʾl* "Haus Gottes" als Eigenname eines Gottes gewisse Schwierigkeiten. Diese werden jedoch überwunden durch das Vorkommen des theophoren Elements Bethel in Personennamen aus persischer Zeit[3] sowie durch die Erwähnung zweier Gottheiten namen *Ba-a-a-ti-ilī*^{meš} (=Bethel) und ^{d}*A-na(?)-ti-Ba-[a]-[a-ti-il]ī*^{meš} (=Anath-Bethel) inmitten akkadischer und palästinensischer Götter in dem Vertrag Asarhaddons mit dem König Baʿal von Tyros (um 675 v.Chr.)[4].

Auch einige Stellen im Alten Testament lassen noch erkennen, daß Bethel ursprünglich ein Gottesname gewesen ist. Einen wichtigen Beleg hierfür stellt Jer 48,13 dar, wo es heißt: "Da wird Moab an seinem Kamoš zuschanden, wie das Haus Israel zuschanden geworden ist an Bethel, seiner Zuversicht." Hier wird Kamoš als Gott Moabs in Parallele gesetzt zu Bethel als dem Gott des Nordreichs Israel.[5] Der gleiche Sachverhalt läßt sich auch in Am 5,4f beobachten. Dort fordert der Prophet das Volk im Namen Jahwes auf: "Suchet mich, so werdet ihr leben und suchet nicht Bethel!" Das Suchen Jahwes und das Suchen Bethels stehen einander alternativ gegenüber; es kann folglich Bethel

---

1 Zur Quellenscheidung vgl. Eißfeldt, Hexateuchsynopse 52f; v. Rad, Genesis z.St.; Richter, ebd. 42f; Seebaß, ebd. 14ff.

2 REJ 63,177f nach Kittel, JBL 44,134.

3 Vgl. Dussaud, Les origines 231ff; Eißfeldt, Kl.Schr. I,223f; Röllig, WM I/1,274; Hyatt, JAOS 59,81ff; Widengren, Königtum 9. Die These wird entschieden von Kittel, ebd. 123ff abgelehnt.

4 Vgl. AfO Beih 9,1956 § 69 IV 6.

5 Vgl. Eißfeldt, ebd. 214f.

hier nur analog zu Jahwe als Gottesname verstanden sein.[1] Der Kult in Bethel wurde offensichtlich auch nach dem Untergang des Nordreiches (722 v.Chr.) aufrechterhalten,wie aus 2Kön 17,28 hervorgeht.[2] In der jüdischen Militärkolonie von Elephantine in Oberägypten wurde nach den aus dem 5. vorchristlichen Jahrhundert stammenden Texten eine Gottheit namens Ascham-Bethel verehrt.[3] Dort, sowie in Sach 7,2, sind auch Personennamen mit dem Element Bethel belegt.

An einer Stelle innerhalb der Jakoberzählungen ist ebenfalls noch die Erinnerung bewahrt, daß Bethel ursprünglich zugleich ein Gottesname war. Gen 31,13 offenbart sich der Vätergott dem Jakob mit den Worten: *ʾnkj hʾl bjt ʾl* "Ich bin der Gott Bethel". Die LXX ergänzt den Text folgendermaßen: ἐγὼ εἰμὶ ὁ θεὸς ὁ ὀφθεῖς σοι ἐν τόπῳ θεοῦ "Ich bin der Gott, der dir in Bethel erschienen ist", während sich die Vulgata an den masoretischen Text anlehnt und übersetzt: ego sum Deus Bethel "Ich bin der Gott Bethel".[4] Die Übersetzung der LXX beruht demnach nicht auf einer entsprechenden Lesart in ihrer hebräischen Vorlage[5], sondern ist als eine theologisch motivierte Textänderung zu verstehen.[6] Bei dem dem Jakob in Bethel erschienenen Gott handelt es sich folglich um eine Gottheit gleichen Namens, die innerhalb und außerhalb des Alten Testaments gut bezeugt ist.

---

[1] Vgl. Eißfeldt, ebd. 22o, der außerdem darauf hinweist, daß *DRŠ* "suchen" niemals mit Ortsnamen konstruiert wird. Westermann, (KuD 6,22), erklärt die Gegenüberstellung von Jahwe und Bethel durch die These, daß Amos hier dem Sich-Wenden an Jahwe am Kultort das Sich-Wenden an Jahwe durch den Propheten als einzig legitime Möglichkeit gegenübersetzt. - Die Fortsetzung von V.5 versteht Bethel neben Gilgal und Beerseba deutlich als Ortsnamen. Dies geht jedoch wahrscheinlich auf spätere Redaktion zurück. Wolff (z.St.) weist darauf hin, daß die V.3-6 bei Amos einzigartig sind, da sie im Gegensatz zu der sonstigen Botschaft des Propheten dem Volk Aussicht auf Leben eröffnen.

[2] Vgl. Wolff, Fs. Galling 288.

[3] Vgl. Vincent, La religion 562ff; Albright, Religion 186ff.

[4] Vgl. auch die Targume z.St.

[5] So Kittel, ebd. 142.

[6] Dussaud (ebd. 237) ergänzt von dieser Stelle her den Namen Bethel außerdem noch in Gen 31,53 und 46,3; dafür besteht jedoch kein Anlaß. - Kittel (ebd. 142ff) wendet gegen diese These ein, daß der Ausdruck *Hʾ L BJT ʾL* unhebräisch sei, wenn man ihn mit "der Gott Bethel" übersetzt. Die Nachstellung der Apposition ist jedoch im Hebräischen, insbesondere bei Titeln, möglich, z.B. *HMLK DWD*. (vgl. Grether, Grammatik § 76 c; Brockelmann, Syntax § 64 b).

β. Funktion und Inhalt des Gelübdes

Zum Verständnis des Gelübdes ist ein Blick auf den Kontext notwendig. In Gen 27, 1-41 JE wird berichtet, wie Jakob sich durch List und Betrug den Erstgeburtssegen erschleicht. Als die ruchlose Tat offenbar wird, rät Rebekka ihrem Lieblingssohn zur Flucht zu ihren Verwandten nach Haran (Gen 27, 42-45 JE vgl. 35,7E)[1] . Indem Jakob den Verband seiner Familie verlassen muß, ist er zugleich aus der schützenden Obhut des Familiengottes ausgestoßen. Er hat niemanden, der ihn auf seinem Weg in eine ungewisse, gefahrvolle Zukunft begleiten könnte. Da kommt er zum Heiligtum des Gottes Bethel und legt sich dort zum Schlaf nieder.[2] In einer nächtlichen Offenbarung sieht er eine Leiter, die von der Erde bis in den Himmel reicht und auf der Engel auf- und niedersteigen. Am nächsten Morgen bekennt er mit Schrecken die Bedeutung und Macht dieser Stätte. Die Erscheinung bewirkt bei ihm die Gewißheit, daß sein künftiges Schicksal unter dem Schutz des hier wohnenden Gottes steht.[3] Er errichtet eine Massebe, salbt sie mit Öl und legt folgendes Gelübde ab: "Wenn Gott (*ʾlhjm*) mit mir ist und mich behütet auf dem Weg, den ich ziehe, und mir Brot zu essen und Kleidung zum Anziehen gibt, und ich wohlbehalten in mein Vaterhaus zurückkehre, so soll 'Bethel'[4] mir Gott sein (*hjh lj lʾlhjm*)." (V.2ob.21) Des weiteren bestimmt Jakob, daß der als Massebe aufgerichtete Stein ein "Gotteshaus" (*bjt ʾlhjm*) sein soll, was nicht den Fundamentstein eines Kultgebäudes meint, sondern die Kennzeichnung der Massebe als Repräsentation und Wohnstätte der Gottheit.[5] Außerdem verspricht er die Abgabe des Zehnten.

---

[1] Das von der Priesterschrift eingeschobene Stück Gen 27,46 - 28,9 mildert die Tatsache der unfreiwilligen Flucht und motiviert Jakobs Reise mit dem Befehl Isaaks, Jakob möge sich nicht unter den Kanaanäerinnen, sondern im Hause seines Schwiegervaters eine Frau suchen. Der Abschnitt kann deshalb für unsere Betrachtung außer acht bleiben.

[2] Ehrlich, Traum 27ff, bestreitet die weithin verbreitete Meinung, daß in Gen 28 eine Inkubation vorliege. Denn hierzu würde wesentlich gehören, daß "der Inkubant mit dem Zwecke ein Heiligtum aufsucht, um dort eine Traumoffenbarung zu erlangen; er muß ferner wissen, daß er sich in einem Heiligtum zum Schlafen niederlegt" (32). Ehrlich vermutet allerdings, daß auf einer früheren Stufe der Erzählung an eine Inkubation gedacht worden sein könnte.

[3] Vgl. Resch, Traum 72.

[4] Vielleicht hat an der Stelle von Jahwe ursprünglich der Gottesname Bethel gestanden.

[5] Vgl. Donner, ZAW 74,68ff mit religionsgeschichtlichen Parallelen.

Zeremonie und Gelübde, die beide eng zusammengehören, bilden den Skopus der Bethelerzählung. Das Gelübde hat folgenden Inhalt: Falls der hier wohnende Gott sich in Jakobs Leben als wirksam erweisen wird, will er zu ihm in eine dauernde persönliche Beziehung treten, er soll ihm Gott sein, d.h. er soll sein persönlicher Gott sein. Gen 28 berichtet also als Auftakt zu den Jakoberzählungen davon, wie Jakob sich den Gott Bethel zum persönlichen Gott erwählt.[1] Die Errichtung der Massebe und ihre Weihe zu einem "Gotteshaus" hängt mit dem Inhalt des Gelübdes eng zusammen. Zu einer solchen Zeremonie gibt es eine Parallele in der arabischen Religion, auf die oben[2] bereits hingewiesen wurde: Im Götzenbuch des Ibn al-Kalib ist uns ein Brauch überliefert, wonach derjenige, der sich kein eigenes Götterbild oder Heiligtum leisten konnte, im heiligen Bezirk einen Stein aufstellte und diesen als seinen persönlichen Gott verehrte. Ein ähnliches Ritual wurde auf Reisen wiederholt. Wenn Jakob also eine Massebe aufstellt, sie salbt und zum "Gotteshaus" erklärt, so dient diese Zeremonie zur Vergegenständlichung und kultischen Verehrung seines persönlichen Gottes Bethel. Der Stein ist fortan sein persönlicher Gott.[3]

Die Bindung an den Gott erfolgt zunächst sozusagen auf Probe, wie der Inhalt des Gelübdes zeigt. Erst wenn der Gott bewiesen hat, daß er fähig und willig ist, Jakob zu beschützen, ihm alle zum Leben notwendigen Gaben (Essen und Kleidung) bereitzustellen und ihm eine glückliche Heimkehr zu verschaffen, will Jakob sich für immer an ihn als seinen persönlichen Gott binden.

Im jetzigen Kontext der Jakoberzählung ist es nicht ein bisher unbekannter Gott, der Jakob erscheint und demgegenüber dieser das Gelübde ablegt, sondern der bereits bekannte "Gott der Väter". In dem jahwistischen Stück Gen 28, 13-15 stellt er sich als "Jahwe, der Gott deines Vaters Abraham und der Gott Isaaks" vor. Auch in den folgenden Erzählungen ist eine Spannung zwischen dem ursprünglichen Skopus der Bethelgeschichte, nämlich der probeweisen

---

[1] Dussaud (ebd. 235f) nimmt darüber hinausgehend an, daß Gen 28 eine ephraimitische Tradition enthalte, die den Kult des Gottes Bethel im Nordreich gegenüber den Israeliten legitimieren will. Daß das Heiligtum von Bethel den Haftpunkt für die Jakoberzählungen bildet, hält auch Noth (Pentateuch 86ff) für wahrscheinlich.

[2] S. 140f.

[3] Vgl. die Errichtung einer Stele für die "Götter seines Vaters" durch den Sohn Danels in der Aqhat-Legende, s.o.S. 157.

Bindung Jakobs an den Gott Bethel als seinen persönlichen Gott, und der Vätergottüberlieferung festzustellen. So enthält Gen 31 mehrere Gottesbezeichnungen, die bereits auf die sekundäre Identifikation des dem Jakob erschienenen Gott mit dem von seinen "Vätern" verehrten Göttern zurückzuführen sind, nämlich "Gott meines/deines Vaters" (V.5.29[mit App.] vgl. 46,1.3), "Gott Abrahams" (V.42.53) und "Verwandter Isaaks" (V.42.53).

γ) Das "Mitsein" des persönlichen Gottes

Das Gelübde Jakobs enthält eine paradigmatische Beschreibung der Wirksamkeit des persönlichen Gottes. Er ist erstens Garant für das Wohlergehen des Menschen, indem er "mit" ihm ist und ihm Nahrung und Kleidung sowie eine glückliche Rückkehr zuteil werden läßt. Und er ist zweitens sein Beschützer, indem er ihn auf seinem Weg behütet. Beides kann auch mit dem Begriff des Segnens umschrieben werden (vgl. 26,3.24).[1]
Aussagen über das Mitsein des Vätergottes finden sich häufig in den Patriarchenerzählungen, entweder in Verheißungen von seiten des Gottes (Gen 26, 3.24; 28,15; 46,4), in Feststellungen von Außenstehenden (Gen 26,28) oder in Jakobs eigenen Worten (Gen 31,5; 35,3; 48,21). Jakob definiert seinen Gott geradezu als "den Gott, der mir antwortete am Tage meiner Not und mit mir war auf dem Wege, den ich zog" (Gen 35,3). Das Mitsein stellt folglich einen typischen Zug der Wirksamkeit des persönlichen Gottes dar.
Preuß[2] hat den Ausdrücken des Mitseins, die sich ca. 1oo mal im Alten Testament finden, eine ausführliche Untersuchung gewidmet. Er unterscheidet den Gebrauch der Formel ".. ich bin mit dir" als Verheißung und Zusage durch Gott, durch Menschen oder als assertorische Feststellung durch Menschen. Schwerpunktmäßig kommt sie in der Vätertradition und in der Davidsüberlieferung vor. In der Frage nach der Herkunft dieser Formel gelangt Preuß zu dem Ergebnis, daß sie "ursprünglich konkret gemeint und bezogen war und eine typisch israelitische nomadische Grundstruktur des Glaubens und Denkens zeigt"[3].

---

[1] Vgl. Vetter, Jahwes Mitsein 6ff.

[2] ZAW 8o,139ff; vgl. v. Unnik, Studies Manson 27off.

[3] Ebd. 157.

Aus einer - allerdings nur auf die Formel des Mitseins ausgerichteten und damit notwendigerweise unvollständigen - Übersicht über das altorientalische Material folgert er, daß die Formel des Mitseins einer Gottheit mit einem Menschen im Alten Orient nur selten belegt ist.[1] Demgegenüber erscheine der Vätergott und nach ihm Jahwe als "geleitender, führender, schützender, streitender, da mitgehender Gott"[2].

Wie wir im 1. Teil unserer Arbeit dargelegt haben, gehört es zum Wesen des persönlichen Gottes, daß er "mit" seinem Schützling ist und ihn sein Leben hindurch begleitet.[3] Dafür gibt es im Alten Orient eine große Zahl von Belegen, die der hebräischen Wendung des Mitseins zwar nicht wörtlich entsprechen, der Sache nach aber dasselbe bedeuten. Die Vorstellung vom Mitsein der Gottheit hat mit nomadischer Religion oder Lebensart speziell überhaupt nichts zu tun, sondern findet sich in gleicher Weise in durch und durch seßhaften Kulturen.[4] Daß Ausdrücke des Mitseins - wie Preuß richtig beobachtet - schwerpunktmäßig in der Vätertradition und in der Davidsüberlieferung vorkommen, hängt damit zusammen, daß es sich in beiden Fällen um Berichte über die Wirksamkeit des persönlichen Gottes handelt.[5]

---

[1] Ebd. 17o. - Unverständlich ist mir bei der Art seiner Untersuchung, daß er die Ausdrücke des Zur-Seite-Gehens bzw. Zur-Seite-Stehens, die in Mesopotamien und anderswo häufig belegt sind, von den Ausdrücken des Mitseins so betont unterscheidet. (S.164) Wenn eine Gottheit an der Seite eines Menschen geht, so ist sie "mit" ihm, denn beide Termini beschreiben denselben Sachverhalt. Hier einen Unterschied postulieren zu wollen, ist reine Spekulation.

[2] Ebd. 157.

[3] S.o.S. 70ff.

[4] Das Mitsein des persönlichen Gottes ist zu unterscheiden von dem Mitsein, das Jahwe einem Menschen zur Durchführung eines konkreten Auftrages ankündigt, z.B. Mose (Ex 3,12; 18,19); Josua (Dtn 31,23; Jos 1,5.9.17; 3,7; 6,27), Kaleb (Jos 14,12), den Richtern allgemein (Ri 2,18), Gideon (Ri 6, 12.16), Samuel (1Sam 3,19), Saul (1Sam 1o,6f), David (2Sam 7,3 vgl. 1 Chron 17,2), Salomo (1Chron 22,11) oder Jeremia (Jer 1,8.19; 15,2o). Die Formel "ich bin mit dir" erscheint deshalb häufig als Antwort Jahwes auf den Einwand des Menschen bei Berufungserzählungen (vgl. Ri 6,16; Ex 3,12; Jer 1,7f; 1Sam 1o,7). (vgl. Kutsch, ThLZ 81,79f) In diesen Fällen ist das Mitsein nicht auf das persönliche Schicksal des Menschen bezogen, sondern auf die Ausführung eines bestimmten Auftrages. Demgegenüber bezieht sich das Mitsein des persönlichen Gottes auf das individuelle Leben in seinem alltäglichen Verlauf. Die Übergänge zwischen beiden Formen des Mitseins sind allerdings fließend.

[5] S.u.S. 237ff.

Indem die Gottheit mit Jakob geht, ist diesem Wohlergehen, Nahrung und Kleidung sowie Gelingen seiner Unternehmungen beschieden. Er steht seinem Schützling bei und lenkt alle Dinge so, daß sie sich zu seinen Gunsten wenden. Davon handeln die darauffolgenden Kapitel. Jakobs Gott macht dessen Schwiegervater reich um seinetwillen (Gen 3o,27). Als dann Differenzen zwischen Laban und Jakob entstehen,läßt der persönliche Gott nicht zu, daß Laban Jakob Schaden zufügt. (Gen 31,7) Um Jakob seinen Anteil zukommen zu lassen, nimmt Gott Laban die Habe weg und gibt sie Jakob (Gen 31,9.16). Sodann befiehlt er Jakob, in sein Heimatland zurückzukehren (Gen 31,13; vgl. 32,9). Er erscheint Laban im Traum und verbietet ihm, Jakob wegen seiner überraschenden Flucht zur Rede zu stellen (Gen 31,24). Ihm verdankt es Jakob, daß ihm sein Schwiegervater schließlich einen angemessenen Lohn für seinen zwanzigjährigen Dienst zuteilt (Gen 31,42). Er bittet ihn dann um Gnade vor seinem Bruder Esau, dessen Rache er fürchtet (Gen 32,11). Kurzum: Jakobs gesamtes Leben steht in seinen entscheidenden Wendungen unter Schutz und Führung seines persönlichen Gottes.

b. Die Erfüllung des Gelübdes (Gen 35, 1-7)

Einen vorläufigen Abschluß der Jakobgeschichte bildet der Bericht über den Altarbau in Bethel (Gen 35,1-7), der wohl auf keine alte Sage zurückgeht, sondern eine redaktionelle Arbeit darstellt.[1]
Auf Befehl seines persönlichen Gottes und in Erfüllung seines Gelübdes kehrt Jakob dorthin zurück. Vorher fordert er die Glieder seiner Familie auf, die "fremden Götter" (*ʾlhj hnkr*), die sie bei sich tragen, wegzuschaffen.(V.2) Was bedeutet diese Zeremonie und welche "fremden Götter" sind gemeint? Auf diese vieldiskutierten Fragen wurden verschiedene Antworten gegeben. Alt[2] sieht in dem Abtun der "fremden Götter" einen Kultakt, der regelmäßig in Sichem zu Beginn einer Wallfahrt nach Bethel begangen wurde. Dabei stellt die Aufforderung zum Abtun dieser Götter (vgl. Jos 24,14.23; 1Sam 7, 3) eine festgeprägte Formel dar. Schmitt[3] fragt mit Recht, ob denn die Israeliten solche hartnäckigen Götzendiener gewesen seien, daß sie jedesmal von neuem ihre Götzen ablegen mußten. Er vermutet stattdessen, daß mit den fremden Göttern Wächtergestalten gemeint seien, von denen man sich schon früh

---

[1] Vgl. Gunkel, Urgeschichte 239.

[2] Kl.Schr. I,79ff.

[3] Landtag 5o.

erzählte, daß Jakob sie bei der Kultgründung in Sichem dort vergraben hätte.[1] Näher liegt es, an die für die persönlichen Götter verwendeten Kultgegenstände, nämlich Ephod und Teraphim, zu denken.[2]
Der Sinn der Zeremonie ist folgender: Bevor sich Jakob mitsamt seiner Familie in den Dienst seines persönlichen Gottes Bethel stellt, fordert er seine Angehörigen auf, ihre anderen persönlichen Götter abzulegen. Dann baut er einen Altar und erfüllt somit sein Gelübde, dem Gott Bethel für immer als seinem persönlichen Gott zu dienen. Zu einer solchen feierlichen Dedikation an den persönlichen Gott gibt es im Alten Orient Parallelen: Ḫattušili berichtet in seinen Annalen, er habe sich mitsamt seinem Hause in den Dienst seiner persönlichen Göttin, der Ištar von Šamuḫa, gestellt.[3] Aus Altsüdarabien sind mehrere Inschriften bekannt, in denen sich der Stifter samt Frau und Kindern seiner persönlichen Gottheit weiht.[4]

Als Jakob nach Ägypten übersiedelt, bringt er dem "Gott seines Vaters Isaak" ein Opfer dar, worauf dieser ihm in einer nächtlichen Vision folgende Verheißung gibt: "Ich bin der Gott, deines Vaters Gott. Fürchte dich nicht, nach Ägypten hinabzuziehen, denn zu einem großen Volk will ich dich dort machen. Ich selbst will mit dir nach Ägypten hinabziehen, und ich selbst will dich gewiß wieder heraufbringen, und Joseph wird seine Hände auf deine Augen legen." (Gen 46,3f) Der Vätergott sagt Jakob sein Mitsein also auch für die bevorstehende Reise nach Ägypten zu und verspricht, daß er ihn wieder in das Land seiner Väter zurückbringen wird. Die Fürsorge des Gottes erstreckt sich demnach sogar über den Tod hinaus.

c. Der Segen für die Josephssöhne (Gen 48,15f)

Eine Zusammenfassung der Wirksamkeit des Gottes Jakobs gibt der Eingang des Segensspruches für die Josephsöhne: "Der Gott, vor dem meine Väter Abraham und Isaak gewandelt sind, der Gott, der mich geweidet hat, seitdem ich bin, bis auf diesen Tag, der 'Engel', der mich aus aller Not erlöst hat." (Gen 48,15b.16aα). Die Fürsorge des Vätergottes wird hier mit dem Ausdruck des Weidens umschrieben. In Gen 49,24b.25aα stehen die Bezeichnungen "Starker

---

[1] Ebd. 51.

[2] Vgl. Budge, Amulets 214; Pedersen, Israel III-IV, 500; Buber, Glaube 33ff.

[3] S.o.S. 129f (Text Nr. 209).

[4] S.o.S. 148.

Jakobs", "Hirte Israels" und "Gott deines Vaters" in Parallele nebeneinander. Maag[1] versteht deshalb "Hirte" als eine spezifische Vätergottbenennung, die aussagt, daß der Gott seinen Verehrer "wie eine göttliche Aura" umgibt[2]. Sie gehe auf den nomadischen Hintergrund der Vätergottreligion zurück.[3] Nun ist die Anrede "mein Hirte" o.ä. in Mesopotamien mehrfach für den persönlichen Gott belegt[4], ohne daß dabei an die spezifische nomadische Situation gedacht wäre.[5] Dies gilt auch für Psalm 23, wo das Motiv von Hirte und Weide dichterisch ausgemalt wird.[6] Der Terminus "Hirte" bezieht sich auf die Funktion des persönlichen Gottes als Gorant für das Wohlergehen des Menschen: Wie ein Hirte für seine Herde, so sorgt der persönliche Gott für seinen Schützling.

In dem Segensspruch bekennt Jakob weiterhin, daß sein Gott ihn von Beginn seines Lebens an bis auf den heutigen Tag begleitet habe. Dem widerspricht in gewisser Weise die Bethelgeschichte, die den Beginn des Verhältnisses zwischen Jakob und seinem Gott in ein späteres Stadium seines Lebens datiert. Es muß hier also eine mehr allgemeine Aussage vorliegen. Denn gewöhnlich beginnt nach altorientalischer Vorstellung der Schutz des persönlichen Gottes mit der Geburt des Menschen (vgl. Ps 22,1of; 71,5f) und setzt sich dann durch das gesamte Leben hindurch fort.
Neben dem Vätergott erscheint in dem Segensspruch "der 'Engel' (*hmlʾk*), der mich aus aller Not erlöst hat". Der Terminus *mlʾk* kann hier also für den persönlichen Gott verwendet werden. Dies läßt sich auch in Mesopotamien beobachten, wo die Schutzgenien Šēdu und Lamassu auch die Funktion des persönlichen Gottes übernehmen können.[7] Daß Jahwe und sein Engel ineinsgesetzt werden, ist in zahlreichen Erzählungen des Alten Testaments (vgl. Gen 18, 1-16; Ex 3,2ff; 34,2f; Ri 6,11ff usw.) nachzuweisen.[8]

---

[1] SchThU 28,9.

[2] Ebd. 12.

[3] Ebd. 14 u.o.

[4] S.o.S. 20.70.91f.109.

[5] Vgl. den Titel "Hirte" bei den Königen Mesopotamiens. Belege bei Seux, Epithètes 24o-25o.441-446.

[6] S.u.S. 276f.

[7] S.o.S. 47f.

[8] Vgl. v. Rad, ThAT I,298ff.

2. *Die Abrahamerzählungen*

Im Unterschied zu den Jakoberzählungen stellen die Abrahamerzählungen keinen fortlaufenden Erzählgang dar, sondern bestehen aus einer Anzahl von einzelnen Geschichten, die erst sekundär von einem Redaktor (dem sog. Jahwisten) miteinander verknüpft wurden. Der Vätergott taucht zwar an markanten Punkten auf; er ist jedoch keineswegs so eng und charakteristisch mit dem Fortgang der Handlung verknüpft wie in den Jakoberzählungen. Die Vorstellung vom Vätergott scheint vielmehr erst im Laufe einer bestimmten Überlieferungsgeschichte in die Abrahamtradition eingedrungen zu sein.

Gen 15,1 berichtet von einer Erscheinung Jahwes, in der dieser sich gegenüber Abraham als "dein Schild" (*mgn lk*) bezeichnet. Mit diesem Ausdruck ist insbesondere die Schutzfunktion der Gottheit umschrieben, wie aus ähnlichen Wendungen in akkadischen und israelitischen Personennamen zu ersehen ist.[1] Das Kapitel Gen 17 hat innerhalb des priesterschriftlichen Werkes eine ähnlich grundlegende Bedeutung wie Gen 12,1-3 beim Jahwisten. Es geht um die *b^e^rīt*, d.h. die Zusage oder Selbstverpflichtung[2], die Jahwe gegenüber Abraham und seinen Nachkommen eingeht, nämlich ihr Gott zu sein. Dabei schliessen die V.6-8 unmittelbar an V.1-2 an, während die V.3-5 eingeschoben sind. Jahwe stellt sich zunächst als El Šaddaj vor, d.h. als - wie wir unten behandeln werden[3] - Abrahams persönlicher Gott und verheißt dann: "Ich habe meine Zusage (*b^e^rīt*) gegeben zwischen mir und dir, und zwischen deinem Samen nach dir von Geschlecht zu Geschlecht als eine ewige Zusage, daß ich dir und deinem Samen nach dir Gott sein will." (V.7) Wenn Jahwe hier zusagt, daß er für Abraham und seine Nachkommen "Gott" sein will, so geht es darin nicht um die Wirklichkeit der Existenz Jahwes. Vielmehr stellt er hierdurch eine persönliche Beziehung zwischen sich und der Familie Abrahams her, die der eines persönlichen Gottes zu seinem Schützling entspricht.[4] Dabei ist bereits das Verhältnis Jahwes zum "Samen" Abrahams, d.h. zum Volk Israel, im Blick, dessen enge Beziehung zu Jahwe in der seines Ahnherrn zu seinem Gott ihren Ursprung hat.[5]

---

[1] S.o.S. 86.182.

[2] ZAW 79,27f.

[3] S.u.S. 215ff.

[4] Vgl. die Wiedergabe der Stelle im Talmud mit "Gott und Schutzherr", zitiert bei Strack-Billerbeck, Kommentar IV,1,38.

[5] S.u.S. 295.

Eine besondere Stellung innerhalb der Abrahamerzählungen nimmt Gen 24 ein, das in novellistischem Stil die Geschichte von der Brautwerbung für Isaak erzählt. Hier spielt der persönliche Gott Abrahams eine für den Gang der Erzählung entscheidende Rolle. Er erweist seine Fürsorgefunktion darin, daß er Abrahams Knecht in seiner schwierigen Mission leitet und schließlich alles zum Guten lenkt. Der Vätergott sendet einen Engel vor dem Knecht her, damit dieser für das Ziel des Unternehmens garantiere. (V.7) Als Elieser schließlich vor der Stadt Nahors angekommen ist, betet er folgendermaßen: "Jahwe, Gott meines Herrn Abraham, füge es doch heute und erweise Gnade meinem Herrn Abraham." (V.12) Das hier für "fügen" verwendete Verbum *krh* begegnet noch einmal im Zusammenhang mit der Wirksamkeit des persönlichen Gottes, nämlich in Gen 27,2o, wo Jakob zu seinem Vater Isaak sagt: " Jahwe, dein Gott, hat es (so) gefügt". Parallel dazu wird in Gen 24 der Ausdruck *hṣljḥ drkw* "seinen Weg gelingen (oder glücken) lassen" (V.21.4o.42.56) gebraucht. Der Vätergott fügt es dann tatsächlich so, daß das erste Mädchen, das an den Brunnen zu Elieser kommt, Rebekka, die Enkelin des Nahor ist, die Jahwe Isaak zur Frau bestimmt hat. Diese tränkt Eliesers Kamele und bietet ihm ihr Haus zur Übernachtung an. (V.14ff) Daraufhin dankt der Knecht dem Gott seines Herrn mit den Worten: "Gelobt sei Jahwe, der Gott meines Herrn Abraham, der seine Huld und Treue meinem Herrn nicht entzogen hat. 'Denn'[1] Jahwe hat mich in das Haus des Bruders meines Herrn geführt" (V.27). Im folgenden wird dann die Begegnung des Knechtes mit Laban, dem Bruder Rebekkas geschildert, worauf sich dann die eigentliche Brautwerbung vollzieht. (V.31ff)

Ein für jedes Leben ebenso normales wie wichtiges Ereignis wie die Brautwerbung wird in dieser Erzählung auf die ausdrückliche Führung durch den persönlichen Gott zurückgeführt. Er lenkt das Handeln der Personen so, daß alles zu dem gewünschten Ziel kommt. Eine Parallele hierzu findet sich in den Annalen des Ḫattušili, der berichtet, er habe auf das besondere Geheiß seiner persönlichen Göttin, der Ištar von Šamuḫa, seine Frau, die Tochter eines berühmten Priesters, gewählt.[2] Thematisch steht Gen 24 in großer Nähe zur Josephgeschichte, die nun im nächsten Abschnitt behandelt werden soll.

---

[1] Textänderung mit App.

[2] S.o.S. 128f (Text Nr. 208).

3. *Die Josephgeschichte*

G. v. Rad hat die Josephgeschichte als eine typische "Führungsgeschichte" charakterisiert und als ihren Herkunftsort die Weisheit bestimmt.[1] Nun geht es hier nicht um die Führung durch Gott im allgemeinen, sondern um die enge persönliche Zugehörigkeit eines Menschen zu seinem Gott, die sich in der Ge-währung von Wohlergehen und Bewahrung manifestiert. Wenn in altorientalischen Texten, insbesondere in der Weisheitsliteratur, von der Führung eines Menschen durch eine Gottheit die Rede ist, so handelt es sich immer um den persönlichen Gott des Menschen.[2] Denn sein Wirkungsfeld ist der Bereich des individuellen Lebens. Wir wollen nun anhand der Texte darlegen, wie Jahwe in der Josephgeschichte als persönlicher Gott Josephs fungiert.[3]

Nachdem in Gen 37 Josephs Schicksal bis zu seinem Verkauf nach Ägypten berichtet wurde, beginnt in Gen 39 die eigentliche Schilderung von seinem Aufstieg. Zu Beginn des Kapitels heißt es: " Und Jahwe war mit Joseph, so daß ihm alles wohl geriet. Und er blieb im Hause seines Gebieters, des Ägypters (Potiphar). Als nun sein Herr sah, daß Jahwe mit ihm war und daß Jahwe alles, was er tat, in seiner Hand wohl gelingen ließ, fand Joseph Gunst bei ihm, so daß er ihn bediente; und er setzte ihn über sein Haus, und alles, was er hatte, übergab er ihm. Von der Zeit an, da er ihn über sein Haus und alle seine Güter gesetzt hatte, segnete Jahwe das Haus des Ägypters um Josephs willen, und der Segen Jahwes ruhte auf allem, was er hatte, in Haus und Feld." (V.2-5)

---

[1] ThAT I, 186.

[2] S.o.S. 70ff.

[3] Die Eigentümlichkeit der Relation zwischen persönlichem Gott und seinem Schützling läßt sich noch in der spätjüdischen apokryphen Schrift "Joseph und Aseneth" erkennen. Die Schrift handelt von der Bekehrung der ägyptischen Priestertochter Aseneth zum Jahweglauben, die dann die Gemahlin Josephs wird. Jahwe trägt folgende für den persönlichen Gott charakteristischen Bezeichnungen: "Gott Josephs" (3,3; 6,4; 21,4), "Gott des Vaters Israel" (8,9), "Herr und Gott Josephs" (11,7 u.ö.). Joseph wird "Sohn Gottes (6,6; 13,13; 18,11; 23,1o) bzw. "Sohn des Höchsten" (21,4) genannt, der Erzvater Israel ist der "Freund Gottes" (23,1o). (Vgl. Riessler, Schrifttum 497-538).

Jahwe nimmt in diesem vom Jahwisten gestalteten Abschnitt die Funktion eines persönlichen Gottes gegenüber Joseph ein. Das Schlüsselwort zum Verständnis des Ganzen bildet die Aussage, daß Jahwe "mit" Joseph war (V.2 und 3; vgl. V.21 und 23). Über das Mitsein des persönlichen Gottes wurde oben[1] bereits gehandelt. Während v. Rad[2] diesem Ausdruck nur eine mittelbare theologische Bedeutung zuschreibt, hebt Ruppert[3] mit Recht hervor, daß hierdurch als Grund für Josephs Aufstieg nicht so sehr seine Weisheit und Tüchtigkeit erwähnt wird, als vielmehr Jahwes Mitsein: "Alles andere ergibt sich in Wirkung und Wechselwirkung aus jenem ersten 'Jahwe war mit Joseph' (V.2f)."[4]

Die übrige Erzählung berichtet davon, wie sich das Mitsein Jahwes für Joseph und seine Umgebung auswirkt: Er erfährt eine günstige Wendung seines Geschickes. Alles, was er tut, gelingt, so daß schließlich sein Herr auf ihn aufmerksam wird und ihn zum Verwalter über seinen gesamten Besitz einsetzt. (V.3f) Das Mitsein des persönlichen Gottes, das sich in Glück und Erfolg manifestiert, ist also auch von Außenstehenden zu erkennen (vgl. 1Sam 16,18; 18,28)[5]. Es wirkt sich nicht allein für das Schicksal des Menschen, sondern zugleich für seine Umwelt aus. (V.5) Auch als Joseph auf Grund einer Intrige der Frau des Potiphar ins Gefängnis geworfen wird, verläßt ihn sein persönlicher Gott nicht. Er verschafft ihm vielmehr dort allgemeine Beliebtheit bei den Mitgefangenen sowie die Gunst des Gefängnisaufsehers, der ihn daraufhin zu dessen Stellvertreter erhebt. (V.21ff) Joseph meistert auch

---

[1] S. 193ff.

[2] Genesis z.St.

[3] Josepherzählung 46.

[4] Ruppert verwendet im folgenden viel Mühe auf eine Unterscheidung der beiden im Hebräischen für "mit" verwendeten Präpositionen *ʿm* und *ʾt*. Während bei den Erzvätern - ausgenommen die von ihm als spät angesehene Stelle Gen 26,24 - und bei David *ʿm* vorkomme, verwendet der Jahwe in der Josephgeschichte die Präposition *ʾt*. Dies muß nach Rupperts Meinung damit zusammenhängen, daß den Erzvätern und David das Mitsein Jahwes im Zusammenhang von Verheißungen angekündigt wird, während es bei Joseph lediglich auf den persönlichen Erfolg und Aufstieg bezogen sei. (Ebd. 47ff) Eine solche Unterscheidung muß als völlig willkürlich bezeichnet werden. Die Verwendung von *ʿm* und *ʾt* entspringt rein zufälligem Sprachgebrauch, ohne daß eine theologische Intention erkennbar wäre. (vgl. Preuß, ZAW 8o,144) Im übrigen ist die Zusage des Mitseins Gottes auch in Gen 28,2o rein auf das persönliche Schicksal Josephs bezogen;das Motiv der Verheißung ist erst sekundär durch den Jahwisten in das Kapitel eingefügt worden. (S.o. S. 189.

[5] Vgl. v. Unnik, Essays Manson 276.

diese Aufgabe dank der Hilfe seines persönlichen Gottes. Der Schlußsatz des Kapitels faßt das Handeln des persönlichen Gottes noch einmal zusammen: "Und Jahwe gab Glück zu allem, was er tat." (V.23b)
Im Gespräch zwischen Joseph und seinen Brüdern (Kap. 45) wird dieses Thema noch einmal angeschnitten, indem Joseph sagt: "Und nun habt nicht ihr mich hierher gesandt, sondern der Gott; er hat mich dem Pharao zum Vater und zum Herrn über sein Haus und zum Herrscher über das ganze Land Ägypten gesetzt." (V.8 vgl. 9) Nicht menschlicher Wille, sei er gut oder böse, bestimmte das Geschick Josephs, sondern sein persönlicher Gott. Die Rede Josephs verknüpft zugleich sein eigenes Schicksal mit dem seiner Familie, indem er feststellt, daß sein Weg nach Ägypten letzten Endes dem Ziel diente, die Nachkommenschaft seines Vaters Jakob zu erhalten. (V.7)

Diese Stellen aus der Josephgeschichte geben ein anschauliches Bild von der Wirksamkeit des persönlichen Gottes im Leben eines Menschen. Sein charakteristisches Merkmal besteht darin, "mit" ihm zu sein und ihm in allen Situationen wirksam zur Seite zu stehen. Während nach altorientalischer Vorstellung die übrigen Gottheiten vom individuellen Schicksal mehr oder weniger entfernt sind, kümmert sich der persönliche Gott ganz speziell um den Einzelnen. Er verschafft - wie am Beispiel Josephs zu ersehen ist - seinem Schützling Erfolg und Wohlergehen, indem er ihm die Gunst von Mitmenschen und Vorgesetzten verschafft. Diese Funktion des persönlichen Gottes, Garant für das Wohlergehen des Menschen zu sein, will die Josephgeschichte in Gestalt einer Lehrerzählung demonstrieren. Während v. Rad als Hintergrund dieser Erzählung im wesentlichen ägyptisches Material herangezogen hat[1], können wir insbesondere auf die mesopotamische Weisheitsliteratur verweisen, die sprachlich und kulturell Israel näher steht. Dort spielt die Hilfe des persönlichen Gottes als entscheidender Faktor für den Erfolg eines Menschen eine große Rolle.[2] Ein Beispiel hierfür sei an dieser Stelle wiederholt: "Nicht Reichtum ist deine Unterstützung, es ist (dein) Gott. Du mögest klein oder groß sein, (dein) Gott ist deine Unterstützung."[3]

---

[1] Vgl. Ges.St. 274ff.

[2] S.o.S. 75ff.

[3] S.o.S. 75 (Text Nr. 103).

Die Josephgeschichte berührt sich thematisch eng mit den Jakoberzählungen und der Geschichte von Davids Aufstieg.[1] Alle drei Erzählungen haben die außergewöhnliche Karriere eines Menschen zum Inhalt, die durch die Gunst des persönlichen Gottes bewirkt wird. Ein gemeinsames Motiv besteht auch darin, daß sowohl Jakob, als auch Joseph und David zunächst ganz und gar nicht für eine außergewöhnliche Zukunft bestimmt sind.Sie sind alle drei die Jüngsten bzw. Jüngeren unter ihren Brüdern (vgl. Gen 25; 37; 1Sam 16, 11) und erlangen schließlich trotz großer Gegnerschaft und eines zunächst unglücklichen Schicksals die höchste Stufe des Erfolgs. Diese Grundstruktur findet sich verschiedentlich in Erzählungen des Alten Orients.[2] Aus dem im 1. Teil der Arbeit dargelegten Material ist insbesondere auf die Annalen des Ḫattušili hinzuweisen, der - wie der Bericht ausdrücklich hervorhebt - das jüngste von vier Kindern des Königs Muršili war und trotz der Anfeindungen seines regierenden Bruders dank der Fürsorge seiner persönlichen Göttin den Thron erlangt.[3] Auch Kantuzili dankt in dem oben[4] zitierten Gebet seinem persönlichen Gott dafür, daß er ihm ein hohes Amt verliehen habe.

III. Darstellung und Kritik der These Albrecht Alts

1. *Die These Alts*

Im Verlauf der bisherigen Analyse wurde die in der Genesis bezeugte Erscheinung des Vätergottes auf dem Hintergrund der im gesamten Alten Orient nachweisbaren Vorstellung vom persönlichen Gott erklärt. Alt lehnte den Zusammenhang der Vätergottreligion, wie er sie im Alten Testament und seiner unmittelbaren nomadischen Umwelt vorfand, mit den in den altassyrischen Texten aus Kültepe vorkommenden Vätergottgestalten[5] ausdrücklich ab: "Solange ... kein Beweis dafür erbracht werden kann, daß hinter jenen Formeln eine ausgeprägte Vorstellung von Sondergöttern einzelner Menschen stand und daß

---

[1] S.o.S. 237ff.

[2] Sämtliche Belege bei Redford, Story of Joseph 88.

[3] S.o.S. 128ff (Texte Nr. 208 und 210).

[4] S.o.S. 125 (Text Nr. 204).

[5] S.o.S. 12f.

sich ferner aus dieser Vorstellung Sonderkulte entwickelten, die über die Generation der betreffenden Menschen hinaus fortlebten und unter Umständen sogar größere Verehrerkreise anzuziehen vermochten, sehe ich hier trotz einer gewissen Ähnlichkeit der Worte keinen weiterführenden Beitrag zur Erklärung des eigentümlichen biblischen Sachverhaltes ..."[1]. Als weiteres Argument gegen die Zuordnung von Vätergott und persönlichem Gott nannte er das Fehlen der Bezeichnung "Gott des X" in Mesopotamien.[2]
Beide Argumente können durch das im 1. Teil der Arbeit vorgelegte Material als widerlegt gelten. Denn erstens wurde nachgewiesen, daß es in Mesopotamien und im übrigen Alten Orient Sonderkulte gab, die dem persönlichen Gott gewidmet waren und über Generationen hinweg fortlebten. Daß ein solcher persönlicher Gott "unter Umständen sogar größere Verehrerkreise anzuziehen" vermochte, ist bei dem südarabischen Gott Ta'lab und dem nabatäischen Gott Dušāra nachzuweisen.[3] Zweitens ist in Mesopotamien die Bezeichnung "Gott des NN (bzw. X)" für den persönlichen Gott belegt.[4]

Alt sieht zwar richtig in den Vätergöttern den Typus von Patrongottheiten; er stellt allerdings die Frage, "ob damit ihr ganzes Wesen schon ausreichend umschrieben ist"[5]. Nach seiner Meinung liegt hier ein eigener Religionstypus vor, dessen Charakteristika er folgendermaßen umschreibt:

1. Die "Bezeichnung der Numina nicht mit Eigennamen, sondern mit zusammengesetzten Ausdrücken, die das göttliche Individuum durch die ausschließliche Hervorhebung seines Verhältnisses zu einem menschlichen Individuum bestimmt"[6]. Dabei bezieht sich der in dem Ausdruck genannte Personenname auf den Kultstifter, dem "die Offenbarung eines bis dahin unbekannten Numens" zuteil geworden war.[7] Die Vätergötter sind anonyme Gottheiten, "die nur durch die genetivische Beifügung eines menschlichen Personennamens zu dem allgemeinen Gottesprädikat bezeichnet sind"[8].

---

[1] PJB 36,1o3.

[2] Kl.Schr. I,31 Anm. 1.

[3] S.o.S. 146.154.

[4] S.o.S. 9.

[5] Ebd. 43.

[6] Ebd. 31.

[7] Ebd. 42.

[8] Ebd. 34.

2. Das "Zurücktreten der örtlichen Bindung der Gottheit hinter ihrer Beziehung zu Menschengruppen"[1]. Damit unterscheiden sich die Vätergötter grundsätzlich von den kanaanäischen ᵓĒlīm, die Alt als statische Lokalnumina ansieht.[2]
3. Die "Beschränkung dieser Sonderform der Religion auf Stämme, die noch außerhalb des Kreises der alten Kulturvölker stehen".[3] Sämtliche von Alt als Belege herangezogenen Inschriften stammen aus dem östlichen, an die arabische Wüste grenzenden Teil Syrien-Palästinas. Deshalb kann nach seiner Meinung an der Herkunft dieses Religionstypus' aus dem Nomadentum der Wüste kein Zweifel bestehen.[4]
4. Dem "Grundcharakter dieser Götter als Lenker und Versorger der ihnen verbundenen Menschengruppen" entsprechen der Erwählungsgedanke und die Verheißung von Land und Nachkommenschaft.[5]

Im Ganzen entspricht dieser Religionstypus durch den ihm eigenen "Zug zum Sozialen und Historischen" in spezifischer Weise der nomadischen Lebensart.[6] Für den Bereich des Alten Testaments nimmt Alt an, daß die israelitischen Stämme vor ihrem Zusammenschluß in der gemeinsamen Jahweverehrung mehrere Gottheiten vom Typ des Gottes der Väter verehrten.[7] Nachdem die Vorfahren der Israeliten ins Kulturland eingewandert waren, ergriffen sie von den dortigen Heiligtümern Besitz und identifizierten ihre Vätergötter mit den lokalen ᵓĒlīm.[8] Somit finden wir in der jetzigen Form der Überlieferung den "Gott Jakobs" im Siedlungsbereich des Hauses Joseph beheimatet (vgl. Gen 28; 35), den "Gott Isaaks" in Beerscheba und Umgebung (vgl. Gen 26,23) und den "Gott Abrahams" in Mamre/Hebron (vgl. Gen 13,18).[9] Diese drei Vätergottgestalten hatten ursprünglich nichts miteinander zu tun und wurden erst im Verlauf der gesamtisraelitischen Traditionsentwicklung genealogisch miteinander verknüpft.

---

1 Ebd. 31.

2 Ebd. 19f.

3 Ebd. 31.

4 Ebd. 34.

5 Ebd. 66.

6 Ebd. 43.

7 Ebd. 46.

8 Ebd. 5o.

9 Ebd. 52ff.

Die Alt'sche Konzeption vom Wesen des Gottes der Väter wurde in der alttestamentlichen Wissenschaft weithin akzeptiert und als Grundlage für weitere Hypothesen benutzt.[1] Maag[2] hat insbesondere das nomadische Element dieser Religion stärker in den Vordergrund gerückt. Er sieht als Wurzel des Vätergottglaubens das für Nomaden charakteristische Erlebnis der Transmigration an, nämlich der Wanderung eines Stammes zu neuen Weidegründen. Da der Nomade nicht - wie die Seßhaften - im Zyklus von Saat und Ernte lebt, sondern in der Welt der Migration, ist seine Religion von Verheißung bestimmt. Nur er erlebt - so Maag - das Dasein als Geschichte und wird von seinem mitgehenden Gott in eine immer neue Zukunft geführt.[3]

2. *Kritik*

Alt hat richtig erkannt, daß die Religion der Patriarchen einen eigenen Typus des Gottesverhältnisses darstellt, die nicht einfach als Rückprojektion der Religion Israels in königlicher Zeit verstanden werden darf.[4] Unsere Kritik gilt allerdings den vier Wesensbestimmungen[5], die Alt für diesen Gottestypus als charakteristisch ansieht.

ad 1)

Bereits Hoftijzer[6] und Cross[7] haben mit Recht bezweifelt, daß die Vätergötter ihrem Wesen nach anonyme, untergeordnete Gottheiten gewesen seien. Sowohl in Mesopotamien wie auch im übrigen Alten Orient sind es - wie wir gesehen haben[8] - namentlich bekannte Gottheiten, die als "Gott meines usw. Vaters", "mein usw. Gott" oder "Gott des NN" bezeichnet werden.[9] In dem von

[1] Vgl. z.B. v. Rad, Ges. St. 65ff; ders. ThAT I, 21ff; Noth, Pentateuch 58 ff; Geschichte 115ff; Buber, Glaube 51ff; Seebaß, Erzvater 49ff; W.H. Schmidt, Glaube 17ff; Preuß, Jahweglaube 1o9ff; Fohrer, Religion 24ff. Übersicht bei Weidmann, Religion.

[2] SchThU 28,1o.

[3] VTS 7,134ff. - Systematische Konsequenzen aus dem Charakter der Vätergottreligion hat insbesondere J. Moltmann in seinem berühmten Werk "Theologie der Hoffnung" (1964, bes. S. 85ff) gezogen.

[4] Vgl. Gunkel, Genesis LXXIX.

[5] S.o.S. 204f.

[6] Verheißungen 93.

[7] HThR 55,23o.

[8] S.o.S. 34ff.123.145f.16O.

[9] Vgl. Lohfink, Theol. Akad. 1,22.

Alt herangezogenen Inschriftenmaterial wird z.B. der Himmelsgott Baʿalšamīn als "Gott des Matan" bezeichnet.[1] Der Θεὸς Αὔμου wurde später mit dem Ζεὺς Ἥλιος gleichgesetzt.[2] Alt selbst geriet in seiner Argumentation bei den Inschriften des nabatäischen Hauptgottes Dušāra in gewisse Schwierigkeiten, da dieser einerseits als "Gott des Manbatu" und andererseits als "Gott unseres Herrn (Rabel)" bezeichnet wird.[3] Er versucht dem Dilemma mit der Erklärung zu entgehen, daß hier "eine Sonderform königlicher und staatlicher Religion vorliege, die sich für die Vergleichung mit dem israelitischen Gott der Väter nicht eigne".[4] Sowohl von den syrisch-palästinensischen Inschriften her als auch von dem, was wir an Material für die Vorstellung vom persönlichen Gott im gesamten Alten Orient zusammengestellt haben, ist deutlich, daß als Väter- oder persönliche Götter sowohl Hauptgottheiten als auch untergeordnete Götter fungieren konnten.[5] Eißfeldt[6] hat in diesem Zusammenhang eine spezifische Auffassung vertreten: Er geht von der Beobachtung aus, daß sich nirgends im Alten Testament eine Polemik gegen den im kanaanäischen Pantheon höchsten Gott El findet. Anders als Baʿal wurde El niemals als Nebenbuhler Jahwes aufgefaßt, "vielmehr als eine Gestalt ..., deren Autorität anzuerkennen eher eine Vermehrung als eine Beschränkung der Autorität Jahwes bedeutete"[7].

Die Erklärung für dieses auffallende Phänomen findet Eißfeldt darin, daß die Patriarchen oder vormosaischen Hebräer El-Verehrer gewesen seien.[8] Die von Alt als unbedeutende Lokalnumina verstandenen ʾĒlīm seien in Wirklichkeit Hypostasen des Hochgottes El.[9] Aus Gen 21,33; 26,3; 28,13; 48,3 geht nach Eißfeldts Meinung hervor, daß sich El allen drei Erzvätern geoffenbart habe.[10] Abraham verehrte den El von Hebron und den El von Beerseba, Isaak den El von Beerseba und Jakob den El von Bethel neben dem El von Penuel und dem El von Sichem.[11]

---

[1] S.o.S. 152.

[2] Vgl. Alt, Kl.Schr. I, 39.

[3] S.o.S. 152.154.

[4] Ebd. 34f.

[5] Vgl. Cross, HThR 55,232.

[6] Kl.Schr. III, 386ff.

[7] Ebd. 387.

[8] Ebd. 391ff.

[9] Ebd. 394f.

[10] Ebd. 395f.

[11] Vgl. auch Lohfink, ebd. 22f.

Eißfeldt hat zwar richtig gesehen, daß die Vätergötter nicht nur untergeordnete, namenlose Gottheiten gewesen sind; dennoch ist seine Position zu einseitig und daher kritikbedürftig. Denn 1. kann die fehlende Polemik gegen El im Alten Testament auch darauf beruhen, daß sowohl Jahwe als auch die Vätergötter El als dem König der Götter und Schöpfer Himmels und der Erden untergeordnet waren (vgl. Dtn 32,8); 2. dürfen nicht alle Stellen, wo *ʾl* vorkommt, auf den Gott El, wie er insbesondere aus den ugaritischen Texten bekannt ist, bezogen werden; vielmehr kann *ʾl* jede beliebige Gottheit bezeichnen. Und 3. darf man keine scharfe Alternative zwischen den Gottheiten als Lokalnumina oder als Hypostasen des Gottes El aufstellen. Denn für den Verehrer des El von Hebron war dieser eine eigene Gottheit, die sich vom El von Beerseba deutlich unterschied. Ob beide auf eine einzige Göttergestalt zurückgehen, ist ein rein theoretisches Problem, das für die praktische Gottesverehrung keine Bedeutung hatte. Wir werden auf diese Frage noch bei der Behandlung der verschiedenen Baʿalsgestalten zurückkommen.[1]

ad 2)

In bezug auf die Ortsgebundenheit des Vätergottes bleiben die Aussagen Alts in einer gewissen Schwebe. Einerseits redet er von einem "Zurücktreten der örtlichen Bindung der Gottheit hinter ihrer Beziehung zu Menschengruppen"[2] oder davon, daß "die Bindung an Orte hier grundsätzlich keine Rolle" spielt und nur sekundär eintritt, "weil der Kultus, zumal in den Lebensverhältnissen der seßhaften Kultur, zu einer festen Regelung auch in örtlicher Hinsicht" nötige[3]. Andererseits hebt er die Vätergötter scharf von den offenbar rein lokal gebundenen 'Ēlīm Kanaans ab.[4] Während Alt also noch eine gewisse örtliche Bindung der Vätergottreligion zugesteht, bestreitet Maag[5] diese völlig: Der Vätergott wohnt nach seiner Meinung nicht an einem heiligen Ort,sondern ist von Hause aus ein "deus vagans und deus migrans". Erst mit der Seßhaftwerdung bindet er sich an ein Heiligtum.

---

[1] S.u.S. 226 Anm. 2.

[2] Kl.Schr. I, 31.

[3] Ebd. 44f.

[4] Ebd. 19ff.

[5] SchThU 28,1o.

Zum Charakter der nomadischen Religion ist zunächst einmal festzustellen, daß auch die nomadisierenden arabischen Stämme ihre Götter gewöhnlich an bestimmten, lokal gebundenen Heiligtümern verehren, die sie vielfach auch beim Wechsel ihrer Stammes- und Weidegebiete beibehalten.[1] Im übrigen sind lokale Gebundenheit einer Gottheit und Mitgehen mit ihren Verehrern keine sich gegenseitig ausschließende Gegensätze. Obwohl Jahwe nach altisraelitischer Vorstellung am Sinai bzw. später auf dem Zion seinen Sitz hatte, konnte er dennoch seinem Volk in der Schlacht zuhilfe kommen. (vgl. z.B. Ri 5,4f) Auch der Vätergottkult kann von Anfang an lokal gebunden gewesen sein[2], ohne daß damit ausgeschlossen wäre, daß die Gottheit ihre Schützlinge auf ihren Wanderungen begleitet.[3] Der Gott der Patriarchen ist keine (vom Wesen her) wandernde Gottheit, sondern der Gott einer wandernden Gruppe. Er ist als eine Ausprägungsform des Gottestypus "persönlicher Gott" aufzufassen, der sich sowohl in nomadischen als auch in seßhaften Kulturen des Alten Orients nachweisen läßt. Folglich ist es eine unsachgemäße und unzulässige Vereinfachung, wenn man die israelitische Väterreligion als "Religion des Weges" den kanaanäischen Kulten als "Religion des Ortes" gegenüberstellt.[4] Der "Zug zum Sozialen und Historischen", den Alt allein der nomadischen Vätergottreligion zuschreiben will, ist jeder größeren Religion des Alten Orients eigen. Im Gegenteil: je höher und differenzierter eine Kultur entwickelt ist, desto stärker ist in ihr der Zug zum Sozialen und Historischen.

An dieser Stelle muß der in der alttestamentlichen Wissenschaft weitverbreiteten Unterscheidung von sog. "Naturgöttern" und "Geschichtsgöttern"[5] entgegengetreten werden. Eine Gottheit, die ursprünglich eine "Naturgottheit" war, kann im Laufe der Zeit zum Gott einer Familie, eines Stammes, einer Stadt oder eines ganzen Landes werden, ohne daß sie ihren naturhaften Charakter

---

1 Vgl. Wellhausen, Reste 215f.

2 Vgl. Hoftijzer, Verheißungen 94.

3 Vgl. Gunkel, Genesis LVII: "(Die Gottheit) ... wohnt am Baum, an der Quelle, am Stein und scheint dann nicht viel mehr als ein Lokalnumen zu sein, oder sie wandert auch mit dem Hirten als sein Schutzgeist umher."

4 Vgl. Hempel, ThLZ 81,268; Buber, Königtum LII u. 54ff;ders., Glaube 56. Weippert, Landnahme 1o4f mit Anm. 4; Fohrer, Religion 5o; Preuß, ZAW 8o, 157; ders., Jahweglaube 111ff.

5 Vgl. z.B. Buber, Königtum 57.

verliert. So ist der sumerische Gott Enlil als Sturmgott zugleich Reichsgott von Sumer und greift verschiedentlich in den Ablauf der Geschichte ein. Ningirsu war ursprünglich ein Fruchtbarkeits- und Vegetationsgott, bevor er zum Stadtgott von Lagaš erhoben wurde. Der persönliche Gott Gudeas, Ningizzida, fungiert im Adapamythos als Unterweltsgott.[1] Bei den Kriegen zwischen den sumerischen Stadtstaaten kämpfen sogar in erster Linie die Götter, nicht die Fürsten der jeweiligen Städte um die Vorherrschaft.
Der Wirkungsbereich von sog. Naturgöttern und solchen Gottheiten, die in die Geschichte eingreifen, überschneidet sich in den altorentalischen Religionen.[2] "Der naturhafte Anlaß wird als Symbol und im Mythos der Gottheit festgehalten, aber die praktisch-religiöse Beziehung zu ihr dreht sich um die Angelegenheiten des menschlichen Lebens, sei es eines Verbandes, sei es des einzelnen."[3] So können auch die kanaanäischen ʾĒlīm einerseits als Naturnumina verehrt werden und andererseits bestimmten Familien als persönliche Gottheiten dienen.[4]
Damit ist die These Alts, wonach die Vätergötter ursprünglich lokal ungebunden gewesen seien und erst sekundär im Zuge der Seßhaftwerdung ihrer Verehrer mit den kanaanäischen ʾĒlīm von Beerseba oder Bethel identifiziert worden seien, widerlegt. Denn sie beruht auf der irrigen Annahme, daß der Vätergottkult von Hause aus nicht mit einem Heiligtum verbunden gewesen sein könne. Bei der Behandlung der Bethelgeschichte haben wir jedoch gesehen, daß der dort wohnende Gott von Anfang an dem Jakob als persönlicher Gott und seinen Nachkommen als Vätergott diente.[5]

ad 3)

Als drittes charakteristisches Moment sieht Alt die Herkunft der Vätergottreligion aus dem Nomadentum an, was in seiner Nachfolge insbesondere von Maag und Preuß betont wird. Nun ist aus dem bisher Gesagten deutlich geworden, daß der Religionstypus des Vätergottes keineswegs auf die nomadischen

---

[1] Vgl. Edzard, WM I/1, 111ff.

[2] Vgl. Albrektson, History, der eine Fülle von Belegen zitiert.

[3] Eißfeldt, Kl.Schr. II,52.

[4] Zu der Funktion der Baʿale als persönliche Gottheiten s.u.S.

[5] S.o.S. 186ff u. passim.

Völker beschränkt ist, sondern auch im Bereich der polytheistischen Hochreligionen des Kulturlandes vorkommt.[1] Die Vätergottreligion ist nämlich in den größeren Zusammenhang der altorientalischen Vorstellung vom persönlichen Gott einzuordnen. Zufällig stammt das von Alt herangezogene Inschriftenmaterial ausschließlich aus dem östlichen Teil Syrien-Palästinas. Inzwischen gibt es Belege für die Bezeichnung "Gott meines Vaters" o.ä. auch aus anderen Gebieten dieses Raumes, so Qaṭna, Samʾal und Ugarit[2]. Man wird schwerlich diese Kleinstaaten als nomadische Kulturen bezeichnen können. Auch die bei Alt zitierte Inschrift vom θεὸς Ἀρκεσιλάου, worin ein Mensch seinem θεὸς πατρῷος für die Hilfe bei der Berufswahl bis hin zum Kauf eines Landgutes dankt, stammt aus einem unnomadischen Milieu, wie Alt selbst zugeben muß.[2] Der im Alt'schen Inschriftenmaterial viermal vorkommende Titel θεὸς πατρῷος stammt nämlich ursprünglich aus Griechenland und bezeichnet dort zumeist den persönlichen Gott einer Familie.[3]
Im übrigen lassen die Erzählungen der Genesis erkennen, daß die Patriarchen keine Nomaden im eigentlichen Sinne, d.h. Vollnomaden, waren, sondern allenfalls Halbnomaden. Erst nach der Einführung des Kamels in der Zeit zwischen 15oo und 11oo v.Chr. gibt es im Alten Orient Vollnomaden.[4] Zwar werden die Erzväter einigemale als Kamelbesitzer geschildert (vgl. Gen 12,16; 3o,43; 32,16 u.ö.); hier liegt jedoch wahrscheinlich ein Anachronismus vor.[5] Ihrer Lebensweise nach sind sie Halbnomaden, weshalb das Kleinvieh bei den Besitzaufzählungen immer zuerst genannt wird (vgl. Gen 29,9f; 3o,2off).[6] Auch befinden sie sich offensichtlich bereits im Übergang zur Seßhaftigkeit: Isaak sät aus (Gen 26,12), Jakob erwirbt Grund in der Nähe von Sichem (33,19). Sowohl Voll- als auch Halbnomaden führen keineswegs ein so freies und unabhängiges Leben, das in eine immer neue Zukunft führt, wie es in manchen alttestamentlichen Werken geschildert wird. Auch blicken die Nomaden nicht mit Verachtung auf die seßhafte Bevölkerung herab, wie noch z.B. v. Oppenheim

---

[1] S.o.S. 12ff. Vgl. Lohfink, Theol. Akad. 1,22.

[2] S.o.S. 155ff.

[3] S.o.S. 5 Anm. 4.

[4] Vgl. Wirth, Geogr. Rundschau 21,47; Lohfink, ebd. 21f.

[5] Vgl. Fohrer, Einleitung 134 mit Lit.

[6] Vgl. de Vaux, Patriarchen 21ff.

meinte.[1] Hier wirkt eine Romantik nach, die das Leben der Beduinen aus der Sicht der Stadtbewohner verherrlicht und bereits bei den arabischen Poeten ihren literarischen Niederschlag gefunden hat.[2] Der Beginn des sog. "Kleinen geschichtlichen Credos" (Dtn 26,5) gibt ein realistisches Bild von der rechtlich und wirtschaftlich ungesicherten Existenz des Nomaden.

Auch die Nomaden sind in hohem Grad von dem Kreislauf des Jahres, bestehend aus Saat- und Erntezeit, abhängig. Ihre Wanderungen bewegen sich zwischen festen, vertraglich zugesicherten Weideplätzen. Im Sommer benutzen Sie die abgeernteten Felder der seßhaften Bevölkerung als Weide für ihr Vieh, im Winter ziehen sie zu angestammten und heiß umkämpften Steppengebieten am Rande der Wüste. Dies läßt sich bis in unser Jahrhundert hinein im Orient beobachten und darf wohl auch für frühere Zeiten als gültig angesehen werden.[3] Wie in den Genesiserzählungen zu beobachten ist, erstrecken sich die Wanderungen der Erzväter mit ihren Herden jeweils auf ein eng umgrenztes Gebiet, z.B. bei Abraham auf den Süden, die Gegend um Beerseba.
Indem das Leben der Nomaden also eng mit dem Leben der ackerbautreibenden Bevölkerung verflochten ist, ergibt sich auch in religiöser Hinsicht keine solch tiefe Kluft, wie sie von manchen Forschern konstatiert wird. Die Götter der Nomaden sind - wenn die Verhältnisse bei den nomadisierenden Araberstämmen als repräsentativ gelten dürfen - wohl zumeist an feste Heiligtümer gebunden, die die einzelnen Stämme oder Sippen zu bestimmten Gelegenheiten besuchen. Die Verehrung von persönlichen oder Vätergottheiten unterscheidet sich deshalb nicht wesentlich zwischen Kulturlandbewohnern und Nomaden.

ad 4)

Als viertes Wesensmerkmal der Vätergottreligion hat Alt den Erwählungsgedanken und das Moment der Verheißung von Land und Nachkommenschaft herausgearbeitet. Auch diese Eigenschaften lassen sich gut innerhalb der altorientalischen Vorstellung vom persönlichen Gott erklären, ohne daß man auf einen eigenen nomadischen Religionstypus zu rekurrieren hätte.

---

[1] Beduinen I, 26f.

[2] Vgl. Wirth, ebd. 46f.

[3] Vgl. Dalman, AuS VI, 2o4ff; Rost, Credo 1o2 mit Anm. 2.

Wir beginnen mit dem Moment der Erwählung. Wer eine Gottheit als seinen persönlichen Gott verehrt, weiß sich zugleich von dieser erwählt und unter ihren besonderen Schutz gestellt. Erwählung ist also ein konstitutives Moment für das Verhältnis des persönlichen Gottes zu seinem Schützling. Dieser nennt sich deshalb "Sohn" oder "Liebling" seines persönlichen Gottes.[1]
Nun zu dem Moment der Verheißung. Wir haben in Abschnitt (I) das Wesen des Patriarchengottes hauptsächlich aus den Erzählungen gewonnen, in denen dieser Gott eine Schlüsselstellung einnimmt. Westermann kommt in einer Analyse der "Arten der Erzählung in der Genesis" zu dem Ergebnis, "daß nur ein sehr geringer Teil der Erzählungen in Gen. 12 - 5o ursprünglich als Verheißungserzählungen konzipiert sind"[2]. Die meisten Erzählungen seien erste nachträglich durch Erweiterungen, Ein- und Anfügungen u.a. zu Verheißungserzählungen umgestaltet worden. Das Motiv der Verheißung gehöre größtenteils erst ins Stadium der Redaktion und sei von der Verknüpfung von Vätergeschichte und Volksgeschichte (vgl. Gen 5o,24) her formuliert und konzipiert. Ausgesprochene Verheißungserzählungen gebe es nur im Abraham-Kreis, während die in der Jakobgeschichte vorkommenden Verheißungstexte den Charakter von Einfügungen, Anfügungen oder kurzen Notizen hätten.[3]
Nachdem wir gesehen haben, daß die Gestalt des Vätergottes sowohl vom terminologischen Befund als auch von seiner Verknüpfung mit dem Gang der Handlung ursprünglich nur in den Jakoberzählungen beheimatet ist, hier aber das Moment der Verheißung erst sekundär eingetragen wurde, muß man der These einer wesenhaften Zusammengehörigkeit des Elements der Verheißung mit der Vätergottreligion kritisch gegenüberstehen. In der Jakobgeschichte geht es primär nicht um die Verheißung von Land und Nachkommenschaft wie etwa in den Abrahamerzählungen, sondern um die Führung eines Menschen durch seinen persönlichen Gott.[4]
Dennoch kommt die Verknüpfung von Vätergottreligion und Verheißung sicher nicht von ungefähr. Sie läßt sich aber durchaus innerhalb der Vorstellung vom persönlichen Gott verständlich machen. Indem das Wohl einer Familie von einer zahlreichen Nachkommenschaft abhängt, gehört die Gewährung von Kindern

---

[1] S.o.S.27ff.122.

[2] Forschung 33.

[3] Ebd. 74.

[4] S.o.S. 188ff.

mit zur Funktion des persönlichen Gottes als Garant für das Wohlergehen des Menschen.[1] Zur Frage der Landverheißung ist auf die neuere Beduinenforschung hinzuweisen, in der sich immer mehr die Auffassung durchsetzt, daß Nomaden einen außergewöhnlich starken Drang zur Seßhaftigkeit haben, weil sie im Kulturland zwar ein unfreieres Leben erwartet, sie dafür aber besseren Schutz vor Feinden genießen und ausreichende Nahrungsmittel zur Verfügung haben.[2] Die Geschichte des Alten Orients ist gekennzeichnet durch verschiedene Wanderwellen, in denen jeweils nomadisierende Wüstenbewohner ins Kulturland überwechselten.[3] Diese Tatsache beweist den ständigen Drang der Nomaden zur Seßhaftigkeit, der alle romantische Verherrlichung des freien Beduinentums ad absurdum führt. Auch die Wüstenstämme, die unter Mohammed die blühenden Mittelmeerkulturen eroberten, kehrten nach ihren ruhmreichen Taten nicht etwa in die Wüste zurück, sondern genossen nun die Bequemlichkeiten der Zivilisation. Andererseits ist kein Fall bekannt - außer bei politischen, militärischen oder ökonomischen Notlagen -, daß Kulturlandbewohner wieder zum Nomadentum übergingen. Es ist also durchaus im Rahmen der Fürsorge- und Schutzfunktion des persönlichen Gottes erklärbar, wenn dieser seinen noch (halb-)nomadisch lebenden Schützlingen Land und damit Seßhaftigkeit verheißt. Dieser Sachverhalt läßt sich gut in Gen 17,7f beobachten, wo die Zusage des Landes eine Konsequenz der Zusage ist, Abrahams und seiner Nachkommen Gott zu sein.[4]

IV. Der "Sitz im Leben" der Vätergottüberlieferung

Abschließend ist noch die Frage nach dem "Sitz im Leben" der Vätergottüberlieferung zu stellen. Hoftijzer hat in seiner scharfsinnigen Untersuchung über die "Verheißungen an die drei Erzväter" bereits richtig beobachtet, daß die Bezeichnung "Gott meines Vaters" o.ä. keineswegs auf die vorjahwistische Periode der israelitischen Religion beschränkt ist (vgl. z.B. Ex 18,4; 1Chron 28,9; 2Chron 17,4).[5] Er zieht daraus den Schluß, daß diese Gottesbezeichnung

---

[1] S.o.S. 83.129.161f.

[2] Vgl. Wirth, ebd. 46ff; B. Kienast mündlich.

[3] Vgl. z.B. die sog. aramäische Wanderung in der 2. Hälfte des 2. Jahrtausends. S. dazu Noth, Geschichte 81f.

[4] S.o.S. 198.

[5] Verheißungen 87 mit Anm. 12.

"keinen Anknüpfungspunkt, um auf eine Reminiszenz an eine vor-jahwistische Religionsstufe schließen zu können", bietet.[1]
Hoftijzer hat mit seiner Beobachtung etwas Richtiges gesehen, wenn er auch den religionsgeschichtlichen Aspekt zu wenig berücksichtigt. Wie im weiteren Verlauf der Untersuchung noch zu zeigen sein wird, gab es die Verehrung von persönlichen Gottheiten nicht nur bei den nomadischen Vorfahren Israels, sondern auch bei ihren seßhaften Nachfahren bis in die Zeit des Exils.[2]
In der lebendigen Familienreligion der Königszeit muß der "Sitz im Leben" der Vätergottüberlieferung deshalb gesucht werden. Gunkel hat mit seiner Behauptung, die Religion Abrahams sei die Religion der Sagenerzähler der israelitischen Königszeit, gar nicht so unrecht.[3] Allerdings wird nicht der Jahwekult der Königszeit zurückprojiziert, sondern die zur Zeit der Sagenerzähler immer noch lebendigen Kulte von persönlichen oder Vätergöttern. Denn die Sage ist kaum imstande, über so viele Jahrhunderte hinweg ein Bild der persönlichen Religion der Väter zu bewahren, ohne noch lebendiges Anschauungsmaterial zu besitzen.
Diese Überlegungen führen zu der Vermutung, der Jahwist habe die zu seiner Zeit noch durchaus aktuelle Verehrung von persönlichen Göttern dadurch in seinen heilsgeschichtlichen Aufriß eingeordnet, daß er sie als Vorstufe zur Jahwereligion an den Beginn seines Geschcihtswerkes stellte. Er löst dadurch die theologische Schwierigkeit, daß es einerseits solche Kulte in Israel bis in die Königszeit hinein gab, diese aber andererseits mit dem jetzigen Verständnis des Jahweglaubens als unvereinbar aufgefaßt wurden. Historisch gesehen war jedoch die Vätergottreligion nicht allein eine Vorstufe des Jahweglaubens, die durch dessen Auftreten schon in vorstaatlicher Zeit abgelöst worden wäre, sondern eine private Gottesverehrung, die bis zum Exil innerhalb und außerhalb der Jahwereligion existierte.

V. Šaddaj als Bezeichnung des persönlichen Gottes

In verschiedenen Teilen des Alten Testaments kommt die Gottesbezeichnung (*ʾl*) *šdj* vor. Der wohl älteste Beleg ist Gen 49,25 im Rahmen des Jakobsegens.

---

[1] Ebd. 85.

[2] S.u.S. 224ff.

[3] Genesis LXXIX.

Die Priesterschrift verwendet den Ausdruck stereotyp zur Kennzeichnung des Patriarchengottes (Gen 17,1; 28,3; 35,11; 43,14; 48,3; Ex 6,3). Die anderen Stellen sind zumeist als spät anzusehen: Num 24,4.16; Jes 13,6 = Jo 1,15; Ez 1,24; Ps 68,15; 91,1; Ru 1,2o.21 sowie 31 mal im Hiobbuch. Zur Erörterung dieses in der Forschung oft diskutierten Gottesnamen gehen wir von seiner Etymologie aus und behandeln sodann Vorkommen und Funktion des Begriffes.

1. *Die Etymologie*

Den Anstoß zu der umfangreichen Diskussion gab Friedrich Delitzsch[1]. Er leitete das Wort von akkad. *šadû* "Berg" ab und übersetzte es mit "der Hohe". Hehn[2] weist in Anlehnung an Delitzsch darauf hin, daß in Mesopotamien Gottheiten wie Enlil und Aššur mit *šadû rabû*: (=sum. kur-gal) "großer Berg" im Sinne von "großer Herr" angeredet werden. Šaddaj wäre dann als eine allgemeine Gottesbezeichnung aufzufassen, die Gott als den Höchsten, den Herrn der Seinigen umschreibe.[3] Damit würde die teilweise Übersetzung des Wortes in der Septuaginta mit παντοκράτωρ bestätigt werden. Der Wechsel von *ś* und *š* ist sowohl im Assyrischen als auch in den Amarnabriefen geläufig.[4] Die Verdoppelung des 2. Radikals geht entweder auf die falsche Ableitung von *šdd* (vgl. Jes 13,6; Jo 1,15) oder auf die Tendenz, den Namen stärker von *šd* "Dämon" zu unterscheiden, zurück. Diese Erklärung fand in der alttestamentlichen Wissenschaft weithin Zustimmung.[5]
Noth[6] lehnt diese Ableitung mit der Begründung ab, daß hier eine spezifisch babylonische Anschauung, nämlich die Verbindung der Gottheit mit einem überragenden Berg, zugrundegelegt werde. Er will lieber auf die bereits in Jes 13,6 und Jo 1,15 vorausgesetzte Ableitung von *šdd* "gewalttätig sein, verheeren, verwüsten" zurückgreifen. Šaddaj wäre demzufolge als "der Gewalttätige" zu übersetzen, was allerdings - wie Noth selbst zugibt - nur schwer zu dessen friedlichem Charakter in den Patriarchenerzählungen paßt.

---

[1] Prolegomena 95f.

[2] Gottesidee 265ff.

[3] Ebd. 268.

[4] Vgl. Böhl, Sprache 22f, der als Beispiel *same* und *sami-e* statt *šamû* "Himmel" zitiert.

[5] Vgl. z.B. Eichrodt, ThAT I,87; Köhler, ThAT 236 Anm. 42; Gese, WM I/1,133.

[6] Personennamen 13of.

Unter den anderen Lösungsvorschlägen ist noch Albrights Ableitung von *šaddâ'û* = *šaddâyû* "mountaineer" (Bergbewohner) zu nennen.[1] Eine solche Nominalform ist im Akkadischen durchaus häufig belegt, z.B. *Elaḫutājum* "Elaḫutäer" oder *Gublajītum* "Byblenserin".[2] Die Endung *-âj* versteht Albright als Analogiebildung unter aramäischem Einfluß, ähnlich wie Haggaj, Jissaj oder Jusaj. Weippert[3] führt das Wort auf *śdh* "Flur" zurück und übersetzt "El der Flur". Lewy[4] faßt El Šaddaj nicht als Titel, sondern als Eigennamen auf ähnlich wie die Vätergötter Ilabrat oder Amurrum in den altassyrischen Texten.

Wie sind diese verschiedenen Lösungsvorschläge zu beurteilen? Zu der Ableitung von *šadû* "Berg" ist zu fragen, warum denn die Israeliten diesen auch bei den Sumerern als kur-gal bezeugten Gottestitel ausgerechnet in der akkadischen Form übernommen haben sollten, anstatt ihn in der entsprechenden hebräischen Übersetzung *hr rb* zu übernehmen. Auch bringen die vorgeschlagenen Etymologien keinerlei KLarheit in die Schwierigkeit, daß es eine Nominalform auf *-âj* mit geschärftem mittleren Konsonant im Hebräischen nicht gibt.[5] Eine weitere Schwäche dieser Theorien liegt darin, daß sie in keiner Weise mit der spezifischen Verwendung des Begriffs im Pentateuch übereinstimmt, insbesondere mit der Tatsache, daß die Priesterschrift El Šaddaj als terminus technicus für den Gott der Patriarchen verwendet. Dieser spezifische Gebrauch kann nicht einfach als Irrtum in bezug auf den ursprünglichen Charakter der Gottheit[6] oder als spätere Ausstattung des El Šaddaj mit den Zügen des Vätergottes[7] erklärt werden. Vielmehr wird man anzunehmen haben, daß die Priesterschrift nocht etwas von der ursprünglichen Bedeutung des Wortes wußte, als sie ihn in die Vätertradition einbrachte. So bleibt nur die Möglichkeit übrig, daß Šaddaj als Lehnwort im Hebräischen übernommen und später aus philologischen oder theologischen Gründen anders vokalisiert wurde, wie dies auch sonst häufig bei Begriffen im Alten Testament zu beobachten ist.

---

1 JBL 54,184ff.

2 Vgl. v. Soden, Grammatik § 56 p.

3 ZDMG 111,42ff.

4 RHR 11o,54ff.

5 Vgl. Gesenius-Kautzsch, Grammatik § 84 b; Meyer-Beer, Grammatik 1o2. Im Akkadischen kommt eine entsprechende Form parras vor, die das Steigerungsadjektiv wiedergibt. Vgl. v. Soden, Grammatik § 55 m.

6 So v. Rad, ThAT I, 193 Anm. 8.

7 So Weippert,ebd. 56.

Diese Überlegungen führen zu dem bereits vor über achtzig Jahren von Nöldeke[1] und Hoffmann[2] gemachten Vorschlag, Šaddaj von *šd* abzuleiten und als ursprüngliche Aussprache *šedî* bzw. *šedaj* "mein Dämon" anzunehmen. Die *šedīm* werden an zwei Stellen des Alten Testaments genannt, nämlich Dtn 32,17 und Ps 1o6,37. Bei beiden Stellen fällt auf, daß die Übersetzung "Dämon" nicht ausreicht. Dtn 32,17 heißt es: "Sie (d.h. die Israeliten) opferten den *šdjm*, dem 'Nicht-Gott', den Göttern, die sie nicht kannten, den neuen, die vor kurzem erst gekommen sind, die eure Väter nicht gekannt haben." Der Ausdruck *šd* steht hier in Parallele zu *lʾ ʾlh ʾlhjm*; er muß folglich ebenfalls als Bezeichnung für einen Gott verstanden werden. Ähnliches gilt für Ps 1o6, 37, wo es heißt: "Und sie opferten ihre Söhne und ihre Töchter den *šdjm*." Sowohl im vorausgehenden als auch im nachfolgenden Vers ist von den Göttern Kanaans die Rede, zu denen die Israeliten abfielen. Auffällig ist, daß die Darbringung von Menschenopfern sonst im Alten Testament nur in bezug auf den Gott Moloch berichtet wird (vgl. Lev 18,21; 2o,2-5; 2Kön 23,1o; Jer 32,35). Daraus ergibt sich, daß *šd* eine Bezeichnung für Götter, nicht für Dämonen darstellt.[3] Dies wird von dem akkadischen Äquivalent zu *šd*, nämlich *šēdu* erklärlich, das, wie wir oben[4] gesehen haben, in späterer Zeit zur Bezeichnung von persönlichen Gottheiten verwendet wurde. Auch sind im Akkadischen suffigierte Formen von *šēdu* belegt, z.B. *šēdī* "mein *Šēdu*" in Maqlu VIII,91.
Im übrigen läßt der in priesterschriftlichen Listen vorkommende Eigenname *šᵉdîʾôr* "Mein *Šēdu* ist Licht" noch die ursprüngliche Aussprache *šedî* o.ä. erkennen (vgl. Num 1,5; 2,1o; 7,3o.35), denn die Form *šᵉdî* kann unmöglich aus *šaddaj* entstanden sein. Daneben gibt es noch die Namen *ṣûrîšaddaj* "*Šaddaj* ist mein Fels" (Num 1,6; 2,12; 7,36.41; 1o,19) und *ʿamîšaddaj* "Mein Onkel ist *Šaddaj*" (Num 1,12; 2,25; 7,66.71)[5].

---

[1] ZDMG 4o,735f.

[2] Abhandlungen ... Göttingen 36,53.

[3] Vgl. Duhm, Geister 49.

[4] S. 47f.

[5] Vgl. Koehler-Baumgartner, Lexikon 71o s.v.II *ʿm*; Noth, Personennamen 76ff.

Diese Beobachtungen lassen es wahrscheinlich erscheinen, daß *Šaddaj* ein ins Hebräische übernommenes Lehnwort aus dem Akkadischen darstellt, das von *šēdu* mit der Bedeutung "Schutzgott, persönlicher Gott" abzuleiten ist. Wie es zu der Vokalisation der Masoreten gekommen ist, muß unklar bleiben; auf die oben[1] aufgeführten Vorschläge sei hingewiesen. Eine theologisch motivierte Änderung der Vokalisation, wie sie auch sonst im Alten Testament zu beobachten ist (vgl. die Änderung *bʿl* in *bšt* bei Eigennamen, z.B. *ʾjš-bšt* 2Sam 2,8; 4,1; vgl. 1Chron 8,33), liegt durchaus im Bereich des Möglichen.
Die von uns vorgeschlagene etymologische Deutung bestätigt sich durch eine Analyse von Vorkommen und Funktion des Begriffes im Alten Testament, insbesondere in der Vätertradition und im Hiobbuch.

2. *Vorkommen und Funktion*

a. Šaddaj in der Vätertradition

Den wohl ältesten Beleg bildet ein Spruch aus dem Jakobsegen (Gen 49,25a), der lautet: *mʾl ʾbjk wjʿzrk wʾt šdj wjbrkk* "Von dem Gott deines Vaters werde dir geholfen und durch den Šaddaj seist du gesegnet." Hier stehen die Termini "Gott deines Vaters" und Šaddaj in Parallele zueinander. Wenn "Gott deines Vaters" eine Bezeichnung für den persönlichen Gott ist - wie wir im vorhergehenden Abschnitt festgestellt haben -, so liegt die Vermutung nahe, daß auch Šaddaj in diesen Vorstellungsbereich gehört. Diese Vermutung verstärkt sich durch die Beobachtung, daß die Priesterschrift den Ausdruck El Šaddaj stereotyp zur Kennzeichnung des Patriarchengottes verwendet, währenddessen sich der Terminus "Gott meines Vaters", "Gott Abrahams" o.ä. nicht bei ihr findet. Auch die dem El Šaddaj zugeschriebenen Funktionen entsprechen weithin denen des Vätergottes. Er segnet die Erzväter mit Nachkommenschaft und Land (vgl. Gen 28,3f; 35,11; 48,3); er macht seine Schützlinge angenehm vor Höhergestellten (vgl. Gen 43,14). In Gen 48,3 wird der El Šaddaj ausdrücklich mit dem in Luz (=Bethel) erschienen Gott gleichgesetzt.
Aus der priesterschriftlichen Nahtstelle von Väterüberlieferung und Auszugsgeschichte on Ex 6 geht hervor, daß P den El Šaddaj als eine Vorstufe der

---

[1] S. 217.

Jahwereligion ansieht. Jahwe spricht dort zu Mose: "Ich bin erschienen dem Abraham, Isaak und Jakob als der El Šaddaj, aber unter meinem Namen Jahwe habe ich mich ihnen nicht geoffenbart." (V.3) Der Terminus El Šaddaj erscheint hier an derselben Stelle, wo im jahwistischen Paralleltext der Ausdruck "Gott deines Vaters" und "Gott Abrahams usw." (Ex 3,6) verwendet wird. Daraus folgt, daß El Šaddaj die priesterschriftliche Bezeichnung für den Vätergott darstellt.

Noch zwei weitere Beobachtungen sprechen für die von uns vorgeschlagene Deutung. Zum einen gebraucht die Priesterschrift den Begriff El Šaddaj nur in den Vätergeschichten. Wäre er ein allgemeines Gottesepitheton mit der Bedeutung "der Allmächtige", "der Schreckliche" o.ä., so wäre nicht einzusehen, warum P diesen Begriff nicht auch in der Urgeschichte oder in den Sinaiperikope verwendete. Die Tatsache, daß P dies nicht tut, beweist, daß sie darunter einen der Vätergottreligion in spezifischer Weise zukommenden Terminus verstand. Zum andern unterscheidet sich der El Šaddaj dadurch vom El Eljon oder den anderen ʾĒlīm, daß bei ihm keinerlei Ortsgebundenheit festzustellen ist.[1] Die Exegeten erklären dies als Irrtum[2] oder als "Stilisierung seitens des priesterlichen Erzählers".[3] Solche Hypothesen sind überflüssig, wenn man annimmt, daß Šaddaj weder Eigenname, noch Titel, sondern eine Funktionsbezeichnung ist.

Einen Hinweis darauf, daß Šaddaj ursprünglich eine Bezeichnung für den persönlichen Gott darstellte, gibt auch die LXX. Sie übersetzt in den Büchern Genesis und Exodus El Šaddaj mit θεος + Possessivpronomen:

Gen 17,1; 35,11: ὁ θεός σου;
Gen 28,3; 43,14; 48,3: ὁ θεός μου;
Gen 49,25: ὁ θεὸς ὁ ἐμὸς (neben θεὸς του πατρός σου);
Ex 6,3: θεὸς ὢν αὐτῶν.[4]

Daneben finden sich in der LXX auch andere Wiedergaben von Šaddaj, nämlich ὕψιστος (z.B. Ps 91 [90],1), παντοκράτωρ (z.B. Hi 5,17) und θεὸς ἱκανός

1 Vgl. Weippert, ZDMG 111, 55f.

2 So v. Rad, ThAT I,193 Anm. 8.

3 Weippert, ebd. 56.

4 Vgl. Num 24,4.16, wo die LXX θεὸς übersetzt.

(entstanden aus der Zerlegung des Wortes in zwei Bestandteile *šä* und *dij*= "der Genüge bietet", z.B. Hi 21,15).[1]
Aus diesem Schwanken der Übersetzung hat Weippert den Schluß gezogen, daß "die alexandrinische Judenschaft über die Bedeutung von Šaddaj keine sichere Kunde" besessen habe.[2] Da bekanntlich mehrere Übersetzer an der LXX gearbeitet haben, kann die unterschiedliche Wiedergabe auch darauf zurückgeführt werden, daß die Übersetzer von Genesis und Exodus im Unterschied zu den übrigen Übersetzern die richtige Bedeutung des Wortes noch kannten. Auf jeden Fall läßt es sich nicht ausschließen, daß die konsequente Übersetzung von Šaddaj in den Büchern Genesis und Exodus mit θεός + Possessivpronomen nicht zufällig gewählt wurde, sondern auf alter Tradition beruhte.[3]

b. Šaddaj im Hiobbuch

Neben den Vätergeschichten liegt ein weiterer Schwerpunkt für das Vorkommen der Bezeichnung Šaddaj im Hiobbuch (31 mal). Nun erhebt sich die Frage, ob in diesem Fall ein allgemeines Gottesepitheton gemeint ist, oder ob sich seine Verwendungsweise aus der Vorstellung vom persönlichen Gott herleiten läßt. In der Forschung wird gewöhnlich auf die Parallelen hingewiesen, die zwischen dem Hiobbuch und einer Anzahl mesopotamischer Gedichte zum Problem den unschuldig Leidenden bestehen. Dabei wird jedoch gewöhnlich übersehen, daß sich der Mensch in den mesopotamischen Gedichten nicht mit den Göttern allgemein auseinandersetzt, sondern mit seinem *persönlichen* Gott, der ihn ohne ersichtlichen Grund verlassen hat.[4] Auch der Terminus ᵈ*šēdu* kommt in diesem Zusammenhang vor.[5] Es ist deshalb kein Zufall, daß der göttliche Kontrahent Hiobs neben der Bezeichnung *ᵃlôᵃḥ*, die Mowinckel als *ᵃlôhî* "mein Gott" deutet[6], den Titel Šaddaj trägt. Denn es handelt sich im Hiobbuch um die Auseinandersetzung des Menschen mit seinem persönlichen Gott,

---

1 Ebd. 45.

2 Ähnlich Hehn, Gottesidee 265; Bertram, ZAW 7o,22.

3 Vgl. Nyberg, ARW 35,349; MacLaurin, AbrNahraim 3,111.

4 S. Kramer, VTS 3,17off; Kramer-Bernhardt, Texte Nr. 56; Nougayrol, RB 59,239ff; Lambert, BWL 32ff. 7off - zitiert o.S. 91ff [Texte Nr. 14o-143] u.ö.

5 Z.B. Lambert, BWL 32,45.

6 BZAW 41,211.

dem er bisher vertraut hat und der ihm nun so viel Leid beschert. An mehreren Stellen läßt sich die spezifische Bedeutung von Šaddaj als persönlicher Gott nachweisen.
In Hi 5,17-26 schildert Eliphas das Wirken des Šaddaj folgendermaßen: Er kann sowohl Gutes als auch Böses zufügen. (V.18) Er rettet aus der Not, sei es Krankheit (V. 19), Hunger oder Krieg (V.2o.22). Er schafft, daß der Mensch mit Natur und Tierwelt in Harmonie lebt (V.23), sein Haus sicher und mit allem Lebensnotwendigen gefüllt ist (V.24). Ein reicher Kindersegen ist dem Menschen beschert (V.25), und er darf "alt und lebenssatt" sterben (V.26). Alle diese Aussagen umschreiben ein erfülltes Leben, das - wie wir bereits mehrfach behandelt haben - nach altorientalischer und israelitischer Vorstellung eine Gabe des persönlichen Gottes darstellt. Er wird hier in seinen charakteristischen Funktionen als Garant für das Wohlergehen sowie als Beschützer des Menschen geschildert.
Dasselbe läßt sich auch in Hi 29,1-25 beobachten. Hiob beschreibt hier seinen früheren Zustand, als Gott ihn noch bewahrte und der Šaddaj mit ihm war (V.2-5). Der Ausdruck des Mitseins ist uns bereits in den Vätergeschichten als typische Kennzeichnung der Wirksamkeit des persönlichen Gottes begegnet.[1] Die folgenden Verse schildern, wie sich dieses Mitsein seines Gottes in Hiobs Leben auswirkte: Seine Kinder umgaben ihn (V.5b), seine Schritte waren gesegnet (V.6f),alt und jung und auch die Gewaltigen ehrten ihn (V.8-11). Hiob kümmerte sich um die Armen, Waisen und Witwen (V.12f.15f). Er sorgte für Gerechtigkeit (V.14) und bestrafte die Frevler (V.17). In ähnlicher Weise berichtet auch der unschuldig Leidende in den mesopotamischen Gedichten über sein Leben und Verhalten zu der Zeit, als sein persönlicher Gott noch mit ihm war.[2] Dem kontrastiert scharf sein gegenwärtiger Zustand (vgl. Hi 3o).
Die Freunde fordern Hiob mehrfach auf, er möge sich dem Šaddaj wieder zuwenden, um dadurch erneutes Wohlergehen zu erlangen (Hi 8,5f; 22,23-3o). Tut er dies, so werden seine Gebete wieder erhört werden, und sein Leben wird von Erfolg gekrönt sein.

---

[1] S.o.S. 193ff.

[2] Vgl. z.B. Lambert, BWL 4o,27ff.

Auch die übrigen Stellen mit Šaddaj lassen sich innerhalb der Vorstellung vom persönlichen Gott erklären, ohne daß - notwendigerweise - an allen Stellen eine spezifische Verwendung des Begriffs vorliegt. Der Šaddaj ist gerecht und vollkommen (Hi 8,3; 11,7; 34,1o.12; 37,23); kann auch Unheil schicken (6,4; 23,16; 27,2). Hiob will an ihn appelieren (13,3; 31,35). Die Gottlosen dienen Šaddaj nicht (6,14; 15,25; 21,15; 22,17; 27,1o) und müssen deshalb seinen Zorn spüren (21,2o). Der Šaddaj hat den Menschen geschaffen und gibt ihm Geist und Verstand (32,8; 33,4).[1]

c. Šaddaj im übrigen Alten Testament

Die Klage Naemis (Ru 1,2of), daß Šaddaj ihr ein bitteres Schicksal beschieden habe, paßt durchaus in die Vorstellung vom persönlichen Gott, der nach mesopotamischer Anschauung dem Menschen auch ein ungutes Schicksal bescheren kann.[2] Dagegen ist bei den übrigen Stellen im Alten Testament von der spezifischen Bedeutung des Wortes *šdj* nichts mehr zu erkennen. Jes 13,6 und Jo 1,15 bringen Šaddaj mit *šdd* "gewalttätig sein" in Zusammenhang. Ps 68,15 wird von Šaddaj gesagt, daß er Könige zerstreut. Ez 1,24 und 1o,5 vergleichen das Flügelrauschen der Cheruben mit der "Stimme des Šaddaj". In der Bileamperikope ist Šaddaj zu einem Epitheton Jahwes geworden, das ohne erkennbaren Hinweis auf seine ursprüngliche Bedeutung verwendet wird. Diese Stellen dürfen jedoch nicht als Gegenargumente gegen die von uns vorgetragene Deutung verwendet werden. Denn das Wort kann, nachdem es einmal ins Hebräische eingeführt worden war, unreflektiert und ohne Rücksicht auf seine ursprüngliche Funktion gebraucht werden, wie das auch bei anderen Gottesbezeichnungen (z.B. El Eljon) zu beobachten ist.
Zusammenfassend läßt sich sagen, daß der El Šaddaj ursprünglich weder in die Gruppe der kanaanäischen ʾĒlīm[3], noch unter die großen Landesgottheiten zu rechnen ist[4]. Šaddaj stellt vielmehr eine Funktionsbezeichnung dar, die den

---

[1] Zur Vorstellung vom persönlichen Gott als Schöpfer des Menschen s.o.S. und u.S.

[2] S.o.S. 1o8ff, insbes. Text Nr. 177.

[3] So Alt, Kl.Schr. I,7; v. Rad, ThAT I,193 Anm. 8.

[4] So Nyberg, ARW 35,351.

persönlichen Gott meint und von dem akkadischen Wort *šēdu* abzuleiten ist. Der Terminus kommt deshalb vorzugsweise bei solchen Schiftstellern vor, deren Beziehungen zu Mesopotamien schon seit längerer Zeit als wahrscheinlich gelten, nämlich in der Priesterschrift und im Hiobbuch.[1]

C. DIE VEREHRUNG DER BAʿALE UND ASTARTEN ALS PERSÖNLICHE GÖTTER

Wenn wir weiter danach fragen, welche Gottheiten für eine persönliche Verehrung in Betracht kommen, so verweist uns das Alte Testament an vielen Stellen auf die sog. Baʿale und Astarten. Durch seine ganze Geschichte hindurch stand Israel in der Gefahr, zu ihnen abzufallen. (vgl. Ri 2,11ff; 3,7; 8,27; 1o,6; 1Sam 12,1o; 2Kön 17,7ff; Jer 2; Hos 1-3; 11,1ff; Ez 16,16ff usw.). Welcher Art waren diese Götter und in welchem Verhältnis standen die Israeliten zu ihnen?

1. *Das Wesen der Baʿalreligion*

Im Alten Testament wird der Begriff *bʿl* als "Sammelname für die Jahwe entgegengesetzten Gottheiten" gebraucht.[2] Dabei versteht das Alte Testament die Baʿale und deren weibliche Gegenstücke, die Astarten, pauschal als Fruchtbarkeitsgötter. Die gegenwärtige alttestamentliche Forschung hat dieses Pauschalurteil weithin übernommen und als historisch zutreffend aufge-

---

[1] Für die Priesterschrift vgl. z.B. Fohrer, Einleitung 2o1; für das Hiobbuch Horst, RGG^3, III, 358f. - Eine von akkadisch *šēdu* abgeleitete Schutzgottbezeichnung läßt sich auch in Ägypten seit dem 2. vorchristlichen Jahrtausend unter dem Namen Šed nachweisen. (Vgl. Bonnet, Reallexikon 676; Caquot, Syria 29,74ff; Helck, WM I/1, 394). Aus bildlichen Darstellungen ergibt sich seine charakteristische Funktion, nämlich seine Gläubigen gegen böse Mächte zu beschützen. (Caquot 76f) Man trägt deshalb sein Bild auf kleinen Schutztafeln - ähnlich wie in Mesopotamien und anderswo - mit sich. (Bonnet 677) Häufig wird er mit dem jungen Horus identifiziert und als Horus-Šed angesprochen. (Caquot 77; Bonnet 677; Helck 394) Daraus ergibt sich, daß die Bezeichnung *šēdu* auch außerhalb Mesopotamiens bekannt war und offensichtlich zur Kennzeichnung bestimmter Gottheiten als Schutz- oder persönliche Götter verwendet werden konnte; sie verkörpert "allgemein den nothelferischen Aspekt der Gottheit" (Morenz, Religion 282).

[2] Eißfeldt, Kl.Schr. II,146.

faßt.[1] Eine frühere Forschungsgeneration, als deren heute noch lebender Exponent Otto Eißfeldt gelten kann, hatte das Verhältnis von israelitischer und kanaanäischer Religion sehr viel differenzierter gesehen. Sicher waren die Baʿale und Astarten von ihrem Ursprung her Natur- oder Fruchtbarkeitsgötter. Dies gilt auch für die Herkunft sehr vieler der übrigen altorientalischer Götter. Zugleich hatten diese Gottheiten aber auch ein Verhältnis zur Geschichte der unter ihrem Schutz stehenden Länder, Städte, Sippen und Familien.[2] "Historische" und naturhafte Funktionen gehören bei vielen Göttern zusammen.[3] Es gibt im Alten Orient keine Religion, die nur aus Fruchtbarkeitskulten besteht. Wie könnten diese allein das geschichtliche Leben in seiner Vielfalt bestimmen?

Das Wort *bʿl* bedeutet "Herr, Besitzer". Der Baʿal ist aber nicht nur Besitzer eines Heiligtums oder eines sonstigen numinosen Ortes (Quelle, Baum, Fels etc.), sondern ebenso Herr und Besitzer einer Stadt (vgl. Am 8,14), einer Sippe oder einer Familie. So sind in syrisch-palästinensischen Inschriften der Baʿal von Sidon, der Baʿal von Tyrus und die Baʿalat von Byblos belegt.[4] Das Alte Testament nennt eine Anzahl von Baʿalen, die folgende Bezeichnungen tragen:

BʿL PʿWR	(Num 25,3.5; Dtn 4,3; Hos 9,1o; Ps 1o6,28);
BʿL BRJT	(Ri 8,33; 9,4);
BʿL ZBWB ʾLHJ ʿQRWN	(2Kön 1,2f.6.16);
BʿL GD	(Jos 11,17; 12,7; 13,5 usw.);
BʿL ḤṢWR	(2Sam 13,23);
BʿL ṢPWN	(Ex 14,2.9; Num 33,7);
BʿL ŠLŠH	(2Kön 4,42);

---

[1] Zwei charakteristische Beispiele seien für diese Auffassung angeführt. Von Rad (ThAT I,35) sagt über die den Baʿalen gewidmeten Höhenkulte: "Diese Kulte waren reine Fruchtbarkeitskulte, wie sie einer bäuerlichen Bevölkerung angemessen waren." Bernhardt (Königsideologie 283) beschreibt das Wesen der Baʿalsreligion folgendermaßen: "Eine naturhafte Vegetationsgottheit von der Art des kanaanäischen Baʿal ... ist ortsgebunden. Ihr Verehrer braucht nicht zu befürchten, sein Gott könne sich entfernen und ihn verlassen. Das immer neue Leben in der Natur ist für den kanaanäischen Frommen sicheres Unterpfand der tätigen Gegenwart Baʿals." Hier ist das Wirken der Gottheit im Leben einer Stadt oder eines Individuums völlig außer acht gelassen, so daß sich ein ganz einseitiges, verzerrtes und unwirkliches Bild der kanaanäischen Religion ergibt.

[2] Vgl. Eißfeldt, Kl.Schr. II,53. - Dazu sind die oben zusammengestellten Inschriften aus Syrien-Palästina zu vergleichen (S. 149ff).

[3] S.o.S. 2o9ff; vgl. Baudissin, Kyrios III,5o5ff.

[4] S.o.S. 161 *[Text Nr. 236]*.

BᶜL ḤMR (Ri 2o,23);

BᶜLT Bʾ R (Jos 19,8);

BᶜL MᶜWN (Num 32,38; Ez 25,9; 1Chron 5,8);

BᶜL HMWN (Cant 8,11);

BᶜL ḤRMWN (Ri 3,3; 1Chron 5,27).[1]

Ihre bevorzugten Kultstätten waren die *BMWT* (vgl. 1Sam 9,12ff; 1Kön 3,4; 12,31; 2Kön 12,3 usw.).[2]

Zu dem Element *BᶜL* in diesen Gottesbezeichnungen ist auf mesopotamische Götternamen hinzuweisen, die nach demselben Schema gebildet sind, z.B. ᵈNin-girsu "Herr von Girsu", ᵈNin-isina "Herrin von Isin" und ᵈNin-

---

[1] Vgl. Eißfeldt, Kl.Schr. II,184; Baumgartner, Lexikon 137f.

[2] Umstritten ist die Frage, ob die Baᶜale selbständige Lokalgottheiten oder nur lokale Erscheinungen des einen Gottes Baᶜal, wie er uns aus den Ras-Šamra-Rexten bekannt ist,gewesen sind. Hoffmann (Abhandlungen ... Göttingen, 36,19) nimmt an, daß jeder Baᶜal ursprünglich ein Lokalgott gewesen sei, der durch einen hinzugesetzten Genetiv bestimmt wurde, keineswegs aber eine Gettungsbezeichnung. Denn eine solche Abstraktion sei erst auf einer späteren theologischen Stufe möglich. Erst die vielen Genetiv-baᶜale hätten zum Gattungsbegriff Baᶜal geführt. Allerdings könnte gelegentlich ein lokaler Baᶜal auch Erscheinungsform eines der großen kanaanäischen Götter gewesen sein. Die entgegengesetzte Position vertreten z. B. Mulder (Baᶜal) und Weiß (BHH I,173f): Obwohl im Alten Testament von den Baᶜalen im Plural die Rede ist, seien diese dennoch nicht einzelne Lokalgötter, sondern lokale Ausprägungen des einen Baᶜal. (Weiß) Baᶜal sei ursprünglich Appellativ, manchmal auch Epitheton gewesen, jedoch schon im 2. Jahrtausend zum Eigennamen einer bestimmten Gottheit geworden. (Mulder, ebd. 196ff) Mulder erklärt die alttestamentliche Redeweise von den vielen Baᶜalen durch die Annahme, daß die biblischen Autoren damit die Einheit Jahwes dem dezentralisierten Baᶜalskult gegenüberstellen wollten. Nach seiner Meinung gehe es schon aus dem Gebrauch des Artikels hervor, daß es nur einen Gott Baᶜal gegeben haben könnte.
Nun muß der Gebrauch des Artikels noch lange nicht für die Existenz eines einzigen Gottes Baᶜal sprechen, denn dies kann davon herrühren, daß die Verehrer einer solchen Gottheit diesen einfach "den (bekannten) Baᶜal" nannten; daraus entwickelte sich dann die Pauschalbezeichnung *HBᶜLJM*. (vgl. Kittel, Geschichte 215) Im übrigen ist auf eine parallele Erscheinung in der hethitischen Religion hinzuweisen. Dort ist die Hauptgottheit ein Gewittergott, der mit den Ideogrammes des Adad wiedergegeben und Tešub o.ä. genannt wird. Daneben gibt es noch eine Fülle anderer Wettergötter: einige von ihnen sind mit Naturphänomenen verknüpft (z.B. Regen, Blitz), andere mit dem Königtum (z.B. Palast, Heer), sehr viele mit bestimmten Kultplätzen ("Wettergott der Stadt X"). Güterbock (RGG³, III,3o2) beurteilt diesen Sachverhalt folgendermaßen: "Ob hier ursprünglich verschiedene Götter oder Formen *eines* Gottes vorliegen, ist eine Frage der Interpretation; die H(ethiter) betrachteten sie als individuelle Götter, wie

mar^{ki} "Herr von Mar".[1]

2. *Die Baᶜale und Astarten als persönliche Gottheiten*

Es ist bisher kaum in der Forschung die Frage berührt worden, in welchem Verhältnis die einzelnen Israeliten zu den Ba`alen und Astarten gestanden haben. Denn der Mensch des Alten Orients verehrt nicht jede beliebige Gotthiet, sondern nur solche, mit denen er in irgendeiner Beziehung steht, sei es als Gott seiner Stadt, seiner Familie oder in einer bestimmten kosmischen Funktion. Nun wurde in der obigen Analyse der Inschriften Syrien-Palästinas[2] dargelegt, daß der Begriff *bᶜl* des öfteren für eine Gottheit gebraucht wird, die ein Individuum als seinen persönlichen Gott verehrt. In einem Brief aus Ugarit kommt der Ausdruck "mein Baᶜal" vor[3]; König Azitawadda hebt seinen persönlichen Gott, den Baᶜal-KRNTRJŠ ausdrücklich von den übrigen Göttern der Stadt ab[4]. Die Könige von Sam'al gebrauchen für ihren persönlichen Gott die Bezeichnung *BᶜL BT*.[5] Von diesen Belegen her legt sich die Vermutung nahe, daß die im Alten Testament pauschal als "die Baᶜale und Astarten" genannten kanaanäischen Gottheiten vielfach den Israeliten als persönliche Götter dienten. Zwei Beobachtungen aus dem Alten Testament bestätigen diese Vermutung:

a. Die Gideongeschichte

In Ri 6,25 erhält Gideon-Jerubbaᶜal von Jahwe den Auftrag, den Altar des Baᶜal, der seinem Vater gehört, niederzureißen und die dazugehörige Aschere umzuhauen. Es handelt sich hier offensichtlich um eine private Kultstätte,

---

die Aufzählung von mehreren nebeneinander und die Zusammenfassung als 'alle Wettergötter' zeigt." Ähnlich wird man wohl auch die Frage, ob einer oder viele Baᶜale zu entscheiden haben. Vom Standpunkt des Kanaanäers aus waren die Baᶜale je individuelle Gottheiten, obwohl sie vielleicht ursprünglich auf eine gemeinsame Göttergestalt zurückgehen.

[1] Vgl. Deimel, Pantheon Nr. 2648 und 2582.

[2] S. 150.

[3] S.o.S. 150 [Text Nr. 223].

[4] S.o.S. 161 [Text Nr. 236].

[5] S.o.S. 154f.

an der die Familie Gideons einen Baᶜal als ihren persönlichen Gott verehrte. Solche Privatheiligtümer sind mehrfach im Alten Testament[1] und insbesondere im übrigen Alten Orient[2] bezeugt. Die Verehrung eines Baᶜals durch die Familie Gideons geht auch aus dem Element *bᶜl* in dem anderen für Gideon überlieferten Namen Jerubaᶜal (vgl. Ri 6,32; 7,1 u.ö.) hervor.

b. Die Namengebung

Wie wir bereits oben behandelt haben[3], ist der im Namen vorkommende Gott gewöhnlich mit dem persönlichen Gott des Namenträgers bzw. Namengebers identisch. Nun sind uns aus der Richter- und Königszeit eine Anzahl von Namen mit dem Element *BᶜL* überliefert:

JRBᶜL	(überlieferter Name für Gideon, Ri 6,32; 7,1 u.ö.)
ʾŠBᶜL, MRJBᶜL	"Mann Baᶜals" (Söhne Sauls, 2Sam 2-4; 21,7; 1Chron 8,34);
MRJB-BᶜL	(Sohn Jonathans, 2Sam 4,4; 9,6 u.ö.);
BᶜNH	(Mörder Ešbaᶜals, 2Sam 4,2. 5f.9);[4]
BᶜLJDᶜ	(Sohn Davids, 1Chron 14,7; vgl. 2Sam 5,16);
JŠBᶜL, BᶜNH	(Helden Davids,1Chron 11,11 text.em.; 2Sam 23,29;1Chron 11,3o);
BᶜNʾ	(zwei Vögte Salomos, 1Kön 4,12.16);
BᶜL-ḤNN	(Beamter Davids, 1Chron 27,28);
BᶜŠʾ	(König von Israel, 1Kön 15,16ff; 16,1ff u.ö.).[5]

Insbesondere aus Namen wie *ŠBᶜL* und *MRJBᶜL*, die beide "Mann Baᶜals" bedeuten, ist auf eine enge Zugehörigkeit des Menschen zu Baᶜal zu schließen, die dem Verhältnis des Schützlings zu seinem persönlichen Gott entspricht. In Mesopotamien ist sowohl in Eigennamen als auch in religiösen Texten die Bezeichnung "Mann seines Gottes" bzw. "Mann des Gottes NN" für den Schützling eines bestimmten persönlichen Gottes belegt.[6]

---

[1] S.o.S. 171ff.

[2] S.o.S. 58ff (Mesopotamien). 163f (Syrien-Palästina). 139f (Arabien).

[3] S.o.S. 49ff.

[4] Die beiden ersten Konsonanten sind hier offensichtlich wie bei *BᶜNʾ* und *BᶜŠʾ* eine Abkürzung für *BᶜL*. (vgl. Noth, Namengebung 4o).

[5] Vgl. Noth, ebd. 119.

[6] S.o.S. 29.

Umstritten ist die Frage, ob mit dem Appelativum *Bʿ L* hier Jahwe als Herr über alle Baʿale und Besitzer des Landes gemeint ist[1], oder ob es sich hierbei um einen kanaanäischen Gott handelt. Die zweite Möglichkeit, für die auch Kerber[2] und Noth[3] plädieren, ist wohl die einfachste und zugleich wahrscheinlichste Lösung.

Die Liste der baʿalhaltigen Namen zeigt, daß die persönliche Verehrung eines Baʿal keineswegs auf die niederen Volksschichten beschränkt war, sondern bis in die höchsten Kreise, ja sogar ins Königshaus, hineinreichte. Baʿalhaltige Namen finden sich auch noch in der mittleren Königszeit. In den samarischen Ostraka, die aus den Jahren 738/737 v.Chr. stammen[4], erscheinen zehn Namensträger mit dem Element Baʿal gegenüber elf mit Jahwe. Verteilt man die Namen auf die Angehörigen der verschiedenen Schichten, so stellt man fest, daß bei den königlichen Oberbeamten bzw. ihren Vätern zwei Baʿal-Namen und fünf Jahwe-Namen vorkommen, bei den Winzern dagegen acht Baʿal-Namen und nur sechs Jahwe-Namen. Die Unterschicht neigte folglich dem Baʿalkult mehr zu als die Oberschicht.[5]

Bei den Frauen scheint Astarte als persönliche Göttin beliebt gewesen zu sein. In Jer 7,18 klagt der Prophet darüber, daß die Frauen Teig kneten, um der "Himmelskönigin" Kuchen zu backen. Von Maacha, der Mutter des judäischen Königs Asa,wird berichtet, sie habe der Astarte eine Statue errichten lassen. (1Kön 15,13) Die Tatsache der Verehrung Astartes in Israel wird auch durch den archäologischen Befund bestätigt, wonach in israelitischen Häusern massenweise Figurinen dieser Göttin gefunden wurden.[6] Auch die ausländischen Frauen Salomos verehrten in Jerusalem ihre persönlichen Gottheiten.[7]

---

[1] Vgl. Weiß, BHH I,173f.

[2] Eigennamen 48f.

[3] Ebd. 121.

[4] Vgl. KAI 183-188.

[5] Vgl. Noth, ebd. 12o.

[6] Vgl. Wright, Archäologie 113.

[7] Vgl. 1Kön 11,8.

In bezug auf das Ausmaß der Fremdgötterverehrung läßt sich zwischen Nord- und Südreich ein gewisser Unterschied feststellen. Im Rahmen der Großreichbildung Davids wurden insbesondere im Norden große rein kanaanäische Gebiete eingegliedert, die in politischer, sozialer und religiöser Hinsicht weiterhin ihr Eigenleben pflegten.[1] Die Neigung zur Verehrung fremder Gottheiten war deshalb im Nordreich stärker als in Juda, das keinen solch großen Zuwachs an nichtisraelitischen Gebieten erfahren hatte.[2] Die Ostraka aus Arad in Juda enthalten keine baʿalhaltigen Namen.[3]
Die Vielfalt des religiösen Lebens in der vorexilischen Zeit beweisen auch die Funde aus der jüdischen Militärkolonie von Elephantine, die im 5. Jahrhundert unter persischer Herrschaft in Oberägypten bestanden hat. Dort wurden neben Jahwe noch die Götter Ašam-Bethel, ʿAnat-Bethel und Ḫaram-Bethel verehrt.[4] Daß diese Gottheiten auch als persönliche Götter verehrt wurden, geht aus Personennamen wie *Bethel-ʿaqab* "Bethel beschützt", *Bethel-nûrî* "Bethel ist mein Licht" hervor[5]. Als Eideshelfer und in Briefpräskripten rief man auch ägyptische Götter (z.B. Chnum) an und wandte sich gelegentlich auch an Bēl, Nabû, Šamaš und Nergal, wie die Pariser Ostraka beweisen.[6] Die Funde aus Elephantine sind insofern höchst bedeutsam, als die dortigen Verhältnisse wohl als repräsentativ für die jüdische Volksreligion des 7. vorchristlichen Jahrhunderts gelten dürften.[7] Auch scheint die in 2Kön 22f berichtete Reform des Josia nur vorübergehend dem Fremdgötterkult Einhalt geboten zu haben, denn auch bei den exilisch-nachexilischen Propheten finden wir eine breite Polemik gegen die Verehrung fremder Götter.[8]

---

[1] Vgl. Alt, Kl.Schr. II,51ff; Noth, Geschichte 178.

[2] Vgl. Galling, Fs. Alt 123f.

[3] Vgl. Stolz, Strukturen 154 Anm. 23.

[4] Vgl. Meyer, Elephantine 38ff; Vincent, Religion 562 ff; Albright, Religion 185ff.

[5] Vgl. Vincent, ebd. 564 und passim.

[6] Vgl. Galling, ebd. 125.

[7] Vgl. Meyer, ebd. 4o.

[8] S. die Übersicht bei Ohata, Orient 5,7ff.

D. JAHWE ALS PERSÖNLICHER GOTT DER DAVIDISCHEN DYNASTIE

Bei der Betrachtung des Alten Testaments fällt auf, welche große Bedeutung David und seine Dynastie für die israelitische Religion besitzen. Sowohl in der deuteronomistischen als auch in der chronistischen Geschichtsschreibung stehen Aufstieg und Regierungszeit Davids im Mittelpunkt der Berichterstattung und füllen fast die Hälfte der Geschichtsbücher aus. David ist der Maßstab, an dem das Verhalten der späteren Könige gemessen wird. (vgl. 1Kön 9,4; 11,4.6.38; 14,8;15,3; 2Kön 22,2 usw.) Um "meines Knechtes David willen" hält Jahwe nach Meinung des Deuteronomisten das Gericht über Juda zurück. (vgl. 1Kön 11,32-34; 15,4f u.ö.) Insbesondere orientiert sich die messianische Hoffnung weitgehend an der Gestalt Davids und erwartet den zukünftigen Heilskönig als Sproß aus seinem Geschlecht. (vgl. Jer 23,5; Ez 37,25; Jes 9,1-6; Mi 5,1-4 u.a.)
Worin ist diese überragende Bedeutung Davids und seiner Familie begründet? Liegt es daran, daß David der erste große König Israels war? Oder ist der Grund hierfür in der über 4oojährigen Regierungsdauer der davidischen Dynastie zu suchen? Das Alte Testament nennt als entscheidenden Faktor die Tatsache, daß Jahwe sich in besonders enger Weise mit dem Haus Davids verband und ihm "für immer" Thron und Nachkommenschaft verhieß. (vgl. 2Sam 7,16; Ps 89,2off u.a.) Dieses enge Verhältnis zwischen Jahwe und den Davididen kann als das eines persönlichen Gottes zu der unter seinem Schutz stehenden Familie interpretiert werden. Dadurch unterscheidet sich die davidische Dynastie in ihrem Verhältnis zu Jahwe grundlegend von den Königen des Nordreiches. Dort stand immer nur der jeweilige König unter dem Schutz des Staatsgottes Jahwe; bei den Davididen erstreckt sich die Fürsorge Jahwes auf die gesamte Familie durch Generationen hindurch. [1]

---

[1] Ansätze zu dieser These, jedoch ohne ausführliche Begründung, finden sich bei Widengren (Psalms 78; Königtum 11), Nyberg (ARW 35,377) und de Fraine (L'aspect 268). - Im übrigen hat man in der Forschung bisher das Verhältnis der Davididen zu Jahwe zumeist mit dem auch sonst im Alten Orient üblichen Verhältnis der Könige zu den Staatsgottheiten verglichen. Dabei spielte in der Diskussion insbesondere die skandinavisch-englische Myth-and-Ritual-Schule eine Rolle. Sie ordnete das israelitische Königtum in ein nach ihrer Meinung überall verbreitetes divine-kingship-pattern ein, wonach der König göttliche Eigenschaften besitzt, deren Wirksamkeit sich

Beim davidischen Königtum fungiert also der Staatsgott Jahwe als persönlicher Gott der Dynastie. Für einen solchen Fall gibt es im Alten Orient mehrere Parallelen. In Südarabien erhob die regierende Saba-Dynastie ihren persönlichen Gott ᵓAlmaqah zum Staatsgott, was dann die Hamdanidenfamilie, als sie vorübergehend den Thron erlangte, schleunigst rückgängig zu machen suchte. Ihr persönlicher Taᵓlab stieg unter ihrer Regierung fast bis zum Reichsgott auf; nur verloren die Hamdaniden bald ihren politischen Einfluß, so daß ᵓAlmaqah wieder an seinen alten Platz zurückkehrte.[1] Bei den Nabatäern fielen Staatsgott und Dynastiegott ebenfalls zusammen, und zwar in der Person des Gottes Dušāra.[2]
Die vorweg in Umrissen dargestellte These soll nun anhand der Terminologie, einzelner Texte sowie des archäologischen Befundes näher erläutert und begründet werden.

I. Die Terminologie

Im Zusammenhang mit der Daviddynastie kommen im Alten Testament Bezeichnungen vor, die für den persönlichen Gott charakteristisch sind:

1. "*Mein usw. Gott*"

In Ps 89,27 wird von einem Davididen gesagt, daß er Jahwe "mein Gott" nennen wird. Die davididischen Könige reden in den Geschichtsbüchern Jahwe häufig mit "mein Gott" an, so David (1Sam 3o,6; 2Sam 24,24; 1Chron 11,19; 17,25; 21,17; 22,7 *[gegenüber Salomo]*; 28,2o; 29,2.3.17), Salomo (1Kön 3,7; 5,18f *[gegenüber Hiram]*; 8,28; 2Chron 6,19.4o). Auf der anderen Seite verwendet David den Ausdruck "Jahwe, dein Gott" auch gegenüber seinem Sohn Salomo (1Kön 2,3; 1Chron 22,11f).

---

alljährlich beim Neujahrsfest erweist. (vgl. Engnell, Kingship; Hooke u. a., Myth, Ritual; Widengren, Königtum 14ff)
Demgegenüber weist Frankfort (Kingship) in einer umfangreichen Studie nach, daß sich die Vorstellung vom göttlichen König in klassischer Weise nur in Ägypten findet, während sie in Mesopotamien nur vereinzelt nachweisbar sei (z.B. bei den Königen der Ur-III-Zeit). Im semitischen Raum sei vielmehr der König als "divine servant" vorgestellt worden, ohne daß damit ein Anspruch auf Göttlichkeit verbunden gewesen wäre. (vgl. auch North, ZAW 5o,8ff; Noth, Ges.St. 188ff; Cooke, ZAW 73,2o2ff; Fohrer, Religion 134ff.)

[1] S.o.S. 146.

[2] S.o.S. 154.

Sowohl Israeliten als auch Angehörige fremder Völker reden gegenüber Königen aus dem Geschlecht Davids von Jahwe als "deinem Gott", während die Könige selbst Jahwe häufig "meinen Gott" nennen. Wenn Angehörige fremder Völker diese Ausdruckweise gebrauchen,so kann damit lediglich die Apostrophierung Jahwes als Gott eines fremden Volkes gemeint sein. (vgl. z.B. die Königin von Saba gegenüber Salomo 1Kön 1o,9) Erstaunlich ist jedoch das Vorkommen desselben Sprachgebrauchs innerhalb des Volkes Israel. Der Ausdruck "Jahwe,dein Gott" begegnet in Gesprächen Davids mit Abigail (1Sam 25,29), der Frau von Thekoa (2Sam 14,11.17), Joab (2Sam 24,3), einem Boten (2Sam 18,28), Bathseba (2Kön 1,17) und den Israeliten in Hebron (1Chron 11,2). In Jes 7,11 fordert Jesaja den König Ahas auf, ein Zeichen von "Jahwe, deinem Gott" zu fordern. Der Seher Hanai bezieht sich gegenüber dem König Asa auf "Jahwe, deinen Gott" (2Chron 16,7). Allgemein spricht der Königspsalm Ps 45 in V.8 von "Jahwe, deinem Gott". Der deuteronomistische Erzähler spricht von "Jahwe, seinem Gott" in bezug auf die Könige Abia (1Kön 15,3), Ahas (2Kön 16,2) und Manasse (2Chron 33,12).

2."*Gott meines usw. Vaters*"

Parallel zu "mein usw. Gott" begegnet auch der Terminus "Gott meines usw. Vaters". David redet gegenüber Salomo von "Jahwe, dem Gott deines Vaters" (1Chron 28,9; 29,1o; 2Chron 17,4). Der chronistische Erzähler berichtet von Josaphat, daß er nach dem "Gott seines Vaters" fragte (1Chron 17,4).

3. "*Mein Vater*"

In Psalm 89,27 redet der Davidide Jahwe neben "mein Gott" und "Fels meines Heils"[1] mit "mein Vater" an. Diese Bezeichnung ist in Mesopotamien mehrfach für den persönlichen Gott belegt.[2] Auch an zwei anderen Stellen wird das Verhältnis zwischen Jahwe und dem Davididenkönig mit dem Bild von Vater und Sohn umschrieben. In 2Sam 7,14 verheißt Jahwe: "Ich will ihm Vater sein, und er soll mir Sohn sein." (vgl. 1Chron 17,13; 22,1o; 28,6) Ähnlich lautet Ps 2,7: "Mein Sohn bist du, heute habe ich dich gezeugt."

---

[1] Der Terminus "Fels meines Heils" o.ä. ist häufig in den Psalmen belegt und wohl auf den persönlichen Gott zu beziehen, s.dazu u.S. 245.

[2] S.o.S. 16ff.

Diese Aussage von einer Vater-Sohn-Relation zwischen Jahwe und den Davididen haben verschiedene Interpretationen erfahren. Während die Anhänger der sog. Myth-and-Ritual-Schule hierin den Hauptbeleg für ihre These von der Göttlichkeit des israelitischen Königs sehen, erklären die meisten Forscher die Bezeichnung "Sohn" auf dem Hintergrund der Adoptionsvorstellung.[1] Darüber hinaus weisen v.Rad[2] und S. Herrmann[3] auf die Abhängigkeit dieser Aussagen von der ägyptischen Königstheologie, insbesondere der sog. Königsnovelle hin, wonach der König in einer Zeremonie zum Sohn des Gottes Re erhoben wird.[4] Lipiński[5] bringt demgegenüber die Anrede "mein Vater" unter Hinweis auf 2Kön 16,7 mit dem Verhältnis des Suzeräns zum Vasall in Verbindung. Wie wir bereits behandelt haben[6], drückt der Terminus "Sohn" im Semitischen primär die enge Zugehörigkeit eines Menschen zu einer übergeordneten Person (Mensch bzw. Gott) oder Sache aus.[7] Physische, adoptianische oder sonstige Vorstellungen spielen erst sekundär eine Rolle. Wenn sich die mesopotamischen Könige des öfteren "Söhne" bestimmter Hauptgottheiten nennen[8], so kommt darin ihre enge Verbundenheit mit diesen Göttern zum Ausdruck, ohne daß an physische Zeugung oder Adoption gedacht wäre. Auch der gewöhnliche Mensch kann sich "Sohn" einer Gottheit, nämlich seines persönlichen Gottes nennen[9], weil er sich ihm in seinem gesamten Leben und Handeln zugeordnet weiß.

---

1 Vgl. Cooke, ZAW 73,225; North, ZAW 5o,25ff;v. Rad, ThAT I,323; Noth, Ges.St. 222f; Kraus, Psalmen zu Ps 2,7.

2 Ges.St. 2o5ff.

3 Fs. Alt 33ff.

4 Zur Auseinandersetzung mit Herrmanns These vgl. Kutsch, ebd. 151-153.

5 Le poème 58.

6 S.o.S. 28 mit Anm. 4.

7 Folgende Beispiele sind hierfür aus dem Alten Testament stamment zu nennen: "Sohne eines Jahres" = Einjähriger (Lev 12,6); "Söhne der Widerspenstigkeit" = Widerspenstige (Num 17,25; "Sohn des Elends" = Elender (Prov. 31, 5). Num 21,29 werden die Moabiter "Söhne und Töchter ihres Gottes Kamoš" genannt. Heidnische Frauen tragen in Mal 2,11 die Bezeichnung "Töchter eines fremden Gottes". Rob.Smith (Religion 27ff) schließt aus den beiden letzten Stellen, daß sich die Semiten von ihren Göttern abstammend fühlten. Diese Auffassung kann jedoch durch den Hinweis auf die beiden ersten Beispiele widerlegt werden, wo der Begriff "Sohn" in bezug auf Sachen verwendet wird. "Sohn" muß demnach als allgemeiner Ausdruck der Zugehörigkeit aufgefaßt werden.

8 Belege bei Seux, Epithètes 16of. 392-395.

9 S.o.S. 27ff.

Wenn im Alten Testament das Verhältnis der davidischen Könige zu Jahwe als das eines Sohnes zum Vater umschrieben wird, so könnte man zunächst allgemein an die enge Beziehung zwischen König und Staatsgott denken. In Ps 89,27 stehen jedoch parallel zu "mein Vater" noch die Anreden "mein Gott" und "Fels meines Heils", die in den Vorstellungsbereich des persönlichen Gottes einzuordnen sind. Wir werden folglich in der Anrede "mein Vater" und verwandten Aussagen einen weiteren Beweis für unsere These sehen können, daß Jahwe zu den Davididen in einem persönlichen Schutzverhältnis stand.

4. "*Gott des NN*"

An mehreren Stellen des Alten Testaments kommt eine nach der Form "Gott des NN" gebildete Gottesbezeichnung vor. In 2Kön 2o,5 = Jes 38,5 spricht der Prophet gegenüber Hiskia von dem "Gott Davids, deines Vaters". In 2Chron 34,3 berichtet der Chronist von Josia, daß er schon als Jüngling begann, den "Gott Davids, seines Vaters" zu suchen. In 2Chron 32,17 stellt der assyrische König Sanherib in einem Schmähbrief an die Bürger Jerusalems und Judas den "Gott Hiskias" den Göttern der Völker der anderen Länder", die er besiegt hat gegenüber. Hier sind Volksgott und persönlicher Gott des Königs ineinsgesetzt Von diesem terminologischen Befund her legt sich die Vermutung nahe, daß Jahw zu den Davididen in einem besonders engen Verhältnis gestanden hat, das dem eines persönlichen Gottes zu seinen Schützlingen entspricht. Diese Vermutung bestätigt sich durch die Beobachtung, daß die Termini "mein Gott" o.ä. bei keinem der Könige des Nordreichs belegt sind.[1]

II. Die Texte

1. *Die Nathanweissagung und verwandte Texte*

Eines der wichtigsten Dokumente über das Verhältnis Jahwes zur davidischen Dynastie stellt die sog. Nathanweissagung in 2Sam 7 dar. Den ältesten Kern des Kapitels bildet nach allgemeiner Anschauung V.11b, der lautet: ".. denn Jahwe wird dir ein Haus bauen" (*KJ BJT J*ʿ*ŚH LK JHWH*). Durch den Subjektwechsel von der ersten zur dritten Person hebt sich diese Zusage von der übrigen

[1] Nur bei Saul (1Sam 13,13) begegnet der Ausdruck "dein Gott" im Mund Samuels.

Verheißung ab und läßt deshalb auf eine ältere Schicht schließen.[1] In diesem Vers verheißt Nathan David, daß Jahwe ihm ein "Haus", d.h. eine Familie bzw. Dynastie schaffen wird.[2] Die Familie bildet nach altorientalischer Auffassung den Bereich der besonderen Fürsorge des persönlichen Gottes. Dies geht insbesondere aus den Bezeichnungen "Gott meines usw. Vaters", "Gott der Familie" und "Herr des Hauses" hervor.[3] Indem Jahwe zusagt, daß er David eine Dynastie gründen will, geht er mit seinem Haus eine enge persönliche Bindung ein, die dem eines persönlichen Gottes zu seinem Schützling und dessen Familie entspricht. Auch der hethitische König Ḫattušili geht mit seiner persönlichen Göttin, der Ištar von Šamuḫa, mitsamt seinem Hause eine dauerhafte Bindung ein, was auf die ausdrückliche Bitte der Göttin hin geschieht.[4]
Die Zusage Jahwes, dem Haus Davids Schutz und Fürsorge im Hinblick auf Thron und Nachkommenschaft zu gewähren, wird mehrfach durch den Begriff *BRJT* um schrieben. *BRJT* meint in diesem Zusammenhang - ähnlich wie in Gen 17,7[5] - nicht einen Bund auf Gegenseitigkeit, sondern die einseitige Verpflichtung, die Jahwe gegenüber den Davididen eingeht, nämlich Nachkommen und Thron zu garantieren.[6] So verheißt Jahwe in Ps 89,4f: "Ich bin eine Verpflichtung gegenüber meinem Erwählten eingegangen, ich habe meinem Knecht David geschworen: Auf ewig will ich gründen deinen Samen, von Geschlecht zu Geschlecht erbauen deinen Thron." (Vgl. V.29.35.4o; 2Sam 23,5; Jes 55,3; Jer 33,21; 2Chron 13,5; 21,7) Die Bezeichnung "Erwählter" und "Knecht" sind im Alten Orient für den Schützling des persönlichen Gottes belegt.[7]
Dem Psalm zufolge hat Jahwe seinen Knecht David aus dem Volk erhöht und ihn zum König gesalbt (V.2of), ähnlich wie in den sumerischen Königsinschriften von Ningizzida und seinem Knecht Gudea berichtet wird.[8] Zugleich verheißt Jahwe, daß er ihm ständig als sein Beschützer zur Seite stehen (V.22-25) und ihn zum Ersten unter den Königen machen will (V.28).

---

[1] So Rost, Thronnachfolge 57ff; v.Rad, ThAT I,322; Kutsch, ebd. 144. -Die übrige Aufteilung des Kapitels in mehrere Schichten ist umstritten und soll hier nicht weiter diskutiert werden.

[2] Vgl. das weitere Vorkommen von *BJT DWD* 1Sam 2o,16, wo es dem Haus Jonathans gegenübersteht, dowie 1Kön 12,16; 13,2 und Jes 7,13.

[3] S. die Übersicht o.S. 165.

[4] S.o.S. 129f *[Text Nr. 209]*.

[5] S.o.S. 198.

[6] Vgl. Kutsch, ZAW 79,28.

[7] S.o.S. 127.29ff.

[8] S.o.S. 80f.

2. *Die Geschichte von Davids Aufstieg*

Die Nathanweissagung (2Sam 7) steht sachlich in unmittelbarem Zusammenhang mit der Geschichte von Davids Aufstieg (1Sam 16,1 - 2Sam 5,1o), wenn das Kapitel nicht sogar ursprünglich einen Teil derselben bildet.[1] Zweck des gesamten Erzählkomplexes ist die Legitimation der Herrschaft Davids.[2] Eine solche Legitimation war notwendig, da David von seiner Herkunft her keinerlei Voraussetzungen für die Königswürde mitbrachte. Allein auf Grund seiner militärischen und politischen Erfolge erreicht er es, zuerst zum König von Juda (2Sam 2,1-7) und dann zum König von Israel (2Sam 5,1-5) gewählt zu werden. Die Königswahl wurde durch einen Vertrag besiegelt[3] und war offensichtlich ein rein politischer Akt[4]. Nun brauchte seine Herrschaft auch noch eine religiöse Legitimation, und als solche diente die Geschichte von Davids Aufstieg. Sie führt führt den gesamten Werdegang auf den ausdrücklichen Willen und Beistand Jahwes zurück. Dabei fungiert Jahwe - ähnlich wie in den Jakob- und Josephgeschichten - als persönlicher Gott Davids, der seinen Schützling durch alle Gefahren hindurch begleitet und schließlich zum Erfolg führt.

Den Schlüssel zur Erzählung bildet der mehrfach vorkommende Satz, daß "Jahwe mit David war" (1Sam 16,18; 18,12.14.28; 2Sam 5,1o). In 1Sam 16,18 sagt ein Diener zu Saul: "Siehe, ich habe einen Sohn des Isai von Bethlehem gesehen, der sich aufs Saitenspiel versteht, aus guter Familie stammt[5], das Kriegshandwerk beherrscht, redegewandt und von schöner Gestalt ist, denn Jahwe ist mit ihm". Der Schlußsatz *WJHWH ᶜMW* hebt sich von den übrigen von David gemachten Aussagen inhaltlich ab und ist deshalb diesen nicht einfach gleichzuordnen. Vielmehr muß man das *W*-copulativum hier und in 1Sam 18,14 kausal verstehen.[6] Das Mitsein Jahwes ist der Grund, warum David alle für einen jungen Mann idealen Eigenschaften zukommen, nämlich musische, kriegerische

---

[1] So Weiser, VT 16,342ff.

[2] Vgl. Alt, Kl.Schr. II,38f Anm. 4; Weiser, ebd. 349f; L. Schmidt,Erfolg 129.

[3] Vgl. Fohrer, BZAW 115,33off.

[4] Vgl. Noth, Geschichte 168; Fohrer, ebd.331f.

[5] So Budde z.St.

[6] Zu dieser Möglichkeit der Bedeutung des *w*-copulativum vgl. Gesenius-Kautzsch, Grammatik § 158a; Brockelmann, Syntax Nr. 135b.

und rhetorische Begabung, gute Herkunft und gutes Aussehen. Im Mitsein mit einem Menschen manifestiert sich - wie wir bereits mehrfach beobachtet haben[1] - die Wirksamkeit des persönlichen Gottes. Hierin ist also das Motto für die Aufstiegsgeschichte Davids zu sehen, das sich rückblickend in der Einleitung zum Nathanorakel noch einmal findet: "Ich habe dich von der Weide hinter den Schafen weggeholt, damit du nagîd[2] über mein Volk Israel seist. Ich bin überall mit dir gewesen, wohin du gezogen bist, und habe alle deine Feinde vor dir ausgerottet." (2Sam 7,8f)[3]
Indem Jahwe mit David ist, gelingen ihm alle seine Unternehmungen. Jahwe wendet Schaden von seinem Schützling ab und läßt ihn nicht in die Hände seines Erzfeindes Saul fallen. (1Sam 23,14) Wir können hier also die schützende Funktion des persönlichen Gottes beobachten. In einer kritischen Situation "stärkte David sich in Jahwe, seinem Gott" (1Sam 3o,6). So klettert er die Stufenleiter des Erfolgs immer höher und erlangt schließlich den Königsthron. Auch während seines Königtums bewirkt das Mitsein Jahwes, daß sich seine Macht immer mehr vergrößert (2Sam 5,1o).
Die Geschichte von Davids Aufstieg stellt neben den Jakoberzählungen und der Josephgeschichte ein Musterbeispiel dafür dar, wie Jahwe als persönlicher Gott einem Menschen zur Seite steht und ihm durch sein Mitsein zu Wohlergehen und Erfolg verhilft.[4] Eine außerbiblische Parallele dazu bilden die bereits mehrfach erwähnten Annalen des hethitischen Königs Ḫattušili. Darin führt Ḫattušili seinen gesamten Werdegang bis hin zur - illegitimen - Thronbesteigung auf die Fürsorge seiner persönlichen Gottheit, der Ištar von Šamuḫa, zurück. Diese autobiographische Darstellung dient dem Zweck, "das

---

[1] S.o.S. 193ff.2OOff.

[2] S. zu diesem Titel Schmidt, ebd. 141ff.

[3] Ob der Bestimmung Davids zum nagîd (vgl. 1Sam 25,3o; 2Sam 3,9f.18; 5,2) ein historisches Ereignis zugrunde liegt, ist umstritten. Die neuere Forschung (z.B. Noth, Geschichte 183 Anm. 3; Weiser, ebd. 339; Schmidt, ebd. 12off) neigt auf Grund der unterschiedlichen Formulierungen zu der Annahme, dem Verfasser der Aufstiegsgeschichte habe kein bestimmtes Jahwewort zur Verfügung gestanden. - Das Motiv der Berufung aus dem Hirtendasein, das hier und in 1Sam 16,11 vorkommt, ist mehrfach im sonstigen Alten Testament (vgl. z.B. Am 7,15) und auch im Alten Orient (vgl. z.B. die Geburtslegende Sargons) bezeugt. Es dient der "Legitimation des Außenseiters", indem es hervorhebt, daß ein Mensch nicht aufgrund eigenen Ehrgeizes, sondern durch göttliche Führung aus niederem Stand in eine führende Stellung emporgehoben wurde. (Vgl. Schult, Fs. v. Rad 462ff)

[4] Vgl. Pedersen, Israel III-IV, 488f: "The history of David shows what it meant that God was with a man."

illegitime Vorgehen Ḫattušiliš als ein Ergebnis göttlichen Ratschlusses auszuweisen".[1]
Auch sonst berufen sich im Alten Orient des öfteren Könige auf ihren persönlichen Gott, insbesondere dann, wenn sie "etwas außerhalb der Legalität" an die Regierung gelangt sind. Sargon von Akkade verdankt seinen entscheidenden Sieg über Lugalzagesi von Uruk und damit die Schaffung seines Großreiches seinem persönlichen Gott A.MAL.[2] Gudea von Lagaš konnte offensichtlich keinen erbrechtlichen Anspruch auf den Thron vorweisen, da er niemals den Namen seines Vaters nennt.[3] Stattdessen berichtet er auf einer Statue, daß ihn sein persönlicher Gott Ningizzida "als ersten unter der Menge (der Menschen) hat erstrahlen lassen".[4] Der auf diese Weise durch seinen persönlichen Gott hervorgehobene Gudea wurde daraufhin vom Stadtgott Ningirsu zum "Hirten" erwählt. Der hethitische König Muwatalli dankt in einem Gebet seinem persönlichen Gott, dem Wettergott *pihaššašiš*, daß er ihn großgezogen und die Königswürde verliehen habe[5]. Auch mehrere nordsyrische Könige berufen sich auf ihren persönlichen Gott als denjenigen, der ihnen die Herrschaft verliehen habe.[6]
Nun lassen die Geschichtsbücher erkennen,daß der Regierungsantritt und die Herrschaft Davids in Israel nicht unbestritten blieben. Noch zu seinen Lebzeiten fand eine Revolution unter der Führung Sebas statt, die unter der Parole stand: "Wir haben keinen Teil an David, kein Erbe an dem Sohn Isais! Ein jeder zu seinen Zelten, Israel!" (2Sam 2o,1; vgl. 1Kön 12,16) Nach dem Tod seines Sohnes Salomo fiel das Reich dann auch schnell auseinander.
Die Legitimation ihrer Herrschaft durch Jahwe war deshalb für die davidische Dynastie eine lebensnotwendige Angelegenheit.[7] Die Nathanweissagung und die Geschichte von Davids Aufstieg wollen den Nachweis erbringen, daß nicht menschlicher Ehrgeiz oder kriegerische Erfolge den Werdegang Davids bis hin zur Thronbesteigung bestimmten, sondern die persönliche Führung durch Jahwe. Dieser geleitete den künftigen Herrscher mit sicherer Hand durch alle Nöte

---

[1] Klengel, Hethiter 88.

[2] S.o.S. 81.

[3] Vgl. Falkenstein, Inschriften 1.

[4] S.o.S. 81 (Text Nr. 124).

[5] S.o.S. 126.

[6] S.o.S. 160 (Barrākib); 162 (Zakir).

[7] Vgl. Kutsch, ZThK 58,149.

und Gefahren hindurch zu Macht und Ruhm[1]. Jahwe verheißt schließlich, daß er für alle Zukunft mit der davididischen Dynastie als ihr persönlicher Gott verbunden sein will und sagt ihr den dauernden Besitz des Thrones zu.
Die Geschichte von Davids Aufstieg gibt auch Auskunft über den Ursprung des persönlichen Vertrauensverhältnisses zwischen Jahwe und David. In einem Gespräch mit Saul vor dem Kampf mit Goliath berichtet David von einem Jugenderlebnis aus seinem Hirtendasein. (1Sam 17,32ff) Ein Löwe oder Bär hatte eines seiner Schafe geraubt; daraufhin erschlug er das Tier und entriß ihm das Schaf. David schließt den Bericht mit den Worten: "Jahwe, der mich aus der Tatze des Löwen und des Bären errettet hat, wird mich auch aus der Hand dieses Philisters erretten!" Auf Grund der Hilfe, die ihm sein persönlicher Gott Jahwe in jener gefährlichen Situation erwiesen hat, faßt er das Vertrauen, "mit" Jahwe (V.37) auch diesen Kampf zu bestehen.
Das persönliche Verhältnis Davids zu Jahwe intensiviert sich während seines Aufstiegs, was insbesondere in seinem Kontakt zu den Jahwepriestern von Nob deutlich wird. Weil David sich des öfteren an sie wegen eines Orakels wendet, bringt Saul sie brutal um. (vgl. 1Sam 22,6ff). Doch einer kann dem Blutbad entrinnen, Ebjathar, der Urenkel Elis, der fortan David als Privatpriester während seines Freibeuterlebens dient. (vgl. 1Sam 22,20; 23,6ff) Später hat er neben Zadok das Amt des Oberpriesters am Jerusalemer Heiligtum inne. (vgl. 2Sam 8,17 u.ö.)
Auch die Regierungszeit Davids stand unter dem besonderen Schutz Jahwes. Insbesondere gibt Jahwe die zahlreichen Feinde in Davids Hand (vgl. 2Sam 5,17-25). Die Hilfe des persönlichen Gottes bei der Kriegsführung ist mehrfach im Alten Orient belegt.[2]

III. Der salomonische Tempel als Privatheiligtum der Daviddynastie

Wenn Jahwe sowohl israelitischer Reichsgott als auch persönlicher Gott des Davidshauses gewesen ist, so muß dies auch am Charakter des Jerusalemer Tempels sichtbar werden. Nun fällt bei den Maßen, die die Königsbücher für den Tempel einerseits und für die Gebäude des königlichen Palastes andererseits angeben, auf, daß der Tempel nur einen verhältnismäßig kleinen Teil der Bauten Salomos ausmacht, während die deuteronomistische Geschichtsschreibung

---

[1] Vgl. Schmidt, Erfolg 139 und passim.

[2] S.o.S. 44.81.149f.

der Erbauung des Tempels eine überragende Bedeutung zumißt. Nach 1Kön 6,2ff maß der Tempel alles in allem 1oo mal 2o Ellen; demgegenüber hatte allein Salomos Pferdestall, das sog. Libanonwaldhaus, einen Grundriß von 1oo mal 5o Ellen (vgl. 1Kön 7,2). Für das eigentliche Wohnhaus des Königs werden uns leider keine Maße genannt. Es wird aber eher größer als kleiner im Verhältnis zum Libanonwaldhaus gewesen sein.[1] Aus diesen Größenordnungen hat m.W. zuerst Stade[2] den Schluß gezogen, daß Salomos Tempelbau nicht dazu diente, dem Volk einen religiösen Mittelpunkt zu verschaffen, sondern allein um für den Palast ein eigenes Heiligtum zu besitzen. "Einen Tempel baut Salomo ..., weil er eine Burg baut."[3] Diese Theorie wurde in der Folgezeit von zahlreichen Forschern zustimmend aufgenommen.[4] A.Alt hat zusätzlich den aus dem germanischen Bodenrecht stammenden Begriff des "Eigentempels" in die Diskussion gebracht.[5] Mit diesem Begriff war nach Meinung Alts einerseits der Tatsache Rechnung getragen, daß der Jerusalemer König die Befugnis hatte, die Priesterstellen zu besetzen[6] und über die Einkünfte des Heiligtums zu verfügen (vgl. 2Kön 12,5ff; 22,3ff); andererseits war damit zugleich der Charakter des Tempels als gesamtisraelitisches Heiligtum umschrieben. Der "Eigentempel" ist also ein Mittelding zwischen Privattempel und Staatsheiligtum. Nun hat Busink mit Recht festgestellt, daß der Aufweis der Größenverhältnisse von Palast und Tempel sowie ihrer räumlichen Nähe nicht ausreicht, um von einem Privatheiligtum zu sprechen. Denn auch sonst stehen im Alten Orient Palast und Tempel in enger Nachbarschaft.[7] Zwei weitere Beobachtungen lassen es jedoch als wahrscheinlich erscheinen, daß der Jerusalemer Tempel ein Privatheiligtum der Davididendynastie gewesen ist. Zum einen wird erzählt, daß der Grund, auf dem der Tempel gebaut wurde, Privatbesitz des Königshauses

---

[1] Vgl. Möhlenbrink, Tempel 5o.

[2] Geschichte I,311f.

[3] Ebd. 312.

[4] Möhlenbrink, Tempel 52; Johnson, Kingship 54; Wright, Archäologie 133f; Parrot, Tempel 41ff; Heaton, Alltag 195. S. die Literaturübersicht bei Busink, Tempel 62o.

[5] Kl.Schr. II,46.

[6] Vgl. das Auftreten der Priester in den Beamtenlisten 2Sam 8,17; 2o,25; 1Kön 4,4.

[7] Busink, ebd. 637.

war (vgl. 2Sam 5,9; 24).[1] Zum andern berichten die Königsbücher mehrfach, daß die judäischen Könige bei Tributleistungen sowohl auf den Schatz des Palastes als auch auf den des Tempels zurückgriffen (vgl. 1Kön 14,26; 15, 18; 2Kön 12,19; 16,8). Von einem solchen Eingriff hören wir m.W. in mesopotamischen Texten nichts. Dort hatten die Könige zwar die Oberaufsicht über das gesamte Tempel- und Priesterwesen, die sie mehr oder weniger intensiv zu ihren eigenen politischen Zwecken ausübten; Priesterschaft und Tempelbesitz waren aber keineswegs ein Teil des Staatsapparates, über den der König beliebig verfügen konnte, sondern eine eigenständige Größe. Lediglich die Palastkapellen[2] waren Privateigentum des Königs. Wenn die Davididenkönige also offensichtlich über das Tempelvermögen verfügten, so spricht dies für die These, daß der Jerusalemer Tempel ein königliches Privatheiligtum gewesen ist. Daß die spätere Überlieferung den Privatcharakter des Tempels überdeckt hat, ist nur allzu verständlich, denn der zweite Tempel war dann primär ein Tempel des gesamten Volkes Israel.
Der Begriff des Eigentempels sollte besser nicht auf das Jerusalemer Heiligtum angewendet werden, da er erstens aus einem völlig anderen Kulturkreis stammt und zweitens irreführend ist. U. Stutz definiert als Eigenkirche ein Gotteshaus, "das dem Eigentum oder besser einer Eigenherrschaft derart unterstand, daß sich daraus über jene nicht bloß die Verfügung in vermögensrechtlicher Beziehung, sondern auch die volle geistliche Leitungsgewalt ergab."[3] Die Eigenkirche geht wahrscheinlich auf das Priestertum des germanischen Hausvaters zurück. Als sich die Hausgemeinde durch das Hinzukommen von Knechten und Mägden vergrößerte, baute sich der Wohlhabende einen eigenen Tempel, zu dem sich auch weniger bemittelte Nachbarn halten konnten.[4] Die Eigenkirche war also primär für den speziellen Gottesdienst des Grundbesitzers und seines Klientels bestimmt, nicht für eine allgemeine Öffentlichkeit.[5] Ursprünglich hatte der Grundherr uneingeschränktes Verfügungsrecht über das Kirchenvermögen. Seit der karolingischen Gesetzgebung konnte der Eigentümer jedoch nur noch den Überschuß der Kircheneinkünfte für sich behalten. Aus dem

---

[1] Auf die enge Verknüpfung von Zionserwählung und Bindung Jahwes an das Haus Davids hat Gese (ZThK 61,1off) hingewiesen, der beide als zwei Aspekte derselben Sache auffaßt.

[2] S.o.S. 59.

[3] Eigenkirche 55.

[4] Ebd. 21f.

[5] Gegen Busink, ebd. 62of.

eigentlichen Kirchenvermögen durfte nichts mehr herausgelöst werden, sondern es konnte nur noch als ganzes vererbt, verkauft oder verpfändet werden.[1] Zwischen Privattempel und Eigenkirche bzw. -tempel besteht also kein grundsätzlicher Unterschied; letzterer hat sich vielmehr aus ersterem entwickelt. Auf das Jerusalemer Heiligtum paßt der Begriff des Eigentempels nicht. Denn wenn davon berichtet wird, daß die Davididen das Recht hatten, den Tempelschatz zu Tributzwecken zu verwenden,so ist dies mit dem Status eines Eigentempels nicht zu vereinbaren. Stattdessen muß der Jerusalemer Tempel als Privatheiligtum des Königshauses angesehen werden. Zugleich hatte der Tempel aber auch eine überragende Bedeutung für das gesamte Volk Israel, wie insbesondere durch die Ladeüberführung deutlich wird (vgl. 2Sam 6). Dazu gibt es eine Parallele in der römischen Religionsgeschichte: Augustus erbaute seinem persönlichen Gott Apollo, dem er den entscheidenden Sieg bei Actium verdankte, auf seinem privaten Grund und Boden, dem Palatin, einen Tempel und läßt die sibyllinischen Bücher aus dem kapitolinischen (Staats-)Tempel dorthin überführen. Hierdurch wird der Privattempel des Augustus eng mit der römischen Staatsreligion verknüpft.[2] In ähnlicher Weise war der von Salomo errichtete Tempel zunächst ein Privatheiligtum für seinen persönlichen Gott Jahwe und diente zugleich als kultischer Mittelpunkt für das neugegründete Reich.[3]

So stützt die schon von 8o Jahren geäußerte Theorie, der Jerusalemer Tempel sei primär Privatheiligtum des Königs gewesen, unsere These, daß Jahwe von dem Haus Davids als persönlicher Gott verehrt wurde. Denn zu einem Privatheiligtum gehört nach altorientalischer Auffassung immer ein dort verehrter persönlicher Gott.[4]

Die Verehrung Jahwes als persönlicher Gott der Davidsfamilie schloß die Verehrung anderer Gottheiten nicht unbedingt aus.[5] Bereits von Salomo wird berichtet, daß er auch "fremden Göttern" diente (1Kön 11,4). Über die in Jerusalem möglicherweise neben Jahwe verehrten Gottheiten gibt die Übersicht

---

[1] Stutz, ebd. 67f.

[2] Vgl. Deubner in Chantepie, Lehrbuch II,467; Gardthausen, Augustus I,2, 957ff.

[3] So auch Noth, Geschichte 191; v. Rad, ThAT I,56; Fohrer, ThW VII,3o2; Busink, ebd. 645. - Das Heiligtum in Bethel hat vielleicht eine ähnliche Doppelfunktion wie der Jerusalemer Tempel ausgeübt, da es in Am 7,13 *MQDŠ MLK WBJT MMLKH* "Heiligtum des Königs und Tempel des Königsreichs" bezeichnet wird. (Vgl. Galling, ZDPV 67,26ff.)

[4] S.o.S. 59ff.

[5] Gegen Nyberg, ARW 35,329ff.

von Stolz[1] Auskunft.

IV. Der Einfluß der Davididen auf die persönliche Jahweverehrung in Israel

Es fällt auf, daß mit Beginn der Königszeit die jahwehaltigen Namen auffallend zunehmen. Da sich in der Namengebung die private Religion zumeist besser wiederspiegelt als in den offiziellen Dokumenten, kann daraus geschlossen werden, daß mit dieser Zeit die persönliche Jahweverehrung sich stark verbreitete. Während in der Liste der Helden Davids (2Sam 23,24-39) nur vier jahwehaltige Namen begegnen, sind es unter den vierzig judäischen und israelitischen Königen bereits 21.[2] In späteren Listen überwiegen jahwehaltige Namen ganz erheblich. Dabei fällt auf, daß solche Namen vorzugsweise in priesterlich-prophetischen und königlichen Kreisen bezeugt sind.[3] Demnach war die persönliche Verehrung Jahwes in den oberen Schichten weiter verbreitet als bei der niederen Bevölkerung.[4] Dies hängt doch wohl damit zusammen, daß Jahwe vom judäischen Königshaus als persönlicher Gott verehrt wurde, und die persönliche Jahweverehrung sich von da aus zunächst in die oberen Schichten ausbreitete. Ein Siegel aus dem 8. Jahrhundert v.Chr. trägt folgende Inschrift: *LMQNJW ʿBD JHWH* "Dem Miqnija gehörig, dem Knecht Jahwes".[5] Ähnlich wie die mesopotamischen Siegelzylinder drückt die Inschrift wohl kaum nur eine allgemeine Ergebenheitsformel aus, sondern will Jahwe als den persönlichen Gott des Siegelbesitzers kennzeichnen. Die kurzen Mitteilungen der sog. Lachisch-Ostraka (ca. 588 v.Chr.) erwähnen Jahwe häufig insbesondere in Grußformeln.[6] An einer Stelle kommt die Formel *Ḥ̣J JHWH ʾLHK* "So wahr Jahwe,dein Gott, lebt" vor.[7] Hier wird Jahwe an derselben Stelle genannt, an der im mesopotamischen Brief der Hinweis auf die persönliche Gottheit erfolgt. Auch die Apostrophierung Jahwes als "dein Gott" deutet darauf hin, daß Jahwe hier als persönlicher Gott des Empfängers fungiert.

---

[1] Strukturen.

[2] Vgl. Noth, Personennamen 1o7f.

[3] Ebd. 12o.

[4] Ebd. 113f.

[5] Nach Cross, HThR 55,251.

[6] Vgl. KAI 192-199; Galling, Textbuch 75ff.

[7] KAI 196,12.

E. JAHWE ALS PERSÖNLICHER GOTT DES INDIVIDUUMS IN DEN PSALMEN

Nachdem wir im bisherigen Verlauf der Untersuchung die Vorstellung vom persönlichen Gott in den geschichtlichen Büchern des Alten Testaments nachgewiesen haben, fragen wir nun, ob diese Vorstellung auch in den Psalmen ihren Niederschlag gefunden hat. Bei einer Analyse der Individualpsalmen stellt sich heraus, daß in einer Gruppe von Psalmen sowohl die für den persönlichen Gott charakteristischen Bezeichnungen begegnen, als auch Aussagen, die den beiden hauptsächlichen Funktionen des persönlichen Gottes, nämlich Garant für das Wohlergehen und Beschützer gegen Feinde und böse Mächte zu sein, zuzuordnen sind. Wir wollen dieser Gruppe den Namen "Gebete an den persönlichen Gott" geben und rechnen ihr folgende Psalmen zu:3;7;13;16;18;22;23;27;28;31;38;42/43;54;59;62;63;71;86;91;14o und 142. Eine scharfe Abgrenzung von den übrigen Individualpsalmen ist weder beabsichtigt noch möglich, da sich Elemente der Vorstellung vom persönlichen Gott auch in anderen Psalmen finden.[1]
In den "Gebeten an den persönlichen Gott" kommen folgende *Bezeichnungen* für den persönlichen Gott vor:

a. "Mein Gott" (*ʾLJ*: 18,3; 22,2.11; 63,2;
ʾLHJ: 3,3 [mit LXX]. 8; 7,2.4; 13,4; 18,7.22.29.3o; 31,15; 43,4; 59,2.4 [mit 3 HSS].11 [mit LXX] ; 71,4.12.22; 86,2.12; 91,2; 14o,7);
b. "Mein Herr" (*ʾDNJ*: 16,2; 86,3.5.9.12.15);
c. "Mein Hirte"(*Rʾ J*: 23,1);
d. "Gott meines Heils" (*ʾLHJ JŠʿJ*: 18,47; 27,9);
e. "Gott meines Lebens" (*ʾL ḤJJ*: 42,3 [text.em.].9);
f. "Hilfe meines Angesichts" (*JŠWʿT PNJ*: 42,6);
g. "Meine Stärke" (*ḤZQJ*: 18,2; 28,7; 59,1o.18);
h. "Mein Fels" (*ṢWRJ*: 18,3.32.47; 28,3; 31,3; 62,3.7.8; 71,3;
SLʿJ: 18,3; 31,4; 42,1o);
i. "Meine Burg" (*MṢWDTJ*: 18,3; 59,1o.18; 62,3.7; 71,3; 91,2; vgl. 31,3);
j. "Mein Schild" (*MGNJ*: 18,3; 28,7);

---

[1] Vgl. das Vorkommen der Anrede "mein Gott" in Ps 25,1-5; 1o2,25; 119,114f; 143,1o; 144,1f.

k. "Meine Zuflucht" (*MŠGBJ*: 18,3; 31,5; 59,17; 62,8; 91,2; 142,6);
L. "Mein Retter" (*MPLṬJ*: 18,3).

Die Termini a - g beinhalten die Funktion des persönlichen Gottes, Garant für das Wohlergehen des Menschen zu sein. Dazu gibt es im Alten Orient zahlreiche Parallelen. Insbesondere sind in Mesopotamien die Bezeichnungen "mein Gott", "mein Herr", "mein Hirte" o.ä. belegt.[1] Die Termini h - l bringen die schützende Funktion des persönlichen Gottes zum Ausdruck. Auch hierfür gibt es Entsprechungen in der mesopotamischen Religion, z.B. die Anrede des persönlichen Gottes als "meine Stütze", "meine Kraft", "mein Schutz", "mein Berg (Hort)" o.ä.[2]
In den "Gebeten an den persönlichen Gott" bringt der Psalmist in vielerlei Wendungen zum Ausdruck, daß der sein Leben von Geburt an (vgl. 22,1of; 71,5f) in der Hand seines Gottes weiß und von ihm auch in der Not Hilfe und Rettung erwartet. Mit der mehrfach vorkommenden Formel "du bist mein Gott" (22,11; 31,15; 63,2; 86,2; 14o,7) bekennt er sich ausdrücklich zu Jahwe als seinem persönlichen Gott.
Auf die Verwandtschaft der "Vertrauensäußerungen" in den Psalmen mit der Anrede des persönlichen (bzw. Schutz-)Gottes in den mesopotamischen Gebeten hat bereits Begrich[3] hingewiesen: "Der Israelit steht nach der Anrede in einem Verhältnis zu Jahwe, wie wir es in den babylonischen Handerhebungsgebeten eigentlich nur in wenigen, den Schutzgottheiten gewidmeten Texten finden, jenen Genien, die sich an Rang und Würde mit den *ilāni rabūti* nicht messen können ... An der Stelle, wo im Handerhebungsgebete die niedere Gottheit steht, erscheint im israelitischen Klagelied des Einzelnen Jahwe, der höchste Gott." Begrichs These ist in der nachfolgenden Psalmenforschung kaum je wieder aufgegriffen worden. Das lag u.a. daran, daß sie zu wenig ausgeführt und nur auf die Terminologie beschränkt war. Begrichs Ansatz gilt es nun durch eine umfassende Analyse der Psalmen auf dem Hintergrund der altorientalischen Vorstellung vom persönlichen Gott weiterzuführen. Allerdings hat Begrich Unrecht mit seiner Behauptung, daß der persönliche Gott in Mesopotamien unter die niedrigen Genien zu rechnen sei. Wie wir gesehen haben[4], können auch Haupt-

---

[1] S.o.S. 8ff.

[2] S.o.S. 86.

[3] Ges.St. 2o4f.

[4] S.o.S. 34ff.123.145f.16O.

gottheiten die Funktion des persönlichen Gottes gegenüber einem Individuum einnehmen. Insofern ist zwischen Jahwe als persönlichem Gott in den Psalmen und den in Mesopotamien verehrten persönlichen Gottheiten kein Unterschied festzustellen.

Nun wird in der Psalmenforschung immer wieder behauptet, es habe in Israel keine "private Frömmigkeit" gegeben; die individuellen Klage-, Dank- und Vertrauenslieder seien vielmehr "schlechthin unverständlich", wenn man sie nicht von der israelitischen Heilsgeschichte und dem Jerusalemer Gemeindekult her verstehe.[1] Die individuelle Kultdichtung beruhe "von jeher auf der Analogie des Individuums zu Israel"[2], denn in dem persönlichen Schicksal des Einzelnen spiegele und wiederhole sich das Wohl und Wehe Israels.[3] Hier gilt es, die verschiedenen Überlieferungsstadien der Psalmen zu bedenken. Ursprünglich waren eine ganze Anzahl von Psalmen reine Individualpsalmen. Dazu gehören auch die "Gebete an den persönlichen Gott", die als Zeugnisse einer rein privaten Frömmigkeit anzusehen sind. In ihnen spielt die theologische Größe Israel keinerlei Rolle. Vielmehr wurden sämtliche Stellen, in denen auf die Heilsgeschichte Bezug genommen wird, erst sekundär eingefügt.[4] Denn der Psalter war später "das Gesangbuch des zweiten Tempels"[5]. Im Zuge dieser Entwicklung wurden die ursprünglich rein individuellen Psalmen kollektiv umgedeutet und entsprechend verändert und ergänzt. Smend[6] hatte also mit seiner kollektiven Deutung Recht in bezug auf die *JETZIGE* Gestalt der Psalmen, während Balla[7] mit Recht auf den *URSPRÜNGLICH* individuellen Charakter des größten Teils der Psalmen hingewiesen hat.[8]

---

[1] Kraus, Psalmen LXXIV.

[2] Gese, ZThK 68,13.

[3] Barth, Errettung 12o; vgl. Hempel, Gott und Mensch 211; v. Zyl, Studies 68; Schreiner, BuL 1o,171.

[4] Vgl. Becker, Israel 22ff. - Der Beweis hierfür erfolgt bei der Behandlung der einzelnen Psalmen, s. insbes. u.S. 266.267.273f.284f.

[5] Smend, ZAW 8,5o.

[6] Ebd. 67ff.

[7] Ich der Psalmen.

[8] Die Annahme, es habe in Israel keine individuelle Frömmigkeit gegeben, hat vom religionswissenschaftlichen Standpunkt her alle Wahrscheinlichkeit gegen sich. Heiler (Gebet 44) weist darauf hin,daß auch bei primitiven Stämmen das individuelle Gebet nicht fehlt, wenn es auch gegenüber dem kollektiven zurücktritt. Es gibt sehr persönliche Nöte wie Krankheit, Kinderlosigkeit o.ä.,die sich selbst in primitiven Gesellschaften nicht einfach in das Kollektiv hinein auflösen lassen. Die Psalmendichtung Israels gehört zudem bereits einer hoch entwickelten Kulturstufe an. - Für die von de Fraine (Adam 45) vorgeschlagene Deutung des Ichs als "korporative Persönlichkeit" gibt es im Alten Orient keinerlei Parallelen.

In den "Gebeten an den persönlichen Gott" geht es um ein Geschehen zwischen drei Polen: der Beter, sein Gott und die "Feinde".[1] Um die Situation und Intention dieser Gebete richtig beurteilen zu können, muß zuvor geklärt werden, wer mit den "Feinden" gemeint ist. Dieses vieldiskutierte Problem soll deshalb zunächst in einem Exkurs behandelt werden.

Exkurs:

DIE "FEINDE" IN DEN INDIVIDUELLEN KLAGEPSALMEN

Um über das Wesen der "Feinde"[2] etwas zu erfahren, müssen wir zunächst die für sie gebrauchten Bezeichnungen behandeln und sodann zu den Bildkreisen übergehen, mit denen ihre Wirksamkeit beschrieben wird.

I. Terminologie und Beschreibung der "Feinde"

1. *Die Bezeichnung der "Feinde"*

In den individuellen Klage- und Dankpsalmen tragen die "Feinde" im wesentlichen folgende Bezeichnungen:

a. "mein(e) Feind(e)" (*ʾÔJBAJ*: 3,8; 6,11; 9,4; 17,9; 18,4; 25,2.19; 27,2.6; 3o,2; 31,16; 35,19; 38,2o; 41,6; 54,9; 56,1o; 59,2; 69,5.19; 71,1o; 1o2,9; 143,12;
ʾÔJBÎ: 13,3.5; 18,18; 41,12;
ʾÔJÊB: 7,6; 31,9; 42,1o; 43,2; 55,4.13; 61,4; 64,2; 143,3;
ṢRJ: 3,2; 7,7; 13,5; 27,2.12; 31,12; 42,11; 69,2o; 143,12);

---

[1] Vgl. Westermann, Forschung 269.

[2] Aus der umfangreichen Literatur zu diesem Thema seien folgende Arbeiten genannt: Staerk, ThStKr 7o,449ff; Mowinckel, Psalmenstudien II; Birkeland, Feinde; Nicolsky, Spuren; Gunkel-Begrich, Einleitung; Widengren, Psalms; 197ff; Puukko, OTS 8,47ff; Westermann, Forschung 285ff; Kraus, Psalmen 4o-43; Schwarzwäller, Feinde; Barth, Einleitung; Seidel, Einsamkeit 55ff; Keel, Feinde; Ringgren, Psalmen 6off. Forschungsübersicht bei Stamm, ThR 23,5off.

b. "meine Verfolger" (*RDPJ*: 7,2; 142,7);
c. "meine Verleumder" (*ŠWRRJ*: 5,9; 27,11; 54,7; 56,3; 59,11);
d. "meine Hasser" (*ŠNʾJ*: 35,19; 38,2o; 41,8; 69,5; 86,17; *MŠNʾJ*:55,13; 18,41);
e. "meine Bekämpfer" (*JRJBJ*: 35,1);
f. "Frevler,Gottlose" (*TŠʿJ*: 55,4; 71,4; 14o,5; *RŠʿJM*: 3,8; 11,2; 17,9);
g. "Übeltäter" (*MRʿJM*:22,17; 27,2; 64,3);
h. "Zauberer" (*PʿLJ ʾWN*: 5,6; 6,9; 59,3; 64,3; 141,9; vgl. *BGDJ ʾWN*: 59,6);
i. "Räuber" (*GZL*: 35,1o);
j. "Verhöhner" (*HWLL*: 1o2,9);
k. "Gewalttätige" (*ʿRJṢ*: 54,5; 86,14);
l. "Männer der Gewalttat" (*ʾJŠ ḤMS(JM)*: 18,49; 14o,2.5).[1]

Wir beobachten eine Fülle von Bezeichnungen für die "Feinde", die deren abgrundtiefe Bosheit und Hinterhältigkeit zum Ausdruck bringen, womit sie den Beter aufs äußerste bedrohen und bekämpfen.

2. *Die Bildkreise*

Das Treiben der "Feinde" wird in einer Anzahl stereotyper Bilder beschrieben, die den Bereichen der Jagd, des Krieges und der Tierwelt entnommen sind[2]:

a. Das Bild vom angreifenden und belagernden Heer
In zahlreichen Psalmen beschreibt der Beter, wie die "Feinde" ihn in großer Zahl wie ein belagerndes Heer umringen und ihn quasi zu erobern suchen, z.B. 3,7; 27,3; 55,19; 56,2; 59,5; 62,4; 1o9,3; 12o,7; 14o,3.8. Die "Feinde" tragen Schwerter (vgl. 7,13; 37,14; 55,22; 57,5; 59,8;64,6) oder Pfeil und Bogen (vgl. 7,13f; 11,2; 37,14). Ihre Zahl ist unermeßlich (vgl. 3,7; 69,5).

b. Das Bild von der Jagd oder vom Fischfang
Die "Feinde" versuchen den Beter mit Netzen (vgl. 9,16; 1o,9; 31,5; 35,8; 57,7; 14o,6), Fanggruben (vgl. 7,16; 35,7; 57,7) oder Fangholz (vgl. 14o,6) zu fangen.

---

[1] Vgl. Gunkel-Begrich, Einleitung 196f.

[2] Vgl. Ebd. 198; Barth, Errettung 1o6; Kraus, Psalmen 4of.

c. Die "Feinde" als wilde Tiere

Die "Feinde" jagen dem Beter wie wilde Tiere nach (vgl. 7,3; 22,13f; 27,2; 35,21), sie fletschen mit den Zähnen (vgl. 35,16) und reißen das Maul auf (vgl. 35,21; 22,14). Sie werden als Löwen (vgl. 7,3; 22,14; 1o,9; 17,12; 35,17), wütende Stiere (vgl. 22,13), bissige Hunde (vgl. 22,17), Schlangen und Vipern (vgl. 14o,4) beschrieben. Sie liegen auf der Lauer in den Gehöften und suchen den Beter im Verborgenen zu erwürgen (vgl. 1o,8ff).

3. *Die übrigen Aussagen von den "Feinden"*

Einziges Ziel der "Feinde" ist die Vernichtung des Beters (vgl. 31,14; 4o,15; 56,6f; 59,4; 71,1o; 119,95). Weiterhin wird von ihnen gesagt, daß sie den Beter "schmähen" (vgl. 69,1of.2of; 74,1o.18.22; 1o9,25), sich als "Verleumder" geben (vgl. 14o,12), mit "geschärfter" (vgl. 14o,4) oder "glatter" Zunge (vgl. 12,3) reden, unter der Unheil und TÜcke steckt (vgl. 1o,7). Ihr Mund ist voll Fluch (vgl. 1o,7). Sie ergehen sich in Reden oder Gedanken über den Beter (vgl. 3,3; 1o,4; 35,25; 41,6; 42,4.11; 71,11). Sie sind vermessen (vgl. 54,5; 86,14)), hoffärtig (vgl. 59,6; 14o,5), verkehrt (vgl. 71,4), stark (vgl. 35,1o) und treten als lügnerische Zeugen auf (vgl. 27, 12).

II. Die Deutung der "Feinde" als Zauberer und Dämonen

Seitdem Mowinckel[1] die "Feinde" als Zauberer gedeutet hat, ist die Frage, wer mit den "Feinden" gemeint sei, in der alttestamentlichen Forschung heftig umstritten. Mowinckels Ausgangspunkt war die - allerdings relativ seltene - Bezeichnung der "Feinde" als Übeltäter (*Pʿ LJ ʾWN*). Nachdem er nachzuweisen versucht hat, daß *ʾWN* an verschiedenen Stellen des Alten Testaments die Bedeutung "Zauberei" hat, interpretiert er die *Pʿ LJ ʾWN* in den Psalmen als Zauberer. Da dieser Ausdruck parallel zu anderen Feindbezeichnungen erscheint, sind - so Mowinckel - die "Feinde" insgesamt als Zauberer zu erklären. Diese Deutung gibt nach seiner Meinung eine Begründung für den merkwürdigen Zusammenhang von Krankheit bzw. Not des Beters und der Wirksamkeit der "Feinde", die in fast allen individuellen Klagepsalmen vorausgesetzt wird (vgl. 1o; 13; 27; 35; 38; 42; 53; 69; 71; 1o2; 143).

---

[1] Psalmenstudien II.

Mowinckel fragt, warum die Kranken immer um Rettung vor den "Feinden" und fast nie ausdrücklich um Heilung von ihrer Krankheit beten. Der Grund kann nur darin liegen, daß mit den "Feinden" auch die Krankheit verschwindet. Die "Feinde" haben folglich die Krankheit verursacht.[1]
Der im folgenden vorgelegte Vergleich der Bezeichnungen, Bildkreise und Aussagen, die in den Psalmen für die "Feinde" vorkommen, mit den entsprechenden mesopotamischen Parallelen wird die Interpretation Mowinckels im wesentlichen bestätigen, ohne daß der umstrittene Ausdruck *PʿLJ ʾWN* allein die Beweislast tragen muß.

1. *Die Bezeichnungen für die "Feinde"*

In mesopotamischen Gebeten und Beschwörungen redet der Beter häufig von seinen "Feinden" o.ä. und meint damit fast immer Zauberer und Dämonen, die in Form von Krankheiten Gewalt über ihn bekommen haben oder zu bekommen drohen. Folgende Bezeichnungen sind belegt[2]:

a. "mein Widersacher" (*bēl ikīja*);[3]
b. "mein Feind" (*bēl sirīja*);[4]
c. "mein Verfolger" (*bēl rēdīja*);[5]
d. "mein Kläger" (*bēl dīnīja*);[6]
e. "mein Verleumder" (*bēl amātīja*);[7]
f. "meine Ränkeschmied" (*bēl dabābīja*);[8]
g. "mein Böser" (*bēl lemuttīja*);[9]

[1] Ebd. 11. - Andere skandinavische Forscher fassen in geringer Modifizierung die "Feinde" als Repräsentanten der Chaosmächte auf. (vgl. z.B. Ringgren, Psalmen 61f).

[2] Vgl. v. Soden, AHw I,119f.

[3] Maqlu I,79; II,42; Ebeling, Quellen I,18,28.

[4] Maqlu I,8o; II,43; Ebeling, Quellen I,18,28.

[5] Maqlu I,81; II,44; Ebeling, Quellen I,18,29; vgl.ders.,Handerhebung 132,58.

[6] Maqlu I,82; II,45; Lambert, AfO 18,289,4.

[7] Maqlu I,83; II,46.

[8] Maqlu I,84; II,47; Lambert, AfO 18,289,3; Ebeling, Handerhebung 132,56.

[9] Maqlu I,86.

h. "Übeltäter" (*ḫabbilu*);[1]

i. "Räuber" (*ḫāpiru* bzw. sa.gaz)[2].

Vergleichen wir diese Bezeichnungen mit den in den Psalmen für die "Feinde" verwendeten Termini[3], so stellen wir eine weitgehende Übereinstimmung fest.

2. *Die Bildkreise*

a. Das Bild vom angreifenden und belagernden Heer

Dieses merkwürdige Bild eines vielköpfigen Heeres, das den Beter von allen Seiten bedroht, hat verschiedene Deutungen erfahren. Balla[4] geht davon aus, daß das jüdische Volk zur Zeit der Psalmisten von einander heftig befehdenden Parteien zerrissen war, wo "Fromme" und "Gottlose" einander gegenüberstanden. In seinen Fieberphantasien meint der Kranke, alle Welt habe sich gegen ihn verschworen. Für Duhm[5], der die Psalmen zum größten Teil als Erzeugnisse der Makkabäerzeit ansieht, waren die "Feinde" griechenfreundliche Parteigegner der strenggläubigen Frommen. Gunkel[6] erklärt das kriegerische Bild als Nachwirkung älterer Königspsalmen. Chr. Barth[7] wendet sich gegen die These, wonach es sich hier um leidenschaftliche Übertreibungen handele, mit dem Hinweis, daß dies im sakralen Stil der Psalmen kaum zu erwarten sei. Vielmehr handele es sich bei diesem Bild nicht um eine konkrete Wirklichkeit, sondern um ein Bild "maximaler Gottlosigkeit und böser Machtentfaltung", das dem Psalmisten von der Tradition her vorgezeichnet gewesen sei. Seidel[8] geht von der Kategorie des Erlebnisses aus und erklärt dieses Bild von "krankhaften Erlebnisformen" her, in denen sich die Bedrohung des Beters ausdrücke. Die Vielzahl der "Feinde" sei "Erlebnisausdruck für den Ernst und die Gewalt der Bedrohung"[9].

---

[1] Ebeling, Handerhebung 38,42 s.o.S. 115 - Text Nr. 193 ; Meier, AfO 14, 144,78.8o; vgl. v. Soden, AHw I,3o5.

[2] Falkenstein, Haupttypen 89.

[3] S.o.S. 248f.

[4] Ich der Psalmen 19f.

[5] Psalmen zu 3,2.

[6] Psalmen zu 3,7.

[7] Einführung 54f.

[8] Einsamkeit 56f.

[9] Ebd. 58f.

Auch Keel[1] betont, daß es sich bei den Feindschilderungen nicht um "Rapporte" handele, sondern um Ausdrucksmittel für die Ängste und Sorgen des Beters. Die "Feinde" seien ein Ergebnis der Projektion des kranken Menschen: "Krankheit, Niedergeschlagenheit, Angst und Aggressivität konkretisieren sich in Dämonen, bösen Toten und Zauberern." Eine solche Projektion habe es jedoch nur im Alten Orient gegeben; in Israel habe die Allkausalität Jahwes die Möglichkeiten der Projektion auf die menschliche Umwelt und auf Jahwe beschränkt. Allerdings seien auch in den Psalmen die "Feinde" weniger Individuen in unserem Sinne als vielmehr "Repräsentanten einer unheimlichen Welt des Bösen". Obwohl Keel eine Menge ägyptischer und akkadischer Texte zum Vergleich heranzieht, hält er daran fest, daß die "Feinde" in den Psalmen "normale" Menschen gewesen seien.

Allen diesen Deutungsversuchen ist die theologisch motivierte Absicht gemeinsam, das Alte Testament, speziell die Psalmen, von magischen und dämonischen Kräften freizuhalten. Zur Erreichung dieses Ziels ist jedes Kunstmittel der Interpretation recht, sei es historisch, traditionsgeschichtlich oder psychologisch begründet. Nun spricht aber die Gleichartigkeit der Bilder, Begriffe und Vorstellungen, die für die "Feinde" in den Psalmen einerseits, für Dämonen und Zauberer in mesopotamischen Texten andererseits gebraucht werden, mit großer Wahrscheinlichkeit für die Deutung der "Feinde" als Zauberer bzw. Dämonen. Dies gilt auch für das Bild von der Vielzahl der den Beter wie ein Heer bedrohenden "Feinde". Denn nach allgemeiner altorientalischer Vorstellung pflegen Dämonen immer in großen Scharen aufzutreten, so daß sich ein Kranker stets von einer Unzahl von Dämonen umgeben fühlte.[2] Einen Beweis dafür, daß diese Vorstellung auch in Israel verbreitet war, liefert Hi 19,12, wo es heißt: "Zusammen ziehen seine (d.h. Gottes) Scharen an, sie schütten ihren Weg auf gegen mich und schlagen Lager auf rings um mein Zelt". Mit den "Scharen" sind zweifellos Krankheitsdämonen gemeint[3], die Hiob in großer Zahl wie ein Heerlager umgeben.

---

[1] Feinde 91.

[2] Vgl. Ebeling, Handerhebung 38,42-44 s.o.S. 115 - Text Nr. 193 ; Falkenstein, Haupttypen 94; Ebeling, TuL 52,15ff; Frank, Beschwörungsreliefs 32; Šurpu IX,79-86 s.o.S. 115f - Text Nr. 194.

[3] Vgl. Eichrodt, ThAT 2,12; Horst, Hiob z.St. erwägt die Dämoneninterpretation als Möglichkeit. - Des weiteren ist auf Ps 91,5f hinzuweisen, wo vier Dämonen namentlich aufgeführt werden, die den Menschen zu verschiedenen Tageszeiten bedrohen. S. dazu u.S. 289ff.

b. Das Bild von der Jagd

Die für die "Feinde" aus dem Bereich der Jagd gebrauchten Bilder werden von Wächter[1] als Ausdruck für die Unausweichlichkeit des Todesgeschickes sowie seine drohende und heimtückische Gewalt gedeutet. Nach Keel[2] weisen diese Bilder auf das unsagbare Grauen hin, das den Beter gepackt habe. Nun spielen in mesopotamischen Texten bei den Beschreibungen der Zauberer und Dämonen die Motive des Jagens und Fangens eine große Rolle.[3] In der Beschwörungsserie Maqlû wird von der Hand des Zauberers und der Zauberin gesagt, daß sie "wie der Löwe den Menschen packte, wie die Vogelschlinge den Mann niederwarf, wie das Fangnetz den Starken überdeckte, wie das Netz den Führer fing, wie die Falle den Mächtigen bedeckte"[4]. Der Dämon "böser Alû" wird bezeichnet als einer, "der einen Menschen wie ein bedeckendes Netz zudeckt, der einen Menschen wie ein Fangnetz hinwirft"[5]. Ein anderer Dämon trägt den Namen *ALLUḪAPPU* "Fangnetz"[6]. Krankheit wird als Fesselung durch Dämonen und Zauberer aufgefaßt, die mit Netzen und Schlingen den Menschen niedergeworfen und lebensunfähig gemacht haben. Deshalb bittet der Kranke um Lösung seiner Fesseln und Freilassung.[7]
Der Vergleich der Feindaussagen in den Psalmen und der Aussagen über das Wirken von Zauberern und Dämonen in mesopotamischen Gebeten und Beschwörungen führt also auch in diesem Fall zu dem Schluß, daß hier gleichartige Phänomene zugrundeliegen. Die Bilder aus dem Bereich der Jagd waren ursprünglich im magisch-dämonischen Bereich beheimatet.[8]

---

1 Tod 35.

2 Feinde 195.

3 Vgl. Scheftelowitz, Schlingen- und Netzmotive.

4 III, 16off; vgl. II,16off; VII, 85-87.

5 Falkenstein, Haupttypen 22.

6 V. Soden, AHw s.v.; vgl. Ebeling, Handerhebung 38,42 s.o.S. 115 - Text Nr. 193 ; AfO 12,143 II 13; ZA 43,16,44.

7 Vgl. Ebeling, Handerhebung 8o,83 s.o.S. 116 - Text Nr. 195 ; 134, 81-83; Schollmeyer, HGŠ Nr. 2, 58 s.o.S. 118 - Text Nr. 198 .

8 Mit dieser Möglichkeit rechnet auch Seidel, Einsamkeit 59.

c. Das Bild von den wilden Tieren

Die Apostrophierung der Dämonen als wilde Tiere, insbesondere Löwen und Vögel, ist in mesopotamischen Texten und Bilddarstellungen durchaus geläufig.[1] Vom Dämon "böser Alû" wird gesagt, daß er nachts "wie ein Fuchs durch die Straßen eilt"[2]; er ist "ein überwältigender Löwe, der nichts verschont".[3] Das Aussehen der Dämonin Lamaštu wird folgendermaßen geschildert: Ihr Kopf ist der eines Löwen oder Adlers, ihre Gestalt hat sie vom Esel, im Maul hat sie Hundezähne, an den Füßen Adlerklauen und ihre Hände sind ein Fangnetz, ein schwarzer Hund und ein Schwein saugen an ihren Brüsten.[4]
Ein mesopotamischer Dämon trägt den Namen Rābiṣu "Lauerer".[5] Man stellte sich vor, daß die Dämonen an entlegenen und wüsten Orten, in Gräbern, Ruinen und in der Wüster herumlauern.[6]
Hierzu sind folgende Feindschilderungen aus den Psalmen zu vergleichen: "Jeden Abend wieder heulen sie wie Hunde und durchstreifen die Stadt." (Ps 59,7) "Er (d.h. der "Feind") sitzt im Hinterhalt der Hofräume, in Verstecken mordet er Schuldlose, seine Augen spähen nach 'dem Schwachen'. Er lauert im Versteck wie ein Löwe im Dickicht, er lauert, den Armen zu fangen; er ergreift den Geringen, indem er ihn ins Netz zieht." (Ps 1o,8f)
Während Kraus[7] die dämonische Deutung dieses Bildkreises durchaus zugesteht, halten andere an einer innermenschlichen Erklärung fest. Gunkel[8] denkt bei Ps 59,7f an die Rotte der Bösewichter, die sich gröhlend und johlend, fluchend und schimpfend allabendlich durch die Gassen wälzt. Duhm[9] und Puukko[10]

---

[1] Vgl. Falkenstein-v.Soden, SAHG sum. Nr. 39; Klengel, MIO 7,334ff; Frank, Beschwörungsreliefs 11ff.

[2] Meissner, BuA II,2oo; vgl. Weber, Dämonen 11f.

[3] Falkenstein, Haupttypen 48.

[4] Ebeling, RLA II,11o.

[5] Ebd. 1o9.

[6] Vgl. Meissner, BuA II,199. - Dieselbe Vorstellung ist auch im Spätjudentum zu finden, vgl. Strack-Billerbeck, Kommentar IV,1,515.

[7] Zu Ps 22,13f.

[8] Zu Ps 59,7f.

[9] Zu Ps 59,7f.

[10] OTS 8,54.

vermuten, daß hier griechischgesinnte Widersacher des Frommen gemeint seien, die gleich betrunkenen Nachtschwärmern ihm nicht einmal die Nachtruhe gönnen. Die Schwierigkeit bei dieser Deutung liegt jedoch darin, daß in Ps 59,7 vorausgesetzt wird, daß dieses Treiben allabendlich geschieht, was bei wirklichen Menschen schwer vorstellbar ist, jedoch auf Dämonen, deren bevorzugte Wirkungszeit die Nacht ist, gut paßt.[1]
Seidel[2] denkt beim Bild des Löwen mehr daran, daß es aus seinem Rachen keine Rettung gebe: "Man wird zuerst an diese Bedeutung denken müssen, bevor man sich der Identifizierung mit Dämonen und ähnlichem zuwendet." Wenn aber in vergleichbaren Texten Mesopotamiens mit solchen Tierschilderungen immer Dämonen gemeint sind, wird man nicht umhin können, dieselbe Vorstellung auch für die Psalmen anzunehmen. Dafür spricht noch eine andere, von Keel beobachtete Tatsache. Er weist darauf hin, daß der Bär, der sonst im Alten Testament häufig zusammen mit dem Löwen erwähnt wird (vgl. 1Sam 17,34ff; Prov 28,15 u.a.), in den Tiervergleichen der Psalmen fehlt.[3] Auch in den mesopotamischen Dämonenschilderungen fehlt das Bild des Bären; dort ist dieses Fehlen aber dadurch bedingt, daß es in den Flußniederungen des Zweistromlandes keine Bären gibt. Wären also die Tiervergleiche in den Psalmen auf wirkliche Menschen bezogen und der unmittelbaren palästinensischen Wirklichkeit entnommen, so müßte auch der Vergleich mit dem Bären darin vorkommen. Das Fehlen dieses Vergleichs beweist, daß das Bild von den wilden Tieren aus den mesopotamischen Dämonenschilderungen übernommen wurde.

3. *Die übrigen Aussagen über die "Feinde"*

Die häufige Erwähnung von "Zunge" (vgl. 12,3.5; 1o,7; 14o,4), "Lippen" (vgl. 59,8) und "bösen Worten" (vgl. 1o,7ff; 41,8; 58,5; 59,13) der "Feinde" läßt sich ebenfalls vom magischen Hintergrund her erklären.[4] In den mesopotamischen Beschwörungstexten spielen Mund, Zunge und Herz von Zauberern oder Dämonen eine große Rolle. Ein Beispiel sei hierfür aus einer sumerischen Dämonenbeschwörung zitiert: "Dein schreckliches Wort sollst du nicht zu ihm (d.h. dem Menschen) sprechen, ... dein wütendes Auge nicht auf ihn richten(?), ... aus deinem Munde nichts herausgehen lassen, mit deiner Zunge nichts Böses

---

[1] Vgl. Strack-Billerbeck, ebd. 519.

[2] Zu Ps 22,13f.

[3] Feinde 2o2.

[4] Vgl. Mowinckel, Psalmenstudien II,94.

machen, dein Herz etwas Schlimmes nicht [...] "[1]. Es gibt einen Dämonen mit dem Namen "böser Mund", während ein anderer "böse Zunge" heißt.[2]
In Maqlu II,89-92 spricht der Beschwörungspriester folgendermaßen: "Wer bist du, Zauberin, in deren Herz das böse Wort gegen mich ist, auf deren Zunge die Hexereien gegen mich entstehen?" In einem Handerhebungsgebet an Marduk heißt es: "Trotz des bösen Mundes (und) der bösen Zunge der Menschen möge ich vor dir heil werden!"[3]
Auch zu dem Reden und Trachten der "Feinde" gibt es Parallelen in mesopotamischen Beschwörungen. In Maqlu III,121f ist von einer Person die Rede, die "zur Hexe: behexe doch! gesagt hat, zur Zauberin: bezaubere doch! gesagt hat." In einem Handerhebungsgebet an Ištar klagt der Beter: "Bis wann, meine Herrin, blicken meine Feinde zornig auf mich, sinnen in Falschheit und Unwahrheiten böse gegen mich? Berichten meine Verfolger, meine Feinde, freudig über mich?"[4] Im übrigen sind wohl die Reden der "Feinde" in den Psalmen aufgrund der stereotypen Einleitungsformeln "Er sagt in seinem Herzen" (vgl. 10,6.11.13; 14,1 = 53,2; vgl. 35,25; 74,8) als fingierte Zitate aufzufassen in denen der Beter das ihn bedrohende Treiben der "Feinde" interpretiert.[5]
Der "Blick" des Zauberers (vgl. Ps 1o,8) kommt in magischen Texten häufig vor, z.B. Maqlu III,11f: "Den Mann erblickte sie (d.h. die Zauberin), raubte ihm die Kraft, das Mädchen erblickte sie, nahm ihr die Frucht." (vgl. Maqlu VII,87) Zu der Apostrophierung der "Feinde" als "Verleumder" (Ps 14o, 12) und "lügnerische Zeugen" (27,12) ist auf den sumerischen Dämonennamen "Rechtsverdreher, Ankläger"[6] sowie auf die Feindbezeichnung "mein Kläger" und "mein Verleumder" hinzuweisen[7].

---

[1] Falkenstein, Haupttypen 41.

[2] Ebd. 36f.

[3] Ebeling, Handerhebung 81,66.

[4] Ebd. 133, 56-58.

[5] So Wolff, Ges.St. 48f; vgl. Keel, ebd. 179ff.

[6] Ebeling, RLA II,111.

[7] S.o.S. 251.

Der Deutung der "Feinde" auf Zauberer und Dämonen entspricht auch am besten die bereits von Gunkel-Begrich[1] beobachtete Tatsache, daß fast sämtliche Klagelieder in offenbarer Gefahr des Todes gedichtet sind (vgl. 13,4f; 22,19; 25,17; 31,1o; 41,6.9; 42,1o; 51,16; 71,2o; 86,7; 1o2,3.12.24.25a; 1o9,23; 143,7). Denn wie wäre es erklärlich, daß innerhalb der israelitischen Volksgemeinschaft so viele Individuen ständig von persönlichen Feinden umgeben waren, die nach dem Leben des anderen trachteten? Zwar gab es in Israel wie in allen Völkern mannigfaltige Spannungen und Parteiungen, auf die immer wieder hingewiesen wird.[2] Diese haben jedoch nichts damit zu tun, daß sich der Psalmist stereotyp von sein Leben bedrohenden "Feinden" umgeben fühlt. Nun wird in den Klagepsalmen mehrfach gesagt, daß sich Eltern, Verwandte und Freunde von dem Beter abgewandt haben (vgl. 22,7f; 27,1o; 38,12; 69,9; 88,9). Diese Personenkreise gehören jedoch nicht zur Gruppe der "Feinde". Denn zwischen Abwendung als einem passiven Geschehen und dem Nach-dem-Leben-Trachten der "Feinde" besteht ein großer Unterschied. Während die zwischen einem Kranken und seiner Umwelt entstehende Entfremdung eine *Folge* der Abwesenheit seines persönlichen Gottes ist, sind die eigentlichen "Feinde" als deren *Ursache* vorgestellt.[3] Aus dem übrigen Alten Testament ist nirgends zu entnehmen, daß Krankheit immer mit zwischenmenschlicher Feindschaft einhergehen müsse; nur für ansteckende Krankheiten wie Aussatz (vgl. Lev 13; Num 5,2) war die Absonderung von der Gemeinschaft vorgeschrieben.
Demgegenüber paßt der für die "Feinde" charakteristische Zug, daß sie dem Beter nach dem Leben trachten, eher auf Zauberer und Dämonen. Sie werden in den Maqlû-Texten häufig als "Mörder" und "Mörderinnen" o.ä. bezeichnet, die den Menschen zu töten versuchen.[4]

III. Die Argumente gegen eine magisch-dämonische Deutung der "Feinde"

Die deutschsprachige Forschung hat im Verlauf der letzten fünfzig Jahre viel Mühe darauf verwandt, die Thesen Mowinckels, Nicolskys u.a. zu widerlegen. Mit einigen der vorgetragenen Gegenargumente wollen wir uns im fol-

[1] Einleitung 185.

[2] Vgl. Schwarzwäller, Feinde 48; Westermann, Forschung 29o; Sellin-Fohrer, Einleitung 289.

[3] Vgl. Seidel, Einsamkeit 5off.

[4] Vgl. Maqlu III,4o; IV,76 u.a.

genden beschäftigen. Gunkel-Begrich[1] halten Mowinckel entgegen, daß der Psalmist immer einen Zusammenhang zwischen Jahwe und der Krankheit suche, anders als im babylonischen Gebet, wo Krankheit und Not zumeist auf Zauberer und Dämonen zurückgeführt werden. Doch hier wird eine unzutreffende Alternative aufgestellt. Wie wir gesehen haben[2], geschieht auch in Mesopotamien das Wirken der Dämonen nicht ohne Zustimmung der Götter. Einigemale wird ausdrücklich gesagt, daß der persönliche Gott Krankheit und Dämonen geschickt habe, und zwar wegen der Sünde des Menschen. Das Handeln der Götter und die Wirksamkeit von Zauberern und Dämonen geschehen nicht unabhängig voneinander, sondern bedingen sich gegenseitig. So kann der Beter in den Psalmen einerseits die Krankheit auf Jahwe zurückführen und andererseits böse Mächte als deren Ursache annehmen, ohne daß sich beides widersprechen muß.

Denselben Sachverhalt können wir auch sonst im Alten Testament beobachten. Nach Ex 12,23a ist es Jahwe, der die Ägypter schlägt, während es nach V.23b ein Dämon("Würgeengel") ist. Der den Saul quälende "böse Geist" (*RWḤ R`H* ; 1Sam 16,14) wird im darauffolgenden Vers "Geist Gottes" (*RWḤ ᵓLHJM*; 1Sam 16,15) genannt und ausdrücklich als von Jahwe gesandt bezeichnet. Zur Volkszählung reizt nach 2Sam 24,1 Jahwe den König David im Unterschied zu 1Chron 21,1, wonach es der Satan tut. In Hi 19,12 werden die Krankheitsdämonen ausdrücklich als "Scharen Gottes" apostrophiert.[3] So ist die Wirksamkeit böser Mächte mit dem Handeln Gottes durchaus in Einklang zu bringen.

Barth[4] führt als Beweis dafür, daß es sich bei den "Feinden" um wirkliche Menschen handele, die Stellen an, in denen der Beter die Bestrafung der "Feinde" wünscht. (vgl. 5,11; 7,13-17; 9,16; 35,7f; 54,7; 55,1o; 1o9,8ff; 141,1o) Dazu ist zu sagen, daß auch Zauberer "wirkliche" Menschen sind, allerdings solche, die mit bösen Mächten in Verbindung stehen. Der Wunsch um Vernichtung des Zauberers einschließlich seiner Nachkommen gehört geradezu stereotyp zum babylonischen Beschwörungsritual. Die Serie Maqlû hat ihren Namen "Verbrennung" von einer Zeremonie her, in welcher der Priester eine Figur des Zauberers bzw. der Zauberin anfertigt und diese unter Rezitierung folgender Worte verbrennt: "Weil sie (d.h. die Zauberin) Böses getan, nach

---

[1] Einleitung 191.

[2] S.o.S. 1o8ff.

[3] S.o.S. 253.

[4] Einführung 53.

Schlimmen getrachtet, möge sie sterben, ich aber am Leben bleiben!"[1]
Keel wendet gegen die magisch-dämonische Deutung ein, daß die Termini für Zauberei, Zauberer und Zauberin (*KŠP, MKŠP, MKŠPH* u.a.) in den Psalmen fehlen.[2] Dieses Fehlen erklärt sich mit einem Hinweis auf die Überlieferungsgeschichte der Psalmen. Denn wie bereits kurz angedeutet[3], wurden die individuellen Klagelieder später vom Volk gebetet und dementsprechend umgedeutet und ergänzt. (vgl. die Zusätze 3,8f; 25,22; 28,8f; 29,11; 34,23 usw.)[4] Im Zuge dieser Entwicklung wurden die ursprünglich sicher vorhandenen konkreten Krankheitsaussagen getilgt oder uminterpretiert. Zugleich verblassen auch die Dämonen- und Zaubererschilderungen, die entsprechenden Termini werden eliminiert und dem nun maßgeblichen Gegensatz von Frommen und Gottlosen (=Heiden) angepaßt (vgl. 1o; 12; 14; 59,9.12; 73).

IV. Zauberei und Dämonenglaube im Alten Testament

Die hier vorgelegte Deutung der "Feinde" ist jedoch nur dann stichhaltig, wenn Zauberei und Dämonenglaube auch sonst im Alten Testament nachzuweisen sind.[5] Überblicken wir das Alte Testament, so fällt auf, daß der Dämonenglaube eine auffallend geringe Rolle spielt. Dieser Befund hat z.B. von Rad zu dem Schluß veranlaßt, daß sich Israel "von Dämonen offenbar viel weniger bedroht fühlte als andere Völker seines Kulturkreises"[6]. Andere Forscher haben

---

[1] Maqlu I,18f; vgl. VII,68ff.

[2] Feinde 1o6.

[3] S.o.S. 247.

[4] Insofern hatte die früher übliche kollektive Deutung, wie sie z.B. von Smend (sen.), de Wette u.a. vertreten wurde, durchaus einen Anhalt in den Texten. Ihr Fehler bestand allerdings darin, daß sie den ursprünglich individuellen Charakter dieser Psalmen mit der im heutigen Psalter vorliegenden redaktionellen Form ineinssetzte.

[5] Wichtigste Literatur zum Thema Zauberei und Dämonenglaube: Balla, Eucharisterion I,214ff; Caquot, Semitica 6,53ff; Döller, Reinheits- und Speisegesetze 1o9ff; H. Duhm, Geister; Eichrodt, ThAT 2,119ff; Fohrer, BHH I, 225f; III, 22o4f; ders., Religion 148ff; Hempel, ThLZ 82,815ff; Jirku, Dämonen; Köhler, Mensch 12off; Nicolsky, Spuren; v. Rad, ThAT I,47.291; Ringgren, RGG^3 II,13o1ff; Wellhausen, Geschichte 98f; Wohlstein, ZDMG 113, 483ff.

[6] ThAT I,291; ähnlich Eichrodt, ThAT 2,119.

jedoch darauf hingewiesen, daß man sich von der nur seltenen Erwähnung der Dämonen nicht täuschen lassen dürfe.[1] Fohrer[2] nimmt an, daß das Volk wahrscheinlich von magischen Praktiken mehr hielt als man gewöhnlich annimmt. Das tägliche Leben der Israeliten sei von einer großen Zahl magischer Handlungen erfüllt gewesen, auch wenn deren Charakter durch die Überlieferung manchmal verwischt worden sei. Dies bestätigt sich durch archäologische Funde wie Fluchtafeln, kleine Figuren mit umwickelten Händen und Füßen sowie Amuletten.
Nun ist die Zahl der Stellen im Alten Testament, die von Zauberei und Dämonenglaube handeln, gar nicht so gering, wie es auf den ersten Blick den Anschein hat. Diese Stellen sollen nun im folgenden behandelt werden.

1. *Zauberei und Magie*

Eine charakteristische Schilderung des Treibens der Zauberinnen findet sich in Ez 13,18: "Wehe den Frauen, die (Zauber-)Binden nähen für alle Handgelenke und Kopfüberwürfe machen für Leute jeden Wuchses, um Seelen zu fangen." Hier werden typische magische Handlungen aufgezählt, wie sie z.B. auch in den Maqlû-Texten vorkommen. Das Hebräische Wort *kst* hängt mit akkadisch *kasû* "binden" zusammen, das häufig in magischen Texten erscheint.[3] Auch das dem hebräischen Wort *ṣwd* "fangen" entsprechende akkadische Äquivalent *ṣâdu* ist des öfteren in magischen Texten belegt.[4]
Die Propheten wenden sich auch sonst häufig gegen das offensichtlich weit verbreitete Zauberunwesen. Jer 27,9 fordert der Prophet die Israeliten auf, nicht auf die Propheten und Wahrsager, Träumer, Zeichendeuter und Zauberer zu hören. Mal 3,5 kündet der Prophet das Gericht über Zauberer, Ehebrecher, Meineidige und Unterdrücker an. Andererseits haben sich die Propheten selbst magischer Handlungen bedient. Gehasis Aussatz rührt von einem Fluch des Elias her. (2Kön 5,27) Die zahlreichen Symbolhandlungen der Propheten[5] sind nur

---

[1] Vgl. Köhler, Mensch 121.

[2] Religion 149.

[3] Vgl. Maqlu III,99; Lambert, AfO 18,29o,18; 19,58,143; vgl. v. Soden, AHw I,455.

[4] Vgl. z.B. Maqlu III,1o3. - Weitere Belege CAD "S", 58b.

[5] Vgl. 1Kön 11,29-31; 19,19-21; Hos 1; 3; Jes 7,3; 8,1; 8,1-4; Jer 13,1-11; 16,2-9; 19,1-11; 27,1-3; 28,1of; 32,7-15; 43,8-13; Ez 4,1-3.9-17; 5,1-17; 12,1-11. 17-2o; 21,11-12.23.29; 24,21-24 u.a.

von einem magischen Hintergrund her zu erklären.[1]
Auch sonst scheinen magische Praktiken im alten Israel nicht unbekannt gewesen zu sein.[2] David wünscht nach dem Mord an Abner allerlei Krankheit über das Haus Joabs. (2Sam 3,29) Jer 8,17 kündigt der Prophet an, daß Schlangen wider das Volk losgelassen werden sollen, die sich nicht beschwören (*LḤŠ*) lassen. (vgl. Koh 1o,11; Jes 3,3) Amulette werden in Jes 3,2o als *LḤŠJM* "Zaubermittel" bezeichnet (vgl. 26,16), wohl wegen ihrer magischen Wirkungen gegen Krankheiten und Dämonen.[3] Auch Schmuckstücke gelten als magische Schutzmittel (vgl. Gen 35,4; Ex 32,3) und werden im Alten Testament weithin unbeanstandet gelassen (vgl. Num 15,38ff; Dtn 22,12).[4] Die Merkzeichen oder Phylakterien, die in Ex 13,16; Dtn 6,8 und 11,18 genannt werden, haben ursprünglich wohl eine apotropäische Funktion entsprechend den mesopotamischen talīm gehabt.[5] Die Beschwörung von Toten- und Wahrsagegeister ist in 1Sam 28,3ff; 2Kön 21,6; 23,24 und Jes 8,19 belegt. Von Manasse wird berichtet, daß er Zauberei betrieb und sich Totenbeschwörer und Wahrsager hielt. (2Chron 33, 6). Liebesäpfel (Gen 3o,14), präparierte Stäbe (Gen 3o,37f) und Zauberstäbe (Ex 7,12) sind als Mittel der Magie belegt. Das "Knotenlösen" in Dan 5,12.16 ist wohl ebenfalls als magische Kunst aufzufassen.[6]
Neben diesen doch immerhin beträchtlichen Belegen für die Existenz von Zauberei im alten Israel steht deren striktes Verbot. Ex 22,17 heißt es lakonisch: "Eine Zauberin (*MKŠPH*) sollst du nicht am Leben lassen." Zauberei wird in Lev 2o,27; Dtn 18,9-13 und 1Sam 15,23 als Götzendienst gebrandmarkt und verboten. Diese Verbote können aber kaum so verstanden werden, daß mit ihnen schon von vorneherein der Beweis für die Unvereinbarkeit von Jahweglauben und Zauberei gegeben wäre. Denn erstens begegnen diese Verbote fast ausschließlich in deuteronomistischen und damit späten Zusammenhängen; noch in Jer 27,9 geht es nicht um eine grundsätzliche Kritik an den Zeichendeutern und Wahrsagern, sondern nur darum, daß sie dem Volk eine falsche Auskunft

---

[1] Vgl. Fohrer, Symbolische Handlungen 2ff.

[2] Eine gute Übersicht gibt Fohrer, ebd. 11f.

[3] Vgl. Wildberger, Jesaja z.St.; Budge, Amulets 212; Fohrer, BHH II,9o; Blau, Zauberwesen 86ff.

[4] Vgl. Benzinger, Archäologie 9o; Galling, BRL 22ff.

[5] Vgl. Speiser, JQR 48,2o8ff.

[6] Vgl. Blau, ebd. 158.

geben. Zweitens stand auch in Babylonien die Zauberei unter Todesstrafe[1] und war dennoch eine weitverbreitete Erscheinung. Drittens wurde trotz des scharfen Verbots im Spätjudentum Zauberei vielfach geübt. Man behalf sich mit der Erklärung, daß magische Praktiken nur zum Zwecke der Heilung angewendet werden durften.[2]

2. *Dämonenglaube*

Im Alten Testament werden folgende Dämonen namentlich erwähnt: 2Kön 23,8; Lev 17,7 und 2Chron 11,5 berichten, daß die Israeliten den *Šʿ RJM*, einer Art von Feldgeistern opferten. Jes 13,21 und 34,12 werden sie als Bewohner von Ruinenstätten aufgeführt. Die Damonin *LJLJT*, identisch mit der babylonischen Lilītu, kommt in Jes 34,12 vor. Von den *ŠDJM*, die vielfach als Dämonen aufgefaßt werden, war bereits die Rede.[3] Als dämonische Wesen sind wohl auch die "Auflauerer" (*Mʾ RBJM*; 2Chron 2o,22) zu verstehen, ähnlich wie der "Lauerer" (*RBṢ*) an der Tür in Gen 4,7. Die Parallele zu dem mesopotamischen *Rābiṣu*-Dämon legt sich nahe. Nach 1Sam 16,14 kam ein "böser Geist" über Saul, der bei ihm eine psychische Krankheit verursachte und wohl als Krankheitsdämon zu verstehen ist. Azazel, zu dem die Sünden des Volkes am großen Versöhnungstag hinausgetrieben werden, ist wahrscheinlich ursprünglich ein Wüstendämon (vgl. Lev 16). Die Schlange aus der jahwistischen Sündenfallgeschichte gehört ebenfalls zu den dämonischen Wesen. (vgl. Gen 3)[4] Der im gesamten Alten Orient bekannte Gott Rešef erscheint im Alten Testament als Dämon gleichen Namens (Hab 3,5; Dtn 32,24; Hi 5,7; Ps 78,48).[5] Der Mittagsdämon *QṬB* "Pfeil" wird in Dtn 32,24; Jes 28,2; Hos 13,14 und Ps 91,6 genannt. Im Vertrag zwischen Asarhaddon und Baʿal von Tyrus[6] kommt eine Göttin namens Qatiba vor, die vielleicht mit dem Mittagsdämon Qeteb identisch ist.[7] Ex 12,23 verhindert Jahwe durch die Stiftung des Passa, daß der "Verderber" (*MŠTJT*) die Erstgeburt der Israeliten schlägt. Ein Bote Jahwes fungiert als Pestdämon

---

[1] Vgl. Kodex Hammurabi § 2.

[2] Vgl. Blau, Zauberwesen 19ff.

[3] S.o.S. 218.

[4] Wohlstein, ZDMG 113,483ff.

[5] Vgl. Caquot, Semitica 6,53ff.

[6] S.o.S. 189 mit Anm. 4.

[7] Vgl. Caquot, ebd. 68.

im assyrischen Lager während der Belagerung Jerusalems durch Sanherib (2Kön 19,35). Der Todesbote (*MLʾK MWT* ; Prov 16,14 vgl. Hi 33,22) ist wohl mit den mesopotamischen Unterweltsdämonen zu vergleichen.[1] Bei näherem Zusehen sind also im Alten Testament eine Fülle von verschiedenartigen Dämonen zu beobachten, die im Glauben der alten Israeliten offenbar eine maßgebliche Rolle gespielt haben.

Es wird weiterhin anzunehmen sein, daß sich hinter einer großen Zahl von Kultusvorschriften Abwehrriten gegen Dämonen verbergen, so z.B. Ex 28,33-35 oder Lev 11.[2] Die strengen Vorschriften für die Absonderung eines Aussätzigen gehen kaum allein auf die Furcht vor Ansteckung zurück, denn - wie Döller[3] richtig beobachtet - bei einer Reihe von Krankheiten ist die Ansteckungsgefahr weit größer, ohne daß solche strengen Vorschriften bestünden. Dahinter steht vielmehr der Glaube, daß Krankheit durch einen Dämon verursacht werden. Döller rechnet deshalb damit, daß die Israeliten in alter Zeit eine ganze Reihe von Krankheits- und Seuchendämonen gekannt haben, die allmählich von der Jahwereligion verdrängt wurden.[4] Der Dämonenglaube wird wohl auch der Grund für die Anweisungen bei diversen menschlichen Ausflüssen (vgl. Lev 12, 15 usw.) sein. In der Vorstellung, daß Trümmer und Ruinen die Heimstätte von Dämonen sind, wurzelt die Sitte, rasch an ihnen vorbeizugehen, zu pfeifen und die Hand wegweisend zu schütteln (1Kön 9,8; Jer 19,8; Zeph 2,13ff; Thr 2,15).[5] Die Anweisungen in Dtn 21,1-9 für den Fall einer auf freiem Feld gefundenen Leiche zielen ursprünglich auf Totengeister hin, die bei einer nicht bestatteten Leiche entstehen können.[6]

Bei den Texten, die von Magie und Dämonenglauben handeln, fällt auf, daß sie vielfach aus späterer Zeit stammen. Diesen Sachverhalt kann man jedoch kaum so erklären, daß magische Vorstellungen erst spät von außen eingedrungen seien, und dann etwa zur Zeit Jesu weit verbreitet waren.[7] Vielmehr müssen wir hier die Überlieferungsgeschichte in Betracht ziehen. In einer früheren Redaktionsstufe wurde neben den Fremdgöttern auch alles sonstige Nichtjahwistische radikal getilgt, während man in späterer Zeit unbefangener von Dämonen und anderen Mächten reden konnte.

---

[1] Vgl. die Personifikation des Todes in Ps 18,6 und 116,3.

[2] Vgl. Eichrodt, ThAT 2,121; Jirku, Dämonen 95.

[3] Reinheits- und Speisegesetze 1o9.

[4] Ebd. 116.

[5] Vgl. Köhler, Mensch 122f.

[6] Vgl. H. Duhm, Geister 21.

[7] Vgl. Strack-Billerbeck, Kommentar IV,1,5o1ff.

V. Folgerungen

Aus den im vorangehenden dargelegten Erörterungen legt es sich m.E. mit größtmöglicher Wahrscheinlichkeit nahe, daß in einem großen Teil der Klagepsalmen, nämlich Ps 3; 6; 7; 9/1o; 11; 17; 22; 27; 31; 35; 38; 42/43; 55; 56; 57; 59; 64; 69; 71; 86; 1o9; 12o; 14o; 142, mit den "Feinden" ursprünglich Zauberer und Dämonen gemeint sind. In Ps 91,5f werden die Dämonen ausdrücklich mit Namen genannt. Welche Konsequenzen hat dieses Ergebnis in bezug auf das von uns zu behandelnde Problem des persönlichen Gottes in den Psalmen?
Der Beter der "Gebete an den persönlichen Gott" erfährt sich als zwei Mächten gegenüberstehend, die sein Leben entscheidend beeinflussen: Auf der einen Seite steht Jahwe als sein persönlicher Gott, der ihm Leben und Kraft, Schutz und Rettung gewährt, auf der anderen Seite die feindlichen Mächte, insbesondere Dämonen und Zauberer, die in Gestalt von allerlei Krankheiten Gewalt über ihn zu erlangen suchen oder schon gewonnen haben. Die Spannung zwischen diesen beiden Polen bestimmt die Dramatik der individuellen Klagepsalmen. In der nun folgenden Analyse soll anhand der einzelnen Psalmen die Wirksamkeit des persönlichen Gottes im Gegenüber zu den "Feinden" entfaltet werden.

Psalm 3

Der Beter wendet sich angesichts der Bedrohung durch zahlreiche "Feinde" (V.2) an seinen persönlichen Gott, den er in V.8 *ʾLHJ* "mein Gott" nennt, mit der Bitte um Schutz und Hilfe. Aus den Reden der anderen: "er hat keine Hilfe bei 'seinem'[1] Gott" (*ʾJN JŠWʿTH BʾLHJW*) geht hervor, daß sich der Psalmist von seinem Gott verlassen erfährt. Der Ausdruck "sein Gott" ist keineswegs spöttisch gemeint[2], sondern bezeichnet Jahwe als den persönlichen Gott des Menschen. Angesichts der Feinde vertraut der Beter auf seinen persönlichen Gott: "Aber du, Jahwe, bist mir Schild und Ansehen, du hebst mein Haupt empor." (V.4) Jahwe ist für den Psalmisten ein schützender Schild

---

[1] Mit LXX statt *BʾLHJM BʿLHJW* zu lesen, vgl. Gunkel z.St., gegen Kraus z.St.

[2] So Gunkel z.St.

(vgl. 18,3; 28,7; 119,114 vgl. Gen 15,1) und sein *KBWD*, d.h. "das Gewichtige am Menschen, das was ihn ansehnlich macht"[1]. Denselben Sinn hat wohl auch der Satz "du hebst mein Haupt empor". *NŚʾ Rʾ ŠW* "sein Haupt erheben" wird im Alten Testament 1) von den Freien und Selbstbewußten gesagt (Sach 2,4; Hi 1o,15); es meint 2) das Mächtigwerden (Ri 8,28; Ps 83,3) oder auch 3) das Zu-Ehren-Bringen (Gen 4o,13.2o).[2] Der Beter erwartet demnach von seinem persönlichen Gott, daß er ihm Kraft, Stärke und neues Leben verleihen möge. Neben der Schutzfunktion (vgl. "Schild" V.4) ist hier also Jahwes Funktion als Garant für das Wohlergehen des Menschen zu beobachten.

Vom Schutz des persönlichen Gottes handeln dann insbesondere die V.6f: "Ich lag und schlief, nun bin ich erwacht, denn Jahwe stützt mich. Ich fürchte mich nicht vor viel Tausend Volks, die sich rings wider mich gelagert haben." Jahwes Schutz erstreckt sich demnach insbesondere auf die Zeit der Nacht. Duhm, Weiser u.a. fassen den Psalm deshalb als ein Morgenlied auf. Der Schutz des persönlichen Gottes während der Nacht ist deshalb notwendig, weil die Nacht die bevorzugte Wirkungszeit der Dämonen ist. Auch in mesopotamischen Gebeten findet sich die Bitte um Schutz durch den persönlichen Gott während der Nacht[3]. Auf Dämonen deutet auch die Vielzahl (*rbbwt*) der "Feinde" hin, die den Beter bedrohen. (V.7)

Der letzte Vers ist mit Sicherheit eine spätere Hinzufügung aus einer Zeit, als der ursprünglich individuell gemeinte Psalm vom Volk gebetet wurde. (vgl. 25,22; 28,8f; 29,11; 34,23; 51,2of; 125,5b; 131,3)[4]

---

[1] V. Rad, ThW II,24o.

[2] Vgl. akkad. *rēša našû* "sich kümmern um, sich einer Sache oder jemandes annehmen" (v. Soden, AHw Lfg. 9, 762f. Asarhaddon berichtet, daß ihm sein Vater inmitten seiner Brüder das Haupt treulich emporgehoben und ihn zum Kronprinzen bestimmt habe. - Der persönliche Gott trägt im Zweistromland auch die Bezeichnung "Der das Haupt emporhebende = sich kümmernde (Gott)" (S.o.S. 72), was des öfteren von ihm auch in altbabylonischen Briefen ausgesagt wird (vgl. Text Nr. 99 o.S. 72 u.a.).

[3] S.o.S. 86 (Text Nr. 131).

[4] Wegen der vielen "Feinde" versteht Duhm den Dichter als einen Hohenpriester, der von seinen religiösen Gegnern zur Zeit der Parteienkämpfe nach dem Exil angefeindet wird. Gunkel betont demgegenüber, daß es sich um einen Privatmann handele. Kraus schließt einen Kompromiß, indem er annimmt, daß hier Bilder aus dem Bereich des Königtums nachwirken und sich der Beter in eine "königliche Situation" versetzt sieht. Die Erklärung der "Feinde" als Dämonen macht solche Theorien überflüssig.

Psalm 7

Der Grundbestand von Ps 7 ist wohl ebenfalls als ein Gebet an den persönlichen Gott zu interpretieren. Der Beter sucht bei Jahwe, den er zweimal "mein Gott" (*ʾLHJ*) nennt (V.2 und 4), Zuflucht vor seinem Verfolger. Dieser will sein Leben auslöschen (V.3). Er schärft sein Schwert, spannt seinen Bogen, macht glühende Pfeile (V.13f) und gräbt eine Grube (V.16). Alle diese Bilder passen am besten auf einen Zauberer, der nach dem Leben des Beters trachtet.[1] Die Bitte um Vernichtung des "Feindes" in V.16f findet sich in ähnlicher Form häufig in den Maqlû-Texten.
Der Beter klagt darüber, daß "'niemand'[2] ihn rettet und befreit" (V.3bß). Rettung vollbringt in einer solchen Situation nicht ein Mensch, sondern Gott, speziell der persönliche Gott.
Die V. 7-1o, in denen der Psalmist "in hoch pathetischer Ausführung das Weltgericht gegen seinen Feind" herbeiwünscht (Gunkel z.St.), stellen wohl eine spätere Erweiterung dar, in der das Volk Israel Jahwe als den Weltenrichter bekennt.[3]

---

[1] S.o.S. 254.

[2] Textänderung *ʾJN* mit LXX, vgl. Duhm, Kraus z.St.

[3] Kraus versteht den Psalm mit H. Schmidt als Gebet eines Angeklagten, der von einem wütenden Feind verfolgt wird und ins Heiligtum flieht, um dort seine Schuld zu bekennen und Jahwe als den gerechten Richter anzurufen. (vgl. Delekat, Asylie 211f) Weiser verlegt diesen Vorgang wegen V.7-9 in den Rahmen eines Bundeskultfestes. Beyerlin (Rettung 95ff) bezieht die Rettungsaussagen dieses und anderer Psalmen (z.B. noch 3; 23; 27) auf die kultisch-sakrale Institution des Gottesgerichts, die insbesondere am Jahweheiligtum ihren Standort hatten. Diese Gerichtsart wurde allerdings "im Bereich der Jahwegemeinde durchweg im Sinne ihres Glaubens an einen persönlichen Gott abgewandelt" (143). Auch in den akkadischen Gebeten und Beschwörungen kommen Gerichts- und Rettungsaussagen häufig vor. (vgl. Gamper, Gott als Richter). Sie beziehen sich sämtlich auf die Hilfe der Gottheit, ohne daß eine bestimmte kultische Institution vorausgesetzt werden muß. (vgl. z.B. Schollmeyer, HGŠ Nr. 1 ii 6f; Nr. 2 47f; Ebeling, Handerhebung 31,8) Zugrunde liegt die Vorstellung, daß das Schicksal des Menschen in einem beständigen Prozeß bei den Göttern festgelegt wird. Gerät ein Mensch in Not, so nimmt er an, daß sein Prozeß nicht richtig geführt wurde und bittet deshalb um Revision des Verfahrens, was identisch ist mit Aufhebung seiner Not. S. dazu o.S. 118.

Psalm 13

Die enge persönliche Zuordnung des Beters zu seinem Gott ergibt sich aus der Anrede "mein Gott" (V.4) und den Aussagen des Vertrauens auf Jahwes Hilfe (V.6). Der Beter ist offensichtlich in großer - teils körperlicher, teils seelischer - Bedrängnis[1], die er auf die Abwendung seines persönlichen Gottes zurückführt: "Wie lange, Jahwe, willst du meiner so ganz vergessen? Wie lange verbirgst du dein Antlitz vor mir?" (V.2) Infolge der Abwendung des persönlichen Gottes hat der "Feind" Gewalt über den Beter gewonnen (V.3b.5a). Es liegt also dieselbe Situation wie in den zahlreichen mesopotamischen Gebetsbeschwörungen vor, die von der Abwendung des persönlichen Gottes und ihren Folgen handeln.[2]

Nun ist verschiedentlich behauptet worden, das eigentliche Leid seien hier nicht die Schmerzen, sondern die Trennung von Gott bzw. die Erfahrung seines Zorns. (Kraus z.St.) Das Körperliche trete gegenüber dem Seelischen zurück; der Beter fürchte im eigentlichen, daß sein Glaube nicht Recht zu bekommen scheint. (Gunkel z.St.) Solche Erörterungen zeugen mehr von dem persönlichen Glauben der Ausleger als daß sie über den Inhalt des Psalms Aufschluß geben. Aus den Psalmen sowohl der Bibel als auch Mesopotamiens geht vielmehr hervor, daß für einen Menschen des Alten Orients die Gottesbeziehung eng mit seiner gegenwärtigen Lebenssituation verknüpft ist. Bedrängnis und Not hatten ihre Ursache in der Abwesenheit des persönlichen Gottes. Insofern bittet der Psalmist um Erhörung und Zuwendung seines Gottes und damit zugleich um Wiederherstellung seiner Lebenskraft.[3]

Psalm 16

Dieses individuelle Vertrauenslied richtet sich an Jahwe als den persönlichen Gott des Beters, den dieser mit *ʾL* bzw. *ʾDNJ* "mein Herr" anredet (V.1.2). Er bittet seinen Gott, ihn zu behüten, denn zu ihm flüchtet er sich. (V.1) Diese Aussagen werden von Kraus (z.St.) und Delekat[4] auf den

[1] Ob der Psalmist tatsächlich als Kranker (so Gunkel, Weiser) vorgestellt werden muß, läßt sich dem Text nicht mit Sicherheit entnehmen.

[2] S.o.S. 91ff.

[3] Vgl. Barth, Errettung 146ff.

[4] Asylie 212.

Schutzbereich des Heiligtums gedeutet, in den der Psalmist eben eingetreten sei. Eine solche Annahme ist jedoch unnötig, da diese Aussagen auch unabhängig von einem konkreten Heiligtum ihren Sinn haben. Sie besagen, daß sich der Mensch ganz in den Schutz seines persönlichen Gottes stellt.
Die hervorragende Bedeutung, die sein Gott für ihn besitzt, wird in V.5f mit den Begriffen *GWRTJ* "mein Besitzteil", *KWSJ* "mein Becher", *NḤLTJ* "mein Erbteil"[1] umschrieben. Diese Ausdrücke stammen bis auf "Becher" aus der Institution der Landverteilung (vgl. Jos 14,4; Num 18,21 u.a.).[2] *KWS* meint entweder "Becher" im Sinne von Portion[3] oder im Sinne von "Entscheid", "Los"[4].
Die Folgerung, wonach der Beter ein Levit gewesen sei, von dem in Dtn 1o,9; Num 18,2o u.a. gesagt wird, daß Jahwe seine *NḤLH* und *ḤLQ* sei, ist möglich.[5] Denn in den Priestergesetzen wird das Verhältnis Jahwes zum Priester durch die Bezeichnung "sein Gott" (vgl. Lev 21,7.12.17; Num 25,13; Dtn 18,7) als ein persönliches umschrieben. Allerdings kann hier auch eine Spiritualisierung von Begriffen vorliegen.[6] Entscheidend ist die mit diesen Ausdrücken umschriebene enge persönliche Zuordnung des Beters zu seinem Gott.
In V.8 bekennt der Psalmist, daß sein Gott ihm zur Rechten steht und er folglich nicht wankt. Das Zur-Rechten-Stehen einer Gottheit bezieht sich in mesopotamischen Texten fast ausschließlich auf den persönlichen Gott des Menschen.[7] Indem Gott bei dem Menschen ist, kann dieser sich freuen; sein Leib (*BŚR*), d.h. "der körperliche Stoff des Menschen"[8] kann sicher wohnen (V.9). Deshalb darf der Psalmist hoffen, daß Jahwe sein Leben vor dem drohenden Tod errettet. (V.1o) Es geht in diesen Versen also um das Mitsein des persönlichen Gottes, das für den Menschen Sicherheit und Rettung bedeutet.

---

[1] Mit LXX, Samaritanus.

[2] So Gunkel, Kraus.

[3] So Gunkel.

[4] So Kraus.

[5] Vgl. Namen wie *hlqjh(w)*, s.Noth, Personennamen 163f.

[6] V. Rad, ThAT I,416f.

[7] S. z.B. o.S. 22 *[Text Nr. 32]*.

[8] Köhler, ThAT 123.

Psalm 18 (vgl. 2Sam 22)

Ps 18, im wesentlichen identisch mit 2Sam 22, stellt das Danklied eines Königs an seinen persönlichen Gott Jahwe dar. Jahwe wird mehrfach mit "mein Gott" angeredet: *ʾL* (V.3), *ʾLHJ* (V.7.22.29.3o). Ähnlich wie akkadisch ilum "der Gott" bezeichnet wohl auch *HʾL* (V.31.33.48) den persönlichen Gott.[1] Hinzu kommen zahlreiche "Vertrauensäußerungen" (Begrich), die die enge persönliche Beziehung zwischen dem Beter und seinem Gott zum Ausdruck bringen:

ḤZQJ	"Meine Stärke" (V.2);
SLʿJ ṢWRJ	"mein Fels" (V.3.32.47);
MṢWDTJ	"meine Burg" (V.3);
MPLṬJ	"mein Erretter" (V.3; vgl. V.49);
QRN-JŠʿJ	"Horn meines Heils" (V.3);
MŠGBJ	"meine Zuflucht" (V.3);
ʾLHJ JŠʿJ	"Gott meines Heils" (V.47; vgl. 27,9b);
MGNJ	"mein Schild" (V.3.31).

Hier liegt eine auffallende Anhäufung von Bildern und Begriffen für "Schutz" vor, wie sie sich sonst in den Psalmen kaum findet. Nach Kraus (z.St.) verherrlicht dieser hymnische Introitus ... Jahwe als den beständigen Schutzgott aller Bedrängten". Der Psalm will jedoch nicht so sehr etwas über die Schutzfunktion Jahwes im allgemeinen aussagen; der Beter redet vielmehr von dem Schutz, den ihm als einem konkreten Menschen sein persönlicher Gott Jahwe gewährt. Wir können mit de Fraine[2] auch annehmen, daß V.3 eine Formel gegen Dämonen darstellt.

In akkadischen Personennamen wird der persönliche Gott des öfteren "meine Kraft", "mein Licht", "meine Stütze", "meine Hilfe"[3], "meine Mauer", "mein Palast" oder "mein Berg(=Hort)"[4] genannt. Eine wohl an den persönlichen Gott

---

[1] S.o.S. 11f.

[2] Bibl 4o,379f.

[3] S.o.S. 73f.

[4] S.o.S. 86.

gerichtete Beschwörung lautet: "Du bist mein Schirm, du bist meine Kraft, du bist mein Šēdu, du bist meine Gestalt, du bist meine Figur, du bist [meine] Mauer."[1] Ein gutes Beispiel für den Schutz, den der persönliche Gott einem Menschen gewährt, bietet auch das sog. Vogelnestgleichnis im Gebet des hethitischen Königs Muwatalli, das an dieser Stelle nochmals zitiert werden soll[2]: "Der Vogel nimmt Zuflucht zum Nest und bleibt am Leben. Ich aber habe Zuflucht genommen beim Wettergott *pihaššaššiš*, meinem Herrn."
Anlaß zu verschiedenartigen Deutungen hat insbesondere die Anrede "mein Fels" gegeben, die auch sonst innerhalb und außerhalb der Psalmen häufig vorkommt.[3] Das Bild meint den Felsen als den Ort, auf dem man sicheren Boden unter den Füßen hat (vgl. Mt 7,24). Der Fels ist Inbegriff der Beständigkeit und Festigkeit.[4] H. Schmidt[5] leitet diese Anrede von der Verbindung Jahwes mit dem heiligen Felsen auf dem Zion ab. Delekat[6] schreibt zudem dem Betreten des heiligen Felsens durch den Asylflüchtling eine wesentliche Bedeutung beim Akt des Asylsuchens zu: "Die alte Formel, mit der sich der Asylflüchtling gegenüber der Gottheit als solcher zu erkennen gab, lautete: Fels, auf dich habe ich mich geflüchtet". Nun findet sich für einen solchen Zusammenhang der Anrede "mein Fels" und dem heiligen Felsen von Jerusalem nirgends im Alten Testament ein konkreter Anhalt. Vielmehr ist diese Anrede von sich aus verständlich als Vertrauensäußerung des Menschen gegenüber dem persönlichen Gott, wie aus den altorientalischen Parallelen zu ersehen ist.
Eine Eigentümlichkeit im Verständnis dieses Wortes finden wir in der Septuaginta.[7] Sie übersetzt ṢWR(J) in den meisten Fällen mit θεός bzw. (ὁ) θεός μου (Ps 18,32.47; 28,3; 62,3.7.8; 73,26; 92,16; 95,1; 144,1). An einigen Stellen hat sie jedoch andere Übersetzungen, nämlich κτίστης "Schöpfer" in 2Sam 22,32, πλάστης "Bildner" in 2Sam 23,3 bei vier Handschriften, ὁ πλάσας με "der mich geschaffen hat" in 2Sam 22,47, φύλαξ "Wächter" in 2Sam 22,3 und φύλαξ μου

1 Maqlu VIII,9off; vgl. II,1oof.

2 S.o.S. 133 (Text Nr. 213).

3 In bezug auf den Einzelnen: 19,15; 28,1; 31,3; 62,3.7.8; 71,3; 73,26; 89, 27; 92,16; 94,22; 95,1; 144,1; in bezug auf das Volk: Dtn 32,4.15.18.3o. 31.37; 1Sam 2,2; 2Sam 23,3; Jes 17,10; 44,8; Ps 78,35 u.a.

4 Vgl. Begrich, Ges.St. 21o; Noth, Personennamen 156.

5 Fels 87; vgl. Kraus z.St.

6 Asylie 263.

7 Vgl. Wiegand, ZAW 1o,85ff.

"mein Wächter" in 2Sam 22,47, also jeweils in der Parallelüberlieferung von Ps 18. Auch Theodotion bietet an zwei Stellen ähnliche Übersetzungen: ὁ πλάστης "der Bildner" (Dtn 32,4.15) und φύλαξ, φύλακες "Wächter" (Dtn 32, 31.37). Dabei knüpfen die griechischer Übersetzer an Dtn 32,18 an, wo "Fels" mit "schaffen, zeugen" in Verbindung gebracht wird: "Des Felses, der dich gezeugt, gedachtest du nicht und vergaßest des Gottes,der dich geboren." Die gelegentlich auftretenden Übersetzungen "Schöpfer" bzw. "Wächter, Beschützer" sind vielleicht nicht ganz so zufällig gewählt, wie etwa Wiegand[1] meint. Sie können vielmehr darauf hinweisen, daß die Anrede "mein Fels" für den persönlichen Gott verwendet wurde, der zugleich als Schöpfer und Beschützer des Menschen verehrt wurde. Daß die Septuaginta von dieser Vorstellung noch etwas wußte, beweist die Übersetzung von Šaddaj mit "mein Gott" o.ä.[2]

Nach diesen "Vertrauensäußerungen" berichtet der Beter, daß Jahwe seine schützende Hand schon früher über ihm gehalten habe, indem er ihn aus den "Wogen des Todes" und den "Banden der Unterwelt" (V.5f) errettete. Hier ist der Tod wie ein Unterweltsdämon personifiziert vorgestellt. Diese Rettungstat Jahwes wird in V.8-16 zu einer großartigen Theophanieschilderung ausgeweitet.

Der zweite Teil des Psalms (insbesondere ab V.33ff) beschreibt Jahwes Funktion als Garant für Wohlergehen und Erfolg des Menschen. Wie in mesopotamischen Texten[3] bekennt der Psalmist, daß er seinem persönlichen Gott Jahwe alle seine Lebenskräfte und sein Können verdankt. Sein Gott gürtet ihm mit Kraft (V.33a) und verleiht ihm Schnelligkeit (V.34). Kraft und Schnelligkeit sind nach Duhm (z.St.) die beiden Haupteigenschaften des antiken Helden. Er hat ihn das Kriegshandwerk gelehrt (V.35) und gibt ihm Sieg über die Feinde (V.38-41). Dazu verleiht er ihm Kraft zur Regierung (V.51). Sämtliche Momente, die den Glanz und die Größe eines Lebens ausmachen, gehen nicht auf des Menschen eigenes Können zurück, sondern sind eine Gabe des persönlichen Gottes.[4]

---

[1] Ebd. 94.

[2] S.o.S. 220f.

[3] S.o.S. 70ff.

[4] Alter und ursprünglicher Charakter dieses Psalms sind umstritten. Duhm verlegt ihn im Zuge seiner üblichen Spätdatierung in die makkabäische Zeit, etwa des Alexander Jannäus. Gunkel vermutet, daß das Lied bei einem Siegdankfest des Königs gesungen wurde, jedoch in relativ später Zeit, vermutlich der des Josia. Dagegen datiert Albright (Religion 146) den Psalm in

Psalm 22 [1]

Der durch seine Zitierung im Mund Jesu (vgl. Mk 15,34 par.) berühmt gewordene Psalm beginnt mit der ergreifenden Klage des Beters über die Abwesenheit seines Gottes: *ʾLJ ʾLJ LMH ʿZBTNJ* "Mein Gott, mein Gott, warum hast du mich verlassen?" (V.2) Die Anrede "mein Gott" bekundet hier nicht "die individuelle Aneignung der Bundes- und Heilszusage"[2], sondern meint den persönlichen Gott des Psalmisten. Damit entfallen theologische Spekulationen über die Bedeutung des Suffixes "mein", wie sie etwa Westermann[3] oder Seidel[4] anstellen. Zu einer solchen Klage über die Abwesenheit des persönlichen Gottes gibt es in mesopotamischen Texten mannigfache Parallelen.[5] In V.3 beklagt sich dann der Beter darüber, daß sein Gott ihm trotz ständigen Rufens nicht antwortet. Auch dazu gibt es in Mesopotamien entsprechende Aussagen.[6]
Die Verse 4-6 werden von Westermann[7] als "Bekenntnis der Zuversicht" bezeichnet, das an dieser Stelle formgeschichtlich seinen Ort habe. Folgende Gründe sprechen jedoch dafür, daß hier ein späterer Einschub vorliegt:

1. V.7 schließt unmittelbar an die Klage V.3 an, während die Vv. 4-6 deutlich den Zusammenhang unterbrechen.
2. Der Rückgriff auf das Vertrauen, das die Väter zu Jahwe gehabt hätten und woraufhin ihnen Rettung zuteil wurde, bildet eine Doppelung zu dem Bekenntnis der Zuversicht in V. 1of, das sowohl inhaltlich als auch von seiner Stellung her besser in einen Individualpsalm paßt.[8]

---

das 1o. Jahrhundert, Cross und Freedman (JBL 72,2o) auf Grund von philologischen und linguistischen Untersuchungen ins 9. - 8. Jahrhundert. Eine sichere Datierung ist deshalb nicht möglich, weil der Psalm offensichtlich in einer langen Überlieferung mehrfache Überarbeitungen erfahren hat, und vielleicht erst sekundär auf den König bezogen wurde.

[1] Vgl. zu diesem Psalm außer den Kommentaren Botterweck, BuL 6,61ff; Hasenzahl, Gottverlassenheit; Westermann, Gewendete Klage; Gese, ZThK 65,1ff.

[2] Kraus z.St.; ähnlich Botterweck, ebd. 62.

[3] Ebd. 17f.

[4] Einsamkeit 119.

[5] S.o.S. 91ff [Texte Nr. 14o - 143].

[6] S.o.S. 98 [Texte Nr. 154f].

[7] Ebd. 21.

[8] S. dazu u.S. 274f.

3. Die Pluralform *ʾBTJNW* "unsere Väter" ist innerhalb eines individuellen Klagepsalms ungewöhnlich. Es gehört offensichtlich in ein Klagelied des Volkes, wo sich ähnliche Aussagen des öfteren finden (vgl. Ps 44,2; 78,3.5; 1o6,6f; Thr 5,7). Die Form kommt häufig in deuteronomistischen und chronistischen Zusammenhängen vor (vgl. z.B. Dtn 5,3; 26,7; 1Kön 8, 21.53.57.58; 1Chron 12,18; 29,15; 2Chron 29,6.9).

Diese Verse wurden zu einer Zeit hinzugefügt, als der Psalm zum Klagelied der Gemeinde geworden war. Das Motiv für eine solche Interpolation könnte darin zu suchen sein, daß den späteren Generationen die radikale Klage über die Gottverlassenheit als so ungeheuer erschien, daß sie diese durch den tröstlichen Hinweis auf die Erhörung der Väter in der Vergangenheit abzuschwächen suchten.

In V.7f beklagt der Beter die Abwendung seiner Umwelt. Er kommt sich vor wie ein Wurm, er wird verspottet und verachtet. Ähnlich wie in Mesopotamien[1] hat die Abwesenheit des persönlichen Gottes eine Entfremdung von der Umwelt zur Folge (vgl. 27,1o; 41,1o; 38,12; 69,9; 88,9)[2]. Die Mitmenschen schütteln den Kopf darüber, daß ein Mensch, der bisher immer auf seinen Gott vertraut hat, nun offensichtlich von ihm im Stich gelassen wird (V.9). Die Reden der anderen sind jedoch keineswegs spöttisch gemeint[3], sondern beschreiben durchaus sachgemäß das persönliche Schutzverhältnis zwischen Jahwe und dem Beter. Aus seiner gegenwärtigen Not können sie nur den Schluß ziehen, daß dieses Schutzverhältnis zerbrochen ist.

V.1of folgt dann das eigentliche Bekenntnis der Zuversicht, das die Absicht verfolgt, Jahwe zum Eingreifen zu veranlassen. Der Beter weist darauf hin, daß sein Gott ihm das Leben geschenkt habe und von Geburt an sein Gott ist: "Denn du zogst[4] mich aus dem Mutterleib, bargst mich an der Mutterbrust. Auf dich bin ich geworfen vom Mutterleib an, vom Mutterschoß her bist du mein Gott". Diese Aussagen gehören deutlich zum Vorstellungsbereich des persönlichen Gottes. Denn der persönliche Gott wird in Mesopotamien und Kleinasien als Schöpfer des Menschen angesehen,[5] der ihn vom Mutterleib an[6] bewahrt und

---

[1] S.o.S. 96ff.

[2] Vgl. Seidel, Einsamkeit 52ff.

[3] So Gunkel z.St., Gese, ebd. 7.

[4] Textänderung Gunkels in *`zj* ist unnötig.

[5] S.o.S. 15f.124f.

[6] Vgl. die Bezugnahme auf den Mutterleib in hethitischen Texten o.S. 124f [Nr. 2o3] u.a.

als sein Gott mit ihm ist. Insofern ist es keineswegs eine "Übertreibung" (Gunkel), wenn hier das Gottesverhältnis mit der Geburt begründet wird. Auch Kantuzili bekennt in seinem oben[1] zitierten Gebet, daß er seit seiner Kindheit das gnädige Walten seines persönlichen Gottes erkannt habe und gründet darauf das Vertrauen, daß sein Gott ihm auch jetzt in seiner Not beistehen werde.[2]
Auf die Bitte um das Nichtfernsein Gottes, die mit dem Hinweis darauf, daß "niemand", d.h. kein anderer Gott, als Helfer nahe ist, unterstrichen wird, folgt in V. 13 - 19 eine nochmalige Situationsschilderung. Der Beter sieht sich von wilden Tieren umgeben, Stieren, Büffeln (V.13), sowie Hunden (V. 17). Duhm interpretiert diese Aussagen folgendermaßen: Der Dichter sei ein in Stock und Fesseln gelegter Delinquent, dem Hände und Füße entstellt sind und der darauf warte, in den nächsten Stunden hingerichtet zu werden. Das Bild von den Hunden meine die Gefängniswärter und Kriegsknechte, der Löwe stelle den ihm feindlich gesinnten Machthaber dar. (z.St.) Gunkel (z.St.) nimmt an, daß in V.17-19 die "Feinde" mit einer Jagdgesellschaft verglichen werden, während der Beter selbst das gehetzte Wild darstelle. Gese[3] interpretiert die Hunde als "auf Menschen dressierte Bluthunde". Die richtige Deutung hat in Anlehnung an Mowinckel[4] Kraus vorgeschlagen: Die Tiermetaphern sind auf dem Hintergrund mesopotamischer Beschwörungen als Krankheitsdämonen zu verstehen, die den Körper des Beters vernichtet haben (V.15-18). Alle anderen Interpretationen beruhen auf reiner Spekulation.
Gottverlassenheit und Krankheit bzw. Wirken der Dämonen gehören hier - wie in entsprechenden mesopotamischen Texten[5] - eng zusammen; sie verhalten sich zueinander wie Ursache und Wirkung. Indem Gott sich vom Menschen zurückzieht, gibt er bösen Mächten Raum zum Handeln. Verfehlt ist es, von einem "Urleiden

---

[1] S. 135 *[Text Nr. 215]*.

[2] Duhm erklärt diese Verse von der Zeremonie der Annahme eines Neugeborenen durch seinen Vater her und ändert deshalb in V.11b *ʾLJ* in *ʾBJ*. "Der Dichter scheint ein besonders wunderbares Schicksal in der Jugend gehabt und daraus sein Vertrauen auf Gottes besonderen Schutz geschöpft zu haben; vielleicht war sein Vater bei seiner Geburt tot." Solche psychologischen Deutungsversuche erübrigen sich angesichts der altorientalischen Parallelen.

[3] Ebd. 1o.

[4] Psalmenstudien II,73ff.

[5] S.o.S. 93ff.

der Gottverlassenheit" (Kraus) zu sprechen, das von den konkreten körperlichen Leiden zu unterscheiden wäre. Die verschiedenen Nöte sind vielmehr "Konkretisierungen der Gottverlassenheit"[1]. Gottverlassenheit und Leid gehören nach damaliger Vorstellung untrennbar zusammen.[2]
V.2of bittet der Psalmist Jahwe, den er vertrauensvoll "meine Stärke" (*ʾJLWTJ*) nennt[3], ihm zu Hilfe zu kommen und ihn aus den Händen der Tiere (=Dämonen) zu erretten. V.23 folgt dann das Lobgelübde, das durch einen ausgeführten Lobpsalm (V.24-32) erweitert wurde.[4]

Psalm 23[5]

Als ein an den persönlichen Gott gerichtetes Vertrauenslied ist der vorliegende Psalm zu verstehen. Der Beter bezeichnet zu Beginn Jahwe als *Rʿ J* "mein Hirte". Eine solche Anrede ist uns bereits in Gen 48,15b[6] begegnet. Wir finden sie in mesopotamischen Texten mehrfach als Bezeichnung für den persönlichen Gott.[7] Ein Beispiel sei an dieser Stelle nochmals zitiert: "Der Gott eines Menschen ist ein Hirte, der (gute) Weide für den Menschen sucht."[8] Hier begegnet auch das Bild des Weidens, das in V.2 eine Rolle spielt. Aus der Tatsache, daß der Ausdruck "Hirte" sonst im Alten Testament nur für das Verhältnis Jahwes zum Volk Israel verwendet wird (vgl. Jes 4o,11; Jer 31,1o; Ez 34,12; Hos 4,16; Mi 7,14; Ps 8o,2), schließen Gunkel, Kraus, Weiser, van Zyl[9] u.a., daß dieser Titel ursprünglich auf die Gemeinschaft bezogen sei und erst sekundär auf ein individuelles Gottesverhältnis übertragen worden sei. Den mesopotamischen Parallelen entsprechend kann das Epitheton "Hirte" als Ausdruck der Fürsorge und des Schutzes des persönlichen Gottes ebenso ursprünglich im individuellen Bereich beheimatet sein.

---

[1] Hasenzahl, ebd.115; vgl. Gese, ebd. 7.

[2] Vgl. Westermann, Gewendete Klage 16.

[3] S. zu dieser Bezeichnung o.

[4] So richtig Duhm, gegen Gunkel, H. Schmidt, Kraus.

[5] Vgl. zu diesem Psalm außer den Kommentaren Morgenstern, JBL 65,13ff; Köhler, ZAW 68,227ff; Vogt, Bibl 34,195ff; v.Zyl, Studies 64ff.

[6] S.o.S. 196f.

[7] S.o.S. 20 mit Anm. 4.

[8] S.o.S. 70 *[Text Nr. 96]*.

[9] Ebd. 68.

V.1b faßt in einem Satz den Skopus des gesamten Psalms zusammen: *JHWH RʿJ Lʾ ʾḤSR* "Jahwe ist mein Hirte, so daß ich keinen Mangel leide." Koehler[1] nimmt temporale Bedeutung an und übersetzt: "Solange Jahwe mein Hirte ist, leide ich keinen Mangel." Allerdings wäre bei solcher temporaler Interpretation die Hauptsache, nämlich daß Jahwe der Hirte ist, im Nebensatz gesagt, was für ein poetisches Stück durchaus ungewöhnlich wäre. Näher liegt es, an einen Nominalsatz mit nachfolgendem Konsekutivsatz zu denken.[2] Indem Jahwe der Hirte, d.h. der persönliche Gott des Menschen ist, braucht dieser keinen Mangel zu erleiden. Diese Funktion Jahwes als Garant für das Wohlergehen des Menschen wird nun in den folgenden Versen in verschiedenen Bildern expliziert. Wie ein Hirte für seine Schafe sorgt, so sorgt Jahwe als persönlicher Gott für seinen Schützling. Er reicht ihm alles zum Leben Notwendige dar, nämlich Nahrung, Ruhe und sichere Führung. (V.2f) Insbesondere ist er "mit" ihm, wenn Gefahren drohen. (V.4) Hier begegnet also die für die Wirksamkeit des persönlichen Gottes charakteristische Aussage des Mitseins, von der bereits mehrfach die Rede war.[3]

Ab V.5 wechselt das Bild. Jahwe ist nun der "freundliche Wirt" (Weiser), der seinen Gast nach allen Regeln der Gastfreundschaft bewirtet und ihm durch den Akt der Salbung eine besondere Ehrung zuteil werden läßt. Die Salbung dient zur Reinigung und Kräftigung und schafft bei den Beteiligten Freude und Wohlbefinden.[4] Morgenstern[5] und ihm folgend Koehler[6] ändern *ŠLḤN* "Tisch" in *ŠLK* "Wurfspeer" (Vgl. Jo 2,8; Neh 4,11; 2Chron 23,1o; 32,5), wonach sie annehmen, daß das *N* von *ŠLḤN* aus Dittographie mit dem Beginn des folgenden Wortes *NGD* entstanden sei. Damit fällt das Bild vom Wirt weg und der Psalm erscheint

---

[1] ZAW 68,227ff.

[2] Van Zyl (ebd. 66f) vermutet, daß sich der Psalm implizit gegen andere Götter als mögliche Hirten des Menschen richte, und folglich der erste Satz Antwort auf die Frage gebe: Wer ist mein Hirte? Die Antwort des Psalms bestehe in dem Bekenntnis des Beters, daß niemand anders als Jahwe sein Hirte sei. Es erscheint jedoch fraglich, ob dieser durch und durch vom Vertrauen auf seinen Gott geprägte Psalm solche polemischen Implikationen enthält.

[3] S.o.S. 193ff (Jakob), 200ff (Joseph), 237ff (David).

[4] Vgl. Kutsch, Salbung 5.11.

[5] JBL 65,16.

[6] Ebd. 232f.

einheitlich. Die "Feinde" (V.5) sind dann Wölfe und Schakale, die die Herde bedrohen. Diese These hat eine gewisse Wahrscheinlichkeit für sich, ohne daß sie sicher beweisbar wäre und für das Verständnis des Psalms wesentliche Folgen hätte.
V.6a werden die Gaben Gottes an seinen Schützling nochmals zusammengefaßt und durch die Begriffe *ṬWB* und *ḤSD* gekennzeichnet. V.6b bereitet mit seinem Ausblick auf das Weilen im Hause Jahwes gewisse Schwierigkeiten. (vgl. 27,4) Duhm deutet die Vershälfte auf die ständige Teilnahme am Gottesdienst, Gunkel sieht darin ein "pathetisch-übertreibendes Wort", wie es in Lk 2,37 ähnlich von Hanna gesagt wird. Koehler[1] ändert in *BJD*, so daß der Vers dann den Sinn erhält, daß Gottes Hand immerdar behütend und schützend über der Wanderung zum neuen Weidegebiet waltet. Kraus vertritt die These, daß der Psalmist als Bedrohter und Verfolgter nun vor seinen "Feinden" den Schutz des Tempelasyls erreicht habe.[2] Die einfachste Erklärung würde darin liegen, den Ausdruck *WŠBTJ BBJT JHWH* als Bild für Schutz und Fürsorge des persönlichen Gottes zu verstehen, wobei die Verbundenheit mit dem Tempel als Quelle der Lebenskraft durchaus mit im Blick sein kann. Möglicherweise hat sich hier auch die "sublime Kultmystik"[3] der späteren Gemeinde niedergeschlagen.

Psalm 27

Der vorliegende Klagepsalm des Einzelnen enthält zwar nicht die für den persönlichen Gott charakteristische Anrede "mein Gott" o.ä. Stattdessen begegnen eine Fülle von Ausdrücken, die das enge, persönliche Verhältnis zwischen dem Beter und seinem Gott zum Inhalt haben. Er redet ihn als "mein Licht und mein Heil" *ʾWR WJŠʿJ* (V.1a), "Zuflucht meines Lebens" *MʿWZ ḤJJ* (V.1b), und "Gott meines Heils" *ʾLHJ JŠʿJ* (V.9b) an. Jahwe - so bekennt der Psalmist - stellt ihn in Zeiten der Not auf einen Felsen[4] und beschützt ihn. (V.5) Deshalb ragt sein Haupt über seine "Feinde" empor. Bereits in der

---

[1] Ebd. 234.

[2] Vgl. Beyerlin, Rettung 111ff.

[3] V. Rad, Ges.St. 241.

[4] S. zu dem Begriff Fels o.S. 271f.

Vergangenheit hat er die Hilfe seines persönlichen Gottes erfahren (V.9b). Davon leitet er seine vertrauensvolle Bitte ab, daß er auch in der gegenwärtigen Not sein Antlitz nicht vor ihm verbergen und ihn verlassen möge (V.9a). Während Vater und Mutter als die das Leben eines Menschen sonst beschützenden Personen ihn verlassen haben, findet er bei Jahwe Schutz und Hilfe (V.1o). In diesem Psalm steht also die Schutzfunktion des persönlichen Gottes deutlich im Vordergrund.[1]

Psalm 28

In diesem individuellen Klagepsalm werden mehrere Ausdrücke gebraucht, die in die Vorstellung vom persönlichen Gott einzuordnen sind, nämlich *ṢWRJ* "mein Fels" (V.1)[2], *ʿZJ WMGNJ* "meine Stärke und mein Schild" (V.7). Der Beter bekennt damit sein völliges Vertrauen in das ihm von Jahwe gewährte helfende und schützende Handeln. Wenn sein Gott schweigt, d.h. sich von ihm abwendet, so muß er sterben. (V.1) Sein Leben steht also ganz in der Hand seines Gottes. Die Vv. 3-5 beinhalten eine Klage über das Treiben der "Feinde", während die Schlußverse 8-9 deutlich späterer Zusatz sind.

---

[1] Duhm nimmt als Beter der V.1-6 einen Fürsten an, da in V.3 von einem Heer gesprochen wird, das sich wider den Psalmisten lagert. Dagegen redet im 2. Teil ein "gewöhnliches Menschenkind". Auch Gunkel und Weiser trennen den Psalm in zwei Teile, die wegen der inhaltlichen Ähnlichkeit in V.4 und 13 aneinandergereiht wurden. Für die Einheitlichkeit des Psalms plädieren H. Schmidt, Nötscher und Kraus. Schmidt und Kraus nehmen zudem an, daß es sich um einen Verfolgten bzw. unschuldig Angeklagten handelt, der sich ins Heiligtum bergen will (vgl. V.2f.12). Die in V.2f geschilderten "Feinde" legen jedoch den Schluß auf Dämonen nahe, während die Schutzaussagen in den Vorstellungsbereich des persönlichen Gottes gehören.

[2] S. zu diesem Begriff o.S. 271f.

Psalm 31

Der Psalm weist keinen logisch gegliederten Aufbau auf, was Weiser mit dem Hinweis auf die "Psychologik des Gebetsleben" erklärt und Kittel zu der Vermutung veranlaßt, der Psalm stamme überhaupt nicht aus unmittelbarer Erfahrung, sondern stelle ein nach verschiedenen Texten zusammengestelltes Gebet dar. Zu Beginn bekennt der Psalmist, daß er ganz auf Jahwe vertraut. Er bittet, Jahwe möge ihm *ṢWR Mʿ WZ* "ein schützender Fels" und *BJT MṢWDWT* "eine feste Burg" sein. (V.3) In V.4 redet er ihn mit "mein Fels und meine Burg" *SLʿJ WMṢWDTJ* an. Angesichts der Bedrohung durch die "Feinde" bekennt er: *ʾTH MʿWZJ* "du bist meine Zuflucht" (V.5) Alle diese Ausdrücke sind auf die Funktion des persönlichen Gottes als Beschützer des Menschen zu beziehen.[1]

Die folgenden Verse handeln von Jahwes Funktion als Garant für das Wohlergehen des Menschen. Der Beter befiehlt seine *RWḤ*, d.h. seine Lebenspotenz, in die Hand seines persönlichen Gottes. (V.6) Auf ihn allein verläßt er sich, nicht auf andere, nichtige Götter. (V.7) In V.15 findet sich dann ein ausdrückliches Bekenntnis zu Jahwe als seinem persönlichen Gott: "Ich aber vertraue auf dich, Jahwe. Ich spreche: Du bist mein Gott (*ʾLHJ ʾTH*)." In Jahwes Händen stehen seine "Zeiten" (*ʿTT*), d.h. seine Zukunft und sein Schicksal überhaupt (V.16a).

Diese mannigfachen Aussagen über die enge Zugehörigkeit des Beters zu seinem Gott verfolgen den Zweck, Jahwe zum Eingreifen zu bewegen. Der Beter findet sich in einer trostlosen Situation: Sein Leib und Leben schwinden dahin, seine Gebeine zerfallen (V.1of). Seine Umwelt hat sich von ihm entfremdet (V.12), wie ein Toter ist er schon dem Gedächtnis der anderen entschwunden (V.13). Er bittet Jahwe, ihn aus dem Netz, das ihm die "Feinde", d.h. wohl Zauberer oder Dämonen[2], gestellt haben (V.5.9.14.16), zu befreien. Obwohl sich der Beter bereits von Jahwe verstoßen wähnte (V.23a), kann er ihm am Schluß dennoch für seine glückliche Rettung danken (V.23b.24.25).

---

[1] S.o.S. 245f.

[2] S.o.S. 254.

Psalm 38

Der Beter klagt mit bewegten Worten über eine schwere Krankheit, die Jahwe ihm geschickt hat (V.2-11). Auch seine Freunde haben sich von ihm abgewandt (V.12). Er aber harrt auf Jahwe, den er zweimal "mein Gott" nennt (V.16.22). Er bittet, daß er ihn nicht verlassen (V.22), sondern ihm zu Hilfe eilen möge (V.23a), da er in ihm seine einzige Hilfe sieht (V.23b).

Psalm 42/43

Die beiden in der Forschung wohl allgemein als zusammengehörig betrachteten Psalmen (vgl. den gemeinsamen Kehrvers 42,6.12 und 43,5) bieten ein gutes Beispiel für ein "Gebet an den persönlichen Gott". Jahwe, dessen Name hier wie im übrigen sog. Elohistischen Psalter durch *ʾLHJM* ersetzt ist, wird mit folgenden Bezeichnungen angeredet:

ʾL ḤJJ	"Gott meines Lebens" (42,3 [mit Textänderung].9);
JŠWʿT PNJ Wʾ LHJ	"Hilfe meines Angesichts und mein Gott" (42,6f [mit Textänderung s.App. BH]);
SLʿJ	"mein Fels" (42,1o);
ʾLHJ	"mein Gott" (43,4; vgl. "dein Gott" 42,4.11).

Indem der Beter Jahwe als "Gott meines Lebens" anredet, bringt er zum Ausdruck, daß sein ganzes Leben und Geschick von ihm als seinem persönlichen Gott abhängen.[1] Der Ausdruck "Hilfe meines Angesichtes" erinnert an die Bezeichnung des persönlichen Gottes als "Gott zu meinen Häupten", die in Mesopotamien und Kleinasien belegt ist.[2] *PNJM* steht hier, ähnlich wie *Rʾ Š* in 3,4 für den ganzen Menschen, dem die Hilfe seines Gottes zukommt. Man könnte den Ausdruck deshalb auch mit "Hilfe für meine Person" wiedergeben.[3]

---

[1] Vgl. Schreiner, BuL 1o,255.

[2] S.o.S. 21.122.158.

[3] Vgl. Schreiner, ebd. 259.

Die Situation des Psalmisten ist gekennzeichnet durch Krankheit und Not, die er als Fernsein von seinem persönlichen Gott versteht. Er hat ungeheuere Sehnsucht, Gottes Angesicht zu sehen. (V.2f) Das Schauen von Gottes Angesicht ist identisch mit der Aufhebung der Not des Beters, denn der Blick der Gottheit bewirkt nach altorientalischer Vorstellung Heil und Wohlergehen für den Menschen.[1] In 63,3 wird das Gottschauen mit dem Besuch des Tempels gleichgesetzt. Auch der Beter von Ps 42/43 erinnert sich in seiner trostlosen Lage an die Wallfahrten zu Jahwes Heiligtum. (V.5) "Mit dem Besuch des Tempels hat das Gottschauen ... insofern etwas zu tun, als der Tempel der Ort zu sein pflegt, an dem der Einzelne die an ihm geschehene Errettung durch Einlösung seines Gelübdes voll zu machen pflegt."[2]

Die Gottverlassenheit des Klagenden wird von seinen Gegnern mit der vorwurfsvollen Frage festgestellt: "Wo ist nun dein Gott?" (42,4.11) Diese Frage stellen im Alten Testament sonst nur Heiden im Hinblick auf Israel (vgl. Ps 79,1o; 115,2; Jo 2,17). Es wird damit keineswegs die Wahrheit der Religion bezweifelt[3], auch sind die Gegner keine Atheisten. Sie schließen vielmehr - nach damaliger Anschauung - durchaus folgerichtig aus der Not des Beters, daß sein persönlicher Gott ihn verlassen haben müsse. Diesen Sachverhalt bringt auch der Psalmist selbst zum Ausdruck, wenn er klagt: "Warum hast du meiner vergessen?" (42,1o) und "Warum verstößt du mich?" (43,2)

Der Abwendung des persönlichen Gottes korrespondiert die Bedrängnis seitens der "Feinde" (42,1ob; 43,2), die hier als Krankheitsdämonen oder Zauberer zu verstehen sind.[4] Gottverlassenheit zieht unweigerlich das Ausgeliefertsein an böse Mächte nach sich. In dem dreimal wiederkehrenden Kehrvers (42,6.12 und 43,5) bekennt sich der Beter zu Jahwe als seinem persönlichen Gott, auf den er trotz aller gegenwärtigen Not harrt in der Hoffnung, er werde ihm doch noch helfen.

---

[1] Vgl. Nötscher, Angesicht Gottes schauen 175ff; Baudissin, ARW 18,173ff; Barth, Errettung 44ff; Seidel, Einsamkeit 48.

[2] Barth, ebd. 15o.

[3] So Gunkel.

[4] S.o.S. 25Off.

Psalm 54

In dem kurzen Psalm wendet sich der Beter an Jahwe um Hilfe vor den "Feinden", die ihm nach dem Leben trachten (V.3-5). Er nennt Jahwe "meinen Helfer" und "meines Lebens Halt" (V.6) und bringt damit die bleibende Zugehörigkeit zu ihm als seinem persönlichen Gott zum Ausdruck. Zum Schluß gelobt er ein Dankopfer für die ihm gewährte Rettung (V.8f).

Psalm 59

In diesem Psalm begegnet die Anrede "mein Gott" mehrfach, nämlich V.2a, V.4b *[mit 3 Handschriften]* und V.11 *[mit LXX und 2 Handschriften]*. Der Beter nennt seinen Gott *ᶜZJ* "meine Stärke" (vgl. App.), *MŚGBJ* "meine Burg" (V.1o=18). Speziell "am Morgen" dankt er ihm dafür, daß er seine Burg (*MŚGB*) und Zuflucht (*MNWS*) gewesen sei (V.17). Nicolsky[1] versteht die Verse 1o und 18 als magische Formeln, deren Rezitierung dem Schutz vor "Feinden" diente. Die "Feinde" werden in V. 7-15[2] mit heulenden Hunden verglichen, die jeden Abend wiederkehren und durch die Stadt strolchen. Duhm denkt hierbei an Angehörige einer dem Beter feindlich gesinnten,wahrscheinlich saduzäischen Partei, die nach abendlichen Gelagen als Nachtschwärmer durch die Stadt schweifen und lärmend bei ihren Gesinnungsgenossen ein Nachtessen verlangen. (vgl. V.16) Gunkel vermutet eine Rotte von Bösewichtern, die sich "gröhlend und johlend, fluchend und schimpfend, allabendlich durch die Gassen wälzt" und Progrom-Stimmung bei dem in der Diaspora lebenden Frommen erzeugt.[3] Gegenüber diesen Spekulationen scheint die Erklärung Mowinckels[4] und Nicols-

---

[1] Spuren 65.

[2] Die Frage, ob es sich bei den doppelt vorkommenden Versen 7-15 und 1o-18 um scheinbare oder wirkliche Kehrverse handelt (Kontroverse Gunkel/Kraus), kann dahingestellt bleiben.

[3] Ähnlich Puukko, OTS 8,54.

[4] Psalmenstudien II,67f.

kys[1] dem Text doch besser gerecht zu werden. Demnach handelt es sich hier um Dämonen, die - wie wir gesehen haben[2] - in mesopotamischen Texten häufig mit Hunden verglichen werden. Diese Deutung erklärt auch, warum die "Feinde" immer nur nachts am Werk sind. Denn die Nacht ist die bevorzugte Wirkungszeit der dämonischen Mächte, und am Morgen ist die Gefahr zunächst gebannt.[3]
Wenn der dämonische Hintergrund einigermaßen deutlich ist, do hat auch Nicolskys Auffassung des Psalms als eines "Beschwörungsgebet(es) gegen Tücken und Überfälle von seiten nächtlicher Dämonen"[4] alle Wahrscheinlichkeit für sich. Zu Beginn bittet der Psalmist um Schutz vor den "Feinden", die mit den für sie charakteristischen Bezeichnungen *ʾNŠJ DMJM, PʿLJ ʾWN, MTQWMMJ, ʾJBJ*[5] belegt werden. Kraus deutet diese Bitte von der Asylfunktion des Heiligtums her und faßt den Beter als einen Menschen auf, der im Tempel Zuflucht gefunden hat und nun die Nacht hindurch auf das Eingreifen Gottes "am Morgen" wartet. Der Psalm stelle folglich ein Gebet eines Angeklagten bzw. Asylflüchtigen dar.[6] Die Bitten um Schutz lassen sich jedoch gut innerhalb der Vorstellung vom persönlichen Gott erklären, ohne daß auf das historisch zweifelhafte Asylieinstitut zurückgegriffen werden müßte.
Der Psalm hat in späterer Zeit verschiedene Erweiterungen erfahren. Insbesondere V.6 "Bist du doch Jahwe Zebaoth, der Gott Israels, wach auf, um alle Völker heimzusuchen. Sei keinem der Frevler gnädig!" paßt nicht in den Zusammenhang eines individuellen Klageliedes. Er unterbricht deutlich die Schilderung des Treibens der "Feinde" und verlagert unter Anknüpfung an das Stichwort "aufwachen" (*ʿWR* bzw. *QJṢ*) die Auseinandersetzung auf die Ebene Israel - Heidenvölker. "Das altehrwürdige kultische Gebet wird ihm (d.h. dem Bearbeiter) zum Ausdrucksmittel in einem neuen höheren Gebetsanliegen, nämlich der Bedrängnis des Volkes von seiten der feindlichen Völkerwelt, und bedenkenlos bringt er entsprechende Ergänzungen an."[7] *GWJM* (V.

---

1 Ebd. 63f.

2 S.o.S. 255.

3 S.o.S. 266 zu Ps. 3.

4 Ebd. 66.

5 S.o.S. 248f.

6 So schon H. Schmidt, vgl. Delekat, Asylie 16o.

7 Becker, Israel 59.

9) ist vielleicht durch die "Verwechselung" mit *G'ZJM* "Stolze" entstanden, wohinter allerdings eine bewußte Neuinterpretation steht.[1] Dieser Vers setzt den Gedankengang von V.6 fort und mündet schließlich in die Aussagen von V.14: "... damit sie erkennen, daß Gott Herrscher in Jakob ist bis an die Enden der Erde."[2] Wir können hier also beobachten, daß ein ursprünglich individuell gemeinter Psalm zum Klagelied des Volkes geworden ist und dementsprechend ergänzt und uminterpretiert wurde.[3]

Psalm 62

Der Beter nennt Jahwe "mein Fels" (V.3.7.8), "meine Hilfe" (V.3.7.8), "meine Burg" (V.3.7) und "meine Zuflucht" (V.8). Diese Ausdrücke bezeichnen die Schutzfunktion des persönlichen Gottes (vgl. Ps 18,3.32.47 u.ö.). Allein zu ihm hin ist seine Seele still (V.2.6); von ihm hängt sein *KBWD*, d.h. seine gesamte Existenz ab. In V.9-13 wird die ganze Volksgemeinde in den Psalm einbezogen.

Psalm 63

Der nicht ganz einheitliche Psalm[4] beginnt mit dem ausdrücklichen Bekenntnis zu *'LHJM* (=Jahwe) als dem persönlichen Gott des Menschen: *'LJ 'TH* "mein Gott bist du" (V. 2a; vgl. 140,7 u.a.).[5] In V. 8 bekennt der Psalmist, daß ihm sein Gott in der Vergangenheit zur Hilfe geworden ist, und er sich unter dem Schatten seiner Flügel geborgen hat. Seine *NPŠ*, d.h. seine gesamte vitale Existenz, hängt an Gott, dessen Rechte ihn hält. (V.9)

---

[1] Nicolsky, Spuren 66; Becker, ebd. 6o.

[2] Die Formel "damit sie erkennen" findet sich häufig in den späteren Schriften des Alten Testaments, insbesondere in der Priesterschrift, bei Deuterojesaja und Ezechiel. Vgl. Zimmerli, Gottes Offenbarung 54ff.

[3] S. dazu u.S. 301.

[4] Gunkel: "Eindruck der Zusammenhanglosigkeit".

[5] Vgl. de Fraine, Bibl 4o,38of.

Psalm 71

Auch dieser Psalm handelt von dem persönlichen Verhältnis eines Menschen zu seinem Gott. An drei Stellen redet er ihn mit "mein Gott" (*ʾLHJ*) an (V.4. 12.22). Auf ihn vertraut er (V.1), er ist für ihn sein Fels und seine Burg (V.3). Es ist möglich, daß hinter diesen Aussagen eine Formel gegen Dämonen steht. Nach V.5f besteht die enge Beziehung zu seinem persönlichen Gott nicht erst seit kurzer Zeit, sondern bereits vom Mutterleibe an: "Denn du bist meine Hoffnung, Jahwe Adonaj, meine Zuversicht seit meiner Jugend. Auf dich habe ich mich verlassen vom Mutterleib an, vom Mutterschoß an bist du 'mein Schutz'."[1] Ähnlich wie in Ps 22,1of und seinen altorientalischen Parallelen bekennt hier der Mensch, daß sein persönlicher Gott ihn geschaffen habe und er deshalb auf ihn seine Hoffnung setzt.[2]
Doch nun im zunehmenden Alter fürchtet der Beter angesichts seiner dahinschwindenden Kraft, daß sein persönlicher Gott ihn verlassen könnte und er damit dem Tod verfiele. (V.9) Die "Feinde" lauern bereits darauf, von ihm Gewalt zu ergreifen und sprechen: "Gott hat ihn verlassen, jagt ihm nach und ergreift ihn, denn er hat keinen Retter." (V.1o) Gemeint ist der persönliche Gott, der den Menschen verlassen hat und damit den bösen Mächten das Feld überläßt.[3] In dieser drohenden Gefahr bittet der Psalmist, sein Gott möge nicht ferne von ihm sein und ihm zu Hilfe kommen. (V.12) Er gelobt zum Dank, seinen Gott immerfort zu preisen. (V.14ff)

---

[1] *GWZJ* ist unsicher; entweder ist wie in 22,1o *GḤJ* "der mich herauszog" zu lesen, oder es liegt ein Wort für Schutz vor, vgl. LXX σκεπαστής. Nach Gunkel geht *GWZJ* auf *ʿWZJ* "meine Zuflucht" zurück.

[2] Ob er - wie Duhm meint - eine schwere Jugendzeit durchgemacht hat, geht aus dem Text nicht hervor.

[3] S.o.S. 95f. - Völlig abwegig ist die Erklärung Schwarzwällers, der die Feinde als Menschen ansieht, die sich des alten Mannes zu entledigen suchen, weil er ihnen eine Last geworden sei. Eine solche Deutung widerspricht diametral der in Israel wie in der übrigen Antike verbreiteten Hochschätzung des Alters (vgl. Lev 19,32; Hi 12,12; Thr 5,12) (Feinde 97).

Psalm 86

Im vorliegenden Psalm bekennt der Beter seine dauernde persönliche Bindung an seinen Gott mit den Worten: *ʾTH ʾLHJ* "Du bist mein Gott". (V.2a) Diese formelhafte Wendung findet sich auch Ps 31,15; 63,2; 14o,7 und Jes 44,17; sie stellt ein ausdrückliches Bekenntnis zu Jahwe als dem persönlichen Gott des Beters dar.[1] Der persönliche Gott wird im folgenden mit *ʾDNJ* "mein Herr" (V.3.5.9.12.15), *ʾLHJM* "Gott" (V.14) und *ʾLHJ* "mein Gott" (V.12) angeredet, während sich der Psalmist *ʿBDK* "dein Knecht" (V.2.4.16) nennt. Er betont seine eigene Armut und Elendigkeit (V.1) gegenüber der Barmherzigkeit seines Gottes (V.5.13.15), durch die er sich von allen übrigen Göttern unterscheidet. Deshalb vertraut er allein auf ihn (V.2.1o) und bittet ihn um Zuwendung angesichts der Bedrohung durch die "Feinde" (V.14ff).

Psalm 91[2]

Ein klassisches Beispiel für ein "Gebet an den persönlichen Gott" haben wir in Ps 91 vor uns. Das Verständnis der ersten beiden Verse ist umstritten. Gunkel ergänzt zu Beginn von V.1 *ʾŠRJ* "heil", liest in V.2 *ÔMER* und übersetzt: "Heil dem, der im Schirm des Höchsten wohnt, im Schatten des Allmächtigen herbergt, der spricht zu Jahwe: Meine Zuflucht und Burg, mein Gott, dem ich traue." Die Verse 1-3 bilden nach seiner Meinung den mit einem Segensgruß beginnenden Anfang eines Lehrgedichtes, wie es häufig in der Weisheit zu finden ist. H. Schmidt faßt V.1-2 als Pfortengespräch auf und vergleicht hierzu Ps 15 und 24. Duhm und Kraus ändern V.2 in *JÔMAR* und sehen

---

[1] Diese Worte sind mit Duhm, Gunkel, Kraus z.St. aus metrischen Gründen wahrscheinlich zu V.3a zu stellen.

[2] Vgl. zu diesem Psalm außer den Kommentaren Kaupel, ThGl 16,174ff; Mowinckel, Psalmenstudien III, 1o2ff; Torczyner, ZDMG NF 1o,294ff; Nicolsky, Spuren 14ff; Eißfeldt WO 2,343ff; de Fraine, Bibl 40,372ff; Landersdorfer, BZ 18,294ff; Caquot, Semitica 8,21ff.

in diesen beiden Versen eine Aufforderungsformel in Analogie zu Ps 118,2; 124,1; 129,1, die von einem Priester gesprochen sein könnte. Eine sichere Entscheidung zwischen diesen Möglichkeiten wage ich nicht zu fällen.
Auffallend ist hier die Aneinanderreihung von drei verschiedenen Gottesnamen, nämlich ʿEljon, Šaddaj und Jahwe. Torczyner[1] hat deshalb in Anlehnung an Graetz vermutet, daß die Verse die Bekehrung eines Mannes beschreiben, der bisher denselben Gott unter den Namen Šaddaj bzw. ʿEljon verehrt hatte und nun zum Glauben an Jahwe gekommen sei. Eißfeldt[2] knüpft an diese Deutung an und faßt den Psalm als "Übertrittsliturgie" auf. Er meint allerdings, daß es sich hier nicht eigentlich um die Abkehr von einem alten und die Zuwendung zu einem neuen Gott handele; "vielmehr erschließt erst das Bekenntnis zu Jahwe dem Verehrer die ganze Fülle seines alten Gottes ʿEljon-Schaddaj, in dem dieser seine vollkommene Offenbarung in Jahwe erfährt". Hier sind nach Meinung Eißfeldts ʿEljon und Schaddaj noch nicht - wie später - zu einfachen Epitheta Jahwes geworden, sondern werden noch als selbständige Größen empfunden.[3]
Weiser vertritt die Auffassung, daß der Psalmist mit der Verwendung solcher uralter Gottesbezeichnungen die überragende Gewalt des alttestamentlichen Gottes ins rechte Licht stellen wolle: "ist doch der Schutz, den dieser Gott zu gewähren vermag, nicht zu vergleichen etwa mit dem Schutz, den andere bei anderen Schutzgöttern oder an irgendeinem sonstigen Zufluchtsort suchen mögen" (z.St.).
Nun haben wir oben[4] nachzuweisen versucht, daß Šaddaj kein alter Gottesname ist, sondern eine Bezeichnung für den persönlichen Gott darstellt. Der Beter bekennt also, daß er unter dem Schutz seines persönlichen Gottes Jahwe steht, den er zugleich ʿEljon nennt. Dies wird durch die Fortsetzung in V.2 bestätigt, wo der Beter Jahwe als "meine Zuflucht und Burg, mein Gott, auf den ich vertraue" anredet. Er umschreibt damit die Schutzfunktion des persönlichen Gottes.[5] Wensinck versteht den Vers in Anlehnung an Wellhausen als eine Formel, "durch die der Mensch sich der Hilfe der Gottheit gegen allerlei feindliche,

---

[1] Ebd. 295.

[2] Ebd. 347.

[3] Anders Gunkel, der meint, die alten Gottesnamen seien lediglich "wegen ihres großartigen und weihevollen Klanges" gebraucht worden.

[4] S. 215ff.

[5] S.o.S. 270f zu Ps 18 u.ö.

vorab dämonische Mächte versichern kann"[1]. Diese Deutung übernimmt Nicolsky und bezeichnet Ps 91 als "talismanisches Gebet gegen von dämonischen Kräften verursachte Nöte und Krankheiten", das, auf Pergament geschriebene, den späteren Juden als Amulett diente.[2] De Fraine[3] nimmt ebenfalls die Situation der Beschwörung als Hintergrund für den Psalm an. Er verweist auf Sure 16,1oo des Koran, wo es heißt: "Wenn du den Koran zu rezitieren im Begriff bist, sprich folgendermaßen: Ich halte mich an Allah als meine Zuflucht, gegen den bösen Satan." Die Aussage "Jahwe ist mein Schutz und mein Schirm" sei somit als stereotype Formel gegen Dämonen zu verstehen.[4] Damit stimmt überein, daß der Psalm im späteren Judentum zum Schutz gegen anfallende Plagedämonen rezitiert wurde.[5]

Diese Beobachtungen passen gut zur Vorstellung vom persönlichen Gott. Denn dieser wird - wie wir gesehen haben[6] - häufig in altorientalischen Gebetsbeschwörungen und Beschwörungen zum Schutz gegen die von dämonischen Mächten verursachten Krankheiten und Nöte angerufen.

Der Schutz, den der persönliche Gott Jahwe seinem Schützling gewährt, wird nun in den folgenden Versen konkretisiert. Jahwe errettet den Menschen aus dem Netz des Vogelstellers und vor dem verderblichen Wort (*DBR HWWT*)[7]. Hier ist wohl der Zauberer gemeint, der mit seinem Netz den Menschen einfängt und ihm mit dem Zauberwort Unheil zufügt.[8] Vor solchen bösen Menschen und Mächten schützt der persönliche Gott, indem er dem Menschen unter seinen Flügeln Zuflucht gewährt (V.4).

Des weiteren braucht sich der Mensch nicht zu fürchten vor dem "Schrecken der Nacht" (*PḤD LJLH*), dem "Pfeil, der am Tage fliegt" (*ḤṢ JʿWṢ JWMM*), der "Pest, die im Finstern einhergeht"(*DBR Bʾ PL JHLK*), und dem "Qeteb, der am

---

1 Zitat nach Eißfeldt, ebd. 344.

2 Spuren 14ff.

3 Ebd. 379ff.

4 Ebd. 38o.

5 Strack-Billerbeck, Kommentar IV,1,529.

6 S.o.S. 86.

7 Mit LXX, Samaritanus und Symmachus ist statt *däbär* "Pest" *dabar* Wort zu lesen; die Punktation des Masoretischen Textes ist offensichtlich durch V.6 veranlaßt. Vgl. Kraus z.St.

8 S.o.S. 254.256f.

Mittag wütet" (*QṬB JŠWD ṢHRJM*). (V.5f) Die alten Übersetzungen (Septuaginta, Targum, Peschitto, Aquila, Symmachus, Theodotion) haben diese Bezeichnungen sämtlich als Dämonennamen verstanden. *QṬB JŠWD ṢHRJM* gibt die Septuaginta mit δαιμόνιον μεσημβρίας "Mittagsdämon" wieder. Dabei hat sie offensichtlich *WŠD* statt *JŠWD* gelesen. Diese Lesart ist allerdings falsch, denn dem *JHLK* des ersten Halbverses muß auch im zweiten Glied ein Verb entsprechen.[1] Der Talmud versteht unter *QṬB* einen gefährlichen Krankheitsdämon.[2] Der Ausdruck *PḤD LJLH* erinnert an die in Jes 34,14 genannte Dämonin Lilīt. Den "Pfeil, der am Tage fliegt" nennt das Targum "Pfeil des Todesengels".[3] Daß hier Personifikation von Krankheiten und Seuchen vorliegen,wird auch aus den im masoretischen Text verwendeten Verbalformen deutlich.

Wir werden also anzunehmen haben, daß es sich hier um vier Dämonen handelt, die den Menschen zu je verschiedenen Tageszeiten bedrohen: bei Nacht, am Morgen, am Abend und am Mittag. "L'idée semble donc etre la suivante: à n'importe quel moment de la journée, la protection divine contre les démons est assurée."[4] Bei dem "Pfeil, der am Tage fliegt" kann man an einen Dämon denken, der den Sonnenstich verursacht (vgl. 121,6). Mittagsdämonen sind in der antiken Welt überall bekannt.[5] Die "Pest, die im Finstern einhergeht" erinnert an den mesopotamischen Pestgott Nergal, dessen beide Erscheinungsformen Lugalgira und Sitlamtaea im Akkadischen mit "kalt sein" und "heiß sein" in Verbindung gebracht werden.[6] Ps 91,5f bestätigt unsere These, daß sich der Schutz des persönlichen Gottes in den Psalmen insbesondere auf Dämonen bzw. Zauberer bezieht. Denn hier sind deutlich dämonische Gestalten gemeint, die den Menschen bei Tag und bei Nacht bedrohen,und vor denen ihm nur sein persönlicher Gott Schutz gewähren kann. Auch ist deutlich, daß die Dämonen immer in der Mehrzahl auf-

---

1 Vgl. Landersdorfer, ebd. 295.

2 Vgl. Strack-Billerbeck, ebd. 52of.

3 Ebd. 519.

4 De Fraine, ebd. 378.

5 Dieser Befund hat Kaupel (ThGl 16,177) zu dem Schluß veranlaßt, es handele sich hier um eine bloß literarische und poetische Personifikation. Ein Mittagsdämon sei dem Alten Testament fremd; vielmehr habe die Septuaginta mit ihrer Übersetzung lediglich die alexandrinische Dämonologie aufgenommen. De Fraine (ebd. 372) hält dieser Erklärung entgegen, daß sich das hellenistische Judentum in religiöser Hinsicht stark gegen eine griechische Assimilation gewehrt habe und eine solche Beeinflussung folglich unwahrscheinlich sei.

6 Vgl. de Fraine, ebd. 378; Landersdorfer, ebd. 297; Kraus, z.St.

treten, was ein Charakteristikum der Feindschilderung überhaupt darstellt.[1] V.7 handelt von der Bewahrung im Krieg. V.9 ist als eine nochmalige Rezitierung der Formel "Jahwe ist meine Zuflucht" aufzufassen, wenn man *ʾTH* in *ʾMRT* ändert.[2] Die Vv. 1o-13 beschreiben erneut den Schutz des persönlichen Gottes, unter dem sich der Beter geborgen wissen darf: Kein Unheil und keine Plage wird sich dem "Zelt", d.h. dem Körper (vgl. Hi 19,12) des Menschen nahen. (V.1o) Jahwes Engel werden ihn auf seinen Wegen behüten. (V.11) Die hier zugrundeliegende Vorstellung der "Schutzengel" ist mit den mesopotamischen Genien Šēdu und Lamassu zu vergleichen.[3] Engel in solcher Eigenschaft erscheinen im Alten Testament außerdem noch Gen 24,7.4o; Ex 23,2o; 33,2; Num 20,16; Ps 34,8; Dan 3,25.28; 6,23. (vgl. Mt 18,2o; Apg 12,15) Löwen und Ottern, Leue und Drachen meinen hier wohl böse Dämonen, gegen die Jahwes Engel den Menschen beschützen. (V.13)[4]
Der Schluß, V.14-16, stellt vielleicht ein Heilsorakel dar (Gunkel), wodurch nochmals der Schutz des persönlichen Gottes zugesprochen wird. Das Verb *HSQ* (V.14) ist vorwiegend im deuteronomistischen Sprachgebrauch beheimatet (vgl. Dtn 7,7; 1o,15; 21,11 usw.). Der göttliche Schutz wird hier an die Kenntnis des Namens geknüpft. "Der Name schließt nach antiker Anschauung das Wesen mit ein, und 'kennen' bedeutet im Hebräischen mehr als nur 'Wissen'; es umfaßt zugleich das 'Vertrautsein' und die innere Hingabe." (Weiser) Der persönliche Gott verheißt seinem Schützling, daß er ihn jederzeit erhören wird und auch in der Not ihm nahe sein und ihn erretten wird. (V.15) Ein langes Leben soll das äußere Zeichen des Mitseins Gottes sein. (V.16)
Der Psalm handelt in seinem ersten Teil (V.1-13) von der schützenden Funktion des persönlichen Gottes, der insbesondere Dämonen vom Menschen fernhält. Im zweiten Teil (V.14-16) wird in Form eines Heilsorakels die Funktion Jahwes als Garant für das Wohlergehen des Menschen ausgesagt.[5]

---

1 S.o.S. 253.

2 So schon Theodoret; vgl. Apparat der BH und de Fraine, ebd. 38o.

3 S.o.S. 25ff.

4 Vgl. Weiser z.St.

5 Unwahrscheinlich erscheint mir die These Mowinckels (Psalmenstudien III, 1o2ff), wonach in Ps 91 das Bruchstück einer Krankenheilungsliturgie vorliegt, was er aus seiner späteren Verwendung als Amulett ableitet. Die Aussagen des Psalms beziehen sich vielmehr allgemein auf den Schutz, der der persönliche Gott einem Menschen gewährt.

Psalm 140

Inmitten der Schilderung und Verwünschung der "Feinde", die diesen Psalm kennzeichnen, steht das Bekenntnis des Beters zu Jahwe als seinem persönlichen Gott: *ʾLJ ʾTH* "Du bist mein Gott" (V.7). Jahwe ist seine "starke Hilfe" und beschirmt ihn "am Tag des Kampfes" (V.8). Die "Feinde" werden als Menschen beschrieben, die scharfe Zungen wie Schlangen und Otterngift unter ihren Lippen haben (V.4), die Schlingen, Stricke und Netze legen, um den Frommen zu Fall zu bringen. (V.6) Als Bezeichnungen kommen vor: *ʾDM Rʿ*"böse Menschen" (V.2), *ʾJŠ ḤMS(JM)* "Gewalttätige" (V.2.5), *RŠʿ*"Gottlose" (V.5.9), *ʾJŠ LŠWN* "Verleumder" (V.12). Duhm denkt an den Priesteradel und seinen sadduzäischen Anhang; mit den Fallstricken seien Prozesse und Schikanen gemeint. Sowohl die Bilder als auch die Bezeichnungen deuten jedoch auf Zauberer hin, die den Frommen durch das "böse Wort" (V.4) und allerlei magische Praktiken (V.6) zu vernichten suchen. Angesichts dieser Gefahr stützt sich der Psalmist auf Jahwe als seinen persönlichen Gott.

Psalm 142

In dem stoßgebetartigen Psalm klagt der Beter, daß "niemand", d.h. kein Gott, ihm zur Rechten steht und sich um sein Leben kümmert. (V.5) Er spricht deshalb zu Jahwe: *ʾTH MḤSJ ḤLQJ BʾRṢ HḤJJM* "du bist meine Zuflucht, mein Anteil im Land der Lebenden" (V.6 vgl. 16,6). Diese Aussagen können wohl auf das Verhältnis eines persönlichen Gottes zu seinem Schützling gedeutet werden. Der Psalmist bekennt, daß er in Jahwe den einzigen Halt seines Lebens sieht. Er bittet ihn deshalb um Rettung vor seinen Verfolgern und Befreiung aus der Not. (V.7f)

---

[1] H. Schmidt, Delekat (Asylie 154ff) und Kraus vermuten, daß hier ein Verfolgter im Heiligtum ein Gottesgericht über die Feinde erbittet. S. zu dieser These o.S. 267 Anm. 3.

F. DIE ÜBERTRAGUNG DER VORSTELLUNG VOM PERSÖNLICHEN GOTT AUF DAS VERHÄLTNIS JAHWES ZUM VOLK ISRAEL

Bei einem Vergleich der Aussagen, die das Alte Testament über das Verhältnis zwischen Jahwe und dem Volk Irael macht, mit solchen, die sich im übrigen Alten Orient über das Verhältnis der Götter zu den ihnen unterstellten Völkern finden, fällt auf, mit welch persönlichen Bildern und Ausdrücken dieses Verhältnis umschrieben wird. Insbesondere in nachexilischen Texten wird das Volk häufig wie eine Einzelperson apostrophiert, die Jahwe als "mein Gott" anredet. Eine solche Erscheinung ist einzigartig in der altorientalischen Religionsgeschichte.[1] Da eine auffallende Parallelität sowohl in der Terminologie als auch in den inhaltlichen Aussagen zu der Vorstellung vom persönlichen Gott besteht, kann angenommen werden, daß Israel hier diese Vorstellung auf sein Verhältnis zu Jahwe übertragen hat.[2] Wir wollen diese These nun anhand von Deuterojesaja und anderen Texten näher erläutern.

I. Deuterojesaja

Ein charakteristisches Element der Verkündigung Deuterojesajas ist die Gattung des Heilsorakels. Sie stammt aus dem individuellen Klagelied, findet sich jedoch z.B. in 2Chron 2o auch im Zusammenhang von Volksklagefeiern.[3]

---

1 Vgl. Baudissin, Kyrios III,565f; Gunkel-Begrich, Einleitung 123; Barth, Errettung 121.

2 De Fraine, Adam 1o2ff, erklärt dieses Phänomen in Anlehnung an Robinson mit seiner These der "korporativen Persönlichkeit", wonach der Stammvater mit den nachfolgenden Generationen identifiziert wird (ähnlich Elliger, Deuterojesaja, 2.Lfg. 96 u.ö.). Diese These muß der in unserer Arbeit vorgelegten nicht widersprechen. Allerdings kann de Fraine auf keinerlei Parallelen im Alten Orient hinweisen.

3 Vgl. v. Waldow, "... denn ich erlöse dich" 9.

Begrich[1], der diesen Sachverhalt als erster beobachtet hat, weist der Gattung des Heilsorakels folgende Texte zu: 41,8-13.14-16.17-2o; 42,14-17; 43, 1-7.16-21; 44,1-5; 45,1-7.14-17; 46,3-4.12-13; 48,17-19; 49,7.8-12(13).14-21.22-23.24-26; 51,6-8.12-16; 54,4-6.7-1o.11-12+13b.14a+13a-17; 55,8-13. Allen diesen Texten ist gemeinsam, daß Jahwe in der 1. Person redet, während die Anrede des Hilfesuchenden in der 2. Person geschieht.[2] Nun stimmen Terminologie und Inhalt der Heilsorakel weithin mit den für den persönlichen Gott charakteristischen Bezeichnungen und Funktionen überein.

1. *Die Terminologie*

a. "Mein usw. Gott"

Das Volk redet Jahwe mit "mein Gott" wie ein Individuum an (4o,27), während Jahwe sich ihm als "dein Gott" vorstellt (41,1o.13; 43,3; 48,17; 51, 15.2o.22; 52,7; 54,6).[3]

b. "Mein usw. Schöpfer

Häufig erscheint der Terminus "dein Schöpfer" (*BRʾK* bzw. *JṢRK* : 43,1; 44, 2 vgl. 49,8; 54,5.8), der im Alten Orient mehrfach für den persönlichen Gott belegt ist[4]. Er meint hier nicht die Weltschöpfung, sondern drückt aus, daß Israel seinem Gott Jahwe wie ein Mensch seine Existenz verdankt (vgl. Dtn 32,15.18; Hos 8,14).[5] In 44,2 und 46,3 wird dieser Schöpfungsakt ausdrücklich auf den "Mutterschoß" bezogen, wie es in hethitischen Texten vom persönlichen Gott in bezug auf seinen Schützling ausgesagt wird.[6]

---

[1] Ges.St. 217ff; Deuterojesaja-Studien 14ff.

[2] Studien 15.

[3] Elliger (ebd. 144) stellt zu 41,13 richtig fest, daß der Ausdruck "Jahwe, dein Gott" keine Selbstvorstellungsformel meint, sondern Israel besonderes "Schutz- und Führungsverhältnis" zu Jahwe umschreibt.

[4] S.o.S. 15f.124f.

[5] Während v.Rad (Ges.St. 14of) darin die Einheit von Schöpfungs- und Erlösungsglauben sieht, hat Rendtorff (ZThK 51,8) richtig darauf hingewiesen, daß es hier um das "besondere Verhältnis" zwischen Jahwe und Israel geht, nicht um einen Spezialfall der Weltschöpfung.

[6] S.o.S. 124f.

c. "Dein Retter" o.ä.

Jahwe bezeichnet sich gegenüber Israel als "dein Retter" (*MWŠJ^cK*: 43,3; 49,26) "dein Helfer" (*^cZRK* : 44,2) bzw. "dein Erlöser" (*G^ʾLK* : 48,17 vgl. 43,1; 44,6; 49,7.26; 54,5.8). Retten, Helfen und Erlösen (vgl. Gen 48,16) gehören zu den typischen Tätigkeiten des persönlichen Gottes.[1]

Israel trägt mehrere Bezeichnungen, die für den Schützling des persönlichen Gottes charakteristisch sind, nämlich "mein Knecht" (41,8f; 43,1o; 44,1f.21; 45,4; 48,2o; 49,3), "mein Erwählter" (41,8; 45,4) bzw. "mein Berufener" (48,12), "meine Söhne und Töchter" (43,2).[2] Dabei wird das Volk wie ein Individuum als "Israel" bzw. "Jakob" angeredet (4o,27; 41,8.14; 42,24; 43,1.22. 28 u.ö.).

2. *Die Bezugnahme auf die Erzväter und auf David*

Die persönliche Beziehung zwischen Jahwe und seinem Volk hat ihren Ursprung und ihr Urbild in dem persönlichen Gottesverhältnis, das Jahwe einerseits zu den Erzvätern und andererseits zu David hatte. Darauf wird an mehreren Stellen Bezug genommen. In 41,8 wird Israel als "Sproß Abrahams, meines Freundes" angeredet (vgl. 51,1f). Wie Jahwe zu Abraham in einem besonderen Schutz- und Vertrauensverhältnis gestanden hat, so sollen nun auch seine Nachkommen unter Jahwes speziellem Schutz stehen.[3] Israel wird wie eine Familie apostrophiert, die Jahwe seit der Zeit ihres Ahnherrn Abraham als ihren persönlichen Gott verehrt (vgl. 2Chron 2o,7).

Jes 55,3b verheißt der Prophet im Namen Jahwes: "Ich will euch eine ewige Zusage (*BRJT*) geben, die unverbrüchlichen Gnadenverheißungen an David." Nun haben wir oben[4] behandelt, daß die Zusage an David, ihm Nachkommenschaft und Thron zu garantieren, die Verheißung impliziert, persönlicher Gott der Dynastie zu sein. Dieses persönliche Gottesverhältnis geht nun von den Davididen auf das gesamte Volk über.[5]

---

1 S.o.S. 7Off.

2 S. die Übersicht o.S. 27ff; vgl. S. 236 mit Anm. 7.

3 S.o.S. 198; vgl. dazu Elliger, ebd. 138f.145.

4 S. 198.

5 S. dazu v.Rad, ThAT II,254.

3. *Der Inhalt der Verheißungen*

Die Verheißungen, die Deuterojesaja in Jahwes Namen dem Volk im Exil zuruft, entsprechen den beiden hauptsächlichen Funktionen des persönlichen Gottes, nämlich Garant für das Wohlergehen und Beschützer gegen Feinde zu sein. 41,1o heißt es: "Fürchte dich nicht, denn ich bin mit dir! Blicke nicht ängstlich, denn ich bin dein Gott! Ich mache dich stark, ja ich helfe dir; ich halte dich mit meiner sieghaften Rechten!" (vgl. V.13f) Hier kommt zunächst die Zusage des Mitseins Gottes vor, die uns zur Umschreibung der Wirksamkeit des persönlichen Gottes bereits mehrfach begegnet ist.[1] Parallel dazu erscheint die Zusage: "Ich bin dein Gott." In dem Mitsein erweist sich die Gottheit Gottes, die sich in seinem helfenden Eingreifen konkretisiert.
Die beiden folgenden Verse handeln vom Schutz, den der persönliche Gott gegen die "Feinde" erweist: "Siehe, zu Spott und Schanden werden alle, die gegen dich streiten; es werden zunichte und gehen zugrunde die Männer, die mit dir zanken." (V.11) Diese Aussagen weisen deutlich auf ihren ursprünglichen "Sitz im Leben" im individuellen Leben hin und sind hier auf das Verhältnis des Volkes zu seinen politischen Feinden übertragen.
Die Verheißungen des Mitseins bestimmen auch das Heilsorakel 43,1-7. V.1 bringt eine Fülle von Aussagen, die die enge Zugehörigkeit Israels zu seinem Gott zum Ausdruck bringen: "Nun aber spricht Jahwe, der dich geschaffen hat, Jakob, der dich gebildet hat, Israel: Fürchte dich nicht, denn ich erlöse dich. Ich rufe dich bei deinem Namen, mein bist du!" Wie wir oben[2] gesehen haben, gehört es zum Wesen des persönlichen Gottes, daß er den Menschen erschafft, ihn benennt und damit in ein dauerndes, enges Schutzverhältnis stellt. Der von Jahwe gewährte Schutz wird in V.2 beispielhaft anhand des Durchschreitens von Wasser und Feuer konkretisiert. Wasser und Feuer sind die beiden Naturgewalten, denen der Orientale am hilflosesten gegenüberstand,

---

[1] S.o.S. 188ff (Jakob). 200ff (Joseph). 237ff (David). 276ff (Ps 23). - Die Formel "Fürchte dich nicht" begegnet zweimal in altorientalischen Texten, wo der persönliche Gott zu seinem Schützling in einer Notsituation redet, nämlich bei Ḫattušili (s.o.S. 131f *[Text Nr. 212]*) und bei Zakir von Hamath (s.o.S. 162 *[Text Nr. 238]*).

[2] S. 15f.56.124f u.ö.

und die deshalb mehrfach im Alten Testament als Bilder für die lebensbedrohende Not verwendet werden (Ps 21,1o; 5o,3; 66,12 u.o.).[1] Auf grund dieses persönlichen Schutzverhältnisses (vgl. V.3a) darf Israel darauf hoffen, daß Jahwe das Volk aus dem Exil in sein Land zurückführt (V.3b-7).
In 46,3f wird die Fürsorge Jahwes als vom Mutterschoß bis ins Alter hinein sich erstreckend beschrieben: "Höret auf mich, Haus Jakob, und alle, die ihr vom Hause Israel übrig seid, die ihr von Mutterleib an (von mir) getragen und von Mutterschoß an gehoben worden seid: Bis in euer Alter bin ich derselbe, und bis ihr grau werdet, trage ich (euch)." So redet gewöhnlich der persönliche Gott gegenüber seinem Schützling, den er geschaffen hat und durch sein ganzes Leben hindurch begleitet. Ebenso wie Krankheit und Not des einzelnen Menschen als Folge der Abwesenheit des persönlichen Gottes interpretiert werden[2], so sucht das Volk im Exil den Grund für sein elendes Schicksal darin, daß Jahwe es verlassen hat. 4o,27 heißt es: "Warum sprichst du, Jakob, und sagst du, Israel: Mein Weg ist vor Jahwe verborgen, und mein Recht geht an meinem Gott vorüber." Israel redet hier wie ein von seinem Gott verlassener Mensch. Der Prophet begegnet dieser Klage mit dem Hinweis auf Jahwes Schöpfermacht über die gesamte Erde. (V.28ff)
Eine ähnliche Auffassung begegnet auch in 49,14: "Zion sprach: Verlassen hat mit Jahwe, Adonaj hat meiner vergessen." Deuterojesaja weist sodann die Unmöglichkeit eines solchen Gedankens mit dem Hinweis darauf, daß eine Mutter doch nicht ihr Kind vergessen kann, zurück (V.15) Positiv wird auf die Gottverlassenheit in 54,7f bezug genommen: "Nur einen kleinen Augenblick habe ich dich verlassen, doch mit großem Erbarmen will ich dich sammeln. Im Aufwallen des Zorns verbarg ich einen Augenblick mein Antlitz vor dir, aber mit ewiger Güte habe ich mich deiner erbarmt, spricht Jahwe, dein Erlöser."
Welche Intention verfolgt Deuterojesaja, wenn er Elemente aus der Vorstellung vom persönlichen Gott auf das Verhältnis Jahwes zum Volk Israel anwendet? Zur Beantwortung dieser Frage ist ein Blick auf die Situation hilfreich. Das Volk befindet sich im babylonischen Exil, fern von seinen heimatlichen Kultstätten und empfindet sein gegenwärtiges Schicksal als Fernesein von Gott. In dieser

---

[1] Vgl. v. Waldow, ebd. 28.

[2] S.o.S. 91ff.273ff u.ö.

Lage ruft der Prophet dem Volk zu: Du bist nicht verlassen, Jahwe ist dein persönlicher Gott! Du gehörst ganz zu ihm wie der Schützling zu seinem Gott. Ihr alle seid wie eine Familie, die unter dem speziellen Schutz Jahwes steht. Deshalb dürft ihr jetzt darauf hoffen, daß Jahwe sich euer annimmt und euch wieder in euer Land zurückführt.
Deuterojesaja benutzt also die Vorstellung vom persönlichen Gott, um dem Volk seine enge Bindung an Jahwe deutlich zu machen und ihm so Trost und Heil zuzusprechen. Dabei ist es sicher kein Zufall, daß der mit "Deuterojesaja" bezeichnete Prophet in dem Land wirkte, in dem die Vorstellung vom persönlichen Gott am markantesten ausgebildet wurde, nämlich Babylonien.[1] Deuterojesaja markiert somit einen bedeutsamen Einschnitt in der israelitischen Religionsgeschichte. Hatten die Israeliten bisher Jahwe zum großen Teil nur als Glieder ihres Volkes verehrt, so erfolgte nun im Exil auf breiter Basis eine persönliche Hinwendung zu Jahwe. Jahwe ist fortan nicht nur der Gott der Volksgemeinschaft, sondern zugleich der persönliche Gott jedes einzelnen Gliedes.[2] Ja noch mehr: Das Volk als ganzes steht zu Jahwe wie eine Familie zu ihrem persönlichen Gott. Deshalb kann das Deuteronomium formulieren: "Denn wo ist ein großes Volk, das einen Gott hat, der ihm so nahe ist, wie Jahwe, unser Gott." (Dtn 4,7)

II. Sonstige Literatur

Ähnlich wie bei Deuterojesaja finden sich auch im übrigen Alten Testament mehrere Bezeichnungen, die darauf hindeuten, daß Jahwe vom Volk Israel wie ein persönlicher Gott verehrt wurde.

a. "Mein usw. Gott"

Die Anrede Jahwes mit "mein Gott" o.ä. findet sich bereits in der Prophetie des 8. Jahrhunderts. Amos redet an zwei Stellen gegenüber dem Volk von

[1] Vgl. Sellin-Fohrer, Einleitung 411.

[2] Vgl. Wächter, Gemeinschaft 26.

Jahwe als "deinem Gott" (Am 4,12; 9,15), Hosea fünfmal (Hos 4,6; 9,1; 12,7; 13,4; 14,2 vgl. 2,25; 8,2). In größerer Zahl kommt diese Anrede jedoch erst in der exilisch-nachexilischen Literatur vor. Das Deuteronomium nennt Jahwe ca. 23o mal "dein Gott" gegenüber ca 45 mal "euer Gott". Dieselbe Gottesbezeichnung wird noch an folgenden Stellen gebraucht: im Dekalog (Ex 2o,3.5.7. 1o.12), in Festgesetzen (Ex 23,19; 34,24.26; Dtn 26,12-15), in Hymnen (Ex 15,2; Ps 5o,7; 81,11; 146,1o; 147,12), in prophetischen Texten (Jes 6o,9.19; 62,3.5; Jer 2,17; 3,13). Entsprechend redet das Volk Jahwe mit "mein Gott" an: Dtn 31,17; Jes 57,21; Jer 31,18; Sach 13,9; Ps 83,14.[1]

b. "Gott deiner usw. Väter"

Die enge persönliche Beziehung zwischen Jahwe und Israel durch die Generationen hindurch beinhaltet der Ausdruck "Gott deiner/unserer/eurer/ihrer Väter", der sich an folgenden Stellen findet: Dtn 1,11.21; 4,1; 6,3; 12,1; 26,7; 27,3; 29,24; Jos 18,3; Ri 2,12; 2Kön 21,22; Dan 11,37; 1Chron 5,25; 12,18; 29,2o; 2Chron 7,22; 11,16; 13,12; 19,4; 2o,33; 21,1o; 24,18.24; 28, 6.9.25; 29,5; 3o,7.22; 34,32; 36,15; Esr 7,27. Hier wird Israel wie eine Familie vorgestellt, die unter dem Schutz ihres Vätergottes steht.

c. "Mein usw. Schöpfer"

An mehreren Stellen wird Jahwe als Israels Schöpfer bezeichnet, so z.B. Dtn 32,15.18; Ps 149,2 und Hos 8,14.

d. "Mein usw. Vater"

Eng mit der Bezeichnung "Schöpfer" ist die Anrede "mein usw. Vater" verwandt, die sowohl die Abhängigkeit als auch die Zugehörigkeit Israels zu seinem Gott Jahwe beinhaltet. Sie kommt in Dtn 32,6; Jes 63,15f; 64,7f; Jer 3,4; Mal 1,6.1o; 2,1o; Ps 1o3,13f vor. Dem Terminus (Vater) korrespondiert auf seiten Israels die Bezeichnung "Sohn" (vgl. Ex 4,22f; Dtn 14,1f; Jer 31, 9.2o; Hos 11,3.8).

---

[1] Vgl. "sein Gott" Num 23,21; Jes 58,2; Jer 7,28.

e. "Gott des NN"

Aus dem Vorstellungsbereich des persönlichen Gottes sind auch die Epitheta "Gott Jakobs" (2Sam 23,1; Ps 2o,2; 24,6; 46,8.12; 75,1o; 76,7; 81,2.5; 84,9; 94,7; 114,7), "Starker Jakobs" (Jes 1,24; 49,26; Ps 132,2), "Gott Abrahams" (Ps 47,1o) und "Gott des Hauses Jakobs, der Abraham erlöst hat" (Jes 29,22) herzuleiten. Von der Terminologie her liegen hier Bezeichnungen für den persönlichen Gott vor. Alt[1] schied diese Stellen bei seiner Analyse des Vätergottes mit der Begründung aus, daß sie "Jahwe in liturgisch-formelhafter Weise als den Gott Abrahams, Isaaks und Jakobs bezeichnen". Auch Wanke[2] nimmt an, daß diese alten Epitheta in den Sängerpsalmen "unreflektiert und aus bloß dichterischen Gründen" gebraucht seien, weil der entsprechende Kontext hier fehle.

Die in dieser Arbeit vorgelegte Deutung erlaubt aber vielleicht doch die Erklärung des Vorkommens dieser Terminologie sowohl in der Vätertradition als auch in nachexilischen Texten. Indem man später das Verhältnis Jahwes zu Israel wie das eines persönlichen Gottes zu seinem Schützling umschrieb, übertrug man auf Jahwe die alten Bezeichnungen der Vätergötter. Entsprechend wird das Volk wie eine Einzelperson bzw. Familie mit "Jakob" (Gen 49,7; Num 23,7.1o.21.23; Jes 9,7; 14,1; 17,4; 29,22; Hos 12,3; Mi 1,5; 3,8; 5,6f; Nah 2,3; Ps 47,5; 59,14; 78,5.21.71; 99,4; 135,4; 147,19 u.a.) oder "Haus Jakobs" (Jes 2,5f; 8,17; 1o,2o; 29,22; 46,3; Jer 2,4; 5,1o; Am 3,13; Mi 2,7; 3,9; Ob 18; Ps 22,24; 114,1) angeredet. Dabei tritt der politische Aspekt gegenüber dem religiösen immer stärker zurück.[3]

Im Dtn wird Israel häufig wie eine Einzelperson angeredet, die unter dem Schutz ihres persönlichen Gottes steht. Israel ist Jahwes Eigentum (Dtn 7,6). Jahwe ist mit ihm (2,7) und will es nicht verlassen (4,31). Er sagt ihm wie einem Menschen den Segen für die Frucht des Leibes (7,13) und den Schutz vor Krankheit und Seuchen (7,15) zu. Wie einen Sohn nimmt Jahwe Israel in Zucht (8,5), das er geliebt und erwählt hat (10,15). Mit Aussatz und Blindheit

---

[1] Kl.Schr. I,9.

[2] Zionstheologie 55.

[3] Vgl. Wanke, ebd. 57f.

will er es schlagen, wenn es die Gebote seines Gottes nicht erfüllt (28, 27ff). Wie bei einem Familienoberhaupt sind Sohn und Tochter in die auferlegten Verpflichtungen eingeschlossen (30,2ff; vgl. 6,20). Diese theologische Konzeption macht es erklärlich, warum die nachexilische Gemeinde die ursprünglich individuell gemeinten Klagelieder auf sich bezogen hat (vgl. Ps 3,9; 18,32.44.48; 22,4-6.24-32; 69,6.9.14).[1] Israel betete diese Psalmen wie ein Individuum, das vor seinem persönlichen Gott steht.

---

[1] S.o.S. 266.274 u.ö.

ZUSAMMENFASSUNG

1. Neben der offiziellen Jahweverehrung als einer Angelegenheit des gesamten Volkes und Staates gab es in Israel auch eine private Frömmigkeit. Jedes Individuum einschließlich dessen Familie verehrte seinen persönlichen Gott, von dem er in besonderer Weise Fürsorge und Schutz erwartete. Die Funktion des persönlichen Gottes konnten sowohl Jahwe als auch andere Gottheiten (z.B. die sog. ᵓĒlīm und die Baᶜale) übernehmen.

2. Der persönliche Gott trägt insbesondere folgende Bezeichnungen:

   a. "Mein usw. Gott" (z.B. 1Sam 3o,6; Ps 22,2);
   b. "Gott meines usw. Vaters" (z.B. Gen 31,5; 1Chron 28,9);
   c. "Gott des NN" (z.B. Gen 31,53; 2Chron 32,17);
   d. "Mein Hirte" (z.B. Gen 48,15; Ps 23,1);
   e. "Mein Herr" (z.B. Ps 16,2);
   f. "Gott meines Heils" (z.B. Ps 18,47);
   g. "Gott meines Lebens" (z.B. Ps 42,9);
   h. Šaddaj/Šēdu (z.B. Gen 17,1).

3. Die kultische Verehrung des persönlichen Gottes erfolgt entweder in privaten Kultstätten (vgl. Ri 17f) oder in öffentlichen Heiligtümern (vgl. 1Sam 1,3ff). Insbesondere die mit Ephod und Teraphim bezeichneten Götterbilder spielten im privaten Kult eine Rolle.

4. Der in Personennamen vorkommende Gottesname ist in der Regel mit dem persönlichen Gott des Namenträgers bzw. Namengebers identisch.

5.1 Der persönliche Gott erschafft den Menschen (vgl. Ps 22,1of) und steht ihm als Garant für sein Wohlergehen sein Leben hindurch zur Seite. Aus dem Mitsein des persönlichen Gottes erwächst für dessen Schützling Wohlergehen und Erfolg, Nahrung und Kleidung sowie die Gunst bei den Höhergestellten. Als paradigmatische Schilderungen dafür, wie der persönliche

Gott einem Menschen Fürsorge und Schutz gewährt, sind im Alten Testament die Jakoberzählungen, die Josephgeschichte und die Geschichte von Davids Aufstieg überliefert.

5.2. Die zweite Funktion des persönlichen Gottes, nämlich Beschützer gegen Feinde und böse Mächte zu sein, tritt insbesondere in den "Gebeten an den persönlichen Gott" (Ps 3; 7; 13; 16; 18; 22; 23; 27; 28; 31; 42/43; 59; 63; 69; 86; 91; 14o; 142) in den Vordergrund. Als "Feinde" sind dort vor allem Zauberer und Dämonen vorgestellt, die das Leben des Menschen bedrohen und in Gestalt von Krankheit und Not Gewalt über ihn zu gewinnen suchen.

5.3. Die teilweise im Alten Orient belegte dritte Funktion des persönlichen Gottes als Mittler und Fürsprecher kommt im Alten Testament nicht vor.

6. Die Folgen der Abwesenheit bzw. Abwendung des persönlichen Gottes besteht darin, daß der Mensch Zauberern und Dämonen in Form von Krankheit und Not anheimfällt (vgl. Ps 13; 22; 27; 42/43) und sich seine Mitmenschen von ihm abwenden (vgl. 22,7f; 27,1o). Die Bitte um Rückkehr des persönlichen Gottes geht Hand in Hand mit der Bitte um Vernichtung der "Feinde" (Ps 3,8; 31,18 u.ö.) bzw. Errettung aus ihrer Gewalt (vgl. Ps 22,21f; 14o,5f u.ö.).

7. Eine herausragende Stellung nimmt innerhalb der Israelitischen Religion die Familie Davids ein, die Jahwe als ihren persönlichen Gott verehrte. Die enge persönliche Beziehung zwischen Jahwe und dem Haus Davids läßt sich aus dem Kern der Nathanweissagung (2Sam 7,11b), den Aussagen über die Vater-Sohn-Relation (2Sam 7,14; Ps 2,7; 89,27) sowie dem Vorkommen der für den persönlichen Gott charakteristischen Bezeichnungen im Munde der Davididenkönige und ihrer Umgebung ersehen. Die doppelte Funktion Jahwes als Staatsgott einerseits und als persönlicher Gott der davidischen Dynastie andererseits fand ihren Niederschlag in dem Charakter des Jerusalemer Tempels, der sowohl als Privatheiligtum als auch als Staatstempel diente.

8. Der von den Patriarchen verehrte sog. "Gott der Väter" ist nicht - wie Alt u.a. meinen - einem eigenen Religionstypus zuzuordnen, sondern stellt

eine Erscheinungsform des persönlichen Gottes dar. Dies ergibt sich aus einer Analyse sowohl der Terminologie als auch der Erzählungen in der Genesis. Gottheiten dieser Art gibt es sowohl in nomadischen als auch in seßhaften Kulturen des Alten Orients. Aus einem Vergleich mit den Ergebnissen des 1. Teils der Arbeit ist weiterhin zu ersehen, daß die Vätergötter keineswegs nur anonyme, untergeordnete Gottheiten ohne lokale Bindung gewesen sein mußten; vielmehr wurden auch namentlich bekannte Hochgottheiten in einem ortsgebundenen Kult (vgl. Gen 28) als Väter- oder persönliche Götter verehrt.

9. Die Priesterschrift und das Hiobbuch verwenden zur Kennzeichnung des persönlichen Gottes den Terminus (El) Šaddaj, der von akkadisch *šēdu* abzuleiten ist.

10. Insbesondere in exilisch-nachexilischer Zeit wird die Vorstellung vom persönlichen Gott auf das Verhältnis Jahwes zum Volk Israel übertragen. Die für den persönlichen Gott typischen Bezeichnungen "mein usw. Gott", "Gott des NN", "Gott meines usw. Vaters", "mein usw. Schöpfer" werden nun von Israel in bezug auf Jahwe gebraucht. Die deuterojesajanischen Heilsorakel reden Israel wie eine Einzelperson an, der der Prophet den Schutz und die Hilfe ihres persönlichen Gottes zusagt. Zugleich werden die ursprünglich individuell gemeinten Psalmen zu Gebeten des Volkes uminterpretiert.

11. Sowohl in der Terminologie als auch in den Aussagen über die Wirksamkeit des persönlichen Gottes besteht eine weitgehende Übereinstimmung zwischen Altem Testament und Altem Orient. Am Beispiel der Vorstellung vom persönlichen Gott läßt sich aufs neue die enge Verflechtung der Religion Israels mit seiner Umwelt ersehen.

SCHLUSS

Die Untersuchung hatte zum Ziel, einen besonderen Aspekt des Wirkens der Gottheit, nämlich ihre persönliche Zuwendung zum Individuum, aufzuzeigen. Anhand des altorientalischen und alttestamentlichen Materials wurde mittels religionsvergleichender Methoden dargestellt, daß zu einem solchen persönlichen Gottesverhältnis bestimmte Wesensmerkmale gehören. Der persönliche Gott fungiert 1. als Garant für das Wohlergehen des Menschen, 2. als Beschützer gegen böse Mächte und 3. als Mittler und Fürsprecher. Von Geburt an weiß sich der Mensch von der speziellen Fürsorge seines persönlichen Gottes geleitet und unter seinen Schutz gestellt. Dabei wurde in der Antike das Handeln Gottes in enger Beziehung zu der empirisch wahrnehmbaren Lebenswirklichkeit gedacht. Gesundheit, Wohlergehen, Erfolg und reicher Kindersegen waren Zeichen der Gegenwart des persönlichen Gottes, während Krankheit und Not als Abwesenheit verstanden wurden.

Diese Merkmale der persönlichen Gottesbeziehung beschränken sich jedoch nicht auf den Bereich des Alten Orients und des Alten Testaments, sondern gehören als wesentliche Bestandteile auch in die christliche Gottesanschauung hinein. Insbesondere in den Aussagen über Christus lassen sich die für den persönlichen Gott charakteristischen Elemente nachweisen.[1] Christus wird im Neuen Testament als "(mein usw.) Herr" (κύριος) angeredet, wodurch die persönliche Beziehung des Christen zu ihm ihren terminologischen Ausdruck findet (vgl. Röm 1o,9; 1Kor 8,5f; 2Kor 4,5; Phil 3,8).[2] Das ganze Leben hindurch weiß sich der Gläubige mit Christus verbunden (vgl. Joh 15,4; 1Kor 3, 23; 2Kor 1o,7; Gal 2,2o; 3,29; 5,24; Eph 3,21; Phil 1,21). Er ist der Garant

---

2 Die folgenden Ausführungen können die These nur kurz anreißen; auf nähere Einzelheiten soll in einer gesonderten Studie eingegangen werden.

2 Vgl. W. Foerster, Art. κύριος, ThW III,1o38-1o94, bes. 1o5off; R. Bultmann, Theologie des Neuen Testaments, 4. Aufl. 1961, 127 u.a.

für sein Wohlergehen, indem er dem Menschen allezeit fürsorgend zur Seite steht. (Joh 15,11ff; Röm 16,25; 1Thess 3,2.13; 2Tim 4,17). Er beschützt ihn gegen böse Mächte (Mt 7,22; Mk 9,38 par; 16,17; Lk 22,31f; 2Kor 12,8). Zugleich tritt Christus für die Seinen fürbittend Gott gegenüber ein (Mt 1o, 33; Mk 8,38; Röm 8,34; 1Joh 2,1; Hebr. 9,24; vgl. 1Clem 36,1; 61,6; 64,1). Durch ihn haben sie Zugang zum Vater (Joh 14,6; Röm 5,2; Eph 2,18; 1Pt 3, 18 u.ö.), denn er ist der Mittler zwischen Gott und den Menschen (1Tim 2,5; Hebr 8,6). Deshalb werden Lob, Dank und Anbetung "in seinem Namen" bzw. "durch ihn" dargebracht (Joh 14,13; Röm 1,8; 1Kor 1,2o; Eph 5,2o; Kol 3,17 u.ö.). Die Urgemeinde hat also die aus dem Alten Testament und seiner Umwelt bekannte Vorstellung vom persönlichen Gott aufgenommen und auf Christus übertragen, um seine gegenwärtige Bedeutung für den einzelnen Menschen und die Gemeinde auszusagen.

Auch in den christologischen Entwürfen der späteren Dogmengeschichte lassen sich die für die Vorstellung vom persönlichen Gott konstitutiven Elemente nachweisen. Als Beispiel sei Luthers Erklärung zum 2. Artikel im Großen Katechismus zitiert: "Wenn man nu fragt: 'Was gläubst Du im andern Artikel von Jesu Christo?', antwort' aufs kürzeste: 'Ich gläube, daß Jesus Christus, wahrhaftiger Gottessohn, sei mein Herr worden'. Was ist nu das, 'ein Herr werden?' Das ist's, daß er mich erlöset hat von Sunde, vom Teufel, vom Tode und allem Unglück. Denn zuvor habe ich keinen Herrn noch König gehabt, sondern unter des Teufels Gewalt gefangen, zu dem Tod verdampt, in der Sunde und Blindheit verstrickt gewesen." Hier finden sich in geradezu klassischer Weise die für den persönlichen Gott charakteristischen Wesenszüge wieder. Christus ist "mein Herr", d.h. ich bin ihm persönlich zugeordnet. Daraus resultieren seine beiden Funktionen als Garant für mein Wohlergehen und Beschützer gegen böse Mächte. Zugleich ist Christus mein Mittler und Fürsprecher, der mich hat "wiederbracht in des Vaters Huld und Gnade und als sein Eigentumb unter seinen Schirm und Schutz genommen". Während in der mittelalterlichen Kirche zahlreiche Schutzheilige die Funktion des persönlichen Gottes übernommen hatten, konzentriert Luther alle diese Eigenschaften auf Christus. Die Betonung der persönlichen Beziehung als "meinem Gott und Herrn" findet sich sodann z.B. in den Liedern Paul Gerhardts und in der pietistischen Bewegung bis hin zu den zeitgenössischen Jesus People [1].

---

[1] W. Kroll (Hrsg.), Jesus kommt! 3. Aufl. 1971, 12f. 131 u.ö.

So zeigt sich, daß die Vorstellung vom persönlichen Gott zur Phönomenologie der Religion des Alten Orients sowie Israels gehört, und auch in der christlichen Dogmatik eine wesentliche Bedeutung hat.

L I T E R A T U R V E R Z E I C H N I S

I. Literatur zum 1. Teil (Alter Orient)

1. *Mesopotamien*

Pritchard, J.B. (Ed.)	Ancient Near Eastern Texts Relating to the Old Testament, 2. Aufl. Princeton 1955
Andrae, W.	Das wiedererstandene Assur, 1938
Parrot, A. - Dossin, G. (Ed.)	Archives royales de Mari, Paris 1950ff
Böhl, F.M.Th. de Liagre	Art. Babylonien II. Babylonische und assyrische Religion. RGG 3. Aufl., Bd. I, Sp. 812-822
Budge, E.A.W.	Amulets and Talismans. New York 1961
Borger, R.	Art. Gottesbrief. RLA Bd. III [Lfg. 8], 575f
Borger, R.	Vier Grenzsteinurkunden Merodachbaladans I. von Babylonien, AfO 23,1970, 1-26
Borger, R.	Die Inschriften Asarhaddons Königs von Assyrien. AfO Beih 9,1956
Bottêro, J.	Les divinités sêmitiques anciennes en Mêsopotamie. In: Le Antiche Divinità Semitiche, ed. S. Moscati, Studi Semitici 1,1958, 17-63
Bottêro, J.	La religion babylonienne. Paris 1952
Caspari, W.	Die Religion in den Assyrisch-babylonischen Bußpsalmen. BFCTh VII,4,1903
Cassin, E.-M.	L'adoption â Nuzi. Paris 1938
Castellino, R.	Le lamentazioni individuali e gli inni in Babilonia e in Israele. Torino usw. 1939
Castellino, G.	Urnammu Three Religious Texts. ZA NF 18 (=52), 1957, 1-57
Contenau, G.	La magie chez les Assyriens et les Babyloniens. Paris 1947
Deimel, A.	Pantheon Babylonicum. Rom 1914
Delitzsch, Fr.	Assyrisches Handwörterbuch. 1896 (=1968)
Dhorme, E.	Les religions de Babylonie et de l'Assyrie. "Mana" 1,II, Paris 1949

Dietrich, M.	Die Aramäer Südbabyloniens in der Sargonidenzeit (700 - 648). AOAT 7,1970
van Dijk, J.J.A.	Les contacts ethniques dans la Mésopotamie et les syncrétismes de la religion sumérienne. In: Syncretism, ed. S. Hartman, Stockholm 1969, 171-206
van Dijk, J.J.A.	Art. Gott A. Nach sumerischen Texten. RLA Bd. III [Lfg. 7], 532-543
van Dijk, J.J.A.	Une insurrection générale au pays de Larsa avant l'avènement de Nūr-Adad. JCS 19,1965, 1-25
van Dijk, J.J.A.	La sagesse suméro-accadienne. Commentationes orientales 1, Leiden 1953
van Dijk, J.J.A.	Sumerische Götterlieder, II. Teil, AAH phil.-hist. Kl. 1959,1 1960
Dossin, G.	Une lettre de Iarîm-lim- roi d'Alep, à Iašûb-Iaḫad, roi de Dîr. Syria 33,1956, 63-69
Dossin, G.	Le panthéon de Mari. Studia Mariana, ed. A. Parrot, 1950, 41-50
Draffkorn, A.E.	Ilāni/Elohim. JBL 76,1957, 216-224
van Driel, G.	The Cult of Aššur. Studia Semitica Neerlandica, Assen 1969
Driver, G.R. - Miles, J.C.	The Babylonian Laws. Vol. I-II, Oxford 1955
Ebeling, E.	Die akkadische Gebetsserie "Handerhebung". Deutsche Akademie der Wissenschaften zu Berlin, Institut für Orientforschung, Veröffentlichung Nr. 20, 1953
Ebeling, E.	Altbabylonische Briefe amerikanischer Sammlungen aus Larsa. MAOG XVI,1/2,1943
Ebeling, E.	Assyrische Beschwörungen. ZDMG 69,1915, 89-103
Ebeling, E.	Beiträge zur Kenntnis der Beschwörungsserie Namburbi (suite), RA 50,1956, 22-36
Ebeling, E.	Art. Dämonen. RLA, Bd. II, 107-113
Ebeling, E.	Art. Gott Aššur. RLA, Bd. I, 196-198
Ebeling, E.	Neubabylonische Briefe aus Uruk. H. 1,1930
Ebeling, E.	Die "7 Todsünden" bei den Babyloniern. OLZ 19,1916, 296-298
Ebeling, E.	Tod und Leben nach den Vorstellungen der Babylonier, I. Teil, 1931 [abgek.: Ebeling, TuL]
Ebeling, E.	Zwei Tafeln der Serie utukku limnûtu. AfO 16, 1952-1953, 295-304
Ebeling, E. - Meissner, B. - Weidner, E.F.	Die Inschriften der altassyrischen Könige. AOB 1,1926

Edzard, D.O. — Art. Mesopotamien. In: Wörterbuch der Mythologie, Bd. I/1: Götter und Mythen im Vorderen Orient (Hrsg. v. H.W. Haussig), 1965, 19-139 [zitiert: Edzard, WM I/1]

Edzard, D.O. — Sumerische Rechtsurkunden des III. Jahrtausends aus der Zeit vor der III. Dynastie von Ur. BAW phil.-hist. Kl. NF 67,1968

Falkenstein, A. — Besprechung von N. Schneider, Die Götternamen von Ur III, OLZ 46,1943, 350-355

Falkenstein, A. — Zur Chronologie der sumerischen Literatur. MDOG 85,1953, 1-13

Falkenstein, A. — Die Haupttypen der sumerischen Beschwörung literarisch untersucht. LSS NF 1,1931 (=1968)

Falkenstein, A. — Die Inschriften Gudeas von Lagaš. AnOr 30,1966

Falkenstein, A. — Zu den Inschriftfunden der Grabung in Uruk-Warka 1960-61. BagM 2,1963, 1-82

Falkenstein, A. — Sumerische religiöse Texte. ZA 16 (=50),1952, 61-91 und ZA NF 21 (=55),1963, 11-67

Falkenstein, A. - von Soden, W. — Sumerische und akkadische Hymnen und Gebete. 1953 [abgek.: SAHG]

Förtsch, W. — Religionsgeschichtliche Untersuchungen zu den ältesten babylonischen Inschriften. MVAG 19, 1,1914

Frank, C. — Babylonische Beschwörungsreliefs. LSS III,3, 1908 (=1968)

Frank, C. — Lamastu, Pazuzu und andere Dämonen. MAOG XIV, 2,1941

Frankena, R. — Briefe aus dem British Museum. In: Altbabylonische Briefe in Umschrift und Übersetzung, hrsg. v. F.R. Kraus, H. 2, Leiden 1966 [abgek.: AbB 2]

Frankfort, H. — Cylinder Seals. London 1965

Frankfort, H. — Kingship and the Gods. Chicago 2. Aufl. 1955

Frankfort, H. and H.A. - Jacobsen, Th. - Irwin, W.A. — The Intellectual Adventure of Ancient Man. Chicago 1946 [deutsch: Frühlicht des Geistes. Urban-Bücher 9,1954]

Gadd, C.J. — The Harran Inscriptions of Nabonidus. AnSt 8, 1958, 35-92

Gadd, C.J. — Ideas of Divine Rule in the Ancient East. Schweich Lectures 1945. London 1948

Gadd, C.J. — Tablets from Kirkuk. RA 23,1926, 49-161

Gamper, A. — Gott als Richter in Mesopotamien und im Alten Testament. Innsbruck 1966

Garelli, P. — La religion de l'Assyrie ancienne d'après un ouvrage récent. RA 56,1962, 191-210

Gelb, I.J. — Glossary of Old Akkadian. Materials for the Assyrian Dictionary 3. Chicago 1957

Gelb, I.J. - Landsberger, B. - Oppenheim, A.L. - Reiner, E. (Ed.) — The Chicago Assyrian Dictionary. Chicago 1956ff

Gelb, I.J. - Purves, P.M. - MacRae, A.A. — Nuzi Personal Names. OIP 57. 2. Aufl. Chicago 1963

Genouillac, H. de — Fouilles de Telloh. Mission archéologique du Musée du Louvre et du Ministère de l'Intruction Publique. Tome II: Epoques d'Ur IIIe dynastie et de Larsa. Paris 1936

Goetze, A. — Reports on Acts of Extispicy from Old Babylonian and Kassite Times. JCS 11,1957, 89-105

Gordon, E.I. — Sumerian Proverbs. Philadelphia 1959

Haussig, H.W. (Ed.) — Götter und Mythen im Vorderen Orient, Wörterbuch der Mythologie, Bd. I,1,1965 [abgek.: WM]

Hehn, J. — Hymnen und Gebete an Marduk. BA V,3, 279-400

Heidel, A. — The Gilgamesh Epic and Old Testament Parallels. 4. Aufl. Chicago 1963

Henninger, J. — Über Lebensraum und Lebensformen der Frühsemiten. 1968

Hirsch, H. — Der "Gott der Väter". AfO 21, 56-58

Hirsch, H. — Die Inschriften der Könige von Agade. AfO 20, 1963, 1-82

Hirsch, H. — Untersuchungen zur altassyrischen Religion. AfO Beih 13/14.1961

Hoschander, J. — Die Personennamen auf dem Obelisk des Maništusu. ZA 20,1907, 246-302

Jacobsen, Th. — Ancient Mesopotamian Religion. In: Toward the Image of Tammuz and Other Essays on Mesopotamian History and Culture. Ed. W.L. Moran, HSS XXI,1970, 39-47 (= Proceedings of the American Philosophical Society 107,1963, 473-484)

Jacobsen, Th. — The Assumed Conflict in Early Mesopotamian History. In: Toward the Image of Tammuz ..., 187-192

Jacobsen, Th. — Early Political Development in Mesopotamia. In: Toward the Image of Tammuz ..., 132-186 (= ZA 52,1957, 91-140)

Jacobsen, Th. — Formative Tendencies in Sumerian Religion. In: Toward the Image of Tammuz ..., 1-15 (= The Bible and the Ancient Near East. Essays in Honor of W.F. Albright, ed. G.E. Wright, 1961, 267-278)

Jacobsen, Th. — Mesopotamia: The Good Life. In: H. and H.A. Frankfort, The Intellectual Adventure of Ancient Man, 1946, 202-219

Jacobsen, Th. — Mesopotamian Gods and Pantheons. In: Toward the Image of Tammuz ..., 16-38

Jacobsen, Th. — Primitive Democracy in Ancient Mesopotamia. In: Toward the Image of Tammuz ..., 157-170 (= JNES 2,1943, 159-172)

Jastrow, M. — Die Religion Babyloniens und Assyriens. 1905-1912

Jean, Ch.F. — La religion sumérienne d'après les documents sumériens antérieurs à la dynastie d'Isin (-2186). Paris 1931

Jensen, P. — Assyrisch-Babylonische Mythen und Epen. Keilschriftliche Bibliothek VI,1900

Kennedy, D.A. - Garelli, P. — Seize tablettes cappadociennes de l'Ashmolean Museum d'Oxford. JCS 14,1960, 1-22

Klengel, H. — Neue Lamaštu-Amulette aus dem Vorderasiatischen Museum und dem British Museum. MIO VII, 1960, 334-355

Köcher, F. — Die babylonisch-assyrische Medizin in Texten und Untersuchungen. Bd. II, 1963

Köcher, F. - Oppenheim, A.L. — The Old-Babylonian Omen Text VAT 7525. AfO 18,1957/58, 62-77

Kohler, J. - Peiser, F.E. — Aus dem Babylonischen Rechtsleben. Bd. II, 1891

Kohler, J. - Ungnad, A. — Assyrische Rechtsurkunden in Umschrift und Übersetzung nebst einem Index der Personen-Namen und Rechtserläuterungen. 1913

Koschaker, P. — Drei Rechtsurkunden aus Arrapḫa. ZA 14 (=89), 1944, 161-221

Kramer, S.N. — Gilgamesh and the Land of Living. JCS 1,1947, 3-46

Kramer, S.N. — "Man and his God", in: Wisdom in Israel and in the Ancient Near East Presented to H.H. Rowley. VTS 3,1955,170-182

Kramer, S.N. — Sumerian Literature and the Bible. AnBibl 12, 1959, 185-204

Kramer, S.N. — The Sumerians. Chicago 1963

Kramer, S.N. - Bernhardt, I. — Sumerische Literarische Texte aus Nippur. Texte und Materialien der Frau Professor Hilprecht-Sammlung Vorderasiatischer Altertümer im Eigentum der Friedrich-Schiller-Universität Jena. NF III,1,1961

Kraus, F.R. — Von altmesopotamischem Erbrecht. Essays on Oriental Laws of Succession. Studia et Documenta ad iura orientis antiqui pertinenta IX, 1969, 1-17

Kraus, F.R. — Briefe aus dem British Museum. In: Altbabylonische Briefe in Umschrift und Übersetzung, hrsg. v. F.R. Kraus, H. 1, Leiden 1964 [abgek.: AbB 1]

Kraus, F.R. — Die physiognomischen Omina der Babylonier. MVAeG 40,2,1935

Kraus, F.R. — Ein Sittenkodex in Omenform. ZA NF 9 (=43), 1935, 77-113

Kraus, F.R. — Texte zur babylonischen Physiognomatik. AfO Beih 3,1939

Kraus, P. — Altbabylonische Briefe aus der Vorderasiatischen Abteilung der Preussischen Staatsmuseen zu Berlin. 1. Teil: MVAeG 35,2,1931; 2. Teil: MVAeG 36,1,1932

Krauß, J. — Die Götternamen in den babylonischen Siegelaufschriften. 1911

Krecher, J. — Sumerische Kultlyrik. 1966

Kunstmann, W.G. — Die babylonische Gebetsbeschwörung. LSS NF 2,1932

Kupper, J.R. — L'iconographie du dieu Amurru dans la glyptique de la Ire dynastie babylonienne. Bruxelles 1961

Kupper, J.R. — Les nomades en Mésopotamie au temps des rois de Mari. Paris 1968

Labat, R. — Le charactère religieux de la royauté Assyro-Babylonienne. Etudes d'Assyriologie II, Paris 1939

Labat, R. — Manuel d'épigraphie akkadienne. 4. Aufl. 1963

Lambert, W.G. — Babylonian Wisdom Literature. Oxford 1960 [abgek.: Lambert, BWL]

Lambert, W.G. — Art. Gott. B. Nach akkadischen Texten. RLA, Bd. III [Lfg. 7], 543-546

Lambert, W.G. — An Incantation of the Maqlû-Type. AfO 18, 1957-58, 288-299

Lambert, W.G. — Three Literary Prayers of the Babylonians. AfO 19,1959/60, 47-66

Landsberger, B. — Die babylonische Theodizee. ZA NF 9 (=43), 1936, 32-76

Landsberger, B. - Balkan, K. — Die Inschriften des assyrischen Königs Irișum gefunden in Kültepe 1948. Belleten 14,1950, 219-268

Landsberger, B. - Bauer, Th. — Nachträge zu dem Artikel betreffend Asarhaddon, Assurbanipal usw. ZA NF 3 (=37),1927, 215-222

Langdon, St. — A Bilingual Tablet from Erech of the First Century B.C. RA 12,1915, 73-84

Langdon, St. — Inscriptions on Cassite Seals. RA 16,1919, 69-95

Langdon, St. — The Religious Interpretation of Babylonian Seals and a New Prayer of Shamash-Shum-Ukin. RA 16,1919, 49-68

Langdon, St. — Sumerian and Babylonian Psalms. Paris 1909

Langdon, St. — A Tablet of Prayers from the Nippur Library. PSBA 34,1912, 75-79

Lenzen, H. — Vorläufiger Bericht über die von dem Deutschen Archäologischen Institut und der Deutschen Orient-Gesellschaft aus Mitteln der Deutschen Forschungsgemeinschaft unternommenen Ausgrabungen in Uruk-Warka. 1956

Lewy, H. — Anatolia in the Old Assyrian Period. Cambridge Ancient History I,XXIV § VII-X, 2. Aufl. 1965

Lewy, J. — Les textes paléo-assyriens et l'Ancient Testament. RHR 110,1934, 29-65

Lewy, J. — On Some Institutions of the Old Assyrian Empire. HUCA 27,1956, 1-79

Lewy, J. — Studies in Akkadian Grammar and Onomatology. OrNS 15,1946, 361-415

Limet, H. — L'anthroponymie sumerienne dans le documents de la 3e dynastie d'Ur. Bibliothèque de la Faculté de Philosophie et Lettres de l'Université de Liège, Fasc. CLXX. Paris 1968

Luckenbill, D.D. — Ancient Records of Assyria and Babylonia. Chicago 1926-27

Luckenbill, D.D. — The Annals of Sennacherib. OIP II,1924

Macmillan, K.D. — Some Cuneiform Tablets Bearing on the Religion of Babylonia and Assyria. BA V,5,1906

McCown, D.E. — Excavations at Nippur 1948-50. JNES 11,1952, 167-175

Meier, G. — Die assyrische Beschwörungssammlung Maqlû. AfO Beih 2,1937

Meier, G. — Die zweite Tafel der Serie bīt mēseri. AfO 14,1941-1944, 139-152

Meissner, B. — Babylonien und Assyrien. Bd. II. 1925 [abgek.: Meissner, BuA II]

Müller, K.F. — Das assyrische Ritual. Teil 1: Texte zum assyrischen Königsritual. MVAeG 41,3,1937

Mullo-Weir, C.J. — Fragment of an Expiation-Ritual Against Sickness. JRAS 1929, 281-284

Mullo-Weir, C.J. — Fragments of Two Assyrian Prayers. JRAS 1929, 761-766

Myhrman, D.W. — Die Labartu-Texte. ZA 16,1902, 141-200

Nissen, H.J. — Zur Datierung des Königsfriedhofes von Ur unter besonderer Berücksichtigung der Stratigraphie der Privatgräber. Beiträge zur ur- und frühgeschichtlichen Archäologie des Mittelmeer-Kulturraumes. Bd. 3,1966

Nötscher, F. — Die Omen-Serie šumma âlu ina mêlê šakin. Or 51-54,1930

Nougayrol, J. — Une version ancienne du "juste souffrant". RB 59,1952, 239-250

Oppenheim, L. — Die akkadischen Personennamen der "Kassitenzeit". Anthropos 31,1936, 470-488

Oppenheim, A.L. — Ancient Mesopotamia. Chicago 1964

Oppenheim, A.L. — The Interpretation of Dreams in the Ancient Near East. Philadelphia 1953

Oppert, J. — La fondation consacrée à la déesse Ninā. ZA 8,1893, 360-374

Paffrath, Th. — Zur Götterlehre in den altbabylonischen Königsinschriften. 1913 (=1967)

Paffrath, Th. — Der Titel "Sohn der Gottheit". Orientalistische Studien F. Hommel zum 60. Geburtstag. 1. Bd., MVAG 21,1916, 157-159

Parrot, A. — Les fouilles de Mari, 15ème campagne. Syria 42,1965, 197-225

Pettinato, G. — Die Ölwahrsagung bei den Babyloniern. Bd. I u. II, Studi Semitici 21-22. Roma 1966

Pfeiffer, R.H. — State Letters of Assyria. AOS 6,1935

Pinches, Th.G. — Some Early Babylonian Contracts or Legal Documents. JRAS 1897, 589-613

Pinckert, J. — Hymnen und Gebete an Nebo. LSS III,4,1920 (=1968)

Poebel, A. — Besprechung von J. Krausz: Die Götternamen in den babylonischen Siegelcylinder-Legenden, 1911. OLZ 16,1913, 58-68

Porada, E. - Buchanan, B. — The Collection of the Pierpont Morgan Library. In: Corpus of Ancient Near Eastern Seals in North American Collections. Vol. I. New York 1948

Preusser, C. — Die Wohnhäuser in Assur. 1954

van Proosdij, B.A. — L.W. King's Babylonian Magic and Sorcery being "The Prayers of the Lifting of the Hand". Diss. Leiden 1952

Ranke, H. — Die Personennamen in den Urkunden der Hammurabidynastie. 1902

Reiner, E. — Šurpu. A Collection of Sumerian and Akkadian Incantations. AfO Beih 11,1958

Riemschneider, K.K. — Ein altbabylonischer Gallenomentext. ZA NF 23 (=57),1965, 125-145

Röllig, W. — Erwägungen zu neuen Stelen König Nabonids. ZA NF 22 (=56),1964, 218-260

Römer, W.H.Ph. — Sumerische 'Königshymnen' der Isin-Zeit. Leiden 1965

Salonen, E. — Die Gruß- und Höflichkeitsformeln in babylonisch-assyrischen Briefen. StOr XXXVIII, Helsinki 1967

San Nicolò, M. — Babylonische Rechtsurkunden des ausgehenden 8. und des 7. Jahrhunderts v.Chr. AAM phil.-hist. Kl. NF 34,1951

Scheil, V. — La promesse dans la prière babylonienne. RA 12,1915, 65-72

Schmökel, H. — Hammurabi von Babylon. 1958

Schneider, N. — Die Götternamen von Ur III. AnOr 19,1939

Schollmeyer, A. — Sumerisch-babylonische Hymnen und Gebete an Šamaš. 1912 [abgek.: Schollmeyer, HGŠ]

Schorr, M. — Urkunden des altbabylonischen Zivil- und Prozeßrechts. VAB 5,1913 (=1968)

Schrader, E. — Die Keilinschriften und das Alte Testament. 3. Aufl., hrsg. v. H. Zimmern u. H. Winckler. 1902

Schrank, W. — Babylonische Sühnriten besonders mit Rücksicht auf Priester und Büsser. LSS III,1, 1908

van Selms, A. — De babylonische termini voor zonde. Wageningen 1933

Seux, M.-J. — Epithètes royales Akkadiennes et Sumériennes. Paris 1967

Sidersky, M. — Assyrian Prayers. JRAS 1929, 767-789

Sjöberg, Å. — Ein Selbstpreis des Königs Ḫammurabi von Babylon. ZA NF 20 (=54),1961, 51-70

Smith, S. — Die Keilschrifttexte Assurbanipals, Königs von Assyrien (668-626 v.Chr.) nach dem selbst in London copirten Grundtext mit Transcription, Übersetzung, Kommentar und vollständigem Glossar. 1887-1889

von Soden, W. — Akkadisches Handwörterbuch. Bd. I,1965 [abgek.: v. Soden, AHw]

von Soden, W. — Eine altassyrische Beschwörung gegen die Dämonin Lamaštum. OrNS 25,1956, 141-148

von Soden, W. — Beiträge zum Verständnis des babylonischen Gilgameš-Epos. ZA NF 19 (=53),1959, 209-235

von Soden, W. — Art. Gebet II (babylonisch und assyrisch). RLA, Bd. III [Lfg. 2-3], 160-170 von Soden, W. — Grundriß der akkadischen Grammatik. AnOr 33, 1952

von Soden, W. — Herrscher im Alten Orient. 1954

von Soden, W. — Leistung und Grenze sumerischer und babylonischer Wissenschaft. 1965

von Soden, W. — Religion und Sittlichkeit nach den Anschauungen der Babylonier. ZDMG NF 14 (=89),1935, 143-169

von Soden, W. — Religiöse Unsicherheit, Säkularisierungstendenzen und Aberglaube zur Zeit der Sargoniden. AnBibl 12,356-367

von Soden, W. — Die Schutzgenien Lamassu und Schedu in der babylonisch-assyrischen Literatur. BagM 3, 1964, 148-156

von Soden, W. - Falkenstein, A. — Sumerische und akkadische Hymnen und Gebete. 1953 [abgek.: SAHG]

Speiser, E.A. — ṬWṬPT. JQR 48,1959-58, 208-217

Spycket, A. — La dêesse Lama. RA 54,1960, 73-84

Stamm, J.J. — Die akkadische Namengebung. MVAeG 44,1939

Stamm, J.J. — Das Leiden des Unschuldigen in Babylon und Israel. Zürich 1946

Starr, R.F.S. — Nuzi. Cambridge 1937-1939

Streck, M. — Assurbanipal und die letzten assyrischen Könige bis zum Untergange Ninivehs. 1916

Tallqvist, K.L. — Assyrian Personal Names. 1914 (1966)

Thompson, R.C. — The Devils and Evil Spirits of Babylonia. 1904

Thureau-Dangin, F. — Un hymne â Ištar de la haute époque babylonienne. RA 22,1925, 169-177

Thureau-Dangin, F. — Die sumerischen und akkadischen Königsinschriften. VAB 1,1907 [abgek.: SAK]

Unger, E. — Babylon. 1931

Ungnad, A. — Altbabylonische Briefe aus dem Museum zu Philadelphia. ZvRW 36,1919, 214-353

Waterman, R. — Royal Correspondance of the Assyrian Empire. 1930

Weber, O. — Dämonenbeschwörung bei den Babyloniern und Assyriern. AO VII,4,1906

Weber, O. — Altorientalische Siegelbilder. AO 17/18,1920

Weidner, E. — Die Feldzüge und Bauten Tiglatpilesers I. AfO 18,1957-58, 342-360

Weißbach, F.H. — Die Keilinschriften der Achämeniden. 1911

Wilke, C. — Das Lugalbandaepos. 1969

Winckler, H. — Die Keilschrifttexte Sargons. 1889

Woolley, Ch.L. — Abraham. London 1936

Woolley, Ch.L. — Ur in Chaldäa. 1956

Zimmern, H. — Beiträge zur Kenntnis der Babylonischen Religion. 1901

Zimmern, H. — Vater, Sohn und Fürsprecher in der babylonischen Gottesvorstellung. 1896

2. *Kleinasien*

Beran, Th. — Zum Datum der Felsreliefs von Yzılıkaya. ZA NF 23 (=57),1965, 258-273

von Brandenstein, C.G. Frhr. — Hethitische Götter nach Bildbeschreibungen in Keilschrifttexten. MVAeG 46,2,1943

Falkenstein, A. — Sumerische Beschwörungen aus Boğazköy. ZA NF 11 (=45),1939, 195-215

Götze, A. — Hattušiliš. MVAeG 29,3,1924(1925)

Götze, A. — Neue Bruchstücke zum großen Text des Hattušiliš und den Paralleltexten. MVAeG 34,2,1930

Goetze, A. — Kleinasien. In: Kulturgeschichte des Alten Orients III,1, 2. Aufl. 1957

Güterbock, H.G. — The Composition of Hittite Prayers to the Sun. JAOS 78,1958, 237-245

Güterbock, H.G. — Art. Hethiter II. Religion. RGG 3. Aufl., Bd. III,301-303

Güterbock, H.G. — Siegel aus Bogazköy. 1. Teil. AfO Beih 5,1967

Gurney, O.R. — Hittite Kingship. In: Myth, Ritual and Kingship. Ed. by S.H. Hooke. Oxford 1958, 105-121

Gurney, O.R. — Hittite Prayers of Mursili II. AAA XXVII,1940

Gurney, O.R. — The Hittites. 3. Aufl. 1961/62

Kammenhuber, A. — Die hethitischen Vorstellungen von Seele und Leib, Herz und Leibesinnerem, Kopf und Person. ZA NF 22 (=56),1964, 150-212

Klengel, E. u. H. — Die Hethiter. 1970

Meier, G. — Ein akkadisches Heilungsritual aus Boğazköy. ZA NF 11 (=45),1939, 195-215

Otten, H. — Hethitische Totenrituale. Deutsche Akademie der Wissenschaften zu Berlin. Institut für Orientforschung. Veröffentlichung Nr. 37, 1958

von Schuler, E. — Kleinasien. In: Wörterbuch der Mythologie Bd. I: Götter und Mythen im Vorderen Orient (hrsg. v. H.W. Haussig), 1965, 141-215 [abgek.: v. Schuler, WM I/1]

3. *Arabien*

van den Branden, A. — Les divinités sud-arabes mndḥ et wrfw. BiOr 16,1959, 183-188

van den Branden, A. — Les textes thamoudéens de Philby. Bibl. du Muséon 39,1956

Caskel, W. — Die alten semitischen Gottheiten in Arabien. In: Le Antiche Divinità Semitiche (hrsg. v. S. Moscati), Studi Semitici 1, Roma 1958, 95-117

Corpus Inscriptionum Semiticarum ab academia inscriptionum et litterarum humaniorum conditum atque digestum. Pars quarta: Inscriptiones Himyariticas et Sabaeas continens. Paris 1889ff. [abgek.: CIH]

Grohmann, A. — Arabien. In: Handbuch der Altertumswissenschaften III,4,1963

Höfner, M. — Die vorislamischen Religionen Arabiens. In: H. Gese, M. Höfner, K. Rudolph: Die Religionen Altsyriens, Altarabiens und der Mandäer, 1970, 233-402 [abgek.: Höfner, Religionen]

Höfner, M. — War der sabäische Mukarrib ein "Priesterfürst"? WZKM 54,1957, 77-85

Höfner, M. — Die Stammesgruppen Nord- und Zentralarabiens in vorislamischer Zeit. In: Wörterbuch der Mythologie. Bd. I: Götter und Mythen im Vorderen Orient (hrsg. v. H.W. Haussig), 1965, 407-481 [abgek.: Höfner, WM I/1]

Höfner, M. — Südarabien. Ebd., 483-552 [abgek.: Höfner, WM I/1]

Jamme, A. — Le panthéon sud-arabe préislamique d'après les sources épigraphiques. 1947

Klinke-Rosenberger, R. — Das Götzenbuch Kitâb al-Aṣnâm des Ibn al-Kalbî. Sammlung orientalistischer Arbeiten 8. 1941

Lammens, H. — Le culte des bétyles et les processions religieuses chez les Arabes préislamites. BIFAO XVII,1920, 39-101

Mordtmann, J. — Himjarische Inschriften und Altertümer. 1893

Mordtmann, J. - Mittwoch, E. — Himjarische Inschriften in den Staatlichen Museen zu Berlin. MVAeG 37,1,1932

Nielsen, D. — Ras Šamra Mythologie und Biblische Theologie. Abhandlungen für die Kunde des Morgenlandes 21,4,1936

Nielsen, D. — Der sabäische Gott Ilmuḳah. MVAeG 14,4,1909

Répertoire d'Épigraphie Sémitique publié par la commission du Corpus Inscriptionum Semiticarum sous la direction de Ch. Clermont-Ganneau avec le concours de J.B. Chabot. Paris 1900 [abgek.: RES]

Ryckmans, R. — Les noms propres sud-sémitiques. I. Bibl. du Muséon 2,1934

Ryckmans, G. — Les religions arabes préislamiques. Bibl. du Muséon 26,1951

Wellhausen, J. — Reste arabischen Heidentums. 3. Aufl. 1961 (=1927)

Winckler, H. — Die säbischen Inschriften der Zeit Alhan Nahfan's. MVAG 1897

von Wißmann, H. — Bauer, Nomade und Stadt im islamischen Orient. In: Welt des Islam und die Gegenwart, 1961, 22-63

von Wißmann, H. — Sammlung Eduard Glaser III. SAW phil.-hist. Kl., 246,1964

4. *Syrien-Palästina*

Aistleitner, J. — Wörterbuch der ugaritischen Sprache, hrsg. v. O. Eißfeldt. BAL phil.-hist. Kl. 106,3, 3. Aufl. 1967

Baethgen, F. — Beiträge zur semitischen Religionsgeschichte. 1888

Bauer, Th. — Die Ostkanaanäer. 1926

Cantineau, J. — Textes palmyrénnaiens provenant de la fouille du temple de Bēl. Syria 12,1931, 116-141

Cazelles, H. — Essai sur le pouvoir de la divinité à Ugarit et en Israel. Ugaritica VI,1969, 25-44

Dahood, M. — Ancient Semitic Deities in Syria and Palestine. In: Le Antiche Divinità Semitiche (hrsg. v. S. Moscati), Studi Semitici 1, Roma 1958, 65-94

Dalman, G. — Neue Petra-Forschungen und der heilige Felsen von Jerusalem. Palästinensische Forschungen zur Archäologie und Topographie II, 1912

Dalman, G. — Petra und seine Felsheiligtümer. 1908

Donner, H. — Ein Orthostatenfragment des Königs Barrakab von Sam'al. MIO III,1,1955, 73-98

Donner, H. - Röllig, W. — Kanaanäische und aramäische Inschriften. Bd. I-III,1962-1964 [abgek.:KAI]

Dossin, G. — Une lettre de Iarîm-lim, roi d'Alep, à Iašûb-Iaḫad, roi de Dîr. Syria 33,1956, 63-69

Dussaud, R. — Les Arabes en Syrie avant l'Islam. Paris 1907

Dussaud, R. — Les religions des Hittites et des Hourrites, des Phéniciens et des Syriens. "Mana" 1,II,331ff. Paris 1949

Eißfeldt, O. — El im ugaritischen Pantheon. 1951

Euler, K.F. — Königtum und Götterwelt in den altaramäischen Inschriften Nordsyriens. ZAW 56, 1938, 272-313

Friedrich, J. — Das bildhethitische Siegel des Br-Rkb von Sam'al. OrNS 26,1957, 345-347

Gese, H. — In: Gese, H. - Höfner, M. - Rudolph, K.: Die Religionen Altsyriens, Altarabiens und der Mandäer. 1970

Goetze, A. — The Tenses of Ugaritic. JAOS 58,1938, 266-309

Gordon, C.H. — Ugaritic Literature. Roma 1949

Gordon, C.H. — Ugaritic Manual. AnOr 35,1955

Gordon, C.H. — Ugaritic Textbook. AnOr 38,1965

Gray, J. — The Krt-Text in the Literature of Ras Shamra. Leiden 1964

Gray, J. — Social Aspects of Canaanite Religion. VTS 15,1966, 170-192

Gröndahl, F. — Die Personennamen der Texte aus Ugarit. Studia Pohl 1,1967

Jean, Ch.-F. - Hoftijzer, J. — Dictionnaire des inscriptions sémitiques de l'ouest. Leiden 1965

Kenyon, K.M. — Digging up Jericho. London 1957

Knudtzon, J.A. — Die El-Amarna-Tafeln. VAB 1,1915

Koch, K. — Die Sohnesverheißung an den ugaritischen Daniel. ZA NF 24 (=58),1967, 211-221

Lidzbarski, M. — Ephemeris für Semitische Epigraphik. 1902-1915

May, H.G. - Engberg, R.M. — Material Remains of the Megiddo Cult. OIP XXVI,1935

Milik, J.T. — Nouvelles inscriptions nabatéennes. Syria 35,1958, 227-251

Nielsen, D. — Ras Šamra Mythologie und Biblische Theologie. 1936

Obermann, J. — How Daniel Was Blessed with a Son. Suppl. to JAOS 6,1946

Pope, M.H. - Röllig, W. — Syrien. In: Wörterbuch der Mythologie I: Götter und Mythen im Vorderen Orient (hrsg. v. H.W. Haussig),1965, 217-312 [abgek.: Pope-Röllig, WM I/1]

Römer, W.H.Ph. — Frauenbriefe über Religion, Politik und Privatleben in Māri. AOAT 12,1971

Savignac, Fr.M.R. — Inscriptions nabatéennes. RB 42,1933, 407-422

Savignac, Fr.M.R. — Inscriptions nabatéennes (suite). RB 43, 1934, 574-578

Savignac, R. - Starcky, J. — Une inscription nabatéenne provenant du Djôf. RB 64,1957, 196-217

Starcky, J. — Art. Palmyre. DBS VI,1960, 1066-1103

Starcky, J. — Art. Pétra et la Nabatène. DBS VII,1966, 886-1017

de Vaux, R. — El et Baal, le dieu des pères et Yahweh. Ugaritica VI,1969, 501-517

Virolleaud, Ch. — Sur quatre fragments alphabétiques trouvés à Ras Shamra en 1934. Syria 16,1935, 181-187

II. Literatur zum 2. Teil (Altes Testament)

Albrektson, B. — History and the Gods. Lund 1963

Albright, W.F. — The Names Shaddai and Abram. JBL 54,1935, 173-204

Albright, W.F. — Die Religion Israels im Lichte der archäologischen Ausgrabungen. 1956

Albright, W.F. — Von der Steinzeit zum Christentum. 1949

Alt, A. — Der Gott der Väter. Kl. Schr. I,1953, 1-78 (= BWANT III,12,1929)

Alt, A. — Zum "Gott der Väter". PJB 36,1940, 100-103

Alt, A. — Die Staatenbildung der Israeliten in Palästina. Kl. Schr. II,1953, 1-165 (= Reformationsprogramm der Universität Leipzig 1925)

Alt, A. — Die Wallfahrt von Sichem nach Bethel. Kl. Schr. I,1953, 79-88

Andersen, K.T. — Der Gott meines Vaters. StTh 16,1962, 170-188

Baentsch, B. — Exodus - Leviticus (HAT I,2),1903

Balla, E. — Das Ich der Psalmen. FRLANT 16,1912

Balla, E. — Das Problem des Leides in der Geschichte der israelitisch - jüdischen Religion. Eucharisterion für H. Gunkel, Bd. 1,1923, 214-260

Barth, C. — Einführung in die Psalmen. BSt 32,1961

Barth, C. — Die Errettung vom Tode in den individuellen Klage- und Dankliedern des Alten Testamentes. Zollikon 1947

Baudissin, W.W. Graf — 'Gott schauen' in der alttestamentlichen Religion. ARW 18,1915, 173-239

Baudissin, W.W. Graf — Kyrios als Gottesname im Judentum und seine Stelle in der Religionsgeschichte. Teil III, hrsg. v. O. Eißfeldt. 1929

Becker, J. — Israel deutet seine Psalmen. SBS 18,1966

Beer, G. - Meyer, R. — Hebräische Grammatik. Bd. I. Sammlung Göschen 763/763a,1952

Begrich, J. — Die Vertrauensäußerungen im israelitischen Klagelied des Einzelnen und in seinem Babylonischen Gegenstück. Ges. St., TB 21, 1964, 168-216 (= ZAW 46,1928, 221-260)

Begrich, J.	Das priesterliche Heilsorakel. Ges. St., TB 21,1964, 217-231 (= ZAW 52,1934, 81-92)
Begrich, J.	Studien zu Deuterojesaja, hrsg. v. W. Zimmerli, TB 20,1963
Benzinger, I.	Hebräische Archäologie. 3. Aufl. 1927
Bernhardt, K.H.	Das Problem der altorientalischen Königsideologie im Alten Testament unter besonderer Berücksichtigung der Geschichte der Psalmenexegese dargestellt und kritisch gewürdigt. VTS 8,1961
Bertram, G.	ᶜΙΚΑΝΟΣ in den griechischen Übersetzungen des ATs als Wiedergabe von schaddaj. ZAW 70,1958, 20-31
Beyerlin, W.	Die Rettung der Bedrängten in den Feindpsalmen der Einzelnen auf institutionelle Zusammenhänge untersucht. FRLANT 99,1970
Birkeland, H.	Die Feinde des Individuums in der israelitischen Psalmenliteratur. Oslo 1933
Blau, L.	Das altjüdische Zauberwesen. 1898
Böhl, F.M.Th. de Liagre	Die Sprache der Amarnabriefe mit besonderer Berücksichtigung der Kanaanismen. 1909
Botterweck, G.J.	Warum hast du mich verlassen? BuL 6,1965, 61-68
Brockelmann, C.	Hebräische Syntax. 1956
Buber, M.	Der Glaube der Propheten. Zürich 1950
Buber, M.	Königtum Gottes. 3. Aufl. 1956
Busink, Th.A.	Der Tempel von Jerusalem. Leiden 1970
Caquot, A.	Chadrapha. A propos de quelques articles récents. Syria 29,1952, 74-88
Caquot, A.	Le Psaume XCI. Semitica 8,1958, 21-37
Caquot, A.	Sur quelques démons de l'Ancien Testament (Reshep, Qeteb, Deber), Semitica 6,1956, 53-68
Cazelles, H.	Der Gott der Patriarchen. BuL 2,1961, 39-49
Cazelles, H.	Etudes sur le Code de l'Alliance. Paris 1946
Cazelles, H.	Art. Patriarches. DBS VII,1966, 81-156
Cooke, G.	The Israelite King as Son of God. ZAW 73, 1961, 202-225
Cross jr., F.M.	Yahweh and the God of the Patriarchs. HThR 55,1962, 225-259
Cross jr., F.M. - Freedman, D.N.	A Royal Song of Thanksgiving: II Samuel 22 = Psalm 18a. JBL 72,1953, 15-34

Dalman, G. Arbeit und Sitte. Bd. VI,1939 [abgek.: AuS]

Delekat, L. Asylie und Schutzorakel am Zionsheiligtum. Leiden 1967

Delitzsch, Friedr. Prolegomena eines neuen hebräisch-aramäischen Wörterbuchs zum Alten Testament. 1886

Dhorme, E. La religion des Hébreux nomades. Tome I. Bruxelles 1937

Döller, J. Die Reinheits- und Speisegesetze des Alten Testaments. ATA VII,2-3,1917

Donner, H. Zu Gen 28,22. ZAW 74,1962, 68-70

Draffkorn, A.E. Ilāni/Elohim. JBL 76,1957, 216-224

Duhm, B. Die Psalmen. (KHC XIV), 2. Aufl. 1922

Duhm, H. Die bösen Geister im Alten Testament. 1904

Dussaud, R. Les origines cananéennes du sacrifice israélite. Paris 1921

Ehrlich, E.L. Der Traum im Alten Testament. BZAW 73,1953

Eichrodt, W. Theologie des Alten Testaments. Bd. 2,1935

Eißfeldt, O. Baʿalšamēm und Jahwe. Kl. Schr. II,1963, 171-198 (= ZAW 57,1939, 1-31)

Eißfeldt, O. El und Jahwe. Kl. Schr. III,1966, 386-397 (= JSS 1,1956, 25-37)

Eißfeldt, O. Der Gott Bethel. Kl. Schr. I,1962, 206-233 (= ARW 28,1930, 1-30)

Eißfeldt, O. Gott und Götzen im Alten Testament. Kl. Schr. I,1962, 266-273 (= ThStKr 103,1931, 151-160)

Eißfeldt, O. Der Gott des Tabor und seine Verbreitung. Kl. Schr. II,1963, 29-54 (= ARW 31,1934, 14-41)

Eißfeldt, O. Hexateuchsynopse. 1922 (=1962)

Eißfeldt, O. Jahwe, der Gott der Väter. Kl. Schr. IV, 1968, 79-91 (= ThLZ 88,1963, 481-490)

Eißfeldt, O. Jahwes Verhältnis zu ʿEljon und Schaddaj nach Psalm 91. WO 2,1954-1959, 343-348

Eißfeldt, O. "Mein Gott" im Alten Testament. Kl. Schr. III,1966, 35-47 (= ZAW 61,1945-1948, 3-16)

Eißfeldt, O. Neue Götter im Alten Testament. Kl. Schr. II,1963, 145f.

Elliger, K. Art. Ephod. RGG 3. Aufl., Bd. II, 521f.

Elliger, K. Leviticus (HAT I,4),1966

Elliger, K. Jesaja II. BK XI,1,1970ff

Elliger, K. Art. Teraphim. RGG 3. Aufl., Bd. VI, 690f

Engnell, I. — Studies in Divine Kingship in the Ancient Near East. 2. Aufl. Oxford 1967

Fohrer, G. — Altes Testament - "Amphiktyonie" und "Bund"? Studien zur alttestamentlichen Theologie und Geschichte (1949-1966), BZAW 115,1969, 84-119 (= ThLZ 91,1966, 801-816.894-903)

Fohrer, G. — Art. Amulett. BHH, Bd. I, 90f

Fohrer, G. — Art. Beschwörung. BHH, Bd. I, 225f

(Sellin, E. -) Fohrer, G. — Einleitung in das Alte Testament. 10. Aufl. 1965

Fohrer, G. — Geschichte der israelitischen Religion. 1969

Fohrer, G. — Die symbolischen Handlungen der Propheten. AThANT 54, 2. Aufl. 1968

Fohrer, G. — Art. Zauberei. BHH, Bd. III, 2204f

Fohrer, G. — Art. Zion-Jerusalem im Alten Testament. ThW VII, 292-318

de Fraine, J. — Adam und seine Nachkommen. 1962

de Fraine, J. — Le "dêmon du midi" (Ps 91 [90],6). Bibl 40, 1959, 372-383

de Fraine, J. — L'aspect religieux de la royautê israêlite. AnBibl 3,1954

Frankfort, H. — Kingship and the Gods. 2. Aufl. Chicago 1955

Friedrich, I. — Ephod und Choschen im Lichte des Alten Orients. Wiener Beiträge zur Theologie, XX, 1968

Galling, K. — Bethel und Gilgal. ZDPV 66,1943, 140-155 und 67,1944, 21-43

Galling, K. — Der Gott Karmel und die Ächtung der fremden Götter. In: Geschichte und Altes Testament. Fs. A. Alt. BHTh 16,1953, 105-125

Galling, K. — Königliche und nichtkönigliche Stifter beim Tempel von Jerusalem. ZDPV 68,1946-1951, 134-142

Galling, K. — Biblisches Reallexikon (HAT I,1),1937

Galling, K. — Textbuch zur Geschichte Israels. Hrsg. in Verbindung mit E. Edel und R. Borger. 2. Aufl. 1968

Gese, H. — Der Davidsbund und die Zionserwählung. ZThK 61,1964, 10-26

Gese, H. — Psalm 22 und das Neue Testament. ZThK 65, 1968, 1-22

Gesenius, W. - Buhl, F. — Hebräisches und aramäisches Handwörterbuch, bearb. v. F. Buhl. 16. Aufl. 1915 Neudruck 1962

Gesenius, W. Thesaurus philologicus criticus linguae Hebraeae et Chaldaeae Veteris Testamenti. Leipzig 1829-1842

Gesenius, W. - Kautzsch, E. Hebräische Grammatik. Bearb. v. E. Kautzsch. 28. Aufl. 1909

Gordon, C.H. The Story of Jacob and Laban in the Light of the Nuzi Tablets. BASOR 66,1937, 25-27

Greenberg, M. Another Look at Rachel's Theft of the Teraphim. JBL 81,1962, 239-248

Greßmann, H. Die Anfänge Israels. SAT I,2,1922

Gunkel, H. Genesis. (HAT I,1) 7. Aufl. 1966

Gunkel, H. Die Psalmen (HAT II,2) 5. Aufl. 1968

Gunkel, H. Die Urgeschichte und die Patriarchen (Das erste Buch Mose). SAT I,1,1911

Gunkel, H. - Begrich, J. Einleitung in die Psalmen (HAT Erg. Bd.), 1933

Haran, M. The Religion of the Patriarchs. Annual of the Swedish Theological Institute, IV,1965, 30-55

Hasenzahl, W. Die Gottverlassenheit des Christus nach dem Kreuzeswort bei Matthäus und Markus und das christologische Verständnis des griechischen Psalters. BFCTH 39,1,1937

Haupt, P. Die Schlacht von Taanach. Fs. Wellhausen, BZAW 27,1914, 191-225

Heaton, E.W. Biblischer Alltag. o.J.

Hehn, J. Die biblische und babylonische Gottesidee. 1913

Hempel, J. Altes Testament und Religionsgeschichte. ThLZ 81,1956, 259-280

Hempel, J. Gott und Mensch im Alten Testament. BWANT III,2 (=38), 2. Aufl. 1936

Hempel, J. "Ich bin der Herr, dein Arzt" (Ex 15,26). ThLZ 82,1957, 809-826

Herrmann, S. Die Königsnovelle in Ägypten und in Israel. Fs. A. Alt. WZ Leipzig 3,1953/54, 33-44

Hertzberg, H.W. Die Bücher Josua, Richter, Ruth. (ATD 9), 3. Aufl. 1965

Hoffmann, G. Ueber einige phönikische Inschriften. AGG phil.-hist. Kl. 36,1890, 3-59

Hoffmann - Greßmann, H. Teraphim. ZAW 40,1922, 75-137

Hoftijzer, J. Die Verheißungen an die drei Erzväter. Leiden 1956

Hooke, S.H. (Ed.) Myth, Ritual, and Kingship. Oxford 1958

Horst, F.	Art. Dekalog. RGG^3,II, 69-71
Horst, F.	Hiob 1-19. (BK XVI,1),1968
Horst, F.	Das Privilegrecht Jahwes. Gottes Recht. Ges. St. zum Recht im Alten Testament. TB 12,1961, 17-154
Hyatt, J.Ph.	The Deity Bethel and the Old Testament. JAOS 59,1939, 81-98
Hyatt, J.Ph.	Yahweh as "the God of my Father". VT 5, 1955, 130-136
Jirku, A.	Die Dämonen und ihre Abwehr im Alten Testament. 1912
Johnson, A.R.	Sacral Kingship in Ancient Israel. 2. Aufl. Cardiff 1967
Kaupel, H.	Ps 91 (Vulg. 90: "Qui habitat in adjutorio Altissimi") und die Dämonen. ThGl 16,1924, 174-179
Keel, O.	Feinde und Gottesleugner. SBM 7,1969
Kerber, G.	Die religionsgeschichtliche Bedeutung der hebräischen Eigennamen im Alten Testament. 1897
Kittel, R.	Der Gott Bet'el. JBL 44,1925, 123-153
Koch, K.	Wort und Einheit des Schöpfergottes in Memphis und Jerusalem. ZThK 62,1965, 251-293
Köhler, L.	Der hebräische Mensch. 1953
Köhler, L.	Psalm 23. ZAW 68,1956, 227-234
Köhler, L.	Theologie des Alten Testaments. 4. Aufl. 1966
Köhler, L. - Baumgartner, W.	Lexicon in Veteris Testamenti Libros. Leiden 1953
Köhler, L. - Baumgartner, W.	Hebräisches und aramäisches Lexikon zum Alten Testament. 3. Aufl. v. W. Baumgartner, B. Hartmann u. E.Y. Kutscher. Leiden 1967ff
Kraus, H.J.	Psalmen. (BK XV) 3. Aufl. 1966
Kutsch, E.	Art. b^erīt. Verpflichtung. THAT I, 339-352
Kutsch, E.	"Bund" und Fest. ThQ 150,1970, 299-320
Kutsch, E.	Die Dynastie von Gottes Gnaden. ZThK 58, 1961, 137-153
Kutsch, E.	Gesetz und Gnade. ZAW 79,1967, 18-35
Kutsch, E.	Gideons Berufung und Altarbau Jdc 6,11-24. ThLZ 81,1956, 75-84
Kutsch, E.	Salbung als Rechtsakt im Alten Testament und im Alten Orient. BZAW 87,1963

Landersdorfer, S. — Das daemonium meridianum (Ps 91 [90],6). BZ 18,1929, 294-300

Lewy, J. — Les textes paléo-assyriens et l'Ancient Testament. RHR 110,1934, 29-65

Lipinski, E. — Le poème royal du psaume LXXXIX 1-5.20-38. Cahiers de la Revue Biblique 6,1967

Lods, A. — Les idées des Israélites sur la maladie, ses causes et ses remèdes. Fs. Marti, BZAW 41,1925, 181-193

Lohfink, N. — Welchem Gott brachte Abraham seine Opfer dar? Theologische Akademie, hrsg. v. K. Rahner u. O. Semmelroth, Bd. 1,1965, 9-26

Maag, V. — Der Hirte Israels. SchThU 28,1958, 2-28

Maag, V. — Malkût Jhwh. VTS 7,1960, 129-153

Maag, V. — Sichembund und Vätergötter. In: Hebräische Wortforschung, Fs. W. Baumgartner, VTS 16, 1967, 205-218

MacLaurin, E.C.B. — Shaddai. Abr-Nahraim 3,1961/62, 99-118

Mandelkern, S. — Veteris Testamenti Concordantiae Hebraicae atque Chaldaicae. 7. Aufl. Tel Aviv 1967

May, H.G. - Engberg, R.M. — Material Remains of the Megiddo Cult. OIP 26,1935

May, H.G. — The Patriarchial Idea of God. JBL 60,1941, 113-128

Meyer, E. — Der Papyrusfund von Elephantine. 1912

Möhlenbrink, K. — Der Tempel Salomos. BWANT 59,1932

Morgenstern, J. — The Ark, the Ephod and the Tent of Meeting. HUCA 17,1942/43, 153-265; 18,1943/44, 1-52

Morgenstern, J. — Psalm 23. JBL 65,1946, 13-24

Mowinckel, S. — Psalmenstudien II u. III. 1961 (=1921-24)

Mulder, M.J. — Baʿal in het Oude Testament. Den Haag 1962

Nicolsky, N. — Spuren magischer Formeln in den Psalmen. BZAW 46,1927

Nielsen, E. — The Burial of the Foreign Gods. StTh 8,1955, 103-123

Nöldeke, Th. — Besprechung von Fr. Delitzsch: Prolegomena eines neuen hebräisch-aramäischen Wörterbuchs zum Alten Testament. ZDMG 40,1886, 718-743

Nötscher, F. — "Das Angesicht Gottes schauen" nach biblischer und babylonischer Auffassung. 1924

Nötscher, F. — Biblische Altertumskunde. HSAT Erg. Bd. III, 1940

North, C.R. — The Religious Aspects of Hebrew Kingship. ZAW 50,1932, 8-38

Noth, M. — The Background of Judges 17-18. In: Israel's Prophetic Heritage. Essays in Honor of James Muilenburg, ed. B.W. Anderson and W. Harrelson. New York 1962, 68-85

Noth, M. — Das zweite Buch Mose. Exodus. (ATD 5), 3. Aufl. 1965

Noth, M. — Geschichte Israels. 4. Aufl. 1959

Noth, M. — Gott, König, Volk im Alten Testament. Ges. St., TB 6,1957, 188-229 (= ZThK 47,1950, 157-191)

Noth, M. — Die israelitischen Personennamen im Rahmen der gemeinsemitischen Namengebung. BWANT III,10 (=46),1928

Noth, M. — Das System der zwölf Stämme Israels. BWANT IV,1 (=52),1930

Noth, M. — Überlieferungsgeschichte des Pentateuch. 1948

Nyberg, H.S. — Studien zum Religionskampf im Alten Testament. ARW 35,1938, 329-387

Ohata, K. — Das religiöse Leben in der Zeit des israelitischen Königtums. Orient 5, 7-39

von Oppenheim, M. Frhr. — Die Beduinen. Bd. I,1939

Parrot, A. — Der Louvre und die Bibel. Bibel und Archäologie V,1961

Parrot, A. — Der Tempel von Jerusalem und Golgatha und das Heilige Grab. Bibel und Archäologie II,1956

Pedersen, J. — Israel. Bd. I-IV. London/Copenhagen 2. Aufl. 1946-1947

Perlitt, L. — Bundestheologie im Alten Testament. WMANT 36,1969

Preuß, H.D. — "... ich will mit dir sein!" ZAW 80,1968, 139-173

Preuß, H.D. — Jahweglaube und Zukunftserwartung. BWANT 87,1968

Preuß, H.D. — Verspottung fremder Religionen im Alten Testament. BWANT 92,1971

Puukko, A.F. — Der Feind in den Psalmen. OTS 8,1950, 47-65

von Rad, G. — Das erste Buch Mose. Genesis. (ATD 2/4), 7. Aufl. 1964

von Rad, G. — Das fünfte Buch Mose. Deuteronomium. (ATD 8),1964 von Rad, G. — Art. δόξα C. כָּבוֹד im AT. ThW II, 240-245

von Rad, G. — "Gerechtigkeit" und "Leben" in der Kultsprache der Psalmen. Ges. St., TB 8, 3. Aufl. 1965, 225-247 (= Fs. Bertholet, 1950, 418-437)

von Rad, G. — Das judäische Königsritual. Ges. St., TB 8, 3. Aufl. 1965, 205-213 (= ThLZ 72,1947, 211-216)

von Rad, G. — Josephsgeschichte und ältere Chokma. Ges. St., TB 8, 3. Aufl. 1965, 272-280 (= VTS 1,1953, 120-127)

von Rad, G. — Theologie des Alten Testaments. Bd. I, 6. Aufl. 1969 [abgek.: v. Rad, ThAT I]

von Rad, G. — Das theologische Problem des alttestamentlichen Schöpfungsglaubens. Ges. St., TB 8, 3. Aufl. 1965, 136-147 (= BZAW 66,1936, 138-147)

Redford, D.B. — A Study of the Biblical Story of Joseph. VTS 20,1970

Rendtorff, R. — Die Entstehung der israelitischen Religion als religionsgeschichtliches und theologisches Problem. ThLZ 88,1963, 735-746

Rendtorff, R. — Die theologische Stellung des Schöpfungsglaubens bei Deuterojesaja. ZThK 51,1954, 3-13

Resch, A. — Der Traum im Heilsplan Gottes. 1964

Richter, W. — Das Gelübde als theologische Rahmung der Jakobsüberlieferungen. BZ 11,1967, 21-52

Riessler, P. — Altjüdisches Schrifttum außerhalb der Bibel. 2. Aufl. 1966

Ringgren, H. — Art. Geister, Dämonen, Engel II: Im AT, Judentum und NT. RGG 3 Aufl., Bd. II, 1301-1303

Ringgren, H. — Israelitische Religion. Die Religionen der Menschheit Bd. 26,1963

Ringgren, H. — Psalmen. Urban Bücher 120,1971

Rost, L. — Die Überlieferung von der Thronnachfolge Davids. BWANT III,6,1926

Rost, L. — Die Vorstufen von Kirche und Synagoge im Alten Testament. BWANT IV,24 (=76),1938

Rost, L. — Weidewechsel und altisraelitischer Festkalender. In: Das kleine geschichtliche Credo und andere Studien zum Alten Testament, 1965, 101-112 (= ZDPV 66,1943, 205-215)

Ruppert, L. — Die Josephserzählung der Genesis. Studien zum Alten u. Neuen Testament XI,1965

Scheftelowitz, I. — Das Schlingen- und Netzmotiv im Glauben und Brauch der Völker. RVV XII,2,1912

Schmidt, H. — Das Gebet der Angeklagten im Alten Testament. BZAW 49,1928

Schmidt, H. — Der heilige Fels in Jerusalem. 1933

Schmidt, H. — Die Psalmen. (HAT I,15),1934

Schmidt, L. — Menschlicher Erfolg und Jahwes Initiative. WMANT 38,1970

Schmidt, W.H. — Art. ʾēl Gott. THAT I, 142-149

Schmidt, W.H. — Alttestamentlicher Glaube und seine Umwelt. 1968

Schmidt, W.H. — Das erste Gebot. ThEx 165,1969

Schmitt, G. — Der Landtag zu Sichem. ATh I,15,1964

Schreiner, J. — Verlangen nach Gottes Nähe und Hilfe. Auslegung von Psalm 42/43. BuL 10,1969, 254-264

Schult, H. — Amos 7,15a und die Legitimation des Außenseiters. Probleme biblischer Theologie. Fs. G. v. Rad, 1971, 462-478

Schwally, F. — Miscellen. ZAW 11,1891, 169-183

Schwarzwäller, K. — Die Feinde des Individuums in den Psalmen. Diss. theol. Hamburg 1963

Seebaß, H. — Der Erzvater Israel und die Einführung der Jahweverehrung in Kanaan. BZAW 98,1966

Seidel, H. — Das Erlebnis der Einsamkeit im Alten Testament. ThA 29,1969

Sellin, E. — Geschichte des israelitisch - jüdischen Volkes, Bd. I,1924

Sellin, E. — Das israelitische Ephod. Orientalische Studien Th. Nöldeke zum 70. Geburtstag gewidmet, 1906, 609-717

Sellin, E. — Seit welcher Zeit verehrten die nordisraelitischen Stämme Jahwe? Oriental Studies Published in Commemoration of Paul Haupt. Baltimore-Leipzig 1926, 124-134

Smend, R. (sen.) — Lehrbuch der alttestamentlichen Religionsgeschichte. 1893

Smend, R. (sen.) — Ueber das Ich der Psalmen. ZAW 8,1888, 49-147

Smend, R. (jun.) — Art. Ephod. BHH I,420

Smith, S. — What were the Teraphim? JThSt 33,1932, 33-36

Smith, W.R. Die Religion der Semiten. 1899

Speiser, E.A. ṬWṬPT. JQR 48,1957/58, 208-217

Stade, B. Geschichte des Volkes Israel, Bd. I, 2. Aufl. 1889

Staerk, W. Die Gottlosen in den Psalmen. ThStKr 70, 1897, 449-488

Stamm, J.J. Ein Vierteljahrhundert Psalmenforschung. ThR NF 23,1955, 1-68

Stolz, F. Strukturen und Figuren im Kult von Jerusalem. BZAW 118,1970

Strack, H.L. - Billerbeck, P. Kommentar zum Neuen Testament aus Talmud und Midrasch. IV,1: Exkurse zu einzelnen Stellen des Neuen Testaments. 1928

Stummer, F. Sumerisch-akkadische Parallelen zum Aufbau alttestamentlicher Psalmen. Studien zur Geschichte und Kultur des Altertums XI,1/2,1922

Thiersch, H. Ependytes und Ephod. 1936

Torczyner, H. Das literarische Problem der Bibel. ZDMG NF 10,1931, 287-324

van Unnik, W.C. Dominus vobiscum: The Background of a Liturgical Formula. New Testament Essays, Studies in Memory of T.W. Manson (ed. A.J. B. Higgins), 1959, 270-305

de Vaux, R. Das Alte Testament und seine Lebensordnungen. Bd. I,1960

de Vaux, R. Le roi d'Israel, vassal de Yahvé. Mélanges Eugène Tisserant, Vol. I. Vatikanstadt 1964, 119-133

de Vaux, R. Die Patriarchenerzählungen und die Geschichte. SBS 3, 2. Aufl. 1968

Vetter, D. Jahwes Mitsein als Ausdruck des Segens. ATh I,45,1971

Vincent, A. La religion des Judéo-Araméens d'Elephantine. Paris 1937

Vogt, E. The 'Place in Life' of Ps 23. Bibl 34,1953, 195-211

Wächter, L. Gemeinschaft und Einzelner im Judentum. ATh 5,1961

Wächter, L. Der Tod im Alten Testament. ATh II,8,1967

v. Waldow, H.E. "... denn ich erlöse dich". BSt 29,1960

Wanke, G. Die Zionstheologie der Korachiten in ihrem traditionsgeschichtlichen Zusammenhang. BZAW 97,1966

Weber, M. — Gesammelte Aufsätze zur Religionssoziologie. Bd. III: Das antike Judentum. 1923

Weidmann, H. — Die Patriarchen und ihre Religion im Licht der Forschung seit Julius Wellhausen. FRLANT 94,1968

Weippert, M. — Die Landnahme der israelitischen Stämme in der neueren wissenschaftlichen Diskussion. FRLANT 92,1967

Weippert, M. — Erwägungen zur Etymologie des Gottesnamens 'Ēl Šaddaj. ZDMG 111,1961, 42-62

Weiser, A. — Die Legitimation des Königs David. VT 16, 1966, 325-354

Weiser, A. — Die Psalmen. (ATD 14/15) 6. Aufl. 1963

Weiß, H.F. — Art. Baal. BHH I,173f

Wellhausen, J. — Israelitische und jüdische Geschichte. 7. Aufl. 1914

Wellhausen, J. — Reste arabischen Heidentums. 3. Aufl. 1961 (=1927)

Westermann, C. — Arten der Erzählung in der Genesis. In: Forschung am Alten Testament. Ges. St., TB 24,1964, 9-91

Westermann, C. — Die Begriffe für Fragen und Suchen im Alten Testament. KuD 6,1960, 2-30

Westermann, C. — Gewendete Klage. Eine Auslegung von Psalm 22. 1957

Westermann, C. — Der Psalter. 1967

Westermann, C. — Struktur und Geschichte der Klage im Alten Testament. Forschung am Alten Testament. Ges. St., TB 24,1964, 266-305 (= ZAW 66, 1954, 44-80)

Widengren, G. — The Accadian and Hebrew Psalms of Lamentation as Religious Documents. Stockholm 1937

Widengren, G. — Sakrales Königtum im Alten Testament und im Judentum. 1955

Wiegand, A. — Der Gottesname צור und seine Deutung in dem Sinne Bildner oder Schöpfer in der alten jüdischen Literatur. ZAW 10,1890, 85-96

Wildberger, H. — Jesaja. (BK X),1965ff

Wirth, E. — Das Problem der Nomaden im heutigen Orient. Geographische Rundschau 21,1969, 41-51

Wohlstein, H. — Zur Tier-Dämonologie der Bibel. ZDMG 113, 1964, 483-492

Wolff, H.W. — Dodekapropheton. Amos (BK XIV,8),1969

Wolff, H.W. — Das Ende des Heiligtums in Bethel. Archäologie und Altes Testament. Fs. K. Galling, 1970, 287-298

Wolff, H.W. — Das Zitat im Prophetenspruch. Ges. St., TB 22,1964,36-129 (= EvTh Beih 4,1937)

Wright, G.E. — Biblische Archäologie. 1958

Zimmerli, W. — Ezechiel. (BK XIII) 1969

Zimmerli, W. — Erkenntnis Gottes nach dem Buche Ezechiel. Gottes Offenbarung. Ges. Aufs., TB 19,1963, 41-119

Ziegler, J. — Die Hilfe Gottes "am Morgen". Alttestamentliche Studien Fr. Nötscher zum 60. Geburtstag gewidmet, BBB 1,1950, 281-288

van Zyl, A.H. — Psalm 23. Studies on the Psalms. Papers read at 6th meeting held at the Potchefstroom University for C.H.E. Potchefstroom 1963, 64-83

III. Allgemeine Literatur

Bonnet, H. — Reallexikon der ägyptischen Religionsgeschichte. 1952

Chantepie de la Saussaye — Lehrbuch der Religionsgeschichte. Hrsg. v. A. Bertholet u. E. Lehmann, Bd. II, 4. Aufl. 1925

Eisenhut, W. — Art. Genius. Der Kleine Pauly, Bd. 2,1967, 741f

Gardthausen, V. — Augustus und seine Zeit. Bd. I, 1891

Greven, L. — Der Ka in Theologie und Königskult der Ägypter des alten Reiches. ÄF 17,1952

Heiler, F. — Das Gebet. 1918

Helck, W. — Ägypten. In: Wörterbuch der Mythologie. Bd. I/1: Götter und Mythen im Vorderen Orient. Hrsg. v. H.W. Haussig. 1965

Höfer — Art. Patrooi theoi. In: Ausführliches Lexikon der griechischen und römischen Mythologie. Hrsg. v. W.H. Roscher. 1884-1890. Bd. III,2,1713ff

v. d. Leeuw, G. — External Soul, Schutzgeist und der ägyptische Ka. ZÄA 54,1918, 56-64

Michl, J. — Art. Schutzengel. LThK 9,522f

Nilsson, M.P. — Geschichte der griechischen Religion. Handbuch der Altertumswissenschaft, begr. v. I. v. Müller, erw. v. W. Otto, fortgef. v. H. Bengtson. Bd. V,2, 3. Aufl. 1967

Otto, E. — Der Mensch als Geschöpf und Bild Gottes in Ägypten. Probleme biblischer Theologie (Fs. v. Rad), 1971, 335-348

Petersen, Ch. — Der Hausgottesdienst der alten Griechen. 1851

Ranke, H. — Die ägyptischen Personennamen. Bd. II,1952

Schweitzer, U. — Das Wesen des Ka im Diesseits und Jenseits des alten Ägypten. ÄF 19,1956

Stutz, U. — Die Eigenkirche als Element des mittelalterlich-germanischen Kirchenrechts. 1955 (=1895)

REGISTER

I. Götter

II. Personen

III. Sachen

IV. Stellen

1. Außerbiblische Texte

a. *Sumerische und akkadische Texte*

b. *Hethitische Texte*

c. *Arabische Texte*

d. *Syrisch-palästinensische Texte*

2. Bibelstellen

(Psalmen)

(Psalmen)

(Psalmen)

A B K Ü R Z U N G S V E R Z E I C H N I S

Die Abkürzungen entsprechen im wesentlichen den in W. v. Soden, Akkadisches Handwörterbuch, 1958ff und Die Religion in Geschichte und Gegenwart, 3. Aufl. hrsg. v. K. Galling, 1956ff verwendeten.

AAA	Annals of Archaeology and Anthropology
AbB	Altbabylonische Briefe in Umschrift und Übersetzung. Hrsg. v. F.R. Kraus, 1964ff
ÄF	Ägyptologische Forschungen
AfO (Beih)	Archiv für Orientforschung (Beihefte)
AGG	Abhandlungen der Gesellschaft der Wissenschaften zu Göttingen
AnBibl	Analecta Biblica
ANEP	The Ancient Near East in Pictures Relating to the Old Testament. Ed. J.B. Pritchard, 1954
ANET	Ancient Near Eastern Texts Relating to the Old Testament. Ed. J.B. Pritchard, 2. ed. 1955
AnOr	Analecta Orientalia
AnSt	Anatolian Studies
AO	Der alte Orient
AOAT	Alter Orient und Altes Testament
AOB	Altorientalische Bibliothek
AOS	American Oriental Series
ARW	Archiv für Religionswissenschaft
ATA	Alttestamentliche Abhandlungen
ATD	Das Alte Testament Deutsch
ATh	Arbeiten zur Theologie
AThANT	Abhandlungen zur Theologie des Alten und Neuen Testaments
BA	The Biblical Archaeologist
BagM	Bagdader Mitteilungen
BAL	Berichte über die Verhandlungen der Sächsischen Akademie der Wissenschaften zu Leipzig
BASOR	The Bulletin of the American School of Oriental Research
BBB	Bonner Biblische Beiträge
BFChTh	Beiträge zur Förderung christlicher Theologie
BHH	Biblisch-Historisches Handwörterbuch
BHTh	Beiträge zur historischen Theologie

Bibl	Biblica
BIFAO	Bulletin de l'Institut Français d'Archéologie Orientale
BiOr	Bibliotheca Orientalis
BK	Biblischer Kommentar. Altes Testament, hrsg. v. M. Noth, 1955ff
BSt	Biblische Studien
BuL	Bibel und Leben
BWANT	Beiträge zur Wissenschaft vom Alten und Neuen Testament
BZ	Biblische Zeitschrift
BZAW	Beihefte zur Zeitschrift für die alttestamentliche Wissenschaft
CAD	The Assyrian Dictionary of the Oriental Institute of the University of Chicago, 1956ff
CIH	Inscriptiones Himyariticas et Sabaeas continens. In: Corpus Inscriptionum Semiticarum ab academia inscriptionum et litterarum humaniorum conditum atque digestum. Pars quarta. 1889ff
DBS	Dictionnaire de la Bible. Suppléments
EvTh	Evangelische Theologie
FRLANT	Forschungen zur Religion und Literatur des Alten und Neuen Testaments
HAT	Handbuch zum Alten Testament, hrsg. v. O. Eißfeldt
HSAT	Die Heilige Schrift des Alten Testaments ..., übers. v. E. Kautzsch, 4. Aufl. hrsg. v. A. Bertholet, 1922f
HSS	Harvard Semitic Series
HThR	The Harvard Theological Review
HUCA	Hebrew Union College Annual
JAOS	The Journal of the American Oriental Society
JBL	Journal of Biblical Literature and Exegesis
JCS	Journal of Cuneiform Studies
JNES	Journal of Near Eastern Studies
JQR	The Jewish Quarterly Review
JRAS	Journal of the Royal Asiatic Society of Great Britain
JSS	Journal of Semitic Studies
JThSt	The Journal of Theological Studies
KAI	H. Donner - W. Röllig: Kanaanäische und aramäische Inschriften. 1962-1964
KAT	Kommentar zum Alten Testament, hrsg. v. E. Sellin
KHC	Kurzer Hand-Commentar zum Alten Testament, hrsg. v. K. Marti
KuD	Kerygma und Dogma

LSS	Leipziger Semitistische Studien
LThK	Lexikon für Theologie und Kirche
MAOG	Mitteilungen der Altorientalischen Gesellschaft
Maqlu	Die Beschwörungsserie Maqlû. Zitiert nach G. Meier, AfO Beih 2, 1937
MDOG	Mitteilungen der Deutschen Orientgesellschaft
MIO	Mitteilungen des Instituts für Orientforschung
MVA(e)G	Mitteilungen der Vorderasiatisch(-Ägyptisch)en Gesellschaft
OIP	Oriental Institute Publications
OLZ	Orientalistische Literaturzeitung
Or (NS)	Orientalia (Nova Series)
OTS	Oudtestamentische Studien
PSBA	Proceedings of the Society of Biblical Archaeology
RA	Revue d'Assyriologie et d'Archéologie Orientale
RB	Revue Biblique
RES	Répertoire d'Épigraphie Sémitique publié par la commission du Corpus Inscriptionum Semiticarum sous la direction de Ch. Clermont-Ganneau avec le concours de J.B. Chabot. 1900ff
RGG^3	Die Religion in Geschichte und Gegenwart. 3. Aufl. hrsg. v. K. Galling, 1957ff
RHR	Revue de l'Histoire des Religions
RLA	Reallexikon der Assyriologie, 1932ff
RVV	Religionsgeschichtliche Versuche und Vorarbeiten
SAHG	Sumerische und akkadische Hymnen und Gebete. Hrsg. v. A. Falkenstein u. W. v. Soden. 1953
SAK	F. Thureau-Dangin: Die sumerischen und akkadischen Königsinschriften. VAB 1,1907
SAT	Die Schriften des Alten Testaments in Auswahl, übers. u. erkl. v. H. Gunkel u.a., 2. Aufl. 1920-1925
SAW	Sitzungsberichte der Österreichischen Akademie der Wissenschaften in Wien
SBS	Stuttgarter Bibel Studien
SBM	Stuttgarter Biblische Monographien
SchThU	Schweizer Theologische Umschau
Semitica	Semitica. Cahiers publiées par l'Institut d'Études Sémitiques de l'Université de Paris
StOr	Studia Orientalia (Helsinki)
StTh	Studia Theologica

Šurpu	E. Reiner: Šurpu. AfO Beih 11,1958
Syria	Syria. Rêvue d'art orientale et d'archéologie
TB	Theologische Bücherei
ThA	Theologische Arbeiten
THAT	Theologisches Handwörterbuch zum Alten Testament. Hrsg. v. E. Jenni u. C. Westermann. Bd. I,1971
ThBl	Theologische Blätter
ThGl	Theologie und Glaube
ThLZ	Theologische Literaturzeitung
ThQ	Theologische Quartalschrift
ThR	Theologische Rundschau
ThSt	Theologische Studien. (Hrsg. v. K. Barth)
ThStKr	Theologische Studien und Kritiken
ThW	Theologisches Wörterbuch zum Neuen Testament. Begr. v. G. Kittel, hrsg. v. G. Friedrich, 1933ff
VAB	Vorderasiatische Bibliothek
VT(S)	Vetus Testamentum (Supplementum)
WM	Wörterbuch der Mythologie, hrsg. v. H.W. Haussig, 1965ff
WMANT	Wissenschaftliche Monographien zum Alten und Neuen Testament
WO	Die Welt des Orients
WZ	Wissenschaftliche Zeitschrift
WZKM	Wiener Zeitschrift für die Kunde des Morgenlandes
ZA	Zeitschrift für Assyriologie und verwandte Gebiete
ZÄA	Zeitschrift für Ägyptische Sprache und Altertumskunde
ZAW	Zeitschrift für die alttestamentliche Wissenschaft
ZDMG	Zeitschrift der Deutschen Morgenländischen Gesellschaft
ZvRW	Zeitschrift für vergleichende Rechtswissenschaft
ZThK	Zeitschrift für Theologie und Kirche

allgemein:

Fs.	Festschrift
Ges. St.	Gesammelte Studien
Kl. Schr.	Kleine Schriften
ThAT	Theologie des Alten Testaments